COLLECTION FOLIO

Marcel Proust

A la recherche du temps perdu

II

A l'ombre des jeunes filles en fleurs

Gallimard

*Le texte de la présente édition
est conforme au texte de l'édition de la Pléiade,
revu et établi sur les manuscrits autographes
par Pierre Clarac et André Ferré.*

PREMIÈRE PARTIE

Autour de Mme Swann

Coup de barre et changement de direction dans les carac-
tères. — Le marquis de Norpois. — Bergotte. — Comment
je cesse momentanément de voir Gilberte; première et
légère esquisse du chagrin que cause une séparation et des
progrès irréguliers de l'oubli.

Ma mère, quand il fut question d'avoir pour la première fois M. de Norpois à dîner, ayant exprimé le
regret que le professeur Cottard fût en voyage et qu'elle-
même eût entièrement cessé de fréquenter Swann, car
l'un et l'autre eussent sans doute intéressé l'ancien
Ambassadeur, mon père répondit qu'un convive éminent, un savant illustre, comme Cottard, ne pouvait
jamais mal faire dans un dîner, mais que Swann, avec
son ostentation, avec sa manière de crier sur les toits ses
moindres relations, était un vulgaire esbroufeur que le
marquis de Norpois eût sans doute trouvé, selon son
expression, « puant ». Or cette réponse de mon père
demande quelques mots d'explication, certaines personnes se souvenant peut-être d'un Cottard bien médiocre et d'un Swann poussant jusqu'à la plus extrême
délicatesse, en matière mondaine, la modestie et la
discrétion. Mais pour ce qui regarde celui-ci, il était
arrivé qu'au « fils Swann » et aussi au Swann du Jockey,
l'ancien ami de mes parents avait ajouté une personnalité nouvelle (et qui ne devait pas être la dernière), celle
de mari d'Odette. Adaptant aux humbles ambitions de
cette femme l'instinct, le désir, l'industrie, qu'il avait
toujours eus, il s'était ingénié à se bâtir, fort au-dessous
de l'ancienne, une position nouvelle et appropriée à la

compagne qui l'occuperait avec lui. Or il s'y montrait
un autre homme. Puisque (tout en continuant à fréquenter seul ses amis personnels, à qui il ne voulait pas
imposer Odette quand ils ne lui demandaient pas spontanément à la connaître) c'était une seconde vie qu'il
commençait, en commun avec sa femme, au milieu d'êtres
nouveaux, on eût encore compris que pour mesurer le
rang de ceux-ci, et par conséquent le plaisir d'amour-
propre qu'il pouvait éprouver à les recevoir, il se fût
servi comme point de comparaison non pas des gens les
plus brillants qui formaient sa société avant son mariage,
mais des relations antérieures d'Odette. Mais, même
quand on savait que c'était avec d'inélégants fonctionnaires, avec des femmes tarées, parure des bals de minis-
tères, qu'il désirait de se lier, on était étonné de l'entendre, lui qui autrefois et même encore aujourd'hui
dissimulait si gracieusement une invitation de Twicken-
ham ou de Buckingham Palace, faire sonner bien haut
que la femme d'un sous-chef de cabinet était venue rendre
sa visite à Mme Swann. On dira peut-être que cela tenait
à ce que la simplicité du Swann élégant n'avait été chez
lui qu'une forme plus raffinée de la vanité et que, comme
certains israélites, l'ancien ami de mes parents avait pu
présenter tour à tour les états successifs par où avaient
passé ceux de sa race, depuis le snobisme le plus naïf et
la plus grossière goujaterie jusqu'à la plus fine politesse.
Mais la principale raison, et celle-là applicable à l'humanité en général, était que nos vertus elles-mêmes ne sont
pas quelque chose de libre, de flottant, de quoi nous
gardions la disponibilité permanente ; elles finissent par
s'associer si étroitement dans notre esprit avec les actions
à l'occasion desquelles nous nous sommes fait un devoir
de les exercer, que si surgit pour nous une activité d'un
autre ordre, elle nous prend au dépourvu et sans que nous
ayons seulement l'idée qu'elle pourrait comporter la
mise en œuvre de ces mêmes vertus. Swann empressé

avec ces nouvelles relations et les citant avec fierté, était comme ces grands artistes modestes ou généreux qui, s'ils se mettent à la fin de leur vie à se mêler de cuisine ou de jardinage, étalent une satisfaction naïve des louanges qu'on donne à leurs plats ou à leurs plates-bandes pour lesquels ils n'admettent pas la critique qu'ils acceptent aisément s'il s'agit de leurs chefs-d'œuvre ; ou bien qui, donnant une de leurs toiles pour rien, ne peuvent en revanche sans mauvaise humeur perdre quarante sous aux dominos.

Quant au professeur Cottard, on le reverra, longuement, beaucoup plus loin, chez la Patronne, au château de la Raspelière. Qu'il suffise actuellement, à son égard, de faire observer d'abord ceci : pour Swann, à la rigueur, le changement peut surprendre puisqu'il était accompli et non soupçonné de moi quand je voyais le père de Gilberte aux Champs-Élysées, où d'ailleurs ne m'adressant pas la parole il ne pouvait faire étalage devant moi de ses relations politiques (il est vrai que s'il l'eût fait, je ne me fusse peut-être pas aperçu tout de suite de sa vanité, car l'idée qu'on s'est faite longtemps d'une personne bouche les yeux et les oreilles ; ma mère pendant trois ans ne distingua pas plus le fard qu'une de ses nièces se mettait aux lèvres que s'il eût été invisiblement dissous dans un liquide ; jusqu'au jour où une parcelle supplémentaire, ou bien quelque autre cause amena le phénomène appelé sursaturation ; tout le fard non aperçu cristallisa, et ma mère devant cette débauche soudaine de couleurs déclara, comme on eût fait à Combray, que c'était une honte, et cessa presque toute relation avec sa nièce). Mais pour Cottard au contraire, l'époque où on l'a vu assister aux débuts de Swann chez les Verdurin était déjà assez lointaine ; or les honneurs, les titres officiels viennent avec les années. Deuxièmement, on peut être illettré, faire des calembours stupides, et posséder un don particulier qu'aucune culture générale ne rem-

place, comme le don du grand stratège ou du grand
clinicien. Ce n'est pas seulement en effet comme un
praticien obscur, devenu, à la longue, notoriété européenne, que ses confrères considéraient Cottard. Les
plus intelligents d'entre les jeunes médecins déclarèrent
— au moins pendant quelques années, car les modes
changent, étant nées elles-mêmes du besoin de changement — que si jamais ils tombaient malades, Cottard
était le seul maître auquel ils confieraient leur peau.
Sans doute ils préféraient le commerce de certains chefs
plus lettrés, plus artistes, avec lesquels ils pouvaient
parler de Nietzsche, de Wagner. Quand on faisait de la
musique chez Mme Cottard, aux soirées où elle recevait,
avec l'espoir qu'il devînt un jour doyen de la Faculté,
les collègues et les élèves de son mari, celui-ci, au lieu
d'écouter, préférait jouer aux cartes dans un salon voisin.
Mais on vantait la promptitude, la profondeur, la sûreté
de son coup d'œil, de son diagnostic. En troisième lieu,
en ce qui concerne l'ensemble de façons que le professeur
Cottard montrait à un homme comme mon père, remar-
quons que la nature que nous faisons paraître dans la
seconde partie de notre vie n'est pas toujours, si elle l'est
souvent, notre nature première développée ou flétrie,
grossie ou atténuée; elle est quelquefois une nature
inverse, un véritable vêtement retourné. Sauf chez les
Verdurin qui s'étaient engoués de lui, l'air hésitant de
Cottard, sa timidité, son amabilité excessives, lui avaient,
dans sa jeunesse, valu de perpétuels brocards. Quel ami
charitable lui conseilla l'air glacial? L'importance de sa
situation lui rendit plus aisé de le prendre. Partout, sinon
chez les Verdurin où il redevenait instinctivement lui-
même, il se rendit froid, volontiers silencieux, péremptoire quand il fallait parler, n'oubliant pas de dire des
choses désagréables. Il put faire l'essai de cette nouvelle
attitude devant des clients qui, ne l'ayant pas encore vu,
n'étaient pas à même de faire des comparaisons et eussent

été bien étonnés d'apprendre qu'il n'était pas un homme d'une rudesse naturelle. C'est surtout à l'impassibilité qu'il s'efforçait, et même dans son service d'hôpital, quand il débitait quelques-uns de ces calembours qui faisaient rire tout le monde, du chef de clinique au plus récent externe, il le faisait toujours sans qu'un muscle bougeât dans sa figure d'ailleurs méconnaissable depuis qu'il avait rasé barbe et moustaches.

Disons pour finir qui était le marquis de Norpois. Il avait été ministre plénipotentiaire avant la guerre et ambassadeur au Seize Mai, et, malgré cela, au grand étonnement de beaucoup, chargé plusieurs fois, depuis, de représenter la France dans des missions extraordinaires — et même comme contrôleur de la Dette, en Égypte, où grâce à ses grandes capacités financières il avait rendu d'importants services — par des cabinets radicaux qu'un simple bourgeois réactionnaire se fût refusé à servir, et auxquels le passé de M. de Norpois, ses attaches, ses opinions eussent dû le rendre suspect. Mais ces ministres avancés semblaient se rendre compte qu'ils montraient par une telle désignation quelle largeur d'esprit était la leur dès qu'il s'agissait des intérêts supérieurs de la France, se mettaient hors de pair des hommes politiques en méritant que le *Journal des Débats* lui-même les qualifiât d'hommes d'État, et bénéficiaient enfin du prestige qui s'attache à un nom aristocratique et de l'intérêt qu'éveille comme un coup de théâtre un choix inattendu. Et ils savaient aussi que ces avantages ils pouvaient, en faisant appel à M. de Norpois, les recueillir sans avoir à craindre de celui-ci un manque de loyalisme politique contre lequel la naissance du marquis devait non pas les mettre en garde, mais les garantir. Et en cela le gouvernement de la République ne se trompait pas. C'est d'abord parce qu'une certaine aristocratie, élevée dès l'enfance à considérer son nom comme un avantage intérieur que rien ne peut lui enlever (et dont ses pairs, ou ceux qui sont de naissance plus haute encore, connaissent assez exactement la valeur), sait qu'elle peut s'éviter, car ils ne lui ajouteraient rien, les efforts que sans résultat ultérieur appréciable font tant de bourgeois pour ne professer que des opinions bien portées et ne fréquenter que des gens bien pensants. En revanche, soucieuse de se grandir aux yeux des familles princières ou ducales au-dessous desquelles elle est immédiatement située, cette aristocratie sait qu'elle ne le peut qu'en augmentant son nom de ce qu'il ne contenait pas, de ce qui fait qu'à nom égal, elle prévaudra : une influence politique, une réputation littéraire ou artistique, une grande fortune. Et les frais dont elle se dispense à l'égard de l'inutile hobereau recherché des bourgeois et de la stérile amitié duquel un prince ne lui saurait aucun gré, elle les prodiguera aux hommes politiques, fussent-ils francs-maçons, qui peuvent faire arriver dans les ambassades ou patronner dans les élections, aux artistes ou aux savants dont l'appui aide à « percer » dans la branche où ils priment, à tous ceux enfin qui sont en mesure de conférer une illustration nouvelle ou de faire réussir un riche mariage.

Mais en ce qui concernait M. de Norpois, il y avait surtout que, dans une longue pratique de la diplomatie, il s'était imbu de cet esprit négatif, routinier, conservateur, dit « esprit de gouvernement » et qui est, en effet, celui de tous les gouvernements et, en particulier, sous tous les gouvernements, l'esprit des chancelleries. Il avait puisé dans la Carrière l'aversion, la crainte et le mépris de ces procédés plus ou moins révolutionnaires, et à tout le moins incorrects, que sont les procédés des oppositions. Sauf chez quelques illettrés du peuple et du monde, pour qui la différence des genres est lettre morte, ce qui rapproche, ce n'est pas la communauté des opinions, c'est la consanguinité des esprits. Un académicien du genre de Legouvé et qui serait partisan des

classiques, eût applaudi plus volontiers à l'éloge de
Victor Hugo par Maxime Du Camp ou Mézières, qu'à
celui de Boileau par Claudel. Un même nationalisme
suffit à rapprocher Barrès de ses électeurs qui ne doivent
pas faire grande différence entre lui et M. Georges
Berry, mais non de ceux de ses collègues de l'Académie
qui, ayant ses opinions politiques mais un autre genre
d'esprit, lui préféreront même des adversaires comme
MM. Ribot et Deschanel, dont à leur tour de fidèles
monarchistes se sentent beaucoup plus près que de
Maurras et de Léon Daudet qui souhaitent cependant
aussi le retour du Roi. Avare de ses mots, non seulement
par pli professionnel de prudence et de réserve, mais
aussi parce qu'ils ont plus de prix, offrent plus de nuances
aux yeux d'hommes dont les efforts de dix années pour
rapprocher deux pays se résument, se traduisent — dans
un discours, dans un protocole — par un simple adjectif,
banal en apparence, mais où ils voient tout un monde,
M. de Norpois passait pour très froid à la Commission,
où il siégeait à côté de mon père et où chacun félicitait
celui-ci de l'amitié que lui témoignait l'ancien ambassadeur. Elle étonnait mon père tout le premier. Car étant
généralement peu aimable, il avait l'habitude de n'être
pas recherché en dehors du cercle de ses intimes et
l'avouait avec simplicité. Il avait conscience qu'il y avait
dans les avances du diplomate un effet de ce point de vue
tout individuel où chacun se place pour décider de ses
sympathies, et d'où toutes les qualités intellectuelles ou
la sensibilité d'une personne ne seront pas auprès de
l'un de nous qu'elle ennuie ou agace une aussi bonne
recommandation que la rondeur et la gaieté d'une autre
qui passerait, aux yeux de beaucoup, pour vide, frivole
et nulle. « De Norpois m'a invité de nouveau à dîner ;
c'est extraordinaire ; tout le monde en est stupéfait à la
Commission où il n'a de relations privées avec personne.
Je suis sûr qu'il va encore me raconter des choses palpi-

tantes sur la guerre de 70. » Mon père savait que seul,
peut-être, M. de Norpois avait averti l'Empereur de la
puissance grandissante et des intentions belliqueuses de
la Prusse, et que Bismarck avait pour son intelligence
une estime particulière. Dernièrement encore à l'Opéra,
pendant le gala offert au roi Théodose, les journaux
avaient remarqué l'entretien prolongé que le souverain
avait accordé à M. de Norpois. « Il faudra que je sache
si cette visite du roi a vraiment de l'importance, nous dit
mon père qui s'intéressait beaucoup à la politique étrangère. Je sais bien que le père Norpois est très boutonné,
mais avec moi il s'ouvre si gentiment. »

Quant à ma mère, peut-être l'Ambassadeur n'avait-il
pas par lui-même le genre d'intelligence vers lequel elle
se sentait le plus attirée. Et je dois dire que la conversation de M. de Norpois était un répertoire si complet
des formes surannées du langage particulières à une
carrière, à une classe et à un temps — un temps qui,
pour cette carrière et cette classe-là, pourrait bien ne
pas être tout à fait aboli — que je regrette parfois de
n'avoir pas retenu purement et simplement les propos que
je lui ai entendu tenir. J'aurais ainsi obtenu un effet de
démodé, à aussi bon compte et de la même façon que
cet acteur du Palais-Royal à qui on demandait où il
pouvait trouver ses surprenants chapeaux et qui répondait : « Je ne trouve pas mes chapeaux. Je les garde. »
En un mot, je crois que ma mère jugeait M. de Norpois
un peu « vieux jeu », ce qui était loin de lui sembler
déplaisant au point de vue des manières, mais la char-
mait moins dans le domaine, sinon des idées — car
celles de M. de Norpois étaient fort modernes — mais
des expressions. Seulement, elle sentait que c'était
flatter délicatement son mari que de lui parler avec admiration du diplomate qui lui marquait une prédilection
si rare. En fortifiant dans l'esprit de mon père la bonne
opinion qu'il avait de M. de Norpois, et par là en le

conduisant à en prendre une bonne aussi de lui-même,
elle avait conscience de remplir celui de ses devoirs qui
consistait à rendre la vie agréable à son époux, comme
elle faisait quand elle veillait à ce que la cuisine fût soignée et le service silencieux. Et comme elle était incapable de mentir à mon père, elle s'entraînait elle-même
à admirer l'Ambassadeur pour pouvoir le louer avec
sincérité. D'ailleurs, elle goûtait naturellement son air
de bonté, sa politesse un peu désuète (et si cérémonieuse
que quand, marchant en redressant sa haute taille, il
apercevait ma mère qui passait en voiture, avant de lui
envoyer un coup de chapeau, il jetait au loin un cigare
à peine commencé), sa conversation si mesurée, où il
parlait de lui-même le moins possible et tenait toujours
compte de ce qui pouvait être agréable à l'interlocuteur,
sa ponctualité tellement surprenante à répondre à une
lettre que quand, venant de lui en envoyer une, mon
père reconnaissait l'écriture de M. de Norpois sur une
enveloppe, son premier mouvement était de croire que
par mauvaise chance leur correspondance s'était croisée :
on eût dit qu'il existait, pour lui, à la poste, des levées
supplémentaires et de luxe. Ma mère s'émerveillait qu'il
fût si exact quoique si occupé, si aimable quoique si
répandu, sans songer que les « quoique » sont toujours
des « parce que » méconnus, et que (de même que les
vieillards sont étonnants pour leur âge, les rois pleins
de simplicité, et les provinciaux au courant de tout)
c'étaient les mêmes habitudes qui permettaient à M. de
Norpois de satisfaire à tant d'occupations et d'être si
ordonné dans ses réponses, de plaire dans le monde et
d'être aimable avec nous. De plus, l'erreur de ma mère,
comme celle de toutes les personnes qui ont trop de
modestie, venait de ce qu'elle mettait les choses qui la
concernaient au-dessous, et par conséquent en dehors
des autres. La réponse qu'elle trouvait que l'ami de mon
père avait eu tant de mérite à nous adresser rapidement

parce qu'il écrivait par jour beaucoup de lettres, elle
l'exceptait de ce grand nombre de lettres dont ce n'était
que l'une ; de même elle ne considérait pas qu'un dîner
chez nous fût pour M. de Norpois un des actes innombrables de sa vie sociale : elle ne songeait pas que l'Ambassadeur avait été habitué autrefois dans la diplomatie à
considérer les dîners en ville comme faisant partie de
ses fonctions, et à déployer une grâce invétérée dont
c'eût été trop lui demander que de se départir par extraordinaire quand il venait chez nous.

Le premier dîner que M. de Norpois fit à la maison,
une année où je jouais encore aux Champs-Élysées, est
resté dans ma mémoire, parce que l'après-midi de ce
même jour fut celui où j'allai enfin entendre la Berma,
en « matinée », dans *Phèdre*, et aussi parce qu'en causant
avec M. de Norpois je me rendis compte tout d'un coup,
et d'une façon nouvelle, combien les sentiments éveillés
en moi par tout ce qui concernait Gilberte Swann et ses
parents différaient de ceux que cette même famille faisait
éprouver à n'importe quelle autre personne.

Ce fut sans doute en remarquant l'abattement où me
plongeait l'approche des vacances du jour de l'an pendant lesquelles, comme elle me l'avait annoncé elle-
même, je ne devais pas voir Gilberte, qu'un jour, pour
me distraire, ma mère me dit : « Si tu as encore le même
grand désir d'entendre la Berma, je crois que ton père
permettrait peut-être que tu y ailles : ta grand'mère
pourrait t'y emmener. »

Mais c'était parce que M. de Norpois lui avait dit qu'il
devrait me laisser entendre la Berma, que c'était, pour un
jeune homme, un souvenir à garder, que mon père, jusque-
là si hostile à ce que j'allasse perdre mon temps et risquer
de prendre du mal pour ce qu'il appelait, au grand scan-
dale de ma grand'mère, des inutilités, n'était plus loin de
considérer cette soirée préconisée par l'Ambassadeur
comme faisant vaguement partie d'un ensemble de

recettes précieuses pour la réussite d'une brillante carrière. Ma grand'mère qui, en renonçant pour moi au profit que, selon elle, j'aurais trouvé à entendre la Berma, avait fait un gros sacrifice à l'intérêt de ma santé, s'étonnait que celui-ci devînt négligeable sur une seule parole de M. de Norpois. Mettant ses espérances invincibles de rationaliste dans le régime de grand air et de coucher de bonne heure qui m'avait été prescrit, elle déplorait comme un désastre cette infraction que j'allais y faire et, sur un ton navré, disait : « Comme vous êtes léger » à mon père qui, furieux, répondait : « Comment, c'est vous maintenant qui ne voulez pas qu'il y aille ! c'est un peu fort, vous qui nous répétiez tout le temps que cela pouvait lui être utile. »

Mais M. de Norpois avait changé sur un point bien plus important pour moi, les intentions de mon père. Celui-ci avait toujours désiré que je fusse diplomate, et je ne pouvais supporter l'idée que, même si je devais rester quelque temps attaché au ministère, je risquasse d'être envoyé un jour comme ambassadeur dans des capitales que Gilberte n'habiterait pas. J'aurais préféré revenir aux projets littéraires que j'avais autrefois formés et abandonnés au cours de mes promenades du côté de Guermantes. Mais mon père avait fait une constante opposition à ce que je me destinasse à la carrière des lettres qu'il estimait fort inférieure à la diplomatie, lui refusant même le nom de carrière, jusqu'au jour où M. de Norpois, qui n'aimait pas beaucoup les agents diplomatiques des nouvelles couches, lui avait assuré qu'on pouvait, comme écrivain, s'attirer autant de considération, exercer autant d'action et garder plus d'indépendance que dans les ambassades.

« Hé bien ! je ne l'aurais pas cru, le père Norpois n'est pas du tout opposé à l'idée que tu fasses de la littérature », m'avait dit mon père. Et comme, assez influent lui-même, il croyait qu'il n'y avait rien qui ne s'arrangeât, ne trouvât sa solution favorable dans la conversation des gens impor-

tants : « Je le ramènerai dîner un de ces soirs en sortant
de la Commission. Tu causeras un peu avec lui, pour
qu'il puisse t'apprécier. Écris quelque chose de bien que
tu puisses lui montrer ; il est très lié avec le directeur de
la *Revue des Deux Mondes*, il t'y fera entrer, il réglera cela,
c'est un vieux malin ; et, ma foi, il a l'air de trouver que la
diplomatie, aujourd'hui!... »

Le bonheur que j'aurais à ne pas être séparé de Gilberte
me rendait désireux mais non capable d'écrire une belle
chose qui pût être montrée à M. de Norpois. Après
quelques pages préliminaires, l'ennui me faisant tomber
la plume des mains, je pleurais de rage en pensant que je
n'aurais jamais de talent, que je n'étais pas doué et ne
pourrais même pas profiter de la chance que la prochaine
venue de M. de Norpois m'offrait de rester toujours à
Paris. Seule l'idée qu'on allait me laisser entendre la
Berma me distrayait de mon chagrin. Mais de même que
je ne souhaitais voir des tempêtes que sur les côtes où elles
étaient le plus violentes, de même je n'aurais voulu
entendre la grande actrice que dans un de ces rôles classiques où Swann m'avait dit qu'elle touchait au sublime.
Car quand c'est dans l'espoir d'une découverte précieuse
que nous désirons recevoir certaines impressions de nature ou d'art, nous avons quelque scrupule à laisser notre
âme accueillir à leur place des impressions moindres qui
pourraient nous tromper sur la valeur exacte du Beau. La
Berma dans *Andromaque*, dans *les Caprices de Marianne*,
dans *Phèdre*, c'était de ces choses fameuses que mon imagination avait tant désirées. J'aurais le même ravissement
que le jour où une gondole m'emmènerait au pied du
Titien des Frari ou des Carpaccio de San Giorgio dei
Schiavoni, si jamais j'entendais réciter par la Berma les
vers :

> On dit qu'un prompt départ vous éloigne de nous,
> Seigneur, etc.

Je les connaissais par la simple reproduction en noir et blanc qu'en donnent les éditions imprimées ; mais mon cœur battait quand je pensais, comme à la réalisation d'un voyage, que je les verrais enfin baigner effectivement dans l'atmosphère et l'ensoleillement de la voix dorée. Un Carpaccio à Venise, la Berma dans *Phèdre*, chefs-d'œuvre d'art pictural ou dramatique que le prestige qui s'attachait à eux rendait en moi si vivants, c'est-à-dire si indivisibles, que, si j'avais été voir des Carpaccio dans une salle du Louvre ou la Berma dans quelque pièce dont je n'aurais jamais entendu parler, je n'aurais plus éprouvé le même étonnement délicieux d'avoir enfin les yeux ouverts devant l'objet inconcevable et unique de tant de milliers de mes rêves. Puis, attendant du jeu de la Berma des révélations sur certains aspects de la noblesse, de la douleur, il me semblait que ce qu'il y avait de grand, de réel dans ce jeu, devait l'être davantage si l'actrice le superposait à une œuvre d'une valeur véritable au lieu de broder en somme du vrai et du beau sur une trame médiocre et vulgaire.

Enfin, si j'allais entendre la Berma dans une pièce nouvelle, il ne me serait pas facile de juger de son art, de sa diction, puisque je ne pourrais pas faire le départ entre un texte que je ne connaîtrais pas d'avance et ce que lui ajouteraient des intonations et des gestes qui me sembleraient faire corps avec lui ; tandis que les œuvres anciennes que je savais par cœur, m'apparaissaient comme de vastes espaces réservés et tout prêts où je pourrais apprécier en pleine liberté les inventions dont la Berma les couvrirait, comme à fresque, des perpétuelles trouvailles de son inspiration. Malheureusement, depuis des années qu'elle avait quitté les grandes scènes et faisait la fortune d'un théâtre de boulevard dont elle était l'étoile, elle ne jouait plus de classique, et j'avais beau consulter les affiches, elles n'annonçaient jamais que des pièces toutes récentes, fabriquées exprès pour elle par des auteurs en vogue ;

quand un matin, cherchant sur la colonne des théâtres les matinées de la semaine du jour de l'an, j'y vis pour la première fois — en fin de spectacle, après un lever de rideau probablement insignifiant dont le titre me sembla opaque parce qu'il contenait tout le particulier d'une action que j'ignorais — deux actes de *Phèdre* avec Mme Berma, et aux matinées suivantes *le Demi-Monde, les Caprices de Marianne*, noms qui, comme celui de *Phèdre*, étaient pour moi transparents, remplis seulement de clarté, tant l'œuvre m'était connue, illuminés jusqu'au fond d'un sourire d'art. Ils me parurent ajouter de la noblesse à Mme Berma elle-même quand je lus dans les journaux, après le programme de ces spectacles, que c'était elle qui avait résolu de se montrer de nouveau au public dans quelques-unes de ses anciennes créations. Donc, l'artiste savait que certains rôles ont un intérêt qui survit à la nouveauté de leur apparition ou au succès de leur reprise, elle les considérait, interprétés par elle, comme des chefs-d'œuvre de musée qu'il pouvait être instructif de remettre sous les yeux de la génération qui l'y avait admirée ou de celle qui ne l'y avait pas vue. En faisant afficher ainsi, au milieu de pièces qui n'étaient destinées qu'à faire passer le temps d'une soirée, *Phèdre*, dont le titre n'était pas plus long que les leurs et n'était pas imprimé en caractères différents, elle y ajoutait comme le sous-entendu d'une maîtresse de maison qui, en vous présentant à ses convives au moment d'aller à table, vous dit au milieu des noms d'invités qui ne sont que des invités, et sur le même ton qu'elle a cité les autres : M. Anatole France.

Le médecin qui me soignait — celui qui m'avait défendu tout voyage — déconseilla à mes parents de me laisser aller au théâtre ; j'en reviendrais malade, pour longtemps peut-être, et j'aurais en fin de compte plus de souffrance que de plaisir. Cette crainte eût pu m'arrêter si ce que j'avais attendu d'une telle représentation eût été

seulement un plaisir qu'en somme une souffrance ulté-
rieure peut annuler, par compensation. Mais — de même
qu'au voyage à Balbec, au voyage à Venise que j'avais
tant désirés — ce que je demandais à cette matinée,
c'était tout autre chose qu'un plaisir : des vérités appartenant à un monde plus réel que celui où je vivais, et
desquelles l'acquisition une fois faite ne pourrait pas
m'être enlevée par des incidents insignifiants, fussent-ils
douloureux à mon corps, de mon oiseuse existence. Tout
au plus, le plaisir que j'aurais pendant le spectacle m'ap-
paraissait-il comme la forme peut-être nécessaire de la
perception de ces vérités ; et c'était assez pour que je
souhaitasse que les malaises prédits ne commençassent
qu'une fois la représentation finie, afin qu'il ne fût pas
par eux compromis et faussé. J'implorais mes parents,
qui, depuis la visite du médecin, ne voulaient plus me
permettre d'aller à *Phèdre*. Je me récitais sans cesse la
tirade :

> *On dit qu'un prompt départ vous éloigne de nous...*

cherchant toutes les intonations qu'on pouvait y mettre,
afin de mieux trouver l'inattendu de celle que la Berma
trouverait. Cachée comme le Saint des Saints sous le
rideau qui me la dérobait et derrière lequel je lui prêtais
à chaque instant un aspect nouveau, selon ceux des mots
de Bergotte — dans la plaquette retrouvée par Gilberte
— qui me revenaient à l'esprit : « noblesse plastique,
cilice chrétien, pâleur janséniste, princesse de Trézène
et de Clèves, drame mycénien, symbole delphique, mythe
solaire », la divine Beauté que devait me révéler le jeu de
la Berma, nuit et jour, sur un autel perpétuellement al-
lumé, trônait au fond de mon esprit, de mon esprit dont
mes parents sévères et légers allaient décider s'il enfer-
merait ou non, et pour jamais, les perfections de la Déesse
dévoilée à cette même place où se dressait sa forme invisible. Et les yeux fixés sur l'image inconcevable, je luttais

du matin au soir contre les obstacles que ma famille
m'opposait. Mais quand ils furent tombés, quand ma mère
— bien que cette matinée eût lieu précisément le jour de
la séance de la Commission après laquelle mon père devait
ramener dîner M. de Norpois — m'eût dit : « Hé bien,
nous ne voulons pas te chagriner, si tu crois que tu auras
tant de plaisir, il faut y aller », quand cette journée de
théâtre, jusque-là défendue, ne dépendit plus que de moi,
alors, pour la première fois, n'ayant plus à m'occuper
qu'elle cessât d'être impossible, je me demandai si elle
était souhaitable, si d'autres raisons que la défense de mes
parents n'auraient pas dû m'y faire renoncer. D'abord,
après avoir détesté leur cruauté, leur consentement me les
rendait si chers que l'idée de leur faire de la peine m'en
causait à moi-même une, à travers laquelle la vie ne m'apparaissait plus comme ayant pour but la vérité, mais la
tendresse, et ne me semblait plus bonne ou mauvaise que
selon que mes parents seraient heureux ou malheureux.
« J'aimerais mieux ne pas y aller, si cela doit vous affliger »,
dis-je à ma mère qui, au contraire, s'efforçait de m'ôter
cette arrière-pensée qu'elle pût en être triste, laquelle,
disait-elle, gâterait ce plaisir que j'aurais à *Phèdre* et en
considération duquel elle et mon père étaient revenus
sur leur défense. Mais alors cette sorte d'obligation d'avoir
du plaisir me semblait bien lourde. Puis si je rentrais
malade, serais-je guéri assez vite pour pouvoir aller aux
Champs-Élysées, les vacances finies, aussitôt qu'y retour-
nerait Gilberte ? A toutes ces raisons, je confrontais, pour
décider ce qui devait l'emporter, l'idée, invisible derrière
son voile, de la perfection de la Berma. Je mettais dans un
des plateaux de la balance « sentir maman triste, risquer
de ne pas pouvoir aller aux Champs-Élysées », dans l'autre,
« pâleur janséniste, mythe solaire » ; mais ces mots eux-
mêmes finissaient par s'obscurcir devant mon esprit, ne
me disaient plus rien, perdaient tout poids ; peu à peu
mes hésitations devenaient si douloureuses que si j'avais

maintenant opté pour le théâtre, ce n'eût plus été que pour les faire cesser et en être délivré une fois pour toutes. C'eût été pour abréger ma souffrance, et non plus dans l'espoir d'un bénéfice intellectuel et en cédant à l'attrait de la perfection, que je me serais laissé conduire non vers la Sage Déesse, mais vers l'implacable Divinité sans visage et sans nom qui lui avait été subrepticement substituée sous son voile. Mais brusquement tout fut changé, mon désir d'aller entendre la Berma reçut un coup de fouet nouveau qui me permit d'attendre dans l'impatience et dans la joie cette « matinée » : étant allé faire devant la colonne des théâtres ma station quotidienne, depuis peu si cruelle, de stylite, j'avais vu, tout humide encore, l'affiche détaillée de *Phèdre* qu'on venait de coller pour la première fois (et où, à vrai dire, le reste de la distribution ne m'apportait aucun attrait nouveau qui pût me décider). Mais elle donnait à l'un des buts entre lesquels oscillait mon indécision une forme plus concrète et — comme l'affiche était datée non du jour où je la lisais, mais de celui où la représentation aurait lieu, et de l'heure même du lever du rideau — presque imminente, déjà en voie de réalisation, si bien que je sautai de joie devant la colonne en pensant que ce jour-là, exactement à cette heure, je serais prêt à entendre la Berma, assis à ma place ; et de peur que mes parents n'eussent plus le temps d'en trouver deux bonnes pour ma grand'mère et pour moi, je ne fis qu'un bond jusqu'à la maison, cinglé que j'étais par ces mots magiques qui avaient remplacé dans ma pensée « pâleur janséniste » et « mythe solaire » : « Les dames ne seront pas reçues à l'orchestre en chapeau, les portes seront fermées à deux heures. »

Hélas ! cette première matinée fut une grande déception. Mon père nous proposa de nous déposer ma grand'mère et moi au théâtre, en se rendant à sa Commission. Avant de quitter la maison, il dit à ma mère : « Tâche d'avoir un bon dîner ; tu te rappelles que je dois ramener de Nor-

pois ? » Ma mère ne l'avait pas oublié. Et depuis la veille,
Françoise, heureuse de s'adonner à cet art de la cuisine
pour lequel elle avait certainement un don, stimulée,
d'ailleurs, par l'annonce d'un convive nouveau, et sachant
qu'elle aurait à composer, selon des méthodes sues d'elle
seule, du bœuf à la gelée, vivait dans l'effervescence de la
création ; comme elle attachait une importance extrême
à la qualité intrinsèque des matériaux qui devaient entrer
dans la fabrication de son œuvre, elle allait elle-même aux
Halles se faire donner les plus beaux carrés de romsteck,
de jarret de bœuf, de pied de veau, comme Michel-Ange
passant huit mois dans les montagnes de Carrare à choisir
les blocs de marbre les plus parfaits pour le monument
de Jules II. Françoise dépensait dans ces allées et venues
une telle ardeur que maman voyant sa figure enflammée
craignait que notre vieille servante ne tombât malade de
surmenage comme l'auteur du Tombeau des Médicis dans
les carrières de Pietrasanta. Et dès la veille Françoise
avait envoyé cuire dans le four du boulanger, protégé de
mie de pain, comme du marbre rose, ce qu'elle appelait
du jambon de Nev'York. Croyant la langue moins riche
qu'elle n'est et ses propres oreilles peu sûres, sans doute
la première fois qu'elle avait entendu parler de jambon
d'York avait-elle cru — trouvant d'une prodigalité invrai-
semblable dans le vocabulaire qu'il pût exister à la fois
York et New York — qu'elle avait mal entendu et qu'on
avait voulu dire le nom qu'elle connaissait déjà. Aussi,
depuis, le mot d'York se faisait précéder dans ses oreilles
ou devant ses yeux, si elle lisait une annonce, de : New
qu'elle prononçait Nev'. Et c'est de la meilleure foi du
monde qu'elle disait à sa fille de cuisine : « Allez me chercher du jambon chez Olida. Madame m'a bien recommandé que ce soit du Nev'York. »
    Ce jour-là, si Françoise avait la brûlante certitude des
grands créateurs, mon lot était la cruelle inquiétude du
chercheur. Sans doute, tant que je n'eus pas entendu la

Berma, j'éprouvai du plaisir. J'en éprouvai dans le petit square qui précédait le théâtre et dont, deux heures plus tard, les marronniers dénudés allaient luire avec des reflets métalliques dès que les becs de gaz allumés éclaireraient le détail de leurs ramures ; devant les employés du contrôle, desquels le choix, l'avancement, le sort, dépendaient de la grande artiste — qui seule détenait le pouvoir dans cette administration à la tête de laquelle des directeurs éphémères et purement nominaux se succédaient obscurément — et qui prirent nos billets sans nous regarder, agités qu'ils étaient de savoir si toutes les prescriptions de Mme Berma avaient bien été transmises au personnel nouveau, s'il était bien entendu que la claque ne devait jamais applaudir pour elle, que les fenêtres devaient être ouvertes tant qu'elle ne serait pas en scène et la moindre porte fermée après, un pot d'eau chaude dissimulé près d'elle pour faire tomber la poussière du plateau : et, en effet, dans un moment sa voiture attelée de deux chevaux à longue crinière allait s'arrêter devant le théâtre, elle en descendrait enveloppée dans des fourrures, et, répondant d'un geste maussade aux saluts, elle enverrait une de ses suivantes s'informer de l'avant-scène qu'on avait réservée pour ses amis, de la température de la salle, de la composition des loges, de la tenue des ouvreuses, théâtre et public n'étant pour elle qu'un second vêtement plus extérieur dans lequel elle entrerait et le milieu plus ou moins bon conducteur que son talent aurait à traverser. Je fus heureux aussi dans la salle même ; depuis que je savais que (contrairement à ce que m'avaient si longtemps représenté mes imaginations enfantines — il n'y avait qu'une scène pour tout le monde, je pensais qu'on devait être empêché de bien voir par les autres spectateurs comme on l'est au milieu d'une foule ; or je me rendis compte qu'au contraire, grâce à une disposition qui est comme le symbole de toute perception, chacun se sent le centre du théâtre ; ce qui m'expliqua qu'une fois

qu'on avait envoyé Françoise voir un mélodrame aux
troisièmes galeries, elle avait assuré en rentrant que sa
place était la meilleure qu'on pût avoir, et au lieu de se
trouver trop loin, s'était sentie intimidée par la proximité
mystérieuse et vivante du rideau. Mon plaisir s'accrut
encore quand je commençai à distinguer derrière ce
rideau baissé des bruits confus comme on en entend sous
la coquille d'un œuf quand le poussin va sortir, qui bientôt grandirent, et tout à coup, de ce monde impénétrable
à notre regard, mais qui nous voyait du sien, s'adressèrent
indubitablement à nous sous la forme impérieuse de trois
coups aussi émouvants que des signaux venus de la
planète Mars. Et — ce rideau une fois levé — quand sur
la scène une table à écrire et une cheminée, assez ordi-
naires d'ailleurs, signifièrent que les personnages qui
allaient entrer seraient, non pas des acteurs venus pour
réciter comme j'en avais vu une fois en soirée, mais des
hommes en train de vivre chez eux un jour de leur vie
dans laquelle je pénétrais par effraction sans qu'ils pussent
me voir, mon plaisir continua de durer ; il fut interrompu
par une courte inquiétude : juste comme je dressais
l'oreille avant que commençât la pièce, deux hommes
entrèrent sur la scène, bien en colère, puisqu'ils parlaient
assez fort pour que dans cette salle où il y avait plus de
mille personnes on distinguât toutes leurs paroles, tandis
que dans un petit café on est obligé de demander au garçon
ce que disent deux individus qui se collettent ; mais dans
le même instant, étonné de voir que le public les entendait sans protester, submergé qu'il était par un unanime
silence sur lequel vint bientôt clapoter un rire ici, un
autre là, je compris que ces insolents étaient les acteurs
et que la petite pièce, dite lever de rideau, venait de commencer. Elle fut suivie d'un entr'acte si long que les
spectateurs revenus à leurs places s'impatientaient, tapaient des pieds. J'en étais effrayé ; car de même que
dans le compte rendu d'un procès, quand je lisais qu'un

homme d'un noble cœur allait venir, au mépris de ses
intérêts, témoigner en faveur d'un innocent, je craignais
toujours qu'on ne fût pas assez gentil pour lui, qu'on ne
lui marquât pas assez de reconnaissance, qu'on ne le
récompensât pas richement, et, qu'écœuré, il se mît du
côté de l'injustice ; de même, assimilant en cela le génie
à la vertu, j'avais peur que la Berma, dépitée par les mauvaises façons d'un public aussi mal élevé — dans lequel
j'aurais voulu au contraire qu'elle pût reconnaître avec
satisfaction quelques célébrités au jugement de qui elle
eût attaché de l'importance — ne lui exprimât son mécontentement et son dédain en jouant mal. Et je regardais
d'un air suppliant ces brutes trépignantes qui allaient
briser dans leur fureur l'impression fragile et précieuse
que j'étais venu chercher. Enfin, les derniers moments de
mon plaisir furent pendant les premières scènes de *Phèdre*.
Le personnage de Phèdre ne paraît pas dans ce commencement du second acte ; et pourtant, dès que le rideau fut
levé et qu'un second rideau, en velours rouge celui-là, se
fut écarté, qui dédoublait la profondeur de la scène dans
toutes les pièces où jouait l'étoile, une actrice entra par le
fond, qui avait la figure et la voix qu'on m'avait dit être
celles de la Berma. On avait dû changer la distribution,
tout le soin que j'avais mis à étudier le rôle de la femme
de Thésée devenait inutile. Mais une autre actrice donna
la réplique à la première. J'avais dû me tromper en prenant celle-là pour la Berma, car la seconde lui ressemblait
davantage encore et, plus que l'autre, avait sa diction.
Toutes deux d'ailleurs ajoutaient à leur rôle de nobles
gestes — que je distinguais clairement et dont je comprenais la relation avec le texte, tandis qu'elles soulevaient
leurs beaux péplums — et aussi des intonations ingénieuses, tantôt passionnées, tantôt ironiques, qui me
faisaient comprendre la signification d'un vers que j'avais
lu chez moi sans apporter assez d'attention à ce qu'il
voulait dire. Mais tout d'un coup, dans l'écartement du

rideau rouge du sanctuaire, comme dans un cadre, une
femme parut et aussitôt, à la peur que j'eus, bien plus
anxieuse que pouvait être celle de la Berma, qu'on la
gênât en ouvrant une fenêtre, qu'on altérât le son d'une
de ses paroles en froissant un programme, qu'on l'indis-
posât en applaudissant ses camarades, en ne l'applaudissant pas, elle, assez ; — à ma façon, plus absolue encore
que celle de la Berma, de ne considérer, dès cet instant,
salle, public, acteurs, pièce, et mon propre corps que
comme un milieu acoustique n'ayant d'importance que
dans la mesure où il était favorable aux inflexions de cette
voix, je compris que les deux actrices que j'admirais depuis
quelques minutes n'avaient aucune ressemblance avec
celle que j'étais venu entendre. Mais en même temps tout
mon plaisir avait cessé ; j'avais beau tendre vers la Berma
mes yeux, mes oreilles, mon esprit, pour ne pas laisser
échapper une miette des raisons qu'elle me donnerait de
l'admirer, je ne parvenais pas à en recueillir une seule. Je
ne pouvais même pas, comme pour ses camarades,
distinguer dans sa diction et dans son jeu des intonations
intelligentes, de beaux gestes. Je l'écoutais comme j'aurais lu *Phèdre*, ou comme si Phèdre elle-même avait dit
en ce moment les choses que j'entendais, sans que le
talent de la Berma semblât leur avoir rien ajouté. J'aurais
voulu — pour pouvoir l'approfondir, pour tâcher d'y
découvrir ce qu'elle avait de beau — arrêter, immobiliser
longtemps devant moi chaque intonation de l'artiste,
chaque expression de sa physionomie ; du moins, je
tâchais, à force d'agilité mentale, en ayant avant un vers
mon attention tout installée et mise au point, de ne pas
distraire en préparatifs une parcelle de la durée de chaque
mot, de chaque geste, et, grâce à l'intensité de mon attention, d'arriver à descendre en eux aussi profondément que
j'aurais fait si j'avais eu de longues heures à moi. Mais que
cette durée était brève! A peine un son était-il reçu dans
mon oreille qu'il était remplacé par un autre. Dans une

scène où la Berma reste immobile un instant, le bras levé
à la hauteur du visage, baignée grâce à un artifice d'éclairage dans une lumière verdâtre, devant le décor qui représente la mer, la salle éclata en applaudissements, mais déjà
l'actrice avait changé de place et le tableau que j'aurais
voulu étudier n'existait plus. Je dis à ma grand'mère que
je ne voyais pas bien, elle me passa sa lorgnette. Seulement, quand on croit à la réalité des choses, user d'un
moyen artificiel pour se les faire montrer n'équivaut pas
tout à fait à se sentir près d'elles. Je pensais que ce n'était
plus la Berma que je voyais, mais son image, dans le
verre grossissant. Je reposai la lorgnette ; mais peut-être
l'image que recevait mon œil, diminuée par l'éloignement,
n'était pas plus exacte ; laquelle des deux Berma était la
vraie ? Quant à la déclaration à Hippolyte, j'avais beaucoup compté sur ce morceau où, à en juger par la signification ingénieuse que ses camarades me découvraient à
tout moment dans des parties moins belles, elle aurait
certainement des intonations plus surprenantes que celles
que chez moi, en lisant, j'avais tâché d'imaginer ; mais elle
n'atteignit même pas jusqu'à celles qu'Œnone ou Aricie
eussent trouvées, elle passa au rabot d'une mélopée
uniforme toute la tirade où se trouvèrent confondues
ensemble des oppositions pourtant si tranchées qu'une
tragédienne à peine intelligente, même des élèves de
lycée, n'en eussent pas négligé l'effet ; d'ailleurs, elle la
débita tellement vite que ce fut seulement quand elle fut
arrivée au dernier vers que mon esprit prit conscience de
la monotonie voulue qu'elle avait imposée aux premiers.

Enfin éclata mon premier sentiment d'admiration : il
fut provoqué par les applaudissements frénétiques des
spectateurs. J'y mêlai les miens en tâchant de les prolonger, afin que, par reconnaissance, la Berma se surpas-
sant, je fusse certain de l'avoir entendue dans un de ses
meilleurs jours. Ce qui est du reste curieux, c'est que le
moment où se déchaîna cet enthousiasme du public fut,

je l'ai su depuis, celui où la Berma a une de ses plus belles
trouvailles. Il semble que certaines réalités transcendantes
émettent autour d'elles des rayons auxquels la foule est
sensible. C'est ainsi que, par exemple, quand un événement se produit, quand à la frontière une armée est en
danger, ou battue, ou victorieuse, les nouvelles assez
obscures qu'on reçoit et d'où l'homme cultivé ne sait pas
tirer grand'chose, excitent dans la foule une émotion qui
le surprend et dans laquelle, une fois que les experts l'ont
mis au courant de la véritable situation militaire, il
reconnaît la perception par le peuple de cette « aura » qui
entoure les grands événements et qui peut être visible à
des centaines de kilomètres. On apprend la victoire, ou
après coup quand la guerre est finie, ou tout de suite par
la joie du concierge. On découvre un trait génial du jeu de
la Berma huit jours après l'avoir entendue, par la critique,
ou sur le coup, par les acclamations du parterre. Mais
cette connaissance immédiate de la foule étant mêlée à
cent autres toutes erronées, les applaudissements tombaient le plus souvent à faux, sans compter qu'ils étaient
mécaniquement soulevés par la force des applaudissements antérieurs, comme dans une tempête, une fois que
la mer a été suffisamment remuée, elle continue à grossir,
même si le vent ne s'accroît plus. N'importe, au fur et à
mesure que j'applaudissais, il me semblait que la Berma
avait mieux joué. « Au moins, disait à côté de moi une
femme assez commune, elle se dépense celle-là, elle se
frappe à se faire mal, elle court, parlez-moi de ça, c'est
jouer. » Et heureux de trouver ces raisons de la supériorité
de la Berma, tout en me doutant qu'elles ne l'expliquaient
pas plus que celle de la Joconde ou du Persée de Benve-
nuto, l'exclamation d'un paysan : « C'est bien fait tout de
même! c'est tout en or, et du beau! quel travail! », je
partageai avec ivresse le vin grossier de cet enthousiasme
populaire. Je n'en sentis pas moins, le rideau tombé, un
désappointement que ce plaisir que j'avais tant désiré

n'eût pas été plus grand, mais en même temps le besoin
de le prolonger, de ne pas quitter pour jamais, en sortant
de la salle, cette vie du théâtre qui pendant quelques
heures avait été la mienne, et dont je me serais arraché
comme en un départ pour l'exil, en rentrant directement
à la maison, si je n'avais espéré d'y apprendre beaucoup
sur la Berma par son admirateur auquel je devais qu'on
m'eût permis d'aller à *Phèdre*, M. de Norpois.

Je lui fus présenté avant le dîner par mon père qui
m'appela pour cela dans son cabinet. A mon entrée,
l'Ambassadeur se leva, me tendit la main, inclina sa
haute taille et fixa attentivement sur moi ses yeux bleus.
Comme les étrangers de passage qui lui étaient présentés,
au temps où il représentait la France, étaient plus ou
moins — jusqu'aux chanteurs connus — des personnes
de marque et dont il savait alors qu'il pourrait dire plus
tard, quand on prononcerait leur nom à Paris ou à
Pétersbourg, qu'il se rappelait parfaitement la soirée
qu'il avait passée avec eux à Munich ou à Sofia, il avait
pris l'habitude de leur marquer par son affabilité la
satisfaction qu'il avait de les connaître : mais de plus,
persuadé que dans la vie des capitales, au contact à la
fois des individualités intéressantes qui les traversent
et des usages du peuple qui les habite, on acquiert une
connaissance approfondie, et que les livres ne donnent
pas, de l'histoire, de la géographie, des mœurs des différentes nations, du mouvement intellectuel de l'Europe, il
exerçait sur chaque nouveau venu ses facultés aiguës
d'observateur afin de savoir de suite à quelle espèce
d'homme il avait à faire. Le gouvernement ne lui avait
plus depuis longtemps confié de poste à l'étranger, mais
dès qu'on lui présentait quelqu'un, ses yeux, comme s'ils
n'avaient pas reçu notification de sa mise en disponibilité, commençaient à observer avec fruit, cependant
que par toute son attitude il cherchait à montrer que le
nom de l'étranger ne lui était pas inconnu. Aussi, tout

en me parlant avec bonté et de l'air d'importance d'un
homme qui sait sa vaste expérience, il ne cessait de m'examiner avec une curiosité sagace et pour son profit, comme
si j'eusse été quelque usage exotique, quelque monument instructif, ou quelque étoile en tournée. Et de la
sorte, à mon endroit, il faisait preuve à la fois de la majestueuse amabilité du sage Mentor et de la curiosité stu-
dieuse du jeune Anacharsis.

Il ne m'offrit absolument rien pour la *Revue des Deux
Mondes*, mais me posa un certain nombre de questions
sur ce qu'avaient été ma vie et mes études, sur mes
goûts dont j'entendis parler pour la première fois comme
s'il pouvait être raisonnable de les suivre, tandis que
j'avais cru jusqu'ici que c'était un devoir de les contrarier.
Puisqu'ils me portaient du côté de la littérature, il ne me
détourna pas d'elle ; il m'en parla au contraire avec déférence comme d'une personne vénérable et charmante du
cercle choisi de laquelle, à Rome ou à Dresde, on a gardé
le meilleur souvenir et qu'on regrette par suite des nécessités de la vie de retrouver si rarement. Il semblait
m'envier en souriant d'un air presque grivois les bons
moments que, plus heureux que lui et plus libre, elle me
ferait passer. Mais les termes mêmes dont il se servait
me montraient la Littérature comme trop différente de
l'image que je m'en étais faite à Combray, et je compris
que j'avais eu doublement raison de renoncer à elle.
Jusqu'ici je m'étais seulement rendu compte que je
n'avais pas le don d'écrire ; maintenant M. de Norpois
m'en ôtait même le désir. Je voulus lui expliquer ce que
j'avais rêvé ; tremblant d'émotion, je me serais fait un
scrupule que toutes mes paroles ne fussent pas l'équivalent le plus sincère possible de ce que j'avais senti et
que je n'avais jamais essayé de me formuler ; c'est dire
que mes paroles n'eurent aucune netteté. Peut-être par
habitude professionnelle, peut-être en vertu du calme
qu'acquiert tout homme important dont on sollicite le

conseil et qui, sachant qu'il gardera en mains la maîtrise
de la conversation, laisse l'interlocuteur s'agiter, s'efforcer, peiner à son aise, peut-être aussi pour faire valoir
le caractère de sa tête (selon lui grecque, malgré les grands
favoris), M. de Norpois, pendant qu'on lui exposait
quelque chose, gardait une immobilité de visage aussi
absolue que si vous aviez parlé devant quelque buste
antique — et sourd — dans une glyptothèque. Tout à
coup, tombant comme le marteau du commissaire-pri-
seur, ou comme un oracle de Delphes, la voix de l'Ambassadeur qui vous répondait vous impressionnait d'autant
plus que rien dans sa face ne vous avait laissé soupçonner
le genre d'impression que vous aviez produit sur lui,
ni l'avis qu'il allait émettre.

— Précisément, me dit-il tout à coup comme si la
cause était jugée et après m'avoir laissé bafouiller en
face des yeux immobiles qui ne me quittaient pas un
instant, j'ai le fils d'un de mes amis qui, *mutatis mutandis*,
est comme vous (et il prit pour parler de nos dispositions
communes le même ton rassurant que si elles avaient
été des dispositions non pas à la littérature, mais au rhumatisme, et s'il avait voulu me montrer qu'on n'en mou-
rait pas). Aussi a-t-il préféré quitter le quai d'Orsay où
la voie lui était pourtant toute tracée par son père, et,
sans se soucier du qu'en-dira-t-on, il s'est mis à produire.
Il n'a certes pas lieu de s'en repentir. Il a publié il y a
deux ans — il est d'ailleurs beaucoup plus âgé que vous,
naturellement, — un ouvrage relatif au sentiment de
l'Infini sur la rive occidentale du lac Victoria-Nyanza
et cette année un opuscule moins important, mais conduit
d'une plume alerte, parfois même acérée, sur le fusil à
répétition dans l'armée bulgare, qui l'ont mis tout à fait
hors de pair. Il a déjà fait un joli chemin, il n'est pas
homme à s'arrêter en route, et je sais que, sans que l'idée
d'une candidature ait été envisagée, on a laissé tomber
son nom deux ou trois fois dans la conversation, et d'une

façon qui n'avait rien de défavorable, à l'Académie des Sciences morales. En somme, sans pouvoir dire encore qu'il soit au pinacle, il a conquis de haute lutte une fort jolie position et le succès qui ne va pas toujours qu'aux agités et aux brouillons, aux faiseurs d'embarras qui sont presque toujours des faiseurs, le succès a récompensé son effort.

Mon père, me voyant déjà académicien dans quelques années, respirait une satisfaction que M. de Norpois porta à son comble quand, après un instant d'hésitation pendant lequel il sembla calculer les conséquences de son acte, il me dit, en me tendant sa carte : « Allez donc le voir de ma part, il pourra vous donner d'utiles conseils », me causant par ces mots une agitation aussi pénible que s'il m'avait annoncé qu'on m'embarquerait le lendemain comme mousse à bord d'un voilier.

Ma tante Léonie m'avait fait héritier, en même temps que de beaucoup d'objets et de meubles fort embarrassants, de presque toute sa fortune liquide — révélant ainsi après sa mort une affection pour moi que je n'avais guère soupçonnée pendant sa vie. Mon père, qui devait gérer cette fortune jusqu'à ma majorité, consulta M. de Norpois sur un certain nombre de placements. Il conseilla des titres à faible rendement qu'il jugeait particulièrement solides, notamment les Consolidés Anglais et le 4 % Russe. « Avec ces valeurs de tout premier ordre, dit M. de Norpois, si le revenu n'est pas très élevé, vous êtes du moins assuré de ne jamais voir fléchir le capital. » Pour le reste, mon père lui dit en gros ce qu'il avait acheté. M. de Norpois eut un imperceptible sourire de félicitations : comme tous les capitalistes, il estimait la fortune une chose enviable, mais trouvait plus délicat de ne complimenter que par un signe d'intelligence à peine avoué, au sujet de celle qu'on possédait ; d'autre part, comme il était lui-même colossalement riche, il trouvait de bon goût d'avoir l'air de juger considérables

les revenus moindres d'autrui, avec pourtant un retour
joyeux et confortable sur la supériorité des siens. En
revanche il n'hésita pas à féliciter mon père de la « composition » de son portefeuille « d'un goût très sûr, très délicat, très fin ». On aurait dit qu'il attribuait aux relations
des valeurs de bourse entre elles, et même aux valeurs
de bourse en elles-mêmes, quelque chose comme un
mérite esthétique. D'une, assez nouvelle et ignorée,
dont mon père lui parla, M. de Norpois, pareil à ces gens
qui ont lu des livres que vous vous croyiez seul à connaître,
lui dit : « Mais si, je me suis amusé pendant quelque
temps à la suivre dans la Cote, elle était intéressante »,
avec le sourire rétrospectivement captivé d'un abonné
qui a lu le dernier roman d'une revue, par tranches, en
feuilleton. « Je ne vous déconseillerais pas de souscrire
à l'émission qui va être lancée prochainement. Elle est
attrayante, car on vous offre les titres à des prix tentants. »
Pour certaines valeurs anciennes au contraire, mon père,
ne se rappelant plus exactement les noms, faciles à
confondre avec ceux d'actions similaires, ouvrit un tiroir
et montra les titres eux-mêmes à l'Ambassadeur. Leur
vue me charma ; ils étaient enjolivés de flèches de cathédrales et de figures allégoriques comme certaines vieilles
publications romantiques que j'avais feuilletées autrefois.
Tout ce qui est d'un même temps se ressemble ; les
artistes qui illustrent les poèmes d'une époque sont les
mêmes que font travailler pour elles les Sociétés financières. Et rien ne fait mieux penser à certaines livraisons
de *Notre-Dame de Paris* et d'œuvres de Gérard de Nerval,
telles qu'elles étaient accrochées à la devanture de l'épicerie de Combray, que, dans son encadrement rectangulaire et fleuri que supportaient des divinités fluviales,
une action nominative de la Compagnie des Eaux.

   Mon père avait pour mon genre d'intelligence un mépris suffisamment corrigé par la tendresse pour qu'au
total, son sentiment sur tout ce que je faisais fût une

indulgence aveugle. Aussi n'hésita-t-il pas à m'envoyer
chercher un petit poème en prose que j'avais fait autrefois
à Combray en revenant d'une promenade. Je l'avais
écrit avec une exaltation qu'il me semblait devoir communiquer à ceux qui le liraient. Mais elle ne dut pas gagner
M. de Norpois, car ce fut sans me dire une parole qu'il
me le rendit.

Ma mère, pleine de respect pour les occupations de
mon père, vint demander, timidement, si elle pouvait
faire servir. Elle avait peur d'interrompre une conversation où elle n'aurait pas eu à être mêlée. Et, en effet,
à tout moment mon père rappelait au marquis quelque
mesure utile qu'ils avaient décidé de soutenir à la prochaine séance de la Commission, et il le faisait sur le ton
particulier qu'ont ensemble dans un milieu différent —
pareils en cela à deux collégiens — deux collègues à qui
leurs habitudes professionnelles créent des souvenirs
communs où n'ont pas accès les autres et auxquels ils
s'excusent de se reporter devant eux.

Mais la parfaite indépendance des muscles du visage
à laquelle M. de Norpois était arrivé lui permettait
d'écouter sans avoir l'air d'entendre. Mon père finissait
par se troubler : « J'avais pensé à demander l'avis de la
Commission... », disait-il à M. de Norpois après de longs
préambules. Alors du visage de l'aristocratique virtuose
qui avait gardé l'inertie d'un instrumentiste dont le
moment n'est pas venu d'exécuter sa partie, sortait avec
un débit égal, sur un ton aigu et comme ne faisant que
finir, mais confiée cette fois à un autre timbre, la phrase
commencée : « Que, bien entendu, vous n'hésiterez pas
à réunir, d'autant plus que les membres vous sont individuellement connus et peuvent facilement se déplacer. »
Ce n'était pas évidemment en elle-même une termi-
naison bien extraordinaire. Mais l'immobilité qui l'avait
précédée la faisait se détacher avec la netteté cristalline,
l'imprévu quasi-malicieux de ces phrases par lesquelles

le piano, silencieux jusque-là, réplique, au moment voulu, au violoncelle qu'on vient d'entendre, dans un concerto de Mozart.

— Hé bien, as-tu été content de ta matinée ? » me dit mon père tandis qu'on passait à table, pour me faire briller et pensant que mon enthousiasme me ferait bien juger par M. de Norpois. « Il est allé entendre la Berma tantôt, vous vous rappelez que nous en avions parlé ensemble », dit-il en se tournant vers le diplomate, du même ton d'allusion rétrospective, technique et mystérieuse que s'il se fût agi d'une séance de la Commission.

— Vous avez dû être enchanté, surtout si c'était la première fois que vous l'entendiez. Monsieur votre père s'alarmait du contrecoup que cette petite escapade pouvait avoir sur votre état de santé, car vous êtes un peu délicat, un peu frêle, je crois. Mais je l'ai rassuré. Les théâtres ne sont plus aujourd'hui ce qu'ils étaient il y a seulement vingt ans. Vous avez des sièges à peu près confortables, une atmosphère renouvelée, quoique nous ayons fort à faire encore pour rejoindre l'Allemagne et l'Angleterre, qui à cet égard comme à bien d'autres ont une formidable avance sur nous. Je n'ai pas vu Mᵐᵉ Berma dans *Phèdre*, mais j'ai entendu dire qu'elle y était admirable. Et vous avez été ravi, naturellement ?

M. de Norpois, mille fois plus intelligent que moi, devait détenir cette vérité que je n'avais pas su extraire du jeu de la Berma, il allait me la découvrir ; en répondant à sa question, j'allais le prier de me dire en quoi cette vérité consistait ; et il justifierait ainsi ce désir que j'avais eu de voir l'actrice. Je n'avais qu'un moment, il fallait en profiter et faire porter mon interrogatoire sur les points essentiels. Mais quels étaient-ils ? Fixant mon attention tout entière sur mes impressions si confuses, et ne songeant nullement à me faire admirer de M. de Norpois, mais à obtenir de lui la vérité souhaitée, je ne cherchais pas à remplacer les mots qui me manquaient par des

expressions toutes faites, je balbutiai, et finalement, pour
tâcher de le provoquer à déclarer ce que la Berma avait
d'admirable, je lui avouai que j'avais été déçu.

— Mais comment, s'écria mon père, ennuyé de
l'impression fâcheuse que l'aveu de mon incompréhension
pouvait produire sur M. de Norpois, comment peux-tu
dire que tu n'as pas eu de plaisir ? ta grand'mère nous a
raconté que tu ne perdais pas un mot de ce que la Berma
disait, que tu avais les yeux hors de la tête, qu'il n'y
avait que toi dans la salle comme cela.

— Mais oui, j'écoutais de mon mieux pour savoir ce
qu'elle avait de si remarquable. Sans doute, elle est très
bien...

— Si elle est très bien, qu'est-ce qu'il te faut de plus ?

— Une des choses qui contribuent certainement au
succès de Mme Berma, dit M. de Norpois en se tournant
avec application vers ma mère pour ne pas la laisser en
dehors de la conversation et afin de remplir consciencieusement son devoir de politesse envers une maîtresse de
maison, c'est le goût parfait qu'elle apporte dans le choix
de ses rôles et qui lui vaut toujours un franc succès,
et de bon aloi. Elle joue rarement des médiocrités. Voyez,
elle s'est attaquée au rôle de Phèdre. D'ailleurs, ce goût
elle l'apporte dans ses toilettes, dans son jeu. Bien qu'elle
ait fait de fréquentes et fructueuses tournées en Angleterre et en Amérique, la vulgarité je ne dirai pas de
John Bull, ce qui serait injuste, au moins pour l'Angleterre de l'ère Victorienne, mais de l'oncle Sam n'a pas
déteint sur elle. Jamais de couleurs trop voyantes, de cris
exagérés. Et puis cette voix admirable qui la sert si bien
et dont elle joue à ravir, je serais presque tenté de dire
en musicienne!

Mon intérêt pour le jeu de la Berma n'avait cessé de
grandir depuis que la représentation était finie parce
qu'il ne subissait plus la compression et les limites de la
réalité ; mais j'éprouvais le besoin de lui trouver des

explications ; de plus, il s'était porté avec une intensité
égale, pendant que la Berma jouait, sur tout ce qu'elle
offrait, dans l'indivisibilité de la vie, à mes yeux, à mes
oreilles ; il n'avait rien séparé et distingué ; aussi fut-il
heureux de se découvrir une cause raisonnable dans ces
éloges donnés à la simplicité, au bon goût de l'artiste,
il les attirait à lui par son pouvoir d'absorption, s'emparait d'eux comme l'optimisme d'un homme ivre des
actions de son voisin dans lesquelles il trouve une raison
d'attendrissement. « C'est vrai, me disais-je, quelle belle
voix, quelle absence de cris, quels costumes simples,
quelle intelligence d'avoir été choisir *Phèdre*! Non, je
n'ai pas été déçu. »

Le bœuf froid aux carottes fit son apparition, couché
par le Michel-Ange de notre cuisine sur d'énormes
cristaux de gelée pareils à des blocs de quartz transparent.

— Vous avez un chef de tout premier ordre, Madame,
dit M. de Norpois. Et ce n'est pas peu de chose. Moi
qui ai eu à l'étranger à tenir un certain train de maison,
je sais combien il est souvent difficile de trouver un parfait maître queux. Ce sont de véritables agapes auxquelles
vous nous avez conviés là.

Et, en effet, Françoise, surexcitée par l'ambition de
réussir pour un invité de marque un dîner enfin semé de
difficultés dignes d'elle, s'était donné une peine qu'elle
ne prenait plus quand nous étions seuls et avait retrouvé
sa manière incomparable de Combray.

— Voilà ce qu'on ne peut obtenir au cabaret, je dis
dans les meilleurs : une daube de bœuf où la gelée ne
sente pas la colle, et où le bœuf ait pris parfum des
carottes, c'est admirable! Permettez-moi d'y revenir,
ajouta-t-il en faisant signe qu'il voulait encore de la
gelée. Je serais curieux de juger votre Vatel maintenant
sur un mets tout différent, je voudrais, par exemple, le
trouver aux prises avec le bœuf Stroganof.

M. de Norpois, pour contribuer lui aussi à l'agrément

du repas, nous servit diverses histoires dont il régalait fréquemment ses collègues de carrière, tantôt en citant une période ridicule dite par un homme politique coutumier du fait et qui les faisait longues et pleines d'images incohérentes, tantôt telle formule lapidaire d'un diplomate plein d'atticisme. Mais, à vrai dire, le critérium qui distinguait pour lui ces deux ordres de phrases ne ressemblait en rien à celui que j'appliquais à la littérature. Bien des nuances m'échappaient ; les mots qu'il récitait en s'esclaffant ne me paraissaient pas très différents de ceux qu'il trouvait remarquables. Il appartenait au genre d'hommes qui pour les œuvres que j'aimais eût dit : « Alors, vous comprenez ? Moi, j'avoue que je ne comprends pas, je ne suis pas initié », mais j'aurais pu lui rendre la pareille, je ne saisissais pas l'esprit ou la sottise, l'éloquence ou l'enflure qu'il trouvait dans une réplique ou dans un discours, et l'absence de toute raison perceptible pour quoi ceci était mal et ceci bien, faisait que cette sorte de littérature m'était plus mystérieuse, me semblait plus obscure qu'aucune. Je démêlai seulement que répéter ce que tout le monde pensait n'était pas en politique une marque d'infériorité mais de supériorité. Quand M. de Norpois se servait de certaines expressions qui traînaient dans les journaux et les prononçait avec force, on sentait qu'elles devenaient un acte par le seul fait qu'il les avait employées, et un acte qui susciterait des commentaires.

Ma mère comptait beaucoup sur la salade d'ananas et de truffes. Mais l'Ambassadeur, après avoir exercé un instant sur le mets la pénétration de son regard d'observateur, la mangea en restant entouré de discrétion diplomatique et ne nous livra pas sa pensée. Ma mère insista pour qu'il en reprît, ce que fit M. de Norpois, mais en disant seulement au lieu du compliment qu'on espérait : « J'obéis, Madame, puisque je vois que c'est là de votre part un véritable oukase. »

— Nous avons lu dans les « feuilles » que vous vous
étiez entretenu longuement avec le roi Théodose, lui dit
mon père.

— En effet, le roi, qui a une rare mémoire des physionomies, a eu la bonté de se souvenir en m'apercevant à
l'orchestre que j'avais eu l'honneur de le voir pendant
plusieurs jours à la cour de Bavière, quand il ne songeait
pas à son trône oriental (vous savez qu'il y a été appelé
par un congrès européen, et il a même fort hésité à l'accepter, jugeant cette souveraineté un peu inégale à sa
race, la plus noble, héraldiquement parlant, de toute
l'Europe). Un aide de camp est venu me dire d'aller saluer
Sa Majesté, à l'ordre de qui je me suis naturellement
empressé de déférer.

— Avez-vous été content des résultats de son séjour ?

— Enchanté ! Il était permis de concevoir quelque
appréhension sur la façon dont un monarque encore si
jeune se tirerait de ce pas difficile, surtout dans des
conjonctures aussi délicates. Pour ma part je faisais pleine
confiance au sens politique du souverain. Mais j'avoue
que mes espérances ont été dépassées. Le toast qu'il a
prononcé à l'Élysée, et qui, d'après des renseignements
qui me viennent de source tout à fait autorisée, avait été
composé par lui du premier mot jusqu'au dernier, était
entièrement digne de l'intérêt qu'il a excité partout. C'est
tout simplement un coup de maître ; un peu hardi je le
veux bien, mais d'une audace qu'en somme l'événement a
pleinement justifiée. Les traditions diplomatiques ont
certainement du bon, mais dans l'espèce elles avaient fini
par faire vivre son pays et le nôtre dans une atmosphère de
renfermé qui n'était plus respirable. Eh bien ! une des
manières de renouveler l'air, évidemment une de celles
qu'on ne peut pas recommander, mais que le roi Théodose
pouvait se permettre, c'est de casser les vitres. Et il l'a fait
avec une belle humeur qui a ravi tout le monde, et aussi
une justesse dans les termes où on a reconnu tout de suite

la race de princes lettrés à laquelle il appartient par sa
mère. Il est certain que quand il a parlé des « affinités »
qui unissent son pays à la France, l'expression, pour peu
usitée qu'elle puisse être dans le vocabulaire des chancelleries, était singulièrement heureuse. Vous voyez que la
littérature ne nuit pas, même dans la diplomatie, même sur
un trône, ajouta-t-il en s'adressant à moi. La chose était
constatée depuis longtemps, je le veux bien, et les rapports entre les deux puissances étaient devenus excellents.
Encore fallait-il qu'elle fût dite. Le mot était attendu, il a
été choisi à merveille, vous avez vu comme il a porté. Pour
ma part j'y applaudis des deux mains.

— Votre ami, M. de Vaugoubert, qui préparait le
rapprochement depuis des années, a dû être content.

— D'autant plus que Sa Majesté, qui est assez coutumière du fait, avait tenu à lui en faire la surprise. Cette
surprise a été complète du reste pour tout le monde, à
commencer par le Ministre des Affaires étrangères, qui,
à ce qu'on m'a dit, ne l'a pas trouvée à son goût. A quelqu'un qui lui en parlait, il aurait répondu très nettement,
assez haut pour être entendu des personnes voisines :
« Je n'ai été ni consulté ni prévenu », indiquant clairement
par là qu'il déclinait toute responsabilité dans l'événement. Il faut avouer que celui-ci a fait un beau tapage et je
n'oserais pas affirmer, ajouta-t-il avec un sourire malicieux, que tels de mes collègues pour qui la loi suprême
semble être celle du moindre effort, n'en ont pas été
troublés dans leur quiétude. Quant à Vaugoubert, vous
savez qu'il avait été fort attaqué pour sa politique de
rapprochement avec la France, et il avait dû d'autant plus
en souffrir que c'est un sensible, un cœur exquis. J'en
puis d'autant mieux témoigner que, bien qu'il soit mon
cadet et de beaucoup, je l'ai fort pratiqué, nous sommes
amis de longue date, et je le connais bien. D'ailleurs qui ne
le connaîtrait ? c'est une âme de cristal. C'est même le seul
défaut qu'on pourrait lui reprocher, il n'est pas néces-

saire que le cœur d'un diplomate soit aussi transparent
que le sien. Cela n'empêche pas qu'on parle de l'envoyer
à Rome, ce qui est un bel avancement, mais un bien gros
morceau. Entre nous, je crois que Vaugoubert, si dénué
qu'il soit d'ambition, en serait fort content et ne demande
nullement qu'on éloigne de lui ce calice. Il fera peut-être
merveille là-bas ; il est le candidat de la Consulta, et pour
ma part, je le vois très bien, lui si artiste, dans le cadre du
palais Farnèse et la galerie des Carraches. Il semble qu'au
moins personne ne devrait pouvoir le haïr ; mais il y a
autour du roi Théodose toute une camarilla plus ou moins
inféodée à la Wilhelmstrasse dont elle suit docilement les
inspirations et qui a cherché de toutes façons à lui tailler
des croupières. Vaugoubert n'a pas eu à faire face seulement aux intrigues de couloirs mais aux injures de folli-
culaires à gages qui plus tard, lâches comme l'est tout
journaliste stipendié, ont été des premiers à demander
l'*aman*, mais qui en attendant n'ont pas reculé à faire
état, contre notre représentant, des ineptes accusations
de gens sans aveu. Pendant plus d'un mois les ennemis de
Vaugoubert ont dansé autour de lui la danse du scalp, dit
M. de Norpois, en détachant avec force ce dernier mot.
Mais un bon averti en vaut deux ; ces injures il les a repou-
sées du pied, ajouta-t-il plus énergiquement encore, et
avec un regard si farouche que nous cessâmes un instant
de manger. Comme dit un beau proverbe arabe : « Les
chiens aboient, la caravane passe. » Après avoir jeté cette
citation, M. de Norpois s'arrêta pour nous regarder et
juger de l'effet qu'elle avait produit sur nous. Il fut grand ;
le proverbe nous était connu : il avait remplacé cette
année-là chez les hommes de haute valeur cet autre :
« Qui sème le vent récolte la tempête », lequel avait besoin
de repos, n'étant pas infatigable et vivace comme : « Travailler pour le roi de Prusse. » Car la culture de ces gens
éminents était une culture alternée, et généralement
triennale. Certes les citations de ce genre, et desquelles

M. de Norpois excellait à émailler ses articles de la *Revue*,
n'étaient point nécessaires pour que ceux-ci parussent
solides et bien informés. Même dépourvus de l'ornement
qu'elles leur apportaient, il suffisait que M. de Norpois
écrivît à point nommé — ce qu'il ne manquait pas de
faire — : « Le Cabinet de Saint-James ne fut pas le dernier
à sentir le péril » ou bien « L'émotion fut grande au Pont-
aux-Chantres où l'on suivait d'un œil inquiet la politique
égoïste mais habile de la monarchie bicéphale », ou « Un
cri d'alarme partit de Montecitorio », ou encore « Cet
éternel double jeu qui est bien dans la manière du Ball-
platz ». A ces expressions le lecteur profane avait aussitôt
reconnu et salué le diplomate de carrière. Mais ce qui
avait fait dire qu'il était plus que cela, qu'il possédait une
culture supérieure, ç'avait été l'emploi raisonné de citations dont le modèle achevé restait alors : « Faites-moi de
bonne politique et je vous ferai de bonnes finances, comme
avait coutume de dire le baron Louis. » (On n'avait pas
encore importé d'Orient : « La Victoire est à celui des deux
adversaires qui sait souffrir un quart d'heure de plus que
l'autre, comme disent les Japonais. ») Cette réputation
de grand lettré, jointe à un véritable génie d'intrigue caché
sous le masque de l'indifférence, avait fait entrer M. de
Norpois à l'Académie des Sciences morales. Et quelques
personnes pensèrent même qu'il ne serait pas déplacé à
l'Académie française, le jour où, voulant indiquer que
c'est en resserrant l'alliance russe que nous pourrions
arriver à une entente avec l'Angleterre, il n'hésita pas à
écrire : « Qu'on le sache bien au quai d'Orsay, qu'on
l'enseigne désormais dans tous les manuels de géographie
qui se montrent incomplets à cet égard, qu'on refuse
impitoyablement au baccalauréat tout candidat qui ne
saura pas le dire : Si tous les chemins mènent à Rome, en
revanche la route qui va de Paris à Londres passe nécessairement par Pétersbourg. »

— Somme toute, continua M. de Norpois en s'adres-

sant à mon père, Vaugoubert s'est taillé là un beau succès
et qui dépasse même celui qu'il avait escompté. Il s'attendait en effet à un toast correct (ce qui après les nuages
des dernières années était déjà fort beau) mais à rien de
plus. Plusieurs personnes qui étaient au nombre des assis-
tants m'ont assuré qu'on ne peut pas en lisant ce toast se
rendre compte de l'effet qu'il a produit, prononcé et
détaillé à merveille par le roi qui est maître en l'art de dire
et qui soulignait au passage toutes les intentions, toutes
les finesses. Je me suis laissé raconter à ce propos un fait
assez piquant et qui met en relief une fois de plus chez le
roi Théodose cette bonne grâce juvénile qui lui gagne si
bien les cœurs. On m'a affirmé que précisément à ce mot
d' « affinités » qui était en somme la grosse innovation du
discours, et qui défraiera encore longtemps, vous verrez,
les commentaires des chancelleries, Sa Majesté, prévoyant
la joie de notre ambassadeur, qui allait trouver là le juste
couronnement de ses efforts, de son rêve pourrait-on dire
et, somme toute, son bâton de maréchal, se tourna à demi
vers Vaugoubert et, fixant sur lui ce regard si prenant des
Oettingen, détacha ce mot bien choisi d' « affinités », ce
mot qui était une véritable trouvaille, sur un ton qui
faisait savoir à tous qu'il était employé à bon escient et en
pleine connaissance de cause. Il paraît que Vaugoubert
avait peine à maîtriser son émotion et, dans une certaine
mesure, j'avoue que je le comprends. Une personne digne
de toute créance m'a même confié que le roi se serait
approché de Vaugoubert après le dîner, quand Sa Majesté
a tenu cercle, et lui aurait dit à mi-voix : « Êtes-vous
content de votre élève, mon cher marquis ? » Il est certain,
conclut M. de Norpois, qu'un pareil toast a plus fait que
vingt ans de négociations pour resserrer encore entre les
deux pays leurs « affinités », selon la pittoresque expression de Théodose II. Ce n'est qu'un mot, si vous voulez,
mais voyez quelle fortune il a fait, comme toute la presse
européenne le répète, quel intérêt il éveille, quel son

nouveau il a rendu. Il est d'ailleurs bien dans la manière
du souverain. Je n'irai pas jusqu'à vous dire qu'il trouve
tous les jours de purs diamants comme celui-là. Mais il
est bien rare que dans ses discours étudiés, mieux encore,
dans le primesaut de la conversation, il ne donne pas son
signalement — j'allais dire il n'appose pas sa signature —
par quelque mot à l'emporte-pièce. Je suis d'autant moins
suspect de partialité en la matière que je suis ennemi de
toute innovation en ce genre. Dix-neuf fois sur vingt elles
sont dangereuses.

— Oui, j'ai pensé que le récent télégramme de l'empereur d'Allemagne n'a pas dû être de votre goût, dit mon
père.

M. de Norpois leva les yeux au ciel d'un air de dire :
Ah! celui-là! « D'abord, c'est un acte d'ingratitude. C'est
plus qu'un crime, c'est une faute, et d'une sottise que je
qualifierai de pyramidale! Au reste si personne n'y met le
holà, l'homme qui a chassé Bismarck est bien capable de
répudier peu à peu toute la politique bismarckienne,
alors c'est le saut dans l'inconnu. »

— Et mon mari m'a dit, Monsieur, que vous l'entraî-
neriez peut-être un de ces étés en Espagne, j'en suis ravie
pour lui.

— Mais oui, c'est un projet tout à fait attrayant et dont
je me réjouis. J'aimerais beaucoup faire avec vous ce
voyage, mon cher. Et vous, Madame, avez-vous déjà songé
à l'emploi des vacances ?

— J'irai peut-être avec mon fils à Balbec, je ne sais.

— Ah! Balbec est agréable, j'ai passé par là il y a
quelques années. On commence à y construire des villas
fort coquettes : je crois que l'endroit vous plaira. Mais
puis-je vous demander ce qui vous a fait choisir Balbec ?

— Mon fils a le grand désir de voir certaines églises
du pays, surtout celle de Balbec. Je craignais un peu pour
sa santé les fatigues du voyage et surtout du séjour. Mais
j'ai appris qu'on vient de construire un excellent hôtel

qui lui permettra de vivre dans les conditions de confort requises par son état.

— Ah! il faudra que je donne ce renseignement à certaine personne qui n'est pas femme à en faire fi.

— L'église de Balbec est admirable, n'est-ce pas, Monsieur ? demandai-je, surmontant la tristesse d'avoir appris qu'un des attraits de Balbec résidait dans ses coquettes villas.

— Non, elle n'est pas mal, mais enfin elle ne peut soutenir la comparaison avec ces véritables bijoux ciselés que sont les cathédrales de Reims, de Chartres et, à mon goût, la perle de toutes, la Sainte-Chapelle de Paris.

— Mais l'église de Balbec est en partie romane ?

— En effet, elle est du style roman, qui est déjà par lui-même extrêmement froid et ne laisse en rien présager l'élégance, la fantaisie des architectes gothiques qui fouillent la pierre comme de la dentelle. L'église de Balbec mérite une visite si on est dans le pays, elle est assez curieuse ; si un jour de pluie vous ne savez que faire, vous pourrez entrer là, vous verrez le tombeau de Tourville.

— Est-ce que vous étiez hier au banquet des Affaires étrangères ? je n'ai pas pu y aller, dit mon père.

— Non, répondit M. de Norpois avec un sourire, j'avoue que je l'ai délaissé pour une soirée assez différente. J'ai dîné chez une femme dont vous avez peut-être entendu parler, la belle madame Swann.

Ma mère réprima un frémissement, car d'une sensibilité plus prompte que mon père, elle s'alarmait pour lui de ce qui ne devait le contrarier qu'un instant après. Les désagréments qui lui arrivaient étaient perçus d'abord par elle comme ces mauvaises nouvelles de France qui sont connues plus tôt à l'étranger que chez nous. Mais curieuse de savoir quel genre de personnes les Swann pouvaient recevoir, elle s'enquit auprès de M. de Norpois de celles qu'il y avait rencontrées.

— Mon Dieu... c'est une maison où il me semble que vont surtout... des messieurs. Il y avait quelques hommes mariés, mais leurs femmes étaient souffrantes ce soir-là et n'étaient pas venues, répondit l'Ambassadeur avec une finesse voilée de bonhomie et en jetant autour de lui des regards dont la douceur et la discrétion faisaient mine de tempérer et exagéraient habilement la malice.

— Je dois dire, ajouta-t-il, pour être tout à fait juste, qu'il y va cependant des femmes, mais... appartenant plutôt..., comment dirais-je, au monde républicain qu'à la société de Swann (il prononçait Svann). Qui sait ? Ce sera peut-être un jour un salon politique ou littéraire. Du reste, il semble qu'ils soient contents comme cela. Je trouve que Swann le montre même un peu trop. Il nommait les gens chez qui lui et sa femme étaient invités pour la semaine suivante et de l'intimité desquels il n'y a pourtant pas lieu de s'enorgueillir, avec un manque de réserve et de goût, presque de tact, qui m'a étonné chez un homme aussi fin. Il répétait : « Nous n'avons pas un soir de libre », comme si ç'avait été une gloire, et en véritable parvenu, qu'il n'est pas cependant. Car Swann avait beaucoup d'amis et même d'amies, et sans trop m'avancer, ni vouloir commettre d'indiscrétion, je crois pouvoir dire que non pas toutes, ni même le plus grand nombre, mais l'une au moins et qui est fort grande dame, ne se serait peut-être pas montrée entièrement réfractaire à l'idée d'entrer en relations avec madame Swann, auquel cas, vraisemblablement, plus d'un mouton de Panurge aurait suivi. Mais il semble qu'il n'y ait eu de la part de Swann aucune démarche esquissée en ce sens. Comment ? encore un pudding à la Nesselrode ! Ce ne sera pas de trop de la cure de Carlsbad pour me remettre d'un pareil festin de Lucullus. Peut-être Swann a-t-il senti qu'il y aurait trop de résistances à vaincre. Le mariage, cela est certain, n'a pas plu. On a parlé de la fortune de la femme, ce qui est une grosse bourde. Mais, enfin, tout cela n'a

pas paru agréable. Et puis Swann a une tante excessivement riche et admirablement posée, femme d'un homme
qui, financièrement parlant, est une puissance. Et non
seulement elle a refusé de recevoir Mme Swann, mais elle
a mené une campagne en règle pour que ses amies et
connaissances en fissent autant. Je n'entends pas par là
qu'aucun Parisien de bonne compagnie ait manqué de
respect à Mme Swann... Non! cent fois non! le mari était
d'ailleurs homme à relever le gant. En tous cas, il y a une
chose curieuse, c'est de voir combien Swann, qui connaît
tant de monde et du plus choisi, montre d'empressement
auprès d'une société dont le moins qu'on puisse dire est
qu'elle est fort mêlée. Moi qui l'ai connu jadis, j'avoue
que j'éprouvais autant de surprise que d'amusement à
voir un homme aussi bien élevé, aussi à la mode dans les
coteries les plus triées, remercier avec effusion le directeur
du Cabinet du ministre des Postes d'être venu chez eux
et lui demander si Mme Swann pourrait *se permettre* d'aller
voir sa femme. Il doit pourtant se trouver dépaysé ; évidemment ce n'est plus le même monde. Mais je ne crois
pas cependant que Swann soit malheureux. Il y a eu, il est
vrai, dans les années qui précédèrent le mariage, d'assez
vilaines manœuvres de chantage de la part de la femme ;
elle privait Swann de sa fille chaque fois qu'il lui refusait
quelque chose. Le pauvre Swann, aussi naïf qu'il est
pourtant raffiné, croyait chaque fois que l'enlèvement de
sa fille était une coïncidence et ne voulait pas voir la réalité.
Elle lui faisait d'ailleurs des scènes si continuelles qu'on
pensait que le jour où elle serait arrivée à ses fins et se
serait fait épouser, rien ne la retiendrait plus et que leur
vie serait un enfer. Hé bien! c'est le contraire qui est
arrivé. On plaisante beaucoup la manière dont Swann
parle de sa femme, on en fait même des gorges chaudes.
On ne demandait certes pas que, plus ou moins conscient
d'être... (vous savez le mot de Molière), il allât le proclamer *urbi et orbi* ; n'empêche qu'on le trouve exagéré

quand il dit que sa femme est une excellente épouse. Or, ce n'est pas aussi faux qu'on le croit. A sa manière qui n'est pas celle que tous les maris préféreraient, — mais enfin, entre nous, il me semble difficile que Swann, qui la connaissait depuis longtemps et est loin d'être un maître sot, ne sût pas à quoi s'en tenir, — il est indéniable qu'elle semble avoir de l'affection pour lui. Je ne dis pas qu'elle ne soit pas volage, et Swann lui-même ne se fait pas faute de l'être, à en croire les bonnes langues qui, vous pouvez le pensez, vont leur train. Mais elle lui est reconnaissante de ce qu'il a fait pour elle, et, contrairement aux craintes éprouvées par tout le monde, elle paraît devenue d'une douceur d'ange.

Ce changement n'était peut-être pas aussi extraordinaire que le trouvait M. de Norpois. Odette n'avait pas cru que Swann finirait par l'épouser ; chaque fois qu'elle lui annonçait tendancieusement qu'un homme comme il faut venait de se marier avec sa maîtresse, elle lui avait vu garder un silence glacial et tout au plus, si elle l'interpellait directement en lui demandant : « Alors, tu ne trouves pas que c'est très bien, que c'est bien beau ce qu'il a fait là pour une femme qui lui a consacré sa jeunesse ? », répondre sèchement : « Mais je ne te dis pas que ce soit mal, chacun agit à sa guise. » Elle n'était même pas loin de croire que, comme il le lui disait dans des moments de colère, il l'abandonnerait tout à fait, car elle avait depuis peu entendu dire par une femme sculpteur : « On peut s'attendre à tout de la part des hommes, ils sont si mufles », et frappée par la profondeur de cette maxime pessimiste, elle se l'était appropriée, elle la répétait à tout bout de champ d'un air découragé qui semblait dire : « Après tout, il n'y aurait rien d'impossible, c'est bien ma chance. » Et, par suite, toute vertu avait été enlevée à la maxime optimiste qui avait jusque-là guidé Odette dans la vie : « On peut tout faire aux hommes qui vous aiment, ils sont si idiots », et qui s'exprimait dans son visage par le même clignement

d'yeux qui eût pu accompagner des mots tels que : « Ayez
pas peur, il ne cassera rien. » En attendant, Odette
souffrait de ce que telle de ses amies, épousée par un
homme qui était resté moins longtemps avec elle qu'elle-
même avec Swann, et n'avait pas, elle, d'enfant, relativement considérée maintenant, invitée aux bals de l'Élysée,
devait penser de la conduite de Swann. Un consultant
plus profond que ne l'était M. de Norpois eût sans doute
pu diagnostiquer que c'était ce sentiment d'humiliation
et de honte qui avait aigri Odette, que le caractère infernal
qu'elle montrait ne lui était pas essentiel, n'était pas un
mal sans remède, et eût aisément prédit ce qui était
arrivé, à savoir qu'un régime nouveau, le régime matri-
monial, ferait cesser avec une rapidité presque magique
ces accidents pénibles, quotidiens, mais nullement orga-
niques. Presque tout le monde s'étonna de ce mariage, et
cela même est étonnant. Sans doute peu de personnes
comprennent le caractère purement subjectif du phénomène qu'est l'amour, et la sorte de création que c'est
d'une personne supplémentaire, distincte de celle qui porte
le même nom dans le monde, et dont la plupart des éléments sont tirés de nous-mêmes. Aussi y a-t-il peu de
gens qui puissent trouver naturelles les proportions
énormes que finit par prendre pour nous un être qui n'est
pas le même que celui qu'ils voient. Pourtant il semble
qu'en ce qui concerne Odette on aurait pu se rendre
compte que si, certes, elle n'avait jamais entièrement
compris l'intelligence de Swann, du moins savait-elle les
titres, tout le détail de ses travaux, au point que le nom
de Ver Meer lui était aussi familier que celui de son
couturier ; de Swann, elle connaissait à fond ces traits du
caractère que le reste du monde ignore ou ridiculise et
dont seule une maîtresse, une sœur, possèdent l'image
ressemblante et aimée ; et nous tenons tellement à eux,
même à ceux que nous voudrions le plus corriger, que
c'est parce qu'une femme finit par en prendre une

habitude indulgente et amicalement railleuse, pareille à
l'habitude que nous en avons nous-mêmes et qu'en ont
nos parents, que les vieilles liaisons ont quelque chose de la
douceur et de la force des affections de famille. Les liens
qui nous unissent à un être se trouvent sanctifiés quand
il se place au même point de vue que nous pour juger une
de nos tares. Et parmi ces traits particuliers, il y en avait
aussi qui appartenaient autant à l'intelligence de Swann
qu'à son caractère, et que pourtant, en raison de la racine
qu'ils avaient malgré tout en celui-ci, Odette avait plus
facilement discernée. Elle se plaignait que quand Swann
faisait métier d'écrivain, quand il publiait des études, on
ne reconnût pas ces traits-là autant que dans ses lettres ou
dans sa conversation où ils abondaient. Elle lui conseillait
de leur faire la part la plus grande. Elle l'aurait voulu
parce que c'était ceux qu'elle préférait en lui, mais comme
elle les préférait parce qu'ils étaient plus à lui, elle n'avait
peut-être pas tort de souhaiter qu'on les retrouvât dans ce
qu'il écrivait. Peut-être aussi pensait-elle que des ouvrages
plus vivants, en lui procurant enfin à lui le succès, lui
eussent permis à elle de se faire ce que chez les Verdurin
elle avait appris à mettre au-dessus de tout : un salon.

Parmi les gens qui trouvaient ce genre de mariage
ridicule, gens qui pour eux-mêmes se demandaient :
« Que pensera M. de Guermantes, que dira Bréauté, quand
j'épouserai Mlle de Montmorency ? », parmi les gens
ayant cette sorte d'idéal social, aurait figuré, vingt ans
plus tôt, Swann lui-même, Swann qui s'était donné du
mal pour être reçu au Jockey et avait compté dans ce
temps-là faire un éclatant mariage qui eût achevé en
consolidant sa situation, de faire de lui un des hommes les
plus en vue de Paris. Seulement, les images que représente un tel mariage à l'intéressé ont, comme toutes les
images, pour ne pas dépérir et s'effacer complètement,
besoin d'être alimentées du dehors. Votre rêve le plus
ardent est d'humilier l'homme qui vous a offensé. Mais

si vous n'entendez plus jamais parler de lui, ayant changé
de pays, votre ennemi finira par ne plus avoir pour vous
aucune importance. Si on a perdu de vue pendant vingt
ans toutes les personnes à cause desquelles on aurait aimé
entrer au Jockey ou à l'Institut, la perspective d'être
membre de l'un ou de l'autre de ces groupements
ne tentera nullement. Or, tout autant qu'une retraite,
qu'une maladie, qu'une conversion religieuse, une liaison
prolongée substitue d'autres images aux anciennes. Il n'y
eut pas de la part de Swann, quand il épousa Odette,
renoncement aux ambitions mondaines, car de ces ambi-
tions-là depuis longtemps Odette l'avait, au sens spirituel
du mot, détaché. D'ailleurs, ne l'eût-il pas été qu'il n'en
aurait eu que plus de mérite. C'est parce qu'ils impli-
quent le sacrifice d'une situation plus ou moins flatteuse
à une douceur purement intime, que généralement les
mariages infamants sont les plus estimables de tous (on ne
peut en effet entendre par mariage infamant un mariage
d'argent, n'y ayant point d'exemple d'un ménage où la
femme ou bien le mari se soient vendus et qu'on n'ait fini
par recevoir, ne fût-ce que par tradition et sur la foi de
tant d'exemples et pour ne pas avoir deux poids et deux
mesures). Peut-être, d'autre part, en artiste, sinon en
corrompu, Swann eût-il en tous cas éprouvé une certaine
volupté à accoupler à lui, dans un de ces croisements
d'espèces comme en pratiquent les *mendelistes* ou comme
en raconte la mythologie, un être de race différente,
archiduchesse ou cocotte, à contracter une alliance royale
ou à faire une mésalliance. Il n'y avait eu dans le monde
qu'une seule personne dont il se fût préoccupé, chaque
fois qu'il avait pensé à son mariage possible avec Odette,
c'était, et non par snobisme, la duchesse de Guermantes.
De celle-là, au contraire, Odette se souciait peu, pensant
seulement aux personnes situées immédiatement au-
dessus d'elle-même plutôt que dans un aussi vague empy-
rée. Mais quand Swann dans ses heures de rêverie voyait

Odette devenue sa femme, il se représentait invariablement le moment où il l'amènerait, elle et surtout sa fille,
chez la princesse des Laumes, devenue bientôt duchesse
de Guermantes par la mort de son beau-père. Il ne désirait pas les présenter ailleurs, mais il s'attendrissait quand
il inventait, en énonçant les mots eux-mêmes, tout ce que
la duchesse dirait de lui à Odette, et Odette à Mme de
Guermantes, la tendresse que celle-ci témoignerait à
Gilberte, la gâtant, le rendant fier de sa fille. Il se jouait
à lui-même la scène de la présentation avec la même précision dans le détail imaginaire qu'ont les gens qui exa-
minent comment ils emploieraient, s'ils le gagnaient, un
lot dont ils fixent arbitrairement le chiffre. Dans la
mesure où une image qui accompagne une de nos résolutions la motive, on peut dire que si Swann épousa Odette,
ce fut pour la présenter, elle et Gilberte, sans qu'il y eût
personne là, au besoin sans que personne le sût jamais, à
la duchesse de Guermantes. On verra comment cette
seule ambition mondaine qu'il avait souhaitée pour sa
femme et sa fille fut justement celle dont la réalisation se
trouva lui être interdite, et par un veto si absolu que
Swann mourut sans supposer que la duchesse pourrait
jamais les connaître. On verra aussi qu'au contraire la
duchesse de Guermantes se lia avec Odette et Gilberte
après la mort de Swann. Et peut-être eût-il été sage —
pour autant qu'il pouvait attacher de l'importance à si
peu de chose — en ne se faisant pas une idée trop sombre
de l'avenir à cet égard, et en réservant que la réunion
souhaitée pourrait bien avoir lieu quand il ne serait plus
là pour en jouir. Le travail de causalité qui finit par produire à peu près tous les effets possibles, et par conséquent
aussi ceux qu'on avait cru l'être le moins, ce travail est
parfois lent, rendu un peu plus lent encore par notre
désir — qui, en cherchant à l'accélérer, l'entrave —, par
notre existence même, et n'aboutit que quand nous avons
cessé de désirer, et quelquefois de vivre. Swann ne le

savait-il pas par sa propre expérience, et n'était-ce pas déjà, dans sa vie — comme une préfiguration de ce qui devait arriver après sa mort — un bonheur après décès que ce mariage avec cette Odette qu'il avait passionnément aimée — si elle ne lui avait pas plu au premier abord — et qu'il avait épousée quand il ne l'aimait plus, quand l'être qui, en Swann, avait tant souhaité et tant désespéré de vivre toute sa vie avec Odette, quand cet être-là était mort ?

Je me mis à parler du comte de Paris, à demander s'il n'était pas ami de Swann, car je craignais que la conversation se détournât de celui-ci. « Oui, en effet, répondit M. de Norpois en se tournant vers moi et en fixant sur ma modeste personne le regard bleu ou flottaient, comme dans leur élément vital, ses grandes facultés de travail et son esprit d'assimilation. Et, mon Dieu, ajouta-t-il en s'adressant de nouveau à mon père, je ne crois pas franchir les bornes du respect dont je fais profession pour le Prince (sans cependant entretenir avec lui des relations personnelles que rendrait difficiles ma situation, si peu officielle qu'elle soit) en vous citant ce fait assez piquant que, pas plus tard qu'y il y a quatre ans, dans une petite gare de chemin de fer d'un des pays de l'Europe Centrale, le Prince eut l'occasion d'apercevoir Mme Swann. Certes, aucun de ses familiers ne s'est permis de demander à Monseigneur comment il l'avait trouvée. Cela n'eût pas été séant. Mais quand par hasard la conversation amenait son nom, à de certains signes imperceptibles si l'on veut, mais qui ne trompent pas, le Prince semblait donner assez volontiers à entendre que son impression était en somme loin d'avoir été défavorable.

— Mais il n'y aurait pas eu possibilité de la présenter au comte de Paris ? demanda mon père.

— Eh bien ! on ne sait pas ; avec les princes on ne sait jamais, répondit M. de Norpois ; les plus glorieux, ceux qui savent le plus se faire rendre ce qu'on leur doit, sont aussi quelquefois ceux qui s'embarrassent le moins des décrets de l'opinion publique, même les plus justifiés, pour peu qu'il s'agisse de récompenser certains attachements. Or, il est certain que le comte de Paris a toujours agréé avec beaucoup de bienveillance le dévouement de Swann qui est, d'ailleurs, un garçon d'esprit s'il en fut.

— Et votre impression à vous, quelle a-t-elle été, monsieur l'Ambassadeur ? demanda ma mère par politesse et par curiosité.

Avec une énergie de vieux connaisseur, qui tranchait sur la modération habituelle de ses propos :

— Tout à fait excellente ! répondit M. de Norpois.

Et sachant que l'aveu d'une forte sensation produite par une femme rentre, à condition qu'on le fasse avec enjouement, dans une certaine forme particulièrement appréciée de l'esprit de conversation, il éclata d'un petit rire qui se prolongea pendant quelques instants, humectant les yeux bleus du vieux diplomate et faisant vibrer les ailes de son nez nervurées de fibrilles rouges.

— Elle est tout à fait charmante !

— Est-ce qu'un écrivain du nom de Bergotte était à ce dîner, Monsieur ? demandai-je timidement pour tâcher de retenir la conversation sur le sujet des Swann.

— Oui, Bergotte était là, répondit M. de Norpois, inclinant la tête de mon côté avec courtoisie, comme si, dans son désir d'être aimable avec mon père, il attachait à tout ce qui tenait à lui une véritable importance, et même aux questions d'un garçon de mon âge qui n'était pas habitué à se voir montrer tant de politesse par des personnes du sien. Est-ce que vous le connaissez ? ajouta-t-il en fixant sur moi ce regard clair dont Bismarck admirait la pénétration.

— Mon fils ne le connaît pas mais l'admire beaucoup, dit ma mère.

— Mon Dieu, dit M. de Norpois (qui m'inspira sur ma propre intelligence des doutes plus graves que ceux qui me déchiraient d'habitude, quand je vis que ce que

je mettais mille et mille fois au-dessus de moi-même, ce
que je trouvais de plus élevé au monde, était pour lui
tout en bas de l'échelle de ses admirations), je ne partage
pas cette manière de voir. Bergotte est ce que j'appelle
un joueur de flûte ; il faut reconnaître du reste qu'il en
joue agréablement quoique avec bien du maniérisme, de
l'afféterie. Mais enfin ce n'est que cela, et cela n'est pas
grand'chose. Jamais on ne trouve dans ses ouvrages
sans muscles ce qu'on pourrait nommer la charpente.
Pas d'action — ou si peu — mais surtout pas de portée.
Ses livres pèchent par la base ou plutôt il n'y a pas de
base du tout. Dans un temps comme le nôtre où la complexité croissante de la vie laisse à peine le temps de lire,
où la carte de l'Europe a subi des remaniements profonds
et est à la veille d'en subir de plus grands encore peut-être,
où tant de problèmes menaçants et nouveaux se posent
partout, vous m'accorderez qu'on a le droit de demander
à un écrivain d'être autre chose qu'un bel esprit qui nous
fait oublier dans des discussions oiseuses et byzantines
sur des mérites de pure forme, que nous pouvons être
envahis d'un instant à l'autre par un double flot de Barbares, ceux du dehors et ceux du dedans. Je sais que c'est
blasphémer contre la Sacro-Sainte École de ce que ces
messieurs appellent l'Art pour l'Art, mais à notre époque
il y a des tâches plus urgentes que d'agencer des mots
d'une façon harmonieuse. Celle de Bergotte est parfois
assez séduisante, je n'en disconviens pas, mais au total
tout cela est bien mièvre, bien mince, et bien peu viril.
Je comprends mieux maintenant, en me reportant à votre
admiration tout à fait exagérée pour Bergotte, les quelques lignes que vous m'avez montrées tout à l'heure et sur
lesquelles j'aurais mauvaise grâce à ne pas passer l'éponge,
puisque vous avez dit vous-même, en toute simplicité,
que ce n'était qu'une griffonnage d'enfant (je l'avais dit,
en effet, mais je n'en pensais pas un mot). A tout péché
miséricorde et surtout aux péchés de jeunesse. Après

tout, d'autres que vous en ont de pareils sur la conscience, et vous n'êtes pas le seul qui se soit cru poète à son heure. Mais on voit dans ce que vous m'avez montré la mauvaise influence de Bergotte. Évidemment, je ne vous étonnerai pas en vous disant qu'il n'y avait là aucune de ses qualités, puisqu'il est passé maître dans l'art, tout superficiel du reste, d'un certain style dont à votre âge vous ne pouvez posséder même le rudiment. Mais c'est déjà le même défaut, ce contresens d'aligner des mots bien sonores en ne se souciant qu'ensuite du fond. C'est mettre la charrue avant les bœufs. Même dans les livres de Bergotte, toutes ces chinoiseries de forme, toutes ces subtilités de mandarin déliquescent me semblent bien vaines. Pour quelques feux d'artifice agréablement tirés par un écrivain, on crie tout de suite au chef-d'œuvre. Les chefs-d'œuvre ne sont pas si fréquents que cela! Bergotte n'a pas à son actif, dans son bagage si je puis dire, un roman d'une envolée un peu haute, un de ces livres qu'on place dans le bon coin de sa bibliothèque. Je n'en vois pas un seul dans son œuvre. Il n'empêche que chez lui l'œuvre est infiniment supérieure à l'auteur. Ah! voilà quelqu'un qui donne raison à l'homme d'esprit qui prétendait qu'on ne doit connaître les écrivains que par leurs livres. Impossible de voir un individu qui réponde moins aux siens, plus prétentieux, plus solennel, moins homme de bonne compagnie. Vulgaire par moments, parlant à d'autres comme un livre, et même pas comme un livre de lui, mais comme un livre ennuyeux, ce qu'au moins ne sont pas les siens, tel est ce Bergotte. C'est un esprit des plus confus, alambiqué, ce que nos pères appelaient un diseur de phébus et qui rend encore plus déplaisantes, par sa façon de les énoncer, les choses qu'il dit. Je ne sais si c'est Loménie ou Sainte-Beuve qui raconte que Vigny rebutait par le même travers. Mais Bergotte n'a jamais écrit *Cinq-Mars*, ni *le Cachet rouge*, où certaines pages sont de véritables morceaux d'anthologie.

Atterré par ce que M. de Norpois venait de me dire
du fragment que je lui avais soumis, songeant d'autre
part aux difficultés que j'éprouvais quand je voulais
écrire un essai ou seulement me livrer à des réflexions
sérieuses, je sentis une fois de plus ma nullité intellectuelle et que je n'étais pas né pour la littérature. Sans
doute autrefois à Combray, certaines impressions fort
humbles, ou une lecture de Bergotte, m'avaient mis
dans un état de rêverie qui m'avait paru avoir une grande
valeur. Mais cet état, mon poème en prose le reflétait :
nul doute que M. de Norpois n'en eût saisi et percé à
jour tout de suite ce que j'y trouvais de beau seulement
par un mirage entièrement trompeur, puisque l'Ambassadeur n'en était pas dupe. Il venait de m'apprendre au
contraire quelle place infime était la mienne (quand
j'étais jugé du dehors, objectivement, par le connaisseur
le mieux disposé et le plus intelligent). Je me sentais
consterné, réduit ; et mon esprit comme un fluide qui
n'a de dimensions que celles du vase qu'on lui fournit,
de même qu'il s'était dilaté jadis à remplir les capacités
immenses du génie, contracté maintenant, tenait tout
entier dans la médiocrité étroite où M. de Norpois l'avait
soudain enfermé et restreint.

— Notre mise en présence, à Bergotte et à moi,
ajouta-t-il en se tournant vers mon père, ne laissait pas
que d'être assez épineuse (ce qui après tout est aussi
une manière d'être piquante). Bergotte, voilà quelques
années de cela, fit un voyage à Vienne, pendant que j'y
étais ambassadeur ; il me fut présenté par la princesse
de Metternich, vint s'inscrire et désirait être invité. Or,
étant à l'étranger représentant de la France, à qui en
somme il fait honneur par ses écrits, dans une certaine
mesure, disons, pour être exact, dans une mesure bien
faible, j'aurais passé sur la triste opinion que j'ai de sa vie
privée. Mais il ne voyageait pas seul et bien plus il prétendait ne pas être invité sans sa compagne. Je crois ne pas

être plus pudibond qu'un autre et, étant célibataire, je pouvais peut-être ouvrir un peu plus largement les portes de l'Ambassade que si j'eusse été marié et père de famille. Néanmoins, j'avoue qu'il y a un degré d'ignominie dont je ne saurais m'accommoder, et qui est rendu plus écœurant encore par le ton plus que moral, tranchons le mot, moralisateur, que prend Bergotte dans ses livres où on ne voit qu'analyses perpétuelles et d'ailleurs, entre nous, un peu languissantes, de scrupules douloureux, de remords maladifs, et, pour de simples peccadilles, de véritables prêchi-prêcha (on sait ce qu'en vaut l'aune), alors qu'il montre tant d'inconscience et de cynisme dans sa vie privée. Bref, j'éludai la réponse, la princesse revint à la charge, mais sans plus de succès. De sorte que je ne suppose pas que je doive être très en odeur de sainteté auprès du personnage, et je ne sais pas jusqu'à quel point il a apprécié l'attention de Swann de l'inviter en même temps que moi. A moins que ce ne soit lui qui l'ait demandé. On ne peut pas savoir, car au fond c'est un malade. C'est même sa seule excuse.

— Et est-ce que la fille de Mme Swann était à ce dîner ? demandai-je à M. de Norpois, profitant pour faire cette question d'un moment où, comme on passait au salon, je pouvais dissimuler plus facilement mon émotion que je n'aurais fait à table, immobile et en pleine lumière.

M. de Norpois parut chercher un instant à se souvenir :

— Oui, une jeune personne de quatorze à quinze ans ? En effet, je me souviens qu'elle m'a été présentée avant le dîner comme la fille de notre amphitryon. Je vous dirai que je l'ai peu vue, elle est allée se coucher de bonne heure. Ou elle allait chez des amies, je ne me rappelle pas bien. Mais je vois que vous êtes fort au courant de la maison Swann.

— Je joue avec Mlle Swann aux Champs-Élysées, elle est délicieuse.

— Ah! voilà! voilà! Mais à moi, en effet, elle m'a paru charmante. Je vous avoue pourtant que je ne crois pas qu'elle approchera jamais de sa mère, si je peux dire cela sans blesser en vous un sentiment trop vif.

— Je préfère la figure de Mlle Swann, mais j'admire aussi énormément sa mère, je vais me promener au Bois rien que dans l'espoir de la voir passer.

— Ah! mais je vais leur dire cela, elles seront très flattées.

Pendant qu'il disait ces mots, M. de Norpois était, pour quelques secondes encore, dans la situation de toutes les personnes qui, m'entendant parler de Swann comme d'un homme intelligent, de ses parents comme d'agents de change honorables, de sa maison comme d'une belle maison, croyaient que je parlerais aussi volontiers d'un autre homme aussi intelligent, d'autres agents de change aussi honorables, d'une autre maison aussi belle ; c'est le moment où un homme sain d'esprit qui cause avec un fou ne s'est pas encore aperçu que c'est un fou. M. de Norpois savait qu'il n'y a rien que de naturel dans le plaisir de regarder les jolies femmes, qu'il est de bonne compagnie, dès que quelqu'un nous parle avec chaleur de l'une d'elles, de faire semblant de croire qu'il en est amoureux, de l'en plaisanter et de lui promettre de seconder ses desseins. Mais en disant qu'il parlerait de moi à Gilberte et à sa mère (ce qui me permettrait, comme une divinité de l'Olympe qui a pris la fluidité d'un souffle ou plutôt l'aspect du vieillard dont Minerve emprunte les traits, de pénétrer moi-même, invisible, dans le salon de Mme Swann, d'attirer son attention, d'occuper sa pensée, d'exciter sa reconnaissance pour mon admiration, de lui apparaître comme l'ami d'un homme important, de lui sembler à l'avenir digne d'être invité par elle et d'entrer dans l'intimité de sa famille), cet homme important qui allait

user en ma faveur du grand prestige qu'il devait avoir
aux yeux de Mme Swann, m'inspira subitement une
tendresse si grande que j'eus peine à me retenir de ne
pas embrasser ses douces mains blanches et fripées,
qui avaient l'air d'être restées trop longtemps dans
l'eau. J'en ébauchai presque le geste que je me crus
seul à avoir remarqué. Il est difficile, en effet, à chacun
de nous de calculer exactement à quelle échelle ses
paroles ou ses mouvements apparaissent à autrui ; par
peur de nous exagérer notre importance et en grandis-
sant dans des proportions énormes le champ sur lequel
sont obligés de s'étendre les souvenirs des autres au
cours de leur vie, nous nous imaginons que les parties
accessoires de notre discours, de nos attitudes, pénètrent
à peine dans la conscience, à plus forte raison ne demeu-
rent pas dans la mémoire de ceux avec qui nous causons.
C'est d'ailleurs à une supposition de ce genre qu'obéissent les criminels quand ils retouchent après coup un
mot qu'ils ont dit et duquel ils pensent qu'on ne pourra
confronter cette variante, à aucune autre version. Mais
il est bien possible que, même en ce qui concerne la
vie millénaire de l'humanité, la philosophie du feuille-
toniste selon laquelle tout est promis à l'oubli soit moins
vraie qu'une philosophie contraire qui prédirait la
conservation de toutes choses. Dans le même journal où
le moraliste du « Premier Paris » nous dit d'un événement,' d'un chef-d'œuvre, à plus forte raison d'une
chanteuse qui eut « son heure de célébrité » : « Qui se
souviendra de tout cela dans dix ans ? », à la troisième
page, le compte rendu de l'Académie des Inscriptions
ne parle-t-il pas souvent d'un fait par lui-même moins
important, d'un poème de peu de valeur, qui date de
l'époque des Pharaons et qu'on connaît encore intégrale-
ment ? Peut-être n'en est-il pas tout à fait de même
pour la courte vie humaine. Pourtant quelques années
plus tard, dans une maison où M. de Norpois, qui s'y

trouvait en visite, me semblait le plus solide appui
que j'y pusse rencontrer, parce qu'il était ami de mon
père, indulgent, porté à nous vouloir du bien à tous,
d'ailleurs habitué par sa profession et ses origines à la
discrétion, quand, une fois l'Ambassadeur parti, on me
raconta qu'il avait fait allusion à une soirée d'autrefois dans laquelle il avait « vu le moment où j'allais lui
baiser les mains », je ne rougis pas seulement jusqu'aux
oreilles, je fus stupéfait d'apprendre qu'étaient si différentes de ce que j'aurais cru, non seulement la façon
dont M. de Norpois parlait de moi, mais encore la composition de ses souvenirs. Ce « potin » m'éclaira sur les
proportions inattendues de distraction et de présence
d'esprit, de mémoire et d'oubli dont est fait l'esprit
humain ; et je fus aussi merveilleusement surpris que
le jour où je lus pour la première fois, dans un livre de
Maspero, qu'on savait exactement la liste des chasseurs
qu'Assourbanipal invitait à ses battues, dix siècles
avant Jésus-Christ.

— Oh! Monsieur, dis-je à M. de Norpois, quand il
m'annonça qu'il ferait part à Gilberte et à sa mère de
l'admiration que j'avais pour elles, si vous faisiez cela,
si vous parliez de moi à Mme Swann, ce ne serait pas
assez de toute ma vie pour vous témoigner ma gratitude,
et cette vie vous appartiendrait! Mais je tiens à vous faire
remarquer que je ne connais pas Mme Swann et que je
ne lui ai jamais été présenté.

J'avais ajouté ces derniers mots par scrupule et pour
ne pas avoir l'air de m'être vanté d'une relation que je
n'avais pas. Mais en les prononçant, je sentais qu'ils
étaient déjà devenus inutiles, car dès le début de mon
remerciement, d'une ardeur réfrigérante, j'avais vu
passer sur le visage de l'Ambassadeur une expression
d'hésitation et de mécontentement, et dans ses yeux
ce regard vertical, étroit et oblique (comme, dans le
dessin en perspective d'un solide, la ligne fuyante d'une

de ses faces), regard qui s'adresse à cet interlocuteur
invisible qu'on a en soi-même, au moment où on lui dit
quelque chose que l'autre interlocuteur, le monsieur
avec qui on parlait jusqu'ici — moi dans la circonstance
— ne doit pas entendre. Je me rendis compte aussitôt
que ces phrases que j'avais prononcées et qui, faibles
encore auprès de l'effusion reconnaissante dont j'étais
envahi, m'avaient paru devoir toucher M. de Norpois
et achever de le décider à une intervention qui lui eût
donné si peu de peine, et à moi tant de joie, étaient
peut-être (entre toutes celles qu'eussent pu chercher
diaboliquement des personnes qui m'eussent voulu
du mal) les seules qui pussent avoir pour résultat de
l'y faire renoncer. En les entendant en effet, de même
qu'au moment où un inconnu, avec qui nous venions
d'échanger agréablement des impressions que nous
avions pu croire semblables sur des passants que nous
nous accordions à trouver vulgaires, nous montre tout
à coup l'abîme pathologique qui le sépare de nous
en ajoutant négligemment tout en tâtant sa poche :
« C'est malheureux que je n'aie pas mon revolver, il
n'en serait pas resté un seul », M. de Norpois, qui savait
que rien n'était moins précieux ni plus aisé que d'être
recommandé à Mme Swann et introduit chez elle, et
qui vit que pour moi, au contraire, cela présentait un
tel prix, par conséquent, sans doute, une grande difficulté,
pensa que le désir, normal en apparence, que j'avais
exprimé, devait dissimuler quelque pensée différente,
quelque visée suspecte, quelque faute antérieure, à
cause de quoi, dans la certitude de déplaire à Mme Swann,
personne n'avait jusqu'ici voulu se charger de lui transmettre une commission de ma part. Et je compris que
cette commission, il ne la ferait jamais, qu'il pourrait
voir Mme Swann quotidiennement pendant des années,
sans pour cela lui parler une seule fois de moi. Il lui
demanda cependant quelques jours plus tard un rensei-

gnement que je désirais et chargea mon père de me le
transmettre. Mais il n'avait pas cru devoir dire pour
qui il le demandait. Elle n'apprendrait donc pas que je
connaissais M. de Norpois et que je souhaitais tant
d'aller chez elle ; et ce fut peut-être un malheur moins
grand que je ne croyais. Car la seconde de ces nouvelles
n'eût probablement pas beaucoup ajouté à l'efficacité
de la première ; efficacité d'ailleurs incertaine : pour
Odette, l'idée de sa propre vie et de sa propre demeure
n'éveillant aucun trouble mystérieux, une personne qui
la connaissait, qui allait chez elle, ne lui semblait pas un
être fabuleux comme il le paraissait à moi qui aurais
jeté dans les fenêtres des Swann une pierre si j'avais
pu .écrire sur elle que je connaissais M. de Norpois :
j'étais persuadé qu'un tel message, même transmis
d'une façon aussi brutale, m'eût donné beaucoup plus
de prestige aux yeux de la maîtresse de la maison qu'il
ne l'eût indisposée contre moi. Mais, même si j'avais
pu me rendre compte que la mission dont ne s'acquitta
pas M. de Norpois fût restée sans utilité, bien plus,
qu'elle eût pu me nuire auprès des Swann, je n'aurais
pas eu le courage, s'il s'était montré consentant, d'en
décharger l'Ambassadeur et de renoncer à la volupté,
si funestes qu'en pussent être les suites, que mon nom
et ma personne se trouvassent ainsi un moment auprès
de Gilberte, dans sa maison et sa vie inconnues.

Quand M. de Norpois fut parti, mon père jeta un
coup d'œil sur le journal du soir ; je songeais de nouveau
à la Berma. Le plaisir que j'avais eu à l'entendre exigeait
d'autant plus d'être complété qu'il était loin d'égaler
celui que je m'étais promis ; aussi s'assimilait-il immédiatement tout ce qui était susceptible de le nourrir,
par exemple ces mérites que M. de Norpois avait reconnus à la Berma et que mon esprit avait bus d'un seul
trait comme un pré trop sec sur qui on verse de l'eau.
Or mon père me passa le journal en me désignant un

entrefilet conçu en ces termes : « La représentation de
Phèdre qui a été donnée devant une salle enthousiaste
où on remarquait les principales notabilités du monde
des arts et de la critique a été pour Mme Berma, qui
jouait le rôle de Phèdre, l'occasion d'un triomphe
comme elle en a rarement connu de plus éclatant au
cours de sa prestigieuse carrière. Nous reviendrons plus
longuement sur cette représentation qui constitue un
véritable événement théâtral ; disons seulement que les
juges les plus autorisés s'accordaient à déclarer qu'une
telle interprétation renouvelait entièrement le rôle de
Phèdre, qui est un des plus beaux et des plus fouillés
de Racine, et constituait la plus pure et la plus haute manifestation d'art à laquelle de notre temps il ait été donné
d'assister. » Dès que mon esprit eut conçu cette idée
nouvelle de « la plus pure et haute manifestation d'art »,
celle-ci se rapprocha du plaisir imparfait que j'avais
éprouvé au théâtre, lui ajouta un peu de ce qui lui manquait et leur réunion forma quelque chose de si exaltant
que je m'écriai : « Quelle grande artiste! » Sans doute
on peut trouver que je n'étais pas absolument sincère.
Mais qu'on songe plutôt à tant d'écrivains qui, mécontents du morceau qu'ils viennent d'écrire, s'ils lisent
un éloge du génie de Chateaubriand ou évoquent tel
grand artiste dont ils ont souhaité d'être l'égal, fredonnant par exemple en eux-mêmes telle phrase de Beethoven de laquelle ils comparent la tristesse à celle qu'ils
ont voulu mettre dans leur prose, se remplissent tellement de cette idée de génie qu'ils l'ajoutent à leurs
propres productions en repensant à elles, ne les voient
plus telles qu'elles leur étaient apparues d'abord, et
risquant un acte de foi dans la valeur de leur œuvre
se disent : « Après tout! » sans se rendre compte que,
dans le total qui détermine leur satisfaction finale, ils
font entrer le souvenir de merveilleuses pages de Chateaubriand qu'ils assimilent aux leurs, mais enfin qu'ils

n'ont point écrites ; qu'on se rappelle tant d'hommes qui croient en l'amour d'une maîtresse de qui ils ne connaissent que les trahisons ; tous ceux aussi qui espèrent alternativement soit une survie incompréhensible dès qu'ils pensent, maris inconsolables, à une femme qu'ils ont perdue et qu'ils aiment encore, artistes, à la gloire future de laquelle ils pourront jouir, soit un néant rassurant quand leur intelligence se reporte au contraire aux fautes que sans lui ils auraient à expier après leur mort ; qu'on pense encore aux touristes qu'exalte la beauté d'ensemble d'un voyage dont jour par jour ils n'ont éprouvé que de l'ennui, et qu'on dise si dans la vie en commun que mènent les idées au sein de notre esprit, il est une seule de celles qui nous rendent le plus heureux qui n'ait été d'abord, en véritable parasite, demander à une idée étrangère et voisine le meilleur de la force qui lui manquait.

Ma mère ne parut pas très satisfaite que mon père ne songeât plus pour moi à la « carrière ». Je crois que, soucieuse avant tout qu'une règle d'existence disciplinât les caprices de mes nerfs, ce qu'elle regrettait, c'était moins de me voir renoncer à la diplomatie que m'adonner à la littérature. « Mais laisse donc, s'écria mon père, il faut avant tout prendre du plaisir à ce qu'on fait. Or, il n'est plus un enfant. Il sait bien maintenant ce qu'il aime, il est peu probable qu'il change, et il est capable de se rendre compte de ce qui le rendra heureux dans l'existence. » En attendant que, grâce à la liberté qu'elles m'octroyaient, je fusse, ou non, heureux dans l'existence, les paroles de mon père me firent ce soir-là bien de la peine. De tout temps ses gentillesses imprévues m'avaient, quand elles se produisaient, donné une telle envie d'embrasser au-dessus de sa barbe ses joues colorées que si je n'y cédais pas, c'était seulement par peur de lui déplaire. Aujourd'hui, comme un auteur s'effraye de voir ses propres rêveries qui lui paraissent sans grande valeur parce qu'il ne les sépare pas de lui-même, obliger un éditeur à choisir un papier, à employer des caractères peut-être trop beaux pour elles, je me demandais si mon désir d'écrire était quelque chose d'assez important pour que mon père dépensât à cause de cela tant de bonté. Mais surtout en parlant de mes goûts qui ne changeraient plus, de ce qui était destiné à rendre mon existence heureuse, il insinuait en moi deux soupçons terriblement douloureux. Le premier, c'était que (alors que chaque jour je me considérais comme sur le seuil de ma vie encore intacte et qui ne débuterait que le lendemain matin) mon existence était déjà commencée, bien plus, que ce qui en allait suivre ne serait pas très différent de ce qui avait précédé. Le second soupçon, qui n'était à vrai dire qu'une autre forme du premier, c'est que je n'étais pas situé en dehors du Temps, mais soumis à ses lois, tout comme ces personnages de roman qui, à cause de cela, me jetaient dans une telle tristesse quand je lisais leur vie, à Combray, au fond de ma guérite d'osier. Théoriquement on sait que la terre tourne, mais en fait on ne s'en aperçoit pas, le sol sur lequel on marche semble ne pas bouger et on vit tranquille. Il en est ainsi du Temps dans la vie. Et pour rendre sa fuite sensible, les romanciers sont obligés, en accélérant follement les battements de l'aiguille, de faire franchir au lecteur dix, vingt, trente ans, en deux minutes. Au haut d'une page on a quitté un amant plein d'espoir, au bas de la suivante on le retrouve octogénaire, accomplissant péniblement dans le préau d'un hospice sa promenade quotidienne, répondant à peine aux paroles qu'on lui adresse, ayant oublié le passé. En disant de moi : « Ce n'est plus un enfant, ses goûts ne changeront plus, etc. », mon père venait tout d'un coup de me faire apparaître à moi-même dans le Temps, et me causait le même genre de tristesse que si j'avais été non pas encore l'hospitalisé ramolli,

mais ces héros dont l'auteur, sur un ton indifférent qui
est particulièrement cruel, nous dit à la fin d'un livre :
« Il quitte de moins en moins la campagne. Il a fini par
s'y fixer définitivement, etc. »

Cependant, mon père, pour aller au-devant des critiques que nous aurions pu faire sur notre invité, dit
à maman :

— J'avoue que le père Norpois a été un peu « poncif »
comme vous dites. Quand il a dit qu'il aurait été « peu
séant » de poser une question au comte de Paris, j'ai
eu peur que vous ne vous mettiez à rire.

— Mais pas du tout, répondit ma mère, j'aime beaucoup qu'un homme de cette valeur et de cet âge ait
gardé cette sorte de naïveté qui ne prouve qu'un fond
d'honnêteté et de bonne éducation.

— Je crois bien! Cela ne l'empêche pas d'être fin
et intelligent, je le sais moi qui le vois à la Commission
tout autre qu'il n'est ici, s'écria mon père, heureux de
voir que maman appréciait M. de Norpois, et voulant
lui persuader qu'il était encore supérieur à ce qu'elle
croyait, parce que la cordialité surfait avec autant de
plaisir qu'en prend la taquinerie à déprécier. Comment
a-t-il donc dit... « avec les princes on ne sait jamais... »

— Mais oui, comme tu dis là. J'avais remarqué, c'est
très fin. On voit qu'il a une profonde expérience de la
vie.

— C'est extraordinaire qu'il ait dîné chez les Swann et
qu'il y ait trouvé en somme des gens réguliers, des
fonctionnaires. Où est-ce que Mme Swann a pu aller
pêcher tout ce monde-là ?

— As-tu remarqué avec quelle malice il a fait cette
réflexion : « C'est une maison où il va surtout des
hommes ? »

Et tous deux cherchaient à reproduire la manière
dont M. de Norpois avait dit cette phrase, comme ils
auraient fait pour quelque intonation de Bressant ou

de Thiron dans *l'Aventurière* ou dans *le Gendre de
M. Poirier*. Mais de tous ses mots, le plus goûté le fut
par Françoise qui, encore plusieurs années après, ne
pouvait pas « tenir son sérieux » si on lui rappelait qu'elle
avait été traitée par l'Ambassadeur de « chef de premier
ordre », ce que ma mère était allée lui transmettre
comme un ministre de la Guerre, les félicitations d'un
souverain de passage après « la Revue ». Je l'avais d'ailleurs précédée à la cuisine. Car j'avais fait promettre
à Françoise, pacifiste mais cruelle, qu'elle ne ferait pas
trop souffrir le lapin qu'elle avait à tuer et je n'avais pas
eu de nouvelles de cette mort ; Françoise m'assura
qu'elle s'était passée le mieux du monde et très rapidement : « J'ai jamais vu une bête comme ça ; elle est
morte sans dire seulement une parole, vous auriez dit
qu'elle était muette. » Peu au courant du langage des
bêtes, j'alléguai que le lapin ne criait peut-être pas
comme le poulet. « Attendez un peu voir, me dit Françoise indignée de mon ignorance, si les lapins ne crient
pas autant comme les poulets. Ils ont même la voix
bien plus forte. » Françoise accepta les compliments
de M. de Norpois avec la fière simplicité, le regard
joyeux et — fût-ce momentanément — intelligent, d'un
artiste à qui on parle de son art. Ma mère l'avait envoyée autrefois dans certains grands restaurants voir
comment on y faisait la cuisine. J'eus ce soir-là, à l'entendre traiter les plus célèbres de gargotes, le même
plaisir qu'autrefois à apprendre, pour les artistes drama-
tiques, que la hiérarchie de leurs mérites n'était pas la
même que celle de leurs réputations. « L'Ambassadeur,
lui dit ma mère, assure que nulle part on ne mange de
bœuf froid et de soufflés comme les vôtres. » Françoise,
avec un air de modestie et de rendre hommage à la
vérité, l'accorda, sans être, d'ailleurs, impressionnée
par le titre d'ambassadeur ; elle disait de M. de Norpois,
avec l'amabilité due à quelqu'un qui l'avait prise pour

un « chef » : « C'est un bon vieux comme moi. » Elle
avait bien cherché à l'apercevoir quand il était arrivé,
mais sachant que maman détestait qu'on fût derrière
les portes ou aux fenêtres et pensant qu'elle saurait par
les autres domestiques ou par les concierges qu'elle
avait fait le guet (car Françoise ne voyait partout que
« jalousies » et « racontages » qui jouaient dans son imagination le même rôle permanent et funeste que, pour
telles autres personnes, les intrigues des jésuites ou des
juifs), elle s'était contentée de regarder par la croisée
de la cuisine « pour ne pas avoir des raisons avec Madame » et, sur l'aspect sommaire de M. de Norpois, elle
avait « cru Monsieur Legrandin », à cause de son *agileté*,
et bien qu'il n'y eût pas un trait commun entre eux.
« Mais enfin, lui demanda ma mère, comment expliquez-
vous que personne ne fasse la gelée aussi bien que
vous (quand vous le voulez) ? — Je ne sais pas d'où ce
que ça devient », répondit Françoise (qui n'établissait
pas une démarcation bien nette entre le verbe venir,
au moins pris dans certaines acceptions, et le verbe
devenir). Elle disait vrai du reste, en partie, et n'était
pas beaucoup plus capable — ou désireuse — de dévoiler le mystère qui faisait la supériorité de ses gelées
ou de ses crèmes, qu'une grande élégante pour ses
toilettes, ou une grande cantatrice pour son chant.
Leurs explications ne nous disent pas grand'chose ;
il en était de même des recettes de notre cuisinière.
« Ils font cuire trop à la va vite, répondit-elle en parlant
des grands restaurateurs, et puis pas tout ensemble. Il
faut que le bœuf, il devienne comme une éponge, alors
il boit tout le jus jusqu'au fond. Pourtant il y avait un
de ces Cafés où il me semble qu'on savait bien un peu
faire la cuisine. Je ne dis pas que c'était tout à fait ma
gelée, mais c'était fait bien doucement. — Est-ce
Henry ? demanda mon père qui nous avait rejoints et
appréciait beaucoup le restaurant de la place Gaillon

où il avait à dates fixes des repas de corps. — Oh non !
dit Françoise avec une douceur qui cachait un profond
dédain, je parlais d'un petit restaurant. Chez cet Henry,
c'est très bon bien sûr, mais c'est pas un restaurant,
c'est plutôt... un bouillon ! — Weber ? — Ah ! non,
Monsieur, je voulais dire un bon restaurant. Weber
c'est dans la rue Royale, ce n'est pas un restaurant, c'est
une brasserie. Je ne sais pas si ce qu'ils vous donnent
est servi. Je crois qu'ils n'ont même pas de nappe, ils
posent cela comme cela sur la table, va comme je te
pousse. — Cirro ? » Françoise sourit : « Oh ! là, je crois
qu'en fait de cuisine il y a surtout des dames du monde.
(Monde signifiait pour Françoise demi-monde.) Dame,
il faut ça pour la jeunesse. » Nous nous apercevions
qu'avec son air de simplicité Françoise était pour les
cuisiniers célèbres une plus terrible « camarade » que ne
peut l'être l'actrice la plus envieuse et la plus infatuée.
Nous sentîmes pourtant qu'elle avait un sentiment
juste de son art et le respect des traditions, car elle ajouta :
« Non, je veux dire un restaurant où c'est qu'il y avait
l'air d'avoir une bien bonne petite cuisine bourgeoise.
C'est une maison encore assez conséquente. Ça travaillait
beaucoup. Ah ! on en ramassait des sous là-dedans
(Françoise, économe, comptait par sous, non par louis
comme les décavés). Madame connaît bien là-bas à
droite, sur les grands boulevards, un peu en arrière... »
Le restaurant dont elle parlait avec cette équité mêlée
d'orgueil et de bonhomie, c'était... le Café Anglais.

Quand vint le 1er janvier, je fis d'abord des visites
de famille avec maman, qui, pour ne pas me fatiguer,
les avait d'avance (à l'aide d'un itinéraire tracé par mon
père) classées par quartier plutôt que selon le degré
exact de la parenté. Mais à peine entrés dans le salon
d'une cousine assez éloignée qui avait comme raison
de passer d'abord que sa demeure ne le fût pas de la
nôtre, ma mère était épouvantée en voyant, ses marrons

glacés ou déguisés à la main, le meilleur ami du plus
susceptible de mes oncles auquel il allait rapporter que
nous n'avions pas commencé notre tournée par lui.
Cet oncle serait sûrement blessé ; il n'eût trouvé que
naturel que nous allassions de la Madeleine au Jardin
des Plantes où il habitait, avant de nous arrêter à Saint-
Augustin, pour repartir rue de l'École-de-Médecine.

Les visites finies (ma grand'mère dispensait que nous
en fissions une chez elle, comme nous y dînions ce
jour-là), je courus jusqu'aux Champs-Élysées porter à
notre marchande, pour qu'elle la remît à la personne
qui venait plusieurs fois par semaine de chez les Swann
y chercher du pain d'épices, la lettre que, dès le jour où
mon amie m'avait fait tant de peine, j'avais décidé de
lui envoyer au nouvel an, et dans laquelle je lui disais
que notre amitié ancienne disparaissait avec l'année
finie, que j'oubliais mes griefs et mes déceptions et
qu'à partir du 1er janvier, c'était une amitié neuve que
nous allions bâtir, si solide que rien ne la détruirait,
si merveilleuse que j'espérais que Gilberte mettrait
quelque coquetterie à lui garder toute sa beauté et à
m'avertir à temps, comme je promettais de le faire moi-
même, aussitôt que surviendrait le moindre péril qui
pourrait l'endommager. En rentrant, Françoise me fit
arrêter, au coin de la rue Royale, devant un étalage en
plein vent où elle choisit, pour ses propres étrennes, des
photographies de Pie IX et de Raspail et où, pour ma
part, j'en achetai une de la Berma. Les innombrables
admirations qu'excitait l'artiste donnaient quelque chose
d'un peu pauvre à ce visage unique qu'elle avait pour y
répondre, immuable et précaire comme ce vêtement
des personnes qui n'en ont pas de rechange, et où elle
ne pouvait exhiber toujours que le petit pli au-dessus
de la lèvre supérieure, le relèvement des sourcils, quelques autres particularités physiques, toujours les mêmes,
qui, en somme, étaient à la merci d'une brûlure ou

d'un choc. Ce visage, d'ailleurs, ne m'eût pas à lui
seul semblé beau, mais il me donnait l'idée et par conséquent l'envie, de l'embrasser à cause de tous les baisers
qu'il avait dû supporter et que, du fond de la « carte-
album », il semblait appeler encore par ce regard coquettement tendre et ce sourire artificieusement ingénu.
Car la Berma devait ressentir effectivement pour bien
des jeunes hommes ces désirs qu'elle avouait sous le
couvert du personnage de Phèdre, et dont tout, même
le prestige de son nom qui ajoutait à sa beauté et pro-
rogeait sa jeunesse, devait lui rendre l'assouvissement
si facile. Le soir tombait, je m'arrêtai devant une colonne
de théâtre où était affichée la représentation que la
Berma donnait pour le 1er janvier. Il soufflait un vent
humide et doux. C'était un temps que je connaissais ;
j'eus la sensation et le pressentiment que le jour de l'an
n'était pas un jour différent des autres, qu'il n'était pas le
premier d'un monde nouveau où j'aurais pu, avec une
chance encore intacte, refaire la connaissance de Gilberte
comme au temps de la Création, comme s'il n'existait
pas encore de passé, comme si eussent été anéanties,
avec les indices qu'on aurait pu en tirer pour l'avenir,
les déceptions qu'elle m'avait parfois causées : un nouveau monde où rien ne subsistât de l'ancien... rien
qu'une chose : mon désir que Gilberte m'aimât. Je
compris que si mon cœur souhaitait ce renouvellement
autour de lui d'un univers qui ne l'avait pas sastifait,
c'est que lui, mon cœur, n'avait pas changé, et je me dis
qu'il n'y avait pas de raison pour que celui de Gilberte
eût changé davantage ; je sentis que cette nouvelle
amitié c'était la même, comme ne sont pas séparées des
autres par un fossé les années nouvelles que notre désir,
sans pouvoir les atteindre et les modifier, recouvre à
leur insu d'un nom différent. J'avais beau dédier celle-ci
à Gilberte et, comme on superpose une religion aux lois
aveugles de la nature, essayer d'imprimer au jour de

l'an l'idée particulière que je m'étais faite de lui, c'était
en vain ; je sentais qu'il ne savait pas qu'on l'appelât
le jour de l'an, qu'il finissait dans le crépuscule d'une
façon qui ne m'était pas nouvelle : dans le vent doux qui
soufflait autour de la colonne d'affiches, j'avais reconnu,
j'avais senti reparaître la manière éternelle et commune,
l'humidité familière, l'ignorante fluidité des anciens
jours.

Je revins à la maison. Je venais de vivre le 1ᵉʳ janvier
des hommes vieux qui diffèrent ce jour-là des jeunes, non
parce qu'on ne leur donne plus d'étrennes, mais parce
qu'ils ne croient plus au nouvel an. Des étrennes j'en
avais reçu, mais non pas les seules qui m'eussent fait
plaisir et qui eussent été un mot de Gilberte. J'étais
pourtant jeune encore tout de même puisque j'avais pu
lui en écrire un par lequel j'espérais, en lui disant les
rêves solitaires de ma tendresse, en éveiller de pareils en
elle. La tristesse des hommes qui ont vieilli c'est de ne pas
même songer à écrire de telles lettres dont ils ont appris
l'inefficacité.

Quand je fus couché, les bruits de la rue, qui se prolongeaient plus tard ce soir de fête, me tinrent éveillé. Je
pensais à tous les gens qui finiraient leur nuit dans les
plaisirs, à l'amant, à la troupe de débauchés peut-être,
qui avaient dû aller chercher la Berma à la fin de cette
représentation que j'avais vue annoncée pour le soir. Je ne
pouvais même pas, pour calmer l'agitation que cette idée
faisait naître en moi dans cette nuit d'insomnie, me dire
que la Berma ne pensait peut-être pas à l'amour, puisque
les vers qu'elle récitait, qu'elle avait longuement étudiés,
lui rappelaient à tous moments qu'il est délicieux, comme
elle le savait d'ailleurs, si bien qu'elle en faisait apparaître
les troubles bien connus — mais doués d'une violence
nouvelle et d'une douceur insoupçonnée — à des spectateurs émerveillés dont chacun pourtant les avait ressentis
par soi-même. Je rallumai ma bougie éteinte pour regar-

der encore une fois son visage. A la pensée qu'il était sans
doute en ce moment caressé par ces hommes que je ne
pouvais empêcher de donner à la Berma, et de recevoir
d'elle, des joies surhumaines et vagues, j'éprouvais un émoi
plus cruel qu'il n'était voluptueux, une nostalgie que vint
aggraver le son du cor, comme on l'entend la nuit de la
Mi-Carême, et souvent des autres fêtes, et qui, parce
qu'il est alors sans poésie, est plus triste, sortant d'un
mastroquet, que « le soir au fond des bois ». A ce moment-
là, un mot de Gilberte n'eût peut-être pas été ce qu'il
m'eût fallu. Nos désirs vont s'interférant et, dans la
confusion de l'existence, il est rare qu'un bonheur vienne
justement se poser sur le désir qui l'avait réclamé.

Je continuai à aller aux Champs-Élysées les jours de
beau temps, par des rues dont les maisons élégantes et
roses baignaient, parce que c'était le moment de la grande
vogue des Expositions d'Aquarellistes, dans un ciel mobile
et léger. Je mentirais en disant que dans ce temps-là les
palais de Gabriel m'aient paru d'une plus grande beauté
ni même d'une autre époque que les hôtels avoisinants.
Je trouvais plus de style et aurais cru plus d'ancienneté
sinon au Palais de l'Industrie, du moins à celui du Trocadéro. Plongée dans un sommeil agité, mon adolescence
enveloppait d'un même rêve tout le quartier où elle le
promenait, et je n'avais jamais songé qu'il pût y avoir
un édifice du XVIIIe siècle dans la rue Royale, de même
que j'aurais été étonné si j'avais appris que la Porte
Saint-Martin et la Porte Saint-Denis, chefs-d'œuvre du
temps de Louis XIV, n'étaient pas contemporains des
immeubles les plus récents de ces arrondissements sor-
dides. Une seule fois un des palais de Gabriel me fit
arrêter longuement ; c'est que, la nuit étant venue, ses
colonnes dématérialisées par le clair de lune avaient l'air
découpées dans du carton et, me rappelant un décor de
l'opérette *Orphée aux Enfers*, me donnaient pour la première fois une impression de beauté.

Gilberte cependant ne revenait toujours pas aux Champs-Élysées. Et pourtant j'aurais eu besoin de la voir, car je ne me rappelais même pas sa figure. La manière chercheuse, anxieuse, exigeante que nous avons de regarder la personne que nous aimons, notre attente de la parole qui nous donnera ou nous ôtera l'espoir d'un rendez-vous pour le lendemain, et, jusqu'à ce que cette parole soit dite, notre imagination alternative, sinon simultanée, de la joie et du désespoir, tout cela rend notre attention en face de l'être aimé trop tremblante pour qu'elle puisse obtenir de lui une image bien nette. Peut-être aussi cette activité de tous les sens à la fois et qui essaye de connaître avec les regards seuls ce qui est au delà d'eux, est-elle trop indulgente aux mille formes, à toutes les saveurs, aux mouvements de la personne vivante que d'habitude, quand nous n'aimons pas, nous immobilisons. Le modèle chéri, au contraire, bouge ; on n'en a jamais que des photographies manquées. Je ne savais vraiment plus comment étaient faits les traits de Gilberte, sauf dans les moments divins où elle les dépliait pour moi : je ne me rappelais que son sourire. Et ne pouvant revoir ce visage bien-aimé, quelque effort que je fisse pour m'en souvenir, je m'irritais de trouver, dessinés dans ma mémoire avec une exactitude définitive, les visages inutiles et frappants de l'homme des chevaux de bois et de la marchande de sucre d'orge : ainsi, ceux qui ont perdu un être aimé qu'ils ne revoient jamais en dormant, s'exaspèrent de rencontrer sans cesse dans leurs rêves tant de gens insupportables et que c'est déjà trop d'avoir connus dans l'état de veille. Dans leur impuissance à se représenter l'objet de leur douleur, ils s'accusent presque de n'avoir pas de douleur. Et moi je n'étais pas loin de croire que, ne pouvant me rappeler les traits de Gilberte, je l'avais oubliée elle-même, je ne l'aimais plus.

Enfin elle revint jouer presque tous les jours, mettant devant moi de nouvelles choses à désirer, à lui demander,

pour le lendemain, faisant bien chaque jour, en ce sens-là,
de ma tendresse une tendresse nouvelle. Mais une chose
changea une fois de plus et brusquement la façon dont
tous les après-midi vers deux heures se posait le problème
de mon amour. M. Swann avait-il surpris la lettre que
j'avais écrite à sa fille, ou Gilberte ne faisait-elle que
m'avouer longtemps après, et afin que je fusse plus prudent, un état de choses déjà ancien ? Comme je lui disais
combien j'admirais son père et sa mère, elle prit cet air
vague, plein de réticences et de secret qu'elle avait quand
on lui parlait de ce qu'elle avait à faire, de ses courses et
de ses visites, et tout d'un coup finit par me dire : « Vous
savez, ils ne vous gobent pas ! » et glissante comme une
ondine — elle était ainsi — elle éclata de rire. Souvent son
rire en désaccord avec ses paroles semblait, comme fait
la musique, décrire dans un autre plan une surface invisible. M. et Mᵐᵉ Swann ne demandaient pas à Gilberte
de cesser de jouer avec moi, mais eussent autant aimé,
pensait-elle, que cela n'eût pas commencé. Ils ne voyaient
pas mes relations avec elle d'un œil favorable, ne me
croyaient pas d'une grande moralité et s'imaginaient que
je ne pouvais exercer sur leur fille qu'une mauvaise
influence. Ce genre de jeunes gens peu scrupuleux auxquels Swann me croyait ressembler, je me les représentais
comme détestant les parents de la jeune fille qu'ils aiment,
les flattant quand ils sont là, mais se moquant d'eux
avec elle, la poussant à leur désobéir et, quand ils ont une
fois conquis leur fille, les privant même de la voir. A ces
traits (qui ne sont jamais ceux sous lesquels le plus grand
misérable se voit lui-même) avec quelle violence mon cœur
opposait ces sentiments dont il était animé à l'égard de
Swann, si passionnés au contraire que je ne doutais pas
que, s'il les eût soupçonnés, il ne se fût repenti de son
jugement à mon égard comme d'une erreur judiciaire !
Tout ce que je ressentais pour lui, j'osai le lui écrire dans
une longue lettre que je confiai à Gilberte en la priant de

la lui remettre. Elle y consentit. Hélas! il voyait donc en moi un plus grand imposteur encore que je ne pensais ; ces sentiments que j'avais cru peindre, en seize pages, avec tant de vérité, il en avait donc douté : la lettre que je lui écrivis, aussi ardente et aussi sincère que les paroles que j'avais dites à M. de Norpois, n'eut pas plus de succès. Gilberte me raconta le lendemain, après m'avoir emmené à l'écart derrière un massif de lauriers, dans une petite allée où nous nous assîmes chacun sur une chaise, qu'en lisant la lettre, qu'elle me rapportait, son père avait haussé les épaules en disant : « Tout cela ne signifie rien, cela ne fait que prouver combien j'ai raison. » Moi qui savais la pureté de mes intentions, la bonté de mon âme, j'étais indigné que mes paroles n'eussent même pas effleuré l'absurde erreur de Swann. Car que ce fût une erreur, je n'en doutais pas alors. Je sentais que j'avais décrit avec tant d'exactitude certaines caractéristiques irrécusables de mes sentiments généreux que, pour que d'après elles Swann ne les eût pas aussitôt reconstitués, ne fût pas venu me demander pardon et avouer qu'il s'était trompé, il fallait que ces nobles sentiments, il ne les eût lui-même jamais ressentis, ce qui devait le rendre incapable de les comprendre chez les autres.

Or, peut-être simplement Swann savait-il que la générosité n'est souvent que l'aspect intérieur que prennent nos sentiments égoïstes quand nous ne les avons pas encore nommés et classés. Peut-être avait-il reconnu dans la sympathie que je lui exprimais un simple effet — et une confirmation enthousiaste — de mon amour pour Gilberte, par lequel — et non par ma vénération secondaire pour lui — seraient fatalement dans la suite dirigés mes actes. Je ne pouvais partager ses prévisions, car je n'avais pas réussi à abstraire de moi-même mon amour, à le faire rentrer dans la généralité des autres et à en supputer expérimentalement les conséquences ; j'étais désespéré. Je dus quitter un instant Gilberte, Françoise m'ayant appelé. Il me fallut l'accompagner dans un petit pavillon treillissé de vert, assez semblable aux bureaux d'octroi désaffectés du vieux Paris et dans lequel étaient depuis peu installés ce qu'on appelle en Angleterre un lavabo et en France, par une anglomanie mal informée, des water-closets. Les murs humides et anciens de l'entrée où je restai à attendre Françoise, dégageaient une fraîche odeur de renfermé qui, m'allégeant aussitôt des soucis que venaient de faire naître en moi les paroles de Swann rapportées par Gilberte, me pénétra d'un plaisir non pas de la même espèce que les autres, lesquels nous laissent plus instables, incapables de les retenir, de les posséder, mais au contraire d'un plaisir consistant auquel je pouvais m'étayer, délicieux, paisible, riche d'une vérité durable, inexpliquée et certaine. J'aurais voulu, comme autrefois dans mes promenades du côté de Guermantes, essayer de pénétrer le charme de cette impression qui m'avait saisi et rester immobile à interroger cette émanation vieillotte qui me proposait non de jouir du plaisir qu'elle ne me donnait que par surcroît, mais de descendre dans la réalité qu'elle ne m'avait pas dévoilée. Mais la tenancière de l'établissement, vieille dame à joues plâtrées et à perruque rousse, se mit à me parler. Françoise la croyait « tout à fait bien de chez elle ». Sa demoiselle avait épousé ce que Françoise appelait « un jeune homme de famille », par conséquent quelqu'un qu'elle trouvait plus différent d'un ouvrier que Saint-Simon un duc d'un homme « sorti de la lie du peuple ». Sans doute la tenancière, avant de l'être, avait eu des revers. Mais Françoise assurait qu'elle était marquise et appartenait à la famille de Saint-Ferréol. Cette marquise me conseilla de ne pas rester au frais et m'ouvrit même un cabinet en me disant : « vous ne voulez pas entrer ? en voici un tout propre, pour vous ce sera gratis. » Elle le faisait peut-être seulement comme les demoiselles de chez Gouache, quand nous venions faire une commande, m'offraient un des bonbons qu'elles avaient sur le comptoir sous des cloches de verre et que maman me défendait, hélas! d'accepter ; peut-être aussi, moins innocemment, comme telle vieille fleuriste par qui maman faisait remplir ses « jardinières » et qui me donnait une rose en roulant des yeux doux. En tous cas, si la « marquise » avait du goût pour les jeunes garçons, en leur ouvrant la porte hypogéenne de ces cubes de pierre où les hommes sont accroupis comme des sphinx, elle devait chercher dans ses générosités moins l'espérance de les corrompre que le plaisir qu'on éprouve à se montrer vainement prodigue envers ce qu'on aime, car je n'ai jamais vu auprès d'elle d'autre visiteur qu'un vieux garde forestier du jardin.

Un instant après je prenais congé de la « marquise », accompagné de Françoise, et je quittai cette dernière pour retourner auprès de Gilberte. Je l'aperçus tout de suite, sur une chaise, derrière le massif de lauriers. C'était pour ne pas être vue de ses amies : on jouait à cache-cache. J'allai m'asseoir à côté d'elle. Elle avait une toque plate qui descendait assez bas sur ses yeux, leur donnant ce même regard « en dessous », rêveur et fourbe que je lui avais vu la première fois à Combray. Je lui demandai s'il n'y avait pas moyen que j'eusse une explication verbale avec son père. Gilberte me dit qu'elle la lui avait proposée, mais qu'il la jugeait inutile. « Tenez, ajouta-t-elle, ne me laissez pas votre lettre, il faut rejoindre les autres puisqu'ils ne m'ont pas trouvée. »

Si Swann était arrivé alors avant même que je l'eusse reprise, cette lettre de la sincérité de laquelle je trouvais qu'il avait été si insensé de ne pas s'être laissé persuader, peut-être aurait-il vu que c'était lui qui avait raison. Car m'approchant de Gilberte qui, renversée sur sa chaise, me disait de prendre la lettre et ne me la tendait pas, je me sentis si attiré par son corps que je lui dis :

— Voyons, empêchez-moi de l'attraper, nous allons voir qui sera le plus fort.

Elle la mit dans son dos, je passai mes mains derrière son cou, en soulevant les nattes de cheveux qu'elle portait sur les épaules, soit que ce fût encore de son âge, soit que sa mère voulût la faire paraître plus longtemps enfant, afin de se rajeunir elle-même ; nous luttions, arc-boutés. Je tâchais de l'attirer, elle résistait ; ses pommettes enflammées par l'effort étaient rouges et rondes comme des cerises ; elle riait comme si je l'eusse chatouillée ; je la tenais serrée entre mes jambes comme un arbuste après lequel j'aurais voulu grimper ; et, au milieu de la gymnastique que je faisais, sans qu'en fût à peine augmenté l'essoufflement que me donnaient l'exercice musculaire et l'ardeur du jeu, je répandis, comme quelques gouttes de sueur arrachées par l'effort, mon plaisir auquel je ne pus pas même m'attarder le temps d'en connaître le goût ; aussitôt je pris la lettre. Alors, Gilberte me dit avec bonté :

— Vous savez, si vous voulez, nous pouvons lutter encore un peu.

Peut-être avait-elle obscurément senti que mon jeu avait un autre objet que celui que j'avais avoué, mais n'avait-elle pas su remarquer que je l'avais atteint. Et moi qui craignais qu'elle s'en fût aperçue (et un certain mouvement rétractile et contenu de pudeur offensée qu'elle eut un instant après, me donna à penser que je n'avais pas eu tort de le craindre), j'acceptai de lutter encore, de peur qu'elle pût croire que je ne m'étais pas proposé d'autre but que celui après quoi je n'avais plus envie que de rester tranquille auprès d'elle.

En rentrant, j'aperçus, je me rappelai brusquement l'image, cachée jusque-là, dont m'avait approché, sans me la laisser voir ni reconnaître, le frais, sentant presque la suie, du pavillon treillagé. Cette image était celle de la petite pièce de mon oncle Adolphe, à Combray, laquelle exhalait en effet le même parfum d'humidité. Mais je ne pus comprendre, et je remis à plus tard de chercher pourquoi le rappel d'une image si insignifiante m'avait donné une telle félicité. En attendant, il me sembla que je méritais vraiment le dédain de M. de Norpois : j'avais préféré jusqu'ici à tous les écrivains celui qu'il appelait un simple « joueur de flûte » et une véritable exaltation m'avait été communiquée, non par quelque idée importante, mais par une odeur de moisi.

Depuis quelque temps, dans certaines familles, le nom des Champs-Élysées, si quelque visiteur le prononçait, était accueilli par les mères avec l'air malveillant qu'elles réservent à un médecin réputé auquel elles prétendent avoir vu faire trop de diagnostics erronés pour avoir encore confiance en lui ; on assurait que ce jardin ne réussissait pas aux enfants, qu'on pouvait citer plus d'un mal de gorge, plus d'une rougeole et nombre de fièvres dont il était responsable. Sans mettre ouvertement en doute la tendresse de maman qui continuait à m'y envoyer, certaines de ses amies déploraient du moins son aveuglement.

Les névropathes sont peut-être, malgré l'expression consacrée, ceux qui « s'écoutent » le moins : ils entendent en eux tant de choses dont ils se rendent compte ensuite qu'ils avaient eu tort de s'alarmer, qu'ils finissent par ne plus faire attention à aucune. Leur système nerveux leur a si souvent crié : « Au secours ! » comme pour une grave maladie, quand tout simplement il allait tomber de la neige ou qu'on allait changer d'appartement, qu'ils prennent l'habitude de ne pas plus tenir compte de ces avertissements qu'un soldat, lequel, dans l'ardeur de l'action, les perçoit si peu qu'il est capable, étant mourant, de continuer encore quelques jours à mener la vie d'un homme en bonne santé. Un matin, portant coordonnés en moi mes malaises habituels, de la circulation constante et intestine desquels je tenais toujours mon esprit détourné aussi bien que de celle de mon sang, je courais allégrement vers la salle à manger où mes parents étaient déjà à table, et — m'étant dit comme d'ordinaire qu'avoir froid peut signifier non qu'il faut se chauffer, mais, par exemple, qu'on a été grondé, et ne pas avoir faim, qu'il va pleuvoir et non qu'il ne faut pas manger — je me mettais à table, quand, au moment d'avaler la première bouchée d'une côtelette appétissante, une nausée, un étourdissement m'arrêtèrent, réponse fébrile d'une maladie commencée, dont la glace de mon indifférence avait masqué, retardé les symptômes, mais qui refusait obstinément la nourriture que je n'étais pas en état d'absorber. Alors, dans la même seconde, la pensée que l'on m'empêcherait de sortir si l'on s'apercevait que j'étais malade me donna, comme l'instinct de conservation à un blessé, la force de me traîner jusqu'à ma chambre où je vis que j'avais 40° de fièvre, et ensuite de me préparer pour aller aux Champs-Élysées. A travers le corps languissant et perméable dont elle était enveloppée, ma pensée souriante rejoignait, exigeait le plaisir si doux d'une partie de barres avec Gilberte, et une heure plus tard, me soutenant à peine, mais heureux à côté d'elle, j'avais la force de la goûter encore.

Françoise, au retour, déclara que je m'étais « trouvé indisposé », que j'avais dû prendre un « chaud et froid », et le docteur, aussitôt appelé, déclara « préférer » la « sévérité », la « virulence » de la poussée fébrile qui accompagnait ma congestion pulmonaire et ne serait « qu'un feu de paille » à des formes plus « insidieuses » et « larvées ». Depuis longtemps déjà j'étais sujet à des étouffements et notre médecin, malgré la désapprobation de ma grand'-mère, qui me voyait déjà mourant alcoolique, m'avait conseillé, outre la caféine qui m'était prescrite pour m'aider à respirer, de prendre de la bière, du champagne ou du cognac quand je sentais venir une crise. Celles-ci avorteraient, disait-il, dans l' « euphorie » causée par l'alcool. J'étais souvent obligé pour que ma grand'mère permît qu'on m'en donnât, de ne pas dissimuler, de faire presque montre de mon état de suffocation. D'ailleurs, dès que je le sentais s'approcher, toujours incertain des proportions qu'il prendrait, j'en étais inquiet à cause de la tristesse de ma grand'mère que je craignais beaucoup plus que ma souffrance. Mais en même temps mon corps, soit qu'il fût trop faible pour garder seul le secret de celle-ci, soit qu'il redoutât que dans l'ignorance du mal imminent on exigeât de moi quelque effort qui lui eût été impossible ou dangereux, me donnait le besoin d'avertir ma grand'-mère de mes malaises avec une exactitude où je finissais par mettre une sorte de scrupule physiologique. Apercevais-je en moi un symptôme fâcheux que je n'avais pas encore discerné, mon corps était en détresse tant que je ne l'avais pas communiqué à ma grand'mère. Feignait-elle de n'y prêter aucune attention, il me demandait d'insister. Parfois j'allais trop loin ; et le visage aimé, qui n'était plus toujours aussi maître de ses émotions qu'autrefois, laissait paraître une expression de pitié, une contraction douloureuse. Alors mon cœur était torturé par la vue de la peine qu'elle avait : comme si mes baisers eussent dû effacer cette peine, comme si ma tendresse eût pu donner à ma grand'mère autant de joie que mon bonheur, je me jetais dans ses bras. Et les scrupules étant d'autre part apaisés par la certitude qu'elle connaissait le malaise ressenti, mon corps ne faisait pas opposition à ce que je la rassurasse. Je protestai que ce malaise n'avait rien de pénible, que je n'étais nullement à plaindre, qu'elle pouvait être certaine que j'étais heureux ; mon corps avait voulu obtenir exactement ce qu'il méritait de pitié et, pourvu qu'on sût qu'il avait une douleur en son côté droit, il ne voyait pas d'inconvénient à ce que je déclarasse que cette douleur n'était pas un mal et n'était pas pour moi un obstacle au bonheur, mon corps ne se piquant pas de philosophie ; elle n'était pas de son ressort. J'eus presque chaque jour de ces crises d'étouffement pendant ma convalescence. Un soir que ma grand'mère m'avait laissé assez bien, elle rentra dans ma chambre très tard dans la soirée, et s'apercevant que la respiration me manquait : « Oh! mon Dieu, comme tu souffres », s'écria-t-elle, les traits bouleversés. Elle me quitta aussitôt, j'entendis la porte cochère, et elle rentra un peu plus tard avec du cognac qu'elle était allée acheter parce qu'il n'y en avait pas à la maison. Bientôt je commençai à me sentir heureux. Ma grand'mère, un peu rouge, avait l'air gêné, et ses yeux, une expression de lassitude et de découragement.

— J'aime mieux te laisser et que tu profites un peu de ce mieux, me dit-elle, en me quittant brusquement. Je l'embrassai pourtant et je sentis sur ses joues fraîches quelque chose de mouillé dont je ne sus pas si c'était l'humidité de l'air nocturne qu'elle venait de traverser. Le lendemain, elle ne vint que le soir dans ma chambre parce qu'elle avait eu, me dit-on à sortir. Je trouvai que c'était montrer bien de l'indifférence pour moi, et je me retins pour ne pas la lui reprocher.

Mes suffocations ayant persisté alors que ma congestion depuis longtemps finie ne les expliquait plus, mes parents firent venir en consultation le professeur Cottard. Il ne suffit pas à un médecin appelé dans des cas de ce genre d'être instruit. Mis en présence de symptômes qui peuvent être ceux de trois ou quatre maladies différentes, c'est en fin de compte son flair, son coup d'œil qui décident à laquelle, malgré les apparences à peu près semblables, il y a chance qu'il ait à faire. Ce don mystérieux n'implique pas de supériorité dans les autres parties de l'intelligence, et un être d'une grande vulgarité, aimant la plus mauvaise peinture, la plus mauvaise musique, n'ayant aucune curiosité d'esprit, peut parfaitement le posséder. Dans mon cas, ce qui était matériellement observable pouvait aussi bien être causé par des spasmes nerveux, par un commencement de tuberculose, par de l'asthme, par une dyspnée toxi-alimentaire avec insuffisance rénale, par de la bronchite chronique, par un état complexe dans lequel

seraient entrés plusieurs de ces facteurs. Or les spasmes
nerveux demandaient à être traités par le mépris, la
tuberculose par de grands soins et par un genre de surali-
mentation qui eût été mauvais pour un état arthritique
comme l'asthme et eût pu devenir dangereux en cas de
dyspnée toxi-alimentaire, laquelle exige un régime qui en
revanche serait néfaste pour un tuberculeux. Mais les
hésitations de Cottard furent courtes et ses prescriptions
impérieuses : «Purgatifs violents et drastiques, lait pendant
plusieurs jours, rien que du lait. Pas de viande, pas d'alcool. » Ma mère murmura que j'avais pourtant bien besoin
d'être reconstitué, que j'étais déjà assez nerveux, que
cette purge de cheval et ce régime me mettraient à bas.
Je vis aux yeux de Cottard, aussi inquiets que s'il avait
peur de manquer le train, qu'il se demandait s'il ne s'était
pas laissé aller à sa douceur naturelle. Il tâchait de se
rappeler s'il avait pensé à prendre un masque froid,
comme on cherche une glace pour regarder si on n'a pas
oublié de nouer sa cravate. Dans le doute et pour faire, à
tout hasard, compensation, il répondit grossièrement :
« Je n'ai pas l'habitude de répéter deux fois mes ordonnances. Donnez-moi une plume. Et surtout au lait. Plus
tard, quand nous aurons jugulé les crises et l'agrypnie,
je veux bien que vous preniez quelques potages, puis des
purées, mais toujours au lait, au lait. Cela vous plaira,
puisque l'Espagne est à la mode, ollé! ollé! (Ses élèves
connaissaient bien ce calembour qu'il faisait à l'hôpital
chaque fois qu'il mettait un cardiaque ou un hépatique au
régime lacté.) Ensuite vous reviendrez progressivement
à la vie commune. Mais chaque fois que la toux et les
étouffements recommenceront, purgatifs, lavages intes-
tinaux, lit, lait. » Il écouta d'un air glacial, sans y répondre,
les dernières objections de ma mère, et, comme il nous
quitta sans avoir daigné expliquer les raisons de ce régime,
mes parents le jugèrent sans rapport avec mon cas, inutilement affaiblissant et ne me le firent pas essayer. Ils

cherchèrent naturellement à cacher au professeur leur désobéissance, et pour y réussir plus sûrement, évitèrent toutes les maisons où ils auraient pu le rencontrer. Puis, mon état s'aggravant, on se décida à me faire suivre à la lettre les prescriptions de Cottard ; au bout de trois jours je n'avais plus de râles, plus de toux et je respirais bien. Alors nous comprîmes que Cottard, tout en me trouvant, comme il le dit dans la suite, assez asthmatique et surtout « toqué », avait discerné que ce qui prédominait à ce moment-là en moi, c'était l'intoxication, et qu'en faisant couler mon foie et en lavant mes reins, il décongestionnerait mes bronches, me rendrait le souffle, le sommeil, les forces. Et nous comprîmes que cet imbécile était un grand clinicien. Je pus enfin me lever. Mais on parlait de ne plus m'envoyer aux Champs-Élysées. On disait que c'était à cause du mauvais air ; je pensais bien qu'on profitait du prétexte pour que je ne pusse plus voir Mlle Swann et je me contraignais à redire tout le temps le nom de Gilberte, comme ce langage natal que les vaincus s'efforcent de maintenir pour ne pas oublier la patrie qu'ils ne reverront pas. Quelquefois ma mère passait sa main sur mon front en me disant :

— Alors, les petits garçons ne racontent plus à leur maman les chagrins qu'ils ont ?

Françoise s'approchait tous les jours de moi en me disant : « Monsieur a une mine ! Vous ne vous êtes pas regardé, on dirait un mort ! » Il est vrai que si j'avais eu un simple rhume, Françoise eût pris le même air funèbre. Ces déplorations tenaient plus à sa « classe » qu'à mon état de santé. Je ne démêlais pas alors si ce pessimisme était chez Françoise douloureux ou satisfait. Je conclus provisoirement qu'il était social et professionnel.

Un jour, à l'heure du courrier, ma mère posa sur mon lit une lettre. Je l'ouvris distraitement puisqu'elle ne pouvait pas porter la seule signature qui m'eût rendu

heureux, celle de Gilberte avec qui je n'avais pas de
relations en dehors des Champs-Élysées. Or, au bas du
papier, timbré d'un sceau d'argent représentant un chevalier casqué sous lequel se contournait cette devise : *Per
viam rectam*, au-dessous d'une lettre, d'une grande écriture, et où presque toutes les phrases semblaient souli-
gnées, simplement parce que la barre des *t* étant tracée
non au travers d'eux, mais au-dessus, mettait un trait
sous le mot correspondant de la ligne supérieure, ce fut
justement la signature de Gilberte que je vis. Mais parce
que je la savais impossible dans une lettre adressée à moi,
cette vue, non accompagnée de croyance, ne me causa pas
de joie. Pendant un instant elle ne fit que frapper d'irréalité tout ce qui m'entourait. Avec une vitesse vertigineuse,
cette signature sans vraisemblance jouait aux quatre coins
avec mon lit, ma cheminée, mon mur. Je voyais tout vacil-
ler comme quelqu'un qui tombe de cheval et je me demandais s'il n'y avait pas une existence toute différente de
celle que je connaissais, en contradiction avec elle, mais
qui serait la vraie, et qui m'étant montrée tout d'un coup
me remplissait de cette hésitation que les sculpteurs
dépeignant le Jugement dernier ont donnée aux morts
réveillés qui se trouvent au seuil de l'autre Monde. « Mon
cher ami, disait la lettre, j'ai appris que vous aviez été très
souffrant et que vous ne veniez plus aux Champs-Élysées.
Moi je n'y vais guère non plus parce qu'il y a énormément de malades. Mais mes amies viennent goûter tous
les lundis et vendredis à la maison. Maman me charge
de vous dire que vous nous feriez très grand plaisir en
venant aussi dès que vous serez rétabli, et nous pourrions
reprendre à la maison nos bonnes causeries des Champs-
Élysées. Adieu, mon cher ami, j'espère que vos parents
vous permettront de venir très souvent goûter, et je vous
envoie toutes mes amitiés. Gilberte. »
Tandis que je lisais ces mots, mon système nerveux
recevait avec une diligence admirable la nouvelle qu'il

m'arrivait un grand bonheur. Mais mon âme, c'est-à-dire
moi-même, et en somme le principal intéressé, l'ignorait
encore. Le bonheur, le bonheur par Gilberte, c'était une
chose à laquelle j'avais constamment songé, une chose
toute en pensées, c'était, comme disait Léonard de la
peinture, *cosa mentale*. Une feuille de papier couverte de
caractères, la pensée ne s'assimile pas cela tout de suite.
Mais dès que j'eus terminé la lettre, je pensai à elle, elle
devint un objet de rêverie, elle devint, elle aussi, *cosa
mentale* et je l'aimais déjà tant que toutes les cinq minutes
il me fallait la relire, l'embrasser. Alors, je connus mon
bonheur.

   La vie est semée de ces miracles que peuvent toujours
espérer les personnes qui aiment. Il est possible que celui-
ci eût été provoqué artificiellement par ma mère qui,
voyant que depuis quelque temps j'avais perdu tout cœur
à vivre, avait peut-être fait demander à Gilberte de m'é-
crire, comme, au temps de mes premiers bains de mer,
pour me donner du plaisir à plonger, ce que je détestais
parce que cela me coupait la respiration, elle remettait en
cachette à mon guide baigneur de merveilleuses boîtes en
coquillages et des branches de corail que je croyais trouver
moi-même au fond des eaux. D'ailleurs, pour tous les
événements qui dans la vie et ses situations contrastées se
rapportent à l'amour, le mieux est de ne pas essayer de
comprendre, puisque, dans ce qu'ils ont d'inexorable
comme d'inespéré, ils semblent régis par des lois plutôt
magiques que rationnelles. Quand un multi-millionnaire,
homme malgré cela charmant, reçoit son congé d'une
femme pauvre et sans agrément avec qui il vit, appelle à
lui, dans son désespoir, toutes les puissances de l'or et
fait jouer toutes les influences de la terre, sans réussir à se
faire reprendre, mieux vaut, devant l'invincible entête-
ment de sa maîtresse, supposer que le Destin veut l'ac-
cabler et le faire mourir d'une maladie de cœur plutôt que
de chercher une explication logique. Ces obstacles contre

lesquels les amants ont à lutter et que leur imagination surexcitée par la souffrance cherche en vain à deviner, résident parfois dans quelque singularité de caractère de la femme qu'ils ne peuvent ramener à eux, dans sa bêtise, dans l'influence qu'ont prise sur elle et les craintes que lui ont suggérées des êtres que l'amant ne connaît pas, dans le genre de plaisirs qu'elle demande momentanément à la vie, plaisirs que son amant, ni la fortune de son amant ne peuvent lui offrir. En tous cas l'amant est mal placé pour connaître la nature des obstacles que la ruse de la femme lui cache et que son propre jugement faussé par l'amour l'empêche d'apprécier exactement. Ils ressemblent à ces tumeurs que le médecin finit par réduire mais sans en avoir connu l'origine. Comme elles ces obstacles restent mystérieux mais sont temporaires. Seulement ils durent généralement plus que l'amour. Et comme celui-ci n'est pas une passion désintéressée, l'amoureux qui n'aime plus ne cherche pas à savoir pourquoi la femme pauvre et légère qu'il aimait, s'est obstinément refusée pendant des années à ce qu'il continuât à l'entretenir.

Or, le même mystère qui dérobe souvent aux yeux la cause des catastrophes, quand il s'agit de l'amour, entoure tout aussi fréquemment la soudaineté de certaines solutions heureuses (telle que celle qui m'était apportée par la lettre de Gilberte). Solutions heureuses ou du moins qui paraissent l'être, car il n'y en a guère qui le soient réellement quand il s'agit d'un sentiment d'une telle sorte que toute satisfaction qu'on lui donne ne fait généralement que déplacer la douleur. Parfois pourtant une trêve est accordée et l'on a pendant quelque temps l'illusion d'être guéri.

En ce qui concerne cette lettre au bas de laquelle Françoise se refusa à reconnaître le nom de Gilberte parce que le G historié, appuyé sur un *i* sans point avait l'air d'un A, tandis que la dernière syllabe était indéfiniment prolon-

gée à l'aide d'un paraphe dentelé, si l'on tient à chercher
une explication rationnelle du revirement qu'elle traduisait et qui me rendait si joyeux, peut-être pourra-t-on
penser que j'en fus, pour une part, redevable à un incident que j'avais cru au contraire de nature à me perdre à
jamais dans l'esprit des Swann. Peu de temps auparavant,
Bloch était venu pour me voir, pendant que le professeur
Cottard, que depuis que je suivais son régime on avait
fait revenir, se trouvait dans ma chambre. La consultation étant finie et Cottard restant seulement en visiteur
parce que mes parents l'avaient retenu à dîner, on laissa
entrer Bloch. Comme nous étions tous en train de causer, Bloch ayant raconté qu'il avait entendu dire que
Mme Swann m'aimait beaucoup, par une personne avec qui
il avait dîné la veille et qui elle-même était très liée avec
Mme Swann, j'aurais voulu lui répondre qu'il se trompait
certainement, et bien établir, par le même scrupule qui
me l'avait fait déclarer à M. de Norpois et de peur que
Mme Swann me prît pour un menteur, que je ne la connaissais pas et ne lui avais jamais parlé. Mais je n'eus
pas le courage de rectifier l'erreur de Bloch, parce que je
compris bien qu'elle était volontaire et que, s'il inventait
quelque chose que Mme Swann n'avait pas pu dire en
effet, c'était pour faire savoir, ce qu'il jugeait flatteur
et ce qui n'était pas vrai, qu'il avait dîné à côté d'une des
amies de cette dame. Or il arriva que tandis que M. de
Norpois, apprenant que je ne connaissais pas et aurais
aimé à connaître Mme Swann, s'était bien gardé de lui
parler de moi, Cottard, qu'elle avait pour médecin, ayant
induit de ce qu'il avait entendu dire à Bloch qu'elle me
connaissait beaucoup et m'appréciait, pensa que, quand il
la verrait, dire que j'étais un charmant garçon avec lequel
il était lié ne pourrait en rien être utile pour moi et
serait flatteur pour lui, deux raisons qui le décidèrent à
parler de moi à Odette dès qu'il en trouva l'occasion.

Alors je connus cet appartement d'où dépassait jusque

dans l'escalier le parfum dont se servait Mme Swann, mais qu'embaumait bien plus encore le charme particulier et douloureux qui émanait de la vie de Gilberte. L'implacable concierge, changé en une bienveillante Euménide, prit l'habitude, quand je lui demandais si je pouvais monter, de m'indiquer, en soulevant sa casquette d'une main propice, qu'il exauçait ma prière. Les fenêtres qui du dehors interposaient entre moi et les trésors qui ne m'étaient pas destinés un regard brillant, distant et superficiel qui me semblait le regard même des Swann, il m'arriva, quand à la belle saison j'avais passé tout un après-midi avec Gilberte dans sa chambre, de les ouvrir moi-même pour laisser entrer un peu d'air et même de m'y pencher à côté d'elle, si c'était le jour de réception de sa mère, pour voir arriver les visites qui souvent, levant la tête en descendant de voiture, me faisaient bonjour de la main, me prenant pour quelque neveu de la maîtresse de maison. Les nattes de Gilberte dans ces moments-là touchaient ma joue. Elles me semblaient, en la finesse de leur gramen, à la fois naturel et surnaturel, et la puissance de leurs rinceaux d'art, un ouvrage unique pour lequel on avait utilisé le gazon même du Paradis. A une section même infime d'elles, quel herbier céleste n'eussé-je pas donné comme châsse? Mais n'espérant point obtenir un morceau vrai de ces nattes, si au moins j'avais pu en posséder la photographie, combien plus précieuse que celle de fleurettes dessinées par le Vinci! Pour en avoir une, je fis auprès d'amis des Swann et même de photographes, des bassesses qui ne me procurèrent pas ce que je voulais, mais me lièrent pour toujours avec des gens très ennuyeux.

Les parents de Gilberte, qui si longtemps m'avaient empêché de la voir, maintenant — quand j'entrais dans la sombre antichambre où planait perpétuellement, plus formidable et plus désirée que jadis à Versailles l'apparition du Roi, la possibilité de les rencontrer, et où

habituellement, après avoir buté contre un énorme porte-
manteaux à sept branches comme le Chandelier de
l'Écriture, je me confondais en salutations devant un
valet de pied assis, dans sa longue jupe grise, sur le
coffre à bois et que dans l'obscurité j'avais pris pour
Mme Swann — les parents de Gilberte, si l'un d'eux se
trouvait passer au moment de mon arrivée, loin d'avoir
l'air irrité, me serraient la main en souriant et me disaient :

— Comment allez-vous ? (qu'ils prononçaient tous deux
« commen allez-vous » sans faire la liaison du *t*, liaison
qu'on pense bien qu'une fois rentré à la maison je me
faisais un incessant et voluptueux exercice de supprimer).
Gilberte sait-elle que vous êtes là ? alors je vous quitte.

Bien plus, les goûters eux-mêmes que Gilberte
offrait à ses amis et qui si longtemps m'avaient paru
la plus infranchissable des séparations accumulées entre
elle et moi devenaient maintenant une occasion de nous
réunir dont elle m'avertissait par un mot, écrit (parce que
j'étais une relation encore assez nouvelle) sur un papier
à lettres toujours différent. Une fois il était orné d'un
caniche bleu en relief surmontant une légende humo-
ristique écrite en anglais et suivie d'un point d'exclamation, une autre fois timbré d'une ancre marine, ou
du chiffre G. S., démesurément allongé en un rectangle
qui tenait toute la hauteur de la feuille, ou encore du nom
« Gilberte » tantôt tracé en vers dans un coin en caractères
dorés qui imitaient la signature de mon amie et finissaient
par un paraphe, au-dessous d'un parapluie ouvert imprimé en noir, tantôt enfermé dans un monogramme en
forme de chapeau chinois qui en contenait toutes les
lettres en majuscules sans qu'il fût possible d'en distinguer une seule. Enfin comme la série des papiers à lettres
que Gilberte possédait, pour nombreuse que fût cette
série, n'était pas illimitée, au bout d'un certain nombre
de semaines, je voyais revenir celui qui portait, comme
la première fois qu'elle m'avait écrit, la devise : *Per viam*

rectam, au-dessous du chevalier casqué, dans une médaille d'argent bruni. Et chacun était choisi tel jour
plutôt que tel autre en vertu de certains rites, pensais-je
alors, mais plutôt, je le crois maintenant, parce qu'elle
cherchait à se rappeler ceux dont elle s'était servie les
autres fois, de façon à ne jamais envoyer le même à un
de ses correspondants, au moins de ceux pour qui elle
prenait la peine de faire des frais, qu'aux intervalles les
plus éloignés possible. Comme à cause de la différence des
heures de leurs leçons, certaines des amis que Gilberte
invitait à ces goûters étaient obligées de partir comme les
autres arrivaient seulement, dès l'escalier j'entendais
s'échapper de l'antichambre un murmure de voix qui,
dans l'émotion que me causait la cérémonie imposante
à laquelle j'allais assister, rompait brusquement, bien
avant que j'atteignisse le palier, les liens qui me ratta-
chaient encore à la vie antérieure et m'ôtait jusqu'au
souvenir d'avoir à retirer mon foulard une fois que je
serais au chaud et de regarder l'heure pour ne pas rentrer
en retard. Cet escalier, d'ailleurs, tout en bois, comme
on faisait alors dans certaines maisons de rapport de ce
style Henri II qui avait été si longtemps l'idéal d'Odette
et dont elle devait bientôt se déprendre, et pourvu d'une
pancarte sans équivalent chez nous, sur laquelle on lisait
ces mots : « Défense de se servir de l'ascenseur pour
descendre », me semblait quelque chose de tellement prestigieux que je dis à mes parents que c'était un escalier
ancien rapporté de très loin par M. Swann. Mon amour
de la vérité était si grand que je n'aurais pas hésité à
leur donner ce renseignement même si j'avais su qu'il
était faux, car seul il pouvait leur permettre d'avoir pour
la dignité de l'escalier des Swann le même respect que
moi. C'est ainsi que devant un ignorant qui ne peut
comprendre en quoi consiste le génie d'un grand médecin,
on croirait bien faire de ne pas avouer qu'il ne sait pas
guérir le rhume de cerveau. Mais comme je n'avais

7

aucun esprit d'observation, comme en général je ne
savais ni le nom ni l'espèce des choses qui se trouvaient
sous mes yeux et comprenais seulement que, quand elles
approchaient les Swann, elles devaient être extraordinaires,
il ne me parut pas certain qu'en avertissant mes parents
de la valeur artistique et de la provenance lointaine de
cet escalier, je commisse un mensonge. Cela ne me parut
pas certain ; mais cela dut me paraître probable, car
je me sentis devenir très rouge, quand mon père m'interrompit en disant : « Je connais ces maisons-là ; j'en ai
vu une, elles sont toutes pareilles ; Swann occupe simplement plusieurs étages, c'est Berlier qui les a construi-
tes. » Il ajouta qu'il avait voulu louer dans l'une d'elles,
mais qu'il y avait renoncé, ne les trouvant pas commodes
et l'entrée pas assez claire ; il le dit ; mais je sentis instinctivement que mon esprit devait faire au prestige des
Swann et à mon bonheur les sacrifices nécessaires, et
par un coup d'autorité intérieure, malgré ce que je venais
d'entendre, j'écartai à tout jamais de moi, comme un
dévot la *Vie de Jésus* de Renan, la pensée dissolvante
que leur appartement était un appartement quelconque
que nous aurions pu habiter.

Cependant, ces jours de goûter, m'élevant dans l'escalier marche à marche, déjà dépouillé de ma pensée et
de ma mémoire, n'étant plus que le jouet des plus vils
réflexes, j'arrivais à la zone où le parfum de Mme Swann
se faisait sentir. Je croyais déjà voir la majesté du gâteau
au chocolat, entouré d'un cercle d'assiettes à petits
fours et de petites serviettes damassées grises à dessins, exigées par l'étiquette et particulières aux Swann.
Mais cet ensemble inchangeable et réglé semblait,
comme l'univers nécessaire de Kant, suspendu à
un acte suprême de liberté. Car quand nous étions
tous dans le petit salon de Gilberte, tout d'un coup
regardant l'heure elle disait :

— Dites donc, mon déjeuner commence à être loin,

je ne dîne qu'à huit heures, j'ai bien envie de manger
quelque chose. Qu'en diriez-vous ?

Et elle nous faisait entrer dans la salle à manger,
sombre comme l'intérieur d'un Temple asiatique peint
par Rembrandt, et où un gâteau architectural, aussi
débonnaire et familier qu'il était imposant, semblait
trôner là à tout hasard comme un jour quelconque,
pour le cas où il aurait pris fantaisie à Gilberte de le
découronner de ses créneaux en chocolat et d'abattre
ses remparts aux pentes fauves et raides, cuites au four
comme les bastions du palais de Darius. Bien mieux,
pour procéder à la destruction de la pâtisserie ninivite,
Gilberte ne consultait pas seulement sa faim ; elle
s'informait encore de la mienne, tandis qu'elle extrayait
pour moi du monument écroulé tout un pan verni et
cloisonné de fruits écarlates, dans le goût oriental.
Elle me demandait même l'heure à laquelle mes parents
dînaient, comme si je l'avais encore sue, comme si le
trouble qui me dominait avait laissé persister la sensation
de l'inappétence ou de la faim, la notion du dîner ou
l'image de la famille, dans ma mémoire vide et mon
estomac paralysé. Malheureusement cette paralysie
n'était que momentanée. Les gâteaux que je prenais
sans m'en apercevoir, il viendrait un moment où il
faudrait les digérer. Mais il était encore lointain. En
attendant, Gilberte me faisait « mon thé ». J'en buvais
indéfiniment, alors qu'une seule tasse m'empêchait de
dormir pour vingt-quatre heures. Aussi ma mère avait-
elle l'habitude de dire : « C'est ennuyeux, cet enfant ne
peut aller chez les Swann sans rentrer malade. » Mais
savais-je seulement, quand j'étais chez les Swann,
que c'était du thé que je buvais ? L'eussé-je su que
j'en eusse pris tout de même, car en admettant que
j'eusse recouvré un instant le discernement du présent,
cela ne m'eût pas rendu le souvenir du passé et la pré-
vision de l'avenir. Mon imagination n'était pas capable

d'aller jusqu'au temps lointain où je pourrais avoir
l'idée de me coucher et le besoin du sommeil.

Les amies de Gilberte n'étaient pas toutes plongées
dans cet état d'ivresse où une décision est impossible.
Certaines refusaient du thé! Alors Gilberte disait,
phrase très répandue à cette époque : « Décidément,
je n'ai pas de succès avec mon thé! » Et pour effacer davantage l'idée de cérémonie, dérangeant l'ordre des
chaises autour de la table : « Nous avons l'air d'une
noce ; mon Dieu que les domestiques sont bêtes. »

Elle grignotait, assise de côté sur un siège en forme
d'x et placé de travers. Même, comme si elle eût pu
avoir tant de petits fours à sa disposition sans avoir
demandé la permission à sa mère, quand Mme Swann
— dont le « jour » coïncidait d'ordinaire avec les goûters
de Gilberte — après avoir reconduit une visite, entrait
un moment après, en courant, quelquefois habillée de
velours bleu, souvent dans une robe en satin noir couverte de dentelles blanches, elle disait d'un air étonné :

— Tiens, ça a l'air bon ce que vous mangez là, cela
me donne faim de vous voir manger du cake.

— Eh bien, maman, nous vous invitons, répondait
Gilberte.

— Mais non, mon trésor, qu'est-ce que diraient mes
visites, j'ai encore Mme Trombert, Mme Cottard et
Mme Bontemps, tu sais que cette chère Mme Bontemps ne
fait pas des visites très courtes et elle vient seulement
d'arriver. Qu'est-ce qu'ils diraient toutes ces bonnes
gens de ne pas me voir revenir ? S'il ne vient plus personne, je reviendrai bavarder avec vous (ce qui m'amusera beaucoup plus) quand elles seront parties. Je crois
que je mérite d'être un peu tranquille, j'ai eu quarante-
cinq visites et sur quarante-cinq il y en a eu quarante-
deux qui ont parlé du tableau de Gérome! Mais venez
donc un de ces jours, me disait-elle, prendre *votre* thé
avec Gilberte, elle vous le fera comme vous l'aimez,

comme vous le prenez dans votre petit « studio », ajoutait-elle, tout en s'enfuyant vers ses visites et comme si
ç'avait été quelque chose d'aussi connu de moi que mes
habitudes (fût-ce celle que j'aurais eue de prendre
le thé, si j'en avais jamais pris ; quant à un « studio »
j'étais incertain si j'en avais un ou non) que j'étais venu
chercher dans ce monde mystérieux. « Quand viendrez-
vous ? Demain ? On vous fera des toasts aussi bons que
chez Colombin. Non ? Vous êtes un vilain », disait-elle
car depuis qu'elle aussi commençait à avoir un salon, elle
prenait les façons de Mᵐᵉ Verdurin, son ton de despo-
tisme minaudier. Les toasts m'étant d'ailleurs aussi
inconnus que Colombin, cette dernière promesse n'aurait pu ajouter à ma tentation. Il semblera plus étrange,
puisque tout le monde parle ainsi et peut-être même
maintenant à Combray, que je n'eusse pas à la première
minute compris de qui voulait parler Mᵐᵉ Swann,
quand je l'entendis me faire l'éloge de notre vieille
« nurse ». Je ne savais pas l'anglais, je compris bientôt
pourtant que ce mot désignait Françoise. Moi qui,
aux Champs-Élysées, avais eu si peur de la fâcheuse
impression qu'elle devait produire, j'appris par
Mᵐᵉ Swann que c'est tout ce que Gilberte lui avait
raconté sur ma « nurse » qui leur avait donné à elle et
à son mari de la sympathie pour moi. « On sent qu'elle
vous est si dévouée, qu'elle est si bien. » (Aussitôt je
changeai entièrement d'avis sur Françoise. Par contrecoup, avoir une institutrice pourvue d'un caoutchouc
et d'un plumet ne me sembla plus chose si nécessaire.) Enfin je compris, par quelques mots échappés à Mᵐⁱᵉ Swann
sur Mᵐᵉ Blatin dont elle reconnaissait la bienveillance
mais redoutait les visites, que des relations personnelles
avec cette dame ne m'eussent pas été aussi précieuses
que j'avais cru et n'eussent amélioré en rien ma situation
chez les Swann.

Si j'avais déjà commencé d'explorer avec ces tressail-

lements de respect et de joie le domaine féerique qui
contre toute attente avait ouvert devant moi ses avenues
jusque-là fermées, pourtant c'était seulement en tant
qu'ami de Gilberte. Le royaume dans lequel j'étais
accueilli était contenu lui-même dans un plus mystérieux encore où Swann et sa femme menaient leur vie
surnaturelle, et vers lequel ils se dirigeaient après
m'avoir serré la main quand ils traversaient en même
temps que moi, en sens inverse, l'antichambre. Mais
bientôt je pénétrai aussi au cœur du Sanctuaire. Par
exemple, Gilberte n'était pas là, M. ou Mme Swann se
trouvait à la maison. Ils avaient demandé qui avait sonné,
et apprenant que c'était moi, m'avaient fait prier d'entrer
un instant auprès d'eux, désirant que j'usasse dans tel ou
tel sens, pour une chose ou pour une autre, de mon
influence sur leur fille. Je me rappelais cette lettre si
complète, si persuasive, que j'avais naguère écrite à
Swann et à laquelle il n'avait même pas daigné répondre.
J'admirais l'impuissance de l'esprit, du raisonnement
et du cœur à opérer la moindre conversion, à résoudre une
seule de ces difficultés qu'ensuite la vie, sans qu'on
sache seulement comment elle s'y est prise, dénoue si
aisément. Ma position nouvelle d'ami de Gilberte,
doué sur elle d'une excellente influence, me faisait
maintenant bénéficier de la même faveur que si, ayant
eu pour camarade, dans un collège où on m'eût classé
toujours premier, le fils d'un roi, j'avais dû à ce hasard
mes petites entrées au Palais et des audiences dans la
salle du Trône ; Swann, avec une bienveillance infinie
et comme s'il n'avait pas été surchargé d'occupations
glorieuses, me faisait entrer dans sa bibliothèque et
m'y laissait pendant une heure répondre par des balbu-
tiements, des silences de timidité coupés de brefs et
incohérents élans de courage, à des propos dont mon
émoi m'empêchait de comprendre un seul mot ; il me
montrait des objets d'art et des livres qu'il jugeait

susceptibles de m'intéresser et dont je ne doutais pas
d'avance qu'ils ne passassent infiniment en beauté tous
ceux que possèdent le Louvre et la Bibliothèque Nationale, mais qu'il m'était impossible de regarder. A ces
moments-là son maître d'hôtel m'aurait fait plaisir en
me demandant de lui donner ma montre, mon épingle de
cravate, mes bottines et de signer un acte qui le reconnaissait pour mon héritier : selon la belle expression
populaire dont, comme pour les plus célèbres épopées,
on ne connaît pas l'auteur, mais qui comme elles et
contrairement à la théorie de Wolf en a eu certainement
un (un de ces esprits inventifs et modestes ainsi qu'il
s'en rencontre chaque année, lesquels font des trouvailles telles que « mettre un nom sur la figure », mais
leur nom à eux, ils ne le font pas connaître), *je ne savais
plus ce que je faisais.* Tout au plus m'étonnais-je, quand
la visite se prolongeait, à quel néant de réalisation, à
quelle absence de conclusion heureuse, conduisaient
ces heures vécues dans la demeure enchantée. Mais ma
déception ne tenait ni à l'insuffisance des chefs-d'œuvre
montrés, ni à l'impossibilité d'arrêter sur eux un regard
distrait. Car ce n'était pas la beauté intrinsèque des choses
qui me rendait miraculeux d'être dans le cabinet de
Swann, c'était l'adhérence à ces choses — qui eussent
pu être les plus laides du monde — du sentiment particulier, triste et voluptueux que j'y localisais depuis tant
d'années et qui l'imprégnait encore ; de même la mul-
titude des miroirs, des brosses d'argent, des autels à
saint Antoine de Padoue sculptés et peints par les plus
grands artistes, ses amis, n'étaient pour rien dans le
sentiment de mon indignité et de sa bienveillance
royale qui m'était inspiré quand Mme Swann me recevait
un moment dans sa chambre où trois belles et imposantes
créatures, sa première, sa deuxième et sa troisième femme
de chambre préparaient en souriant des toilettes merveilleuses, et vers laquelle, sur l'ordre proféré par le valet

de pied en culotte courte que Madame désirait me dire un mot, je me dirigeais par le sentier sinueux d'un couloir tout embaumé à distance des essences précieuses qui exhalaient sans cesse du cabinet de toilette leurs effluves odoriférants.

Quand Mme Swann était retournée auprès de ses visites, nous l'entendions encore parler et rire, car même devant deux personnes et comme si elle avait eu à tenir tête à tous les « camarades », elle élevait la voix, lançait les mots, comme elle avait si souvent, dans le petit clan, entendu faire à la « patronne », dans les moments où celle-ci « dirigeait la conversation ». Les expressions que nous avons récemment empruntées aux autres étant celles, au moins pendant un temps, dont nous aimons le plus à nous servir, Mme Swann choisissait tantôt celles qu'elle avait apprises de gens distingués que son mari n'avait pu éviter de lui faire connaître (c'est d'eux qu'elle tenait le maniérisme qui consiste à supprimer l'article ou le pronom démonstratif devant un adjectif qualifiant une personne), tantôt de plus vulgaires (par exemple : « C'est un rien ! » mot favori d'une se ses amies) et cherchait à les placer dans toutes les histoires que, selon une habitude prise dans le « petit clan », elle aimait à raconter. Elle disait volontiers ensuite : « J'aime beaucoup cette histoire », « Ah ! avouez, c'est une bien *belle* histoire ! » ; ce qui lui venait, par son mari, des Guermantes qu'elle ne connaissait pas.

Mme Swann avait quitté la salle à manger, mais son mari qui venait de rentrer faisait à son tour une apparition auprès de nous. « Sais-tu si ta mère est seule, Gilberte ? — Non, elle a encore du monde, papa. — Comment, encore ? à sept heures ! C'est effrayant. La pauvre femme doit être brisée. C'est odieux. (A la maison j'avais toujours entendu, dans *odieux*, prononcer l'*o* long *audieux* —, mais M. et Mme Swann disaient *odieux*, en faisant l'*o* bref.) Pensez, depuis deux heures

de l'après-midi! reprenait-il en se tournant vers moi.
Et Camille me disait qu'entre quatre et cinq heures,
il est bien venu douze personnes. Qu'est-ce que je
dis douze, je crois qu'il m'a dit quatorze. Non, douze;
enfin je ne sais plus. Quand je suis rentré, je ne songeais
pas que c'était son jour et, en voyant toutes ces voitures
devant la porte, je croyais qu'il y avait un mariage dans
la maison. Et depuis un moment que je suis dans ma
bibliothèque, les coups de sonnette n'ont pas arrêté;
ma parole d'honneur, j'en ai mal à la tête. Et il y a encore
beaucoup de monde près d'elle? — Non, deux visites
seulement. — Sais-tu qui? — Mme Cottard et Mme Bontemps. — Ah! la femme du chef de cabinet du ministre
des Travaux publics. — J'sais que son mari est employé
dans un ministère, mais j'sais pas au juste comme quoi,
disait Gilberte en faisant l'enfant.

— Comment, petite sotte, tu parles comme si tu avais
deux ans. Qu'est-ce que tu dis : employé dans un ministère? Il est tout simplement chef de cabinet, chef de
toute la boutique, et encore, où ai-je la tête, ma parole,
je suis aussi distrait que toi, il n'est pas chef de cabinet,
il est *directeur* du cabinet.

— J'sais pas, moi; alors c'est beaucoup d'être le
directeur du cabinet? répondait Gilberte qui ne perdait
jamais une occasion de manifester de l'indifférence pour
tout ce qui donnait de la vanité à ses parents (elle pouvait
d'ailleurs penser qu'elle ne faisait qu'ajouter à une relation aussi éclatante, en n'ayant pas l'air d'y attacher trop
d'importance).

— Comment, si c'est beaucoup! s'écriait Swann qui
préférait à cette modestie qui eût pu me laisser dans le
doute, un langage plus explicite. Mais c'est simplement
le premier après le ministre! C'est même plus que le
ministre, car c'est lui qui fait tout. Il paraît du reste que
c'est une capacité, un homme de premier ordre, un individu tout à fait distingué. Il est officier de la Légion

d'honneur. C'est un homme délicieux, même fort joli garçon. »

Sa femme d'ailleurs l'avait épousé envers et contre tous parce que c'était un « être de charme ». Il savait, ce qui peut suffire à constituer un ensemble rare et délicat, une barbe blonde et soyeuse, de jolis traits, une voix nasale, l'haleine forte et un œil de verre.

— Je vous dirai, ajoutait-il en s'adressant à moi, que je m'amuse beaucoup de voir ces gens-là dans le gouvernement actuel, parce que ce sont les Bontemps, de la maison Bontemps-Chenut, le type de la bourgeoisie réactionnaire, cléricale, à idées étroites. Votre pauvre grand-père a bien connu, au moins de réputation et de vue, le vieux père Chenut qui ne donnait qu'un sou de pourboire aux cochers bien qu'il fût riche pour l'époque, et le baron Bréau-Chenut. Toute la fortune a sombré dans le krach de l'Union Générale, vous êtes trop jeune pour avoir connu ça, et dame on s'est refait comme on a pu.

— C'est l'oncle d'une petite qui venait à mon cours, dans une classe bien au-dessous de moi, la fameuse « Albertine ». Elle sera sûrement très « fast », mais en attendant elle a une drôle de touche.

— Elle est étonnante ma fille, elle connaît tout le monde.

— Je ne la connais pas. Je la voyais seulement passer, on criait Albertine par-ci, Albertine par-là. Mais je connais Mme Bontemps, et elle ne me plaît pas non plus.

— Tu as le plus grand tort, elle est charmante, jolie, intelligente. Elle est même spirituelle. Je vais aller lui dire bonjour, lui demander si son mari croit que nous allons avoir la guerre, et si on peut compter sur le roi Théodose. Il doit savoir cela, n'est-ce pas, lui qui est dans le secret des dieux ?

Ce n'est pas ainsi que Swann parlait autrefois ; mais qui n'a vu des princesses royales fort simples, si dix ans plus tard elles se sont fait enlever par un valet de chambre et qu'elles cherchent à revoir du monde et sentent qu'on ne vient pas volontiers chez elles, prendre spontanément le langage des vieilles raseuses et, quand on cite une duchese à la mode, ne les a entendues dire : « Elle était hier chez moi », et : « Je vis très à l'écart » ? Aussi est-il inutile d'observer les mœurs, puisqu'on peut les déduire des lois psychologiques.

Les Swann participaient à ce travers des gens chez qui peu de monde va ; la visite, l'invitation, une simple parole aimable de personnes un peu marquantes étaient pour eux un événement auquel ils souhaitaient de donner de la publicité. Si la mauvaise chance voulait que les Verdurin fussent à Londres quand Odette avait eu un dîner un peu brillant, on s'arrangeait pour que par quelque ami commun la nouvelle leur en fût câblée outre-Manche. Il n'est pas jusqu'aux lettres, aux télégrammes flatteurs reçus par Odette, que les Swann ne fussent incapables de garder pour eux. On en parlait aux amis, on les faisait passer de mains en mains. Le salon des Swann ressemblait ainsi à ces hôtels de villes d'eaux où on affiche les dépêches.

Du reste, les personnes qui n'avaient pas seulement connu l'ancien Swann en dehors du monde, comme j'avais fait, mais dans le monde, dans ce milieu Guermantes où, en exceptant les Altesses et les Duchesses, on était d'une exigence infinie pour l'esprit et le charme, où on prononçait l'exclusive pour des hommes éminents qu'on trouvait ennuyeux ou vulgaires, ces personnes-là auraient pu s'étonner en constatant que l'ancien Swann avait cessé d'être non seulement discret quand il parlait de ses relations, mais difficile quand il s'agissait de les choisir. Comment Mme Bontemps, si commune, si méchante, ne l'exaspérait-elle pas ? Comment-il pouvait la déclarer agréable ? Le souvenir du milieu Guermantes aurait dû l'en empêcher, semblait-il ; en réalité, il l'y aidait. Il y avait certes chez les Guermantes, à l'encontre des trois quarts des milieux mondains, du goût, un goût

raffiné même, mais aussi du snobisme, d'où possibilité
d'une interruption momentanée dans l'exercice du goût.
S'il s'agissait de quelqu'un qui n'était pas indispensable à
cette coterie, d'un ministre des Affaires étrangères,
républicain un peu solennel, d'un académicien bavard, le
goût s'exerçait à fond contre lui, Swann plaignait Mme de
Guermantes d'avoir dîné à côté de pareils convives dans
une ambassade et on leur préférait mille fois un homme
élégant, c'est-à-dire un homme du milieu Guermantes,
bon à rien, mais possédant l'esprit des Guermantes,
quelqu'un qui était de la même chapelle. Seulement,
une grande-duchesse, une princesse du sang dînait-elle
souvent chez Mme de Guermantes, elle se trouvait alors
faire partie de cette chapelle elle aussi, sans y avoir aucun
droit, sans en posséder en rien l'esprit. Mais avec la naïveté des gens du monde, du moment qu'on la recevait,
on s'ingéniait à la trouver agréable, faute de pouvoir se
dire que c'est parce qu'on l'avait trouvée agréable qu'on
la recevait. Swann, venant au cours de Mme de Guermantes, lui disait quand l'Altesse était partie : « Au fond
elle est bonne femme, elle a même un certain sens du
comique. Mon Dieu je ne pense pas qu'elle ait approfondi
la *Critique de la Raison pure* mais elle n'est pas déplaisante.

— Je suis absolument de votre avis, répondait la
duchesse. Et encore elle était intimidée, mais vous verrez
qu'elle peut être charmante. — Elle est bien moins embê-
tante que Mme XJ (la femme de l'académicien bavard,
laquelle était remarquable) qui vous cite vingt volumes.
— Mais il n'y a même pas de comparaison possible. »
La faculté de dire de telles choses, de les dire sincèrement,
Swann l'avait acquise chez la duchesse, et conservée. Il
en usait maintenant à l'égard des gens qu'il recevait. Il
s'efforçait à discerner, à aimer en eux les qualités que
tout être humain révèle, si on l'examine avec une prévention favorable et non avec le dégoût des délicats ; il

mettait en valeur les mérites de Mme Bontemps comme
autrefois ceux de la princesse de Parme, laquelle eût dû
être exclue du milieu Guermantes, s'il n'y avait pas eu
entrée de faveur pour certaines Altesses et si, même quand
il s'agissait d'elles, on n'eût vraiment considéré que
l'esprit et un certain charme. On a vu d'ailleurs autrefois
que Swann avait le goût (dont il faisait maintenant une
application seulement plus durable) d'échanger sa situation mondaine contre une autre qui dans certaines circonstances lui convenait mieux. Il n'y a que les gens
incapables de décomposer, dans leur perception, ce qui
au premier abord paraît indivisible, qui croient que la
situation fait corps avec la personne. Un même être, pris
à des moments successifs de sa vie, baigne à différents
degrés de l'échelle sociale dans des milieux qui ne sont
pas forcément de plus en plus élevés ; et chaque fois que
dans une période autre de l'existence, nous nouons, ou
renouons, des liens avec un certain milieu, que nous nous
y sentons choyés, nous commençons tout naturellement
à nous y attacher en y poussant d'humaines racines.

Pour ce qui concerne Mme Bontemps, je crois aussi que
Swann en parlant d'elle avec cette insistance n'était pas
fâché de penser que mes parents apprendraient qu'elle
venait voir sa femme. A vrai dire, à la maison, le nom des
personnes que celle-ci arrivait peu à peu à connaître
piquait plus la curiosité qu'il n'excitait d'admiration.
Au nom de Mme Trombert, ma mère disait :

— Ah! mais voilà une nouvelle recrue et qui lui en
amènera d'autres.

Et comme si elle eût comparé la façon un peu sommaire,
rapide et violente dont Mme Swann conquérait ses relations à une guerre coloniale, maman ajoutait :

— Maintenant que les Trombert sont soumis, les tribus
voisines ne tarderont pas à se rendre.

Quand elle croisait dans la rue Mme Swann, elle nous
disait en rentrant :

— J'ai aperçu Mme Swann sur son pied de guerre, elle devait partir pour quelque offensive fructueuse chez les Masséchutos, les Cynghalais ou les Trombert.

Et toutes les personnes nouvelles que je lui disais avoir vues dans ce milieu un peu composite et artificiel où elles avaient souvent été amenées assez difficilement de mondes assez différents, elle en devinait tout de suite l'origine et parlait d'elles comme elle aurait fait de trophées chèrement achetés ; elle disait :

— Rapporté d'une Expédition chez les un Tel.

Pour Mme Cottard, mon père s'étonnait que Mme Swann pût trouver quelque avantage à attirer cette bourgeoise peu élégante et disait : « Malgré la situation du professeur, j'avoue que je ne comprends pas. » Ma mère, elle, au contraire, comprenait très bien ; elle savait qu'une grande partie des plaisirs qu'une femme trouve à pénétrer dans un milieu différent de celui où elle vivait autrefois lui manquerait si elle ne pouvait informer ses anciennes relations de celles, relativement plus brillantes, par lesquelles elle les a remplacées. Pour cela il faut un témoin qu'on laisse pénétrer dans ce monde nouveau et délicieux, comme dans une fleur un insecte bourdonnant et volage, qui ensuite, au hasard de ses visites, répandra, on l'espère du moins, la nouvelle, le germe dérobé d'envie et d'admiration. Mme Cottard toute trouvée pour remplir ce rôle rentrait dans cette catégorie spéciale d'invités que maman, qui avait certains côtés de la tournure d'esprit de son père, appelait des : « Étranger, va dire à Sparte ! » D'ailleurs — en dehors d'une autre raison qu'on ne sut que bien des années après — Mme Swann, en conviant à ses « jours » cette amie bienveillante, réservée et modeste, n'avait pas à craindre d'introduire chez soi un traître ou une concurrente. Elle savait le nombre énorme de calices bourgeois que pouvait, quand elle était armée de l'aigrette et du porte-cartes, visiter en un seul après-midi cette active ouvrière. Elle en connaissait le pouvoir de dissémination et, en se basant sur le calcul des probabilités, était fondée à penser que, très vraisemblablement, tel habitué des Verdurin apprendrait dès le surlendemain que le gouverneur de Paris avait mis des cartes chez elle, ou que M. Verdurin lui-même entendrait raconter que M. Le Hault de Pressagny, président du Concours hippique, les avait emmenés, elle et Swann, au gala du roi Théodose ; elle ne supposait les Verdurin informés que de ces deux événements flatteurs pour elle, parce que les matérialisations particulières sous lesquelles nous nous représentons et nous poursuivons la gloire sont peu nombreuses par le défaut de notre esprit, qui n'est pas capable d'imaginer à la fois toutes les formes que nous espérons bien d'ailleurs — en gros — que, simultanément, elle ne manquera pas de revêtir pour nous.

D'ailleurs, Mme Swann n'avait obtenu de résultats que dans ce qu'on appelait le « monde officiel ». Les femmes élégantes n'allaient pas chez elle. Ce n'était pas la présence de notabilités républicaines qui les avait fait fuir. Au temps de ma petite enfance, tout ce qui appartenait à la société conservatrice était mondain, et dans un salon bien posé on n'eût pas pu recevoir un républicain. Les personnes qui vivaient dans un tel milieu s'imaginaient que l'impossibilité de jamais inviter un « opportuniste », à plus forte raison un affreux « radical », était une chose qui durerait toujours, comme les lampes à huile et les omnibus à chevaux. Mais pareille aux kaléidoscopes qui tournent de temps en temps, la société place successivement de façon différente des éléments qu'on avait crus immuables et compose une autre figure. Je n'avais pas encore fait ma première communion, que des dames bien pensantes avaient la stupéfaction de rencontrer en visite une Juive élégante. Ces dispositions nouvelles du kaléidoscope sont produites par ce qu'un philosophe appellerait un changement de

critère. L'affaire Dreyfus en amena un nouveau, à une
époque un peu postérieure à celle où je commençais à
aller chez Mme Swann, et le kaléidoscope renversa une
fois de plus ses petits losanges colorés. Tout ce qui était
juif passa en bas, fût-ce la dame élégante, et des nationa-
listes obscurs montèrent prendre sa place. Le salon le
plus brillant de Paris fut celui d'un prince autrichien et
ultra-catholique. Qu'au lieu de l'affaire Dreyfus il fût
survenu une guerre avec l'Allemagne, le tour du kaléidoscope se fût produit dans un autre sens. Les Juifs
ayant, à l'étonnement général, montré qu'ils étaient
patriotes, auraient gardé leur situation, et personne n'aurait plus voulu aller ni même avouer être jamais allé
chez le prince autrichien. Cela n'empêche pas que chaque
fois que la société est momentanément immobile, ceux
qui y vivent s'imaginent qu'aucun changement n'aura
plus lieu, de même qu'ayant vu commencer le téléphone,
ils ne veulent pas croire à l'aéroplane. Cependant, les
philosophes du journalisme flétrissent la période précédente, non seulement le genre de plaisirs que l'on y
prenait et qui leur semble le dernier mot de la corruption,
mais même les œuvres des artistes et des philosophes qui
n'ont plus à leurs yeux aucune valeur, comme si elles
étaient reliées indissolublement aux modalités successives
de la frivolité mondaine. La seule chose qui ne change
pas est qu'il semble chaque fois qu'il y ait « quelque chose
de changé en France ». Au moment où j'allai chez Mme
Swann, l'affaire Dreyfus n'avait pas encore éclaté, et
certains grands Juifs étaient fort puissants. Aucun ne
l'était plus que sir Rufus Israels dont la femme, lady
Israels, était la tante de Swann. Elle n'avait pas personnellement des intimités aussi élégantes que son neveu
qui, d'autre part, ne l'aimant pas, ne l'avait jamais
beaucoup cultivée, quoiqu'il dût vraisemblablement être
son héritier. Mais c'était la seule des parentes de Swann
qui eût conscience de la situation mondaine de celui-ci,

les autres étant toujours restées à cet égard dans la même
ignorance qui avait été longtemps la nôtre. Quand, dans
une famille, un des membres émigre dans la haute société
— ce qui lui semble à lui un phénomène unique, mais
ce qu'à dix ans de distance il constate avoir été accompli
d'une autre façon et pour des raisons différentes par
plus d'un jeune homme avec qui il avait été élevé — il
décrit autour de lui une zone d'ombre, une *terra incognita*,
fort visible en ses moindres nuances pour tous ceux qui
l'habitent, mais qui n'est que nuit, pur néant pour ceux
qui n'y pénètrent pas et la côtoient sans en soupçonner,
tout près d'eux, l'existence. Aucune Agence Havas
n'ayant renseigné les cousines de Swann sur les gens
qu'il fréquentait, c'est (avant son horrible mariage, bien
entendu) avec des sourires de condescendance qu'on
se racontait dans les dîners de famille qu'on avait « ver-
tueusement » employé son dimanche à aller voir le « cousin
Charles » que, le croyant un peu envieux et parent pauvre, on appelait spirituellement, en jouant sur le titre
du roman de Balzac : « Le Cousin Bête. » Lady Rufus
Israels, elle, savait à merveille qui étaient ces gens qui
prodiguaient à Swann une amitié dont elle était jalouse.
La famille de son mari, qui était à peu près l'équivalent
des Rothschild, faisait depuis plusieurs générations les
affaires des princes d'Orléans. Lady Israels, excessivement riche, disposait d'une grande influence et elle
l'avait employée à ce qu'aucune personne qu'elle connaissait ne reçût Odette. Une seule avait désobéi, en
cachette. C'était la comtesse de Marsantes. Or, le malheur
avait voulu qu'Odette étant allée faire visite à Mme de
Marsantes, lady Israels était entrée presque en même
temps. Mme de Marsantes était sur des épines. Avec la
lâcheté des gens qui pourtant pourraient tout se permettre, elle n'adressa pas une fois la parole à Odette qui
ne fut pas encouragée à pousser désormais plus loin
une incursion dans un monde qui du reste n'était nulle-

ment celui où elle eût aimé être reçue. Dans ce complet
désintéressement du faubourg Saint-Germain, Odette
continuait à être la cocotte illettrée bien différente des
bourgeois ferrés sur les moindres points de généalogie
et qui trompent dans la lecture des anciens mémoires
la soif des relations aristocratiques que la vie réelle ne
leur fournit pas. Et Swann, d'autre part, continuait sans
doute d'être l'amant à qui toutes ces particularités d'une
ancienne maîtresse semblent agréables ou inoffensives,
car souvent j'entendis sa femme proférer de vraies hérésies
mondaines sans que (par un reste de tendresse, un manque
d'estime, ou la paresse de la perfectionner) il cherchât
à les corriger. C'était peut-être aussi là une forme de
cette simplicité qui nous avait si longtemps trompés à
Combray et qui faisait maintenant que, continuant à
connaître, au moins pour son compte, des gens très
brillants, il ne tenait pas à ce que dans la conversation
on eût l'air dans le salon de sa femme de leur trouver
quelque importance. Ils en avaient d'ailleurs moins que
jamais pour Swann, le centre de gravité de sa vie s'étant
déplacé. En tous cas, l'ignorance d'Odette en matière
mondaine était telle que, si le nom de la princesse de
Guermantes venait dans la conversation après celui de la
duchesse, sa cousine : « Tiens, ceux-là sont princes, ils
ont donc monté en grade », disait Odette. Si quelqu'un
disait : « le prince » en parlant du duc de Chartres, elle
rectifiait : « Le duc, il est duc de Chartres et non prince. »
Pour le duc d'Orléans, fils du comte de Paris : « C'est
drôle, le fils est plus que le père », tout en ajoutant,
comme elle était anglomane : « On s'y embrouille dans
ces " Royalties " ; et à une personne qui lui demandait de
quelle province étaient les Guermantes, elle répondit :
« de l'Aisne ».

Swann était du reste aveugle, en ce qui concernait
Odette, non seulement devant ces lacunes de son éducation, mais aussi devant la médiocrité de son intelligence.

Bien plus, chaque fois qu'Odette racontait une histoire
bête, Swann écoutait sa femme avec une complaisance,
une gaieté, presque une admiration où il devait entrer des
restes de volupté ; tandis que, dans la même conversation,
ce que lui-même pouvait dire de fin, même de profond,
était écouté par Odette habituellement sans intérêt, assez
vite, avec impatience et quelquefois contredit avec
sévérité. Et on conclura que cet asservissement de l'élite
à la vulgarité est de règle dans bien des ménages, si l'on
pense, inversement, à tant de femmes supérieures qui
se laissent charmer par un butor, censeur impitoyable
de leurs plus délicates paroles, tandis qu'elles s'extasient,
avec l'indulgence infinie de la tendresse, devant ses facé-
ties les plus plates. Pour revenir aux raisons qui empê-
chèrent à cette époque Odette de pénétrer dans le faubourg Saint-Germain, il faut dire que le plus récent
tour du kaléidoscope mondain avait été provoqué par une
série de scandales. Des femmes chez qui on allait en toute
confiance avaient été reconnues être des filles publiques,
des espionnes anglaises. On allait pendant quelque
temps demander aux gens, on le croyait du moins, d'être
avant tout bien posés, bien assis... Odette représentait exactement tout ce avec quoi on venait de rompre
et d'ailleurs immédiatement de renouer (car les hommes,
ne changeant pas du jour au lendemain, cherchent dans
un nouveau régime la continuation de l'ancien), mais en
le cherchant sous une forme différente qui permît d'être
dupe et de croire que ce n'était plus la société d'avant
la crise. Or, aux dames « brûlées » de cette société Odette
ressemblait trop. Les gens du monde sont fort myopes ;
au moment où ils cessent toutes relations avec des dames
israélites qu'ils connaissaient, pendant qu'ils se demandent
comment remplacer ce vide, ils aperçoivent, poussée là
comme à la faveur d'une nuit d'orage, une dame nouvelle,
israélite aussi ; mais grâce à sa nouveauté, elle n'est pas
associée dans leur esprit, comme les précédentes, avec

ce qu'ils croient devoir détester. Elle ne demande pas qu'on respecte son Dieu. On l'adopte. Il ne s'agissait pas d'antisémitisme à l'époque où je commençai d'aller chez Odette. Mais elle était pareille à ce qu'on voulait fuir pour un temps.

Swann, lui, allait souvent faire visite à quelques-unes de ses relations d'autrefois et par conséquent appartenant toutes au plus grand monde. Pourtant, quand il nous parlait des gens qu'il venait d'aller voir, je remarquai qu'entre celles qu'il avait connues jadis le choix qu'il faisait était guidé par cette même sorte de goût, mi-artistique, mi-historique, qui inspirait chez lui le collectionneur. Et remarquant que c'était souvent telle ou telle grande dame déclassée qui l'intéressait parce qu'elle avait été la maîtresse de Liszt ou qu'un roman de Balzac avait été dédié à sa grand'mère (comme il achetait un dessin si Chateaubriand l'avait décrit), j'eus le soupçon que nous avions remplacé à Combray l'erreur de croire Swann un bourgeois n'allant pas dans le monde, par une autre, celle de le croire un des hommes les plus élégants de Paris. Être l'ami du comte de Paris ne signifie rien. Combien y en a-t-il de ces « amis des princes » qui ne seraient pas reçus dans un salon un peu fermé ? Les princes se savent princes, ne sont pas snobs et se croient d'ailleurs tellement au-dessus de ce qui n'est pas de leur sang que grands seigneurs et bourgeois leur apparaissent, au-dessous d'eux, presque au même niveau.

Au reste, Swann ne se contentait pas de chercher dans la société telle qu'elle existe et en s'attachant aux noms que le passé y a inscrits et qu'on peut encore y lire, un simple plaisir de lettré et d'artiste, il goûtait un divertissement assez vulgaire à faire comme des bouquets sociaux en groupant des éléments hétérogènes, en réunissant des personnes prises ici et là. Ces expériences de sociologie amusante (ou que Swann trouvait telle) n'avaient pas sur toutes les amies de sa femme — du moins d'une façon

constante — une répercussion identique. « J'ai l'intention
d'inviter ensemble les Cottard et la duchesse de Vendôme »,
disait-il en riant à Mme Bontemps, de l'air friand d'un
gourmet qui a l'intention et veut faire l'essai de remplacer
dans une sauce les clous de girofle par du poivre de Ca-
yenne. Or ce projet qui allait paraître en effet plaisant, dans
le sens ancien du mot, aux Cottard, avait le don d'exaspérer Mme Bontemps. Elle avait été récemment présentée
par les Swann à la duchesse de Vendôme et avait trouvé
cela aussi agréable que naturel. En tirer gloire auprès des
Cottard, en le leur racontant, n'avait pas été la partie la
moins savoureuse de son plaisir. Mais comme les nouveaux
décorés qui, dès qu'ils le sont, voudraient voir se fermer
aussitôt le robinet des croix, Mme Bontemps eût souhaité
qu'après elle, personne de son monde à elle ne fût présenté à la princesse. Elle maudissait intérieurement le
goût dépravé de Swann qui lui faisait, pour réaliser une
misérable bizarrerie esthétique, dissiper d'un seul coup
toute la poudre qu'elle avait jetée aux yeux des Cottard
en leur parlant de la duchesse de Vendôme. Comment
allait-elle même oser annoncer à son mari que le professeur et sa femme allaient à leur tour avoir leur part
de ce plaisir qu'elle lui avait vanté comme unique ? Encore
si les Cottard avaient pu savoir qu'ils n'étaient pas invités
pour de bon, mais pour l'amusement ! Il est vrai que les
Bontemps l'avaient été de même, mais Swann ayant pris
à l'aristocratie cet éternel donjuanisme qui, entre deux
femmes de rien, fait croire à chacune que ce n'est qu'elle
qu'on aime sérieusement, avait parlé à Mme Bontemps
de la duchesse de Vendôme comme une personne avec
qui il était tout indiqué qu'elle dînât. « Oui, nous comp-
tons inviter la princesse avec les Cottard, dit quelques
semaines plus tard Mme Swann, mon mari croit que
cette conjonction pourra donner quelque chose d'amusant », car si elle avait gardé du « petit noyau » certaines
habitudes chères à Mme Verdurin, comme de crier très

fort pour être entendue de tous les fidèles, en revanche, elle employait certaines expressions — comme « conjonction » — chères au milieu Guermantes duquel elle subissait ainsi à distance et à son insu, comme la mer le fait pour la lune, l'attraction, sans pourtant se rapprocher sensiblement de lui. « Oui, les Cottard et la duchesse de Vendôme, est-ce que vous ne trouvez pas que cela sera drôle ? » demanda Swann. « Je crois que ça marchera très mal et que ça ne vous attirera que des ennuis, il ne faut pas jouer avec le feu », répondit Mme Bontemps, furieuse. Elle et son mari furent, d'ailleurs, ainsi que le prince d'Agrigente, invités à ce dîner, que Mme Bontemps et Cottard eurent deux manières de raconter, selon les personnes à qui ils s'adressaient. Aux uns, Mme Bontemps de son côté, Cottard du sien, disaient négligemment quand on leur demandait qui il y avait d'autre au dîner : « Il n'y avait que le prince d'Agrigente, c'était tout à fait intime. » Mais d'autres risquaient d'être mieux informés (même une fois quelqu'un avait dit à Cottard : « Mais est-ce qu'il n'y avait pas aussi les Bontemps ? — Je les oubliais », avait en rougissant répondu Cottard au maladroit qu'il classa désormais dans la catégorie des mauvaises langues). Pour ceux-là les Bontemps et les Cottard adoptèrent chacun, sans s'être consultés, une version dont le cadre était identique et où seuls leurs noms respectifs étaient interchangés. Cottard disait : « Hé bien, il y avait seulement les maîtres de maison, le duc et la duchesse de Vendôme — (en souriant avantageusement) le professeur et Mme Cottard, et, ma foi, du diable si on a jamais su pourquoi, car ils allaient là comme des cheveux sur la soupe, M. et Mme Bontemps. » Mme Bontemps récitait exactement le même morceau, seulement c'était M. et Mme Bontemps qui étaient nommés avec une emphase satisfaite, entre la duchesse de Vendôme et le prince d'Agrigente, et les pelés qu'à la fin elle accusait de s'être invités eux-mêmes et qui faisaient tache, c'était les Cottard.

De ses visites Swann rentrait souvent assez peu de temps avant le dîner. A ce moment de six heures du soir où jadis il se sentait si malheureux, il ne se demandait plus ce qu'Odette pouvait être en train de faire et s'inquiétait peu qu'elle eût du monde chez elle, ou fût sortie. Il se rappelait parfois qu'il avait, bien des années auparavant, essayé un jour de lire à travers l'enveloppe une lettre adressée par Odette à Forcheville. Mais ce souvenir ne lui était pas agréable et, plutôt que d'approfondir la honte qu'il ressentait, il préférait se livrer à une petite grimace du coin de la bouche complétée au besoin d'un hochement de tête qui signifiait : « Qu'est-ce que ça peut me faire ? » Certes, il estimait maintenant que l'hypothèse à laquelle il s'était souvent arrêté jadis et d'après quoi c'étaient les imaginations de sa jalousie qui seules noircissaient la vie, en réalité innocente, d'Odette, que cette hypothèse (en somme bienfaisante puisque, tant qu'avait duré sa mala-die amoureuse, elle avait diminué ses souffrances en les lui faisant paraître imaginaires) n'était pas la vraie, que c'était sa jalousie qui avait vu juste, et que si Odette l'avait aimé plus qu'il n'avait cru, elle l'avait aussi trompé davantage. Autrefois, pendant qu'il souffrait tant, il s'était juré que, dès qu'il n'aimerait plus Odette et ne craindrait plus de la fâcher ou de lui faire croire qu'il l'aimait trop, il se donnerait la satisfaction d'élucider avec elle, par simple amour de la vérité et comme un point d'histoire, si oui ou non Forcheville était couché avec elle le jour où il avait sonné et frappé au carreau sans qu'on lui ouvrît, et où elle avait écrit à Forcheville que c'était un oncle à elle qui était venu. Mais le problème si intéressant qu'il attendait seulement la fin de sa jalousie pour tirer au clair, avait précisément perdu tout intérêt aux yeux de Swann, quand il avait cessé d'être jaloux. Pas immédiatement pourtant. Il n'éprouvait déjà plus de jalousie à l'égard d'Odette, que le jour des coups frap-

pés en vain par lui dans l'après-midi à la porte du petit
hôtel de la rue La Pérouse, avait continué à en exciter
chez lui. C'était comme si la jalousie, pareille un peu en
cela à ces maladies qui semblent avoir leur siège, leur
source de contagionnement, moins dans certaines personnes que dans certains lieux, dans certaines maisons,
n'avait pas eu tant pour objet Odette elle-même que ce
jour, cette heure du passé perdu où Swann avait frappé
à toutes les entrées de l'hôtel d'Odette. On aurait dit
que ce jour, cette heure avaient seuls fixé quelques dernières parcelles de la personnalité amoureuse que Swann
avait eue autrefois et qu'il ne les retrouvait plus que là.
Il était depuis longtemps insoucieux qu'Odette l'eût
trompé et le trompât encore. Et pourtant il avait continué
pendant quelques années à rechercher d'anciens domestiques d'Odette tant avait persisté chez lui la douloureuse curiosité de savoir si ce jour-là, tellement ancien, à
six heures, Odette était couchée avec Forcheville. Puis
cette curiosité elle-même avait disparu, sans pourtant
que ses investigations cessassent. Il continuait à tâcher
d'apprendre ce qui ne l'intéressait plus, parce que son
moi ancien, parvenu à l'extrême décrépitude, agissait
encore machinalement, selon des préoccupations abolies
au point que Swann ne réussissait même plus à se représenter cette angoisse, si forte pourtant autrefois qu'il
ne pouvait se figurer alors qu'il s'en délivrât jamais et
que seule la mort de celle qu'il aimait (la mort qui,
comme le montrera plus loin, dans ce livre, une cruelle
contre-épreuve, ne diminue en rien les souffrances de la
jalousie) lui semblait capable d'aplanir pour lui la route,
entièrement barrée, de sa vie.

Mais éclaircir un jour les faits de la vie d'Odette
auxquels il avait dû ces souffrances n'avait pas été le seul
souhait de Swann ; il avait mis en réserve aussi celui de se
venger d'elles, quand n'aimant plus Odette il ne la craindrait plus ; or, d'exaucer ce second souhait, l'occasion

se présentait justement, car Swann aimait une autre
femme, une femme qui ne lui donnait pas de motifs de
jalousie, mais pourtant de la jalousie, parce qu'il n'était
plus capable de renouveler sa façon d'aimer et que c'était
celle dont il avait usé pour Odette qui lui servait encore
pour une autre. Pour que la jalousie de Swann renaquît,
il n'était pas nécessaire que cette femme fût infidèle, il
suffisait que pour une raison quelconque elle fût loin
de lui, à une soirée par exemple, et eût paru s'y amuser.
C'était assez pour réveiller en lui l'ancienne angoisse,
lamentable et contradictoire excroissance de son amour,
et qui éloignait Swann de ce qu'elle était comme un
besoin d'atteindre (le sentiment réel que cette jeune
femme avait pour lui, le désir caché de ses journées, le
secret de son cœur), car entre Swann et celle qu'il aimait
cette angoisse interposait un amas réfractaire de soupçons
antérieurs, ayant leur cause en Odette, ou en telle autre
peut-être qui avait précédé Odette, et qui ne permettaient
plus à l'amant vieilli de connaître sa maîtresse d'aujourd'hui qu'à travers le fantôme ancien et collectif
de la « femme qui excitait sa jalousie » dans lequel il
avait arbitrairement incarné son nouvel amour. Souvent
pourtant Swann l'accusait, cette jalousie, de le faire croire
à des trahisons imaginaires ; mais alors il se rappelait
qu'il avait fait bénéficier Odette du même raisonnement,
et à tort. Aussi tout ce que la jeune femme qu'il aimait
faisait aux heures où il n'était pas avec elle, cessait de
lui paraître innocent. Mais alors qu'autrefois, il avait
fait le serment, si jamais il cessait d'aimer celle qu'il
ne devinait pas devoir être un jour sa femme, de lui
manifester implacablement son indifférence, enfin sincère,
pour venger son orgueil longtemps humilié, ces représailles qu'il pouvait exercer maintenant sans risques
(car que pouvait lui faire d'être pris au mot et privé de
ces tête-à-tête avec Odette qui lui étaient jadis si nécessaires ?), ces représailles, il n'y tenait plus ; avec l'amour

avait disparu le désir de montrer qu'il n'avait plus d'amour.
Et lui qui, quand il souffrait par Odette, eût tant désiré
de lui laisser voir un jour qu'il était épris d'une autre,
maintenant qu'il l'aurait pu, il prenait mille précautions
pour que sa femme ne soupçonnât pas ce nouvel amour.

Ce ne fut pas seulement à ces goûters, à cause desquels
j'avais eu autrefois la tristesse de voir Gilberte me quitter
et rentrer plus tôt, que désormais je pris part, mais les
sorties qu'elle faisait avec sa mère, soit pour aller en promenade ou à une matinée, et qui en l'empêchant de venir
aux Champs-Élysées m'avaient privé d'elle, les jours
où je restais seul le long de la pelouse ou devant les chevaux de bois, ces sorties maintenant M. et Mme Swann
m'y admettaient, j'avais une place dans leur landau et même c'était à moi qu'on demandait si j'aimais
mieux aller au théâtre, à une leçon de danse chez une
camarade de Gilberte, à une réunion mondaine chez une
amie de Mme Swann (ce que celle-ci appelait « un petit
meeting ») ou visiter les Tombeaux de Saint-Denis.
Ces jours où je devais sortir avec les Swann, je venais
chez eux pour le déjeuner, que Mme Swann appelait le
lunch ; comme on n'était invité que pour midi et demi
et qu'à cette époque mes parents déjeunaient à onze
heures un quart, c'est après qu'ils étaient sortis de table
que je m'acheminais vers ce quartier luxueux, assez solitaire à toute heure, mais particulièrement à celle-là où
tout le monde était rentré. Même l'hiver et par la gelée
s'il faisait beau, tout en resserrant de temps à autre le
nœud d'une magnifique cravate de chez Charvet et en
regardant si mes bottines vernies ne se salissaient pas, je
me promenais de long en large dans les avenues en
attendant midi vingt-sept. J'apercevais de loin dans le
jardinet des Swann le soleil qui faisait étinceler comme
du givre les arbres dénudés. Il est vrai que ce jardinet
n'en possédait que deux. L'heure indue faisait nouveau

le spectacle. A ces plaisirs de nature (qu'avivait la suppression de l'habitude, et même la faim), la perspective émotionnante du déjeuner chez Mme Swann se mêlait, elle ne les diminuait pas, mais, les dominant, les asservissait, en faisait des accessoires mondains ; de sorte que si, à cette heure où d'ordinaire je ne les percevais pas, il me semblait découvrir le beau temps, le froid, la lumière hivernale, c'était comme une sorte de préface aux œufs à la crème, comme une patine, un rose et frais glacis ajoutés au revêtement de cette chapelle mystérieuse qu'était la demeure de Mme Swann et au cœur de laquelle il y avait au contraire tant de chaleur, de parfums et de fleurs.

A midi et demi, je me décidais enfin à entrer dans cette maison qui, comme un gros soulier de Noël, me semblait devoir m'apporter de surnaturels plaisirs. (Le nom de Noël était du reste inconnu à Mme Swann et à Gilberte qui l'avaient remplacé par celui de Christmas, et ne parlaient que du pudding de Christmas, de ce qu'on leur avait donné pour leur Christmas, de s'absenter — ce qui me rendait fou de douleur — pour Christmas. Même à la maison, je me serais cru déshonoré en parlant de Noël et je ne disais plus que Christmas, ce que mon père trouvait extrêmement ridicule.)

Je ne rencontrais d'abord qu'un valet de pied qui, après m'avoir fait traverser plusieurs grands salons, m'introduisait dans un tout petit, vide, que commençait déjà à faire rêver l'après-midi bleu de ses fenêtres ; je restais seul en compagnie d'orchidées, de roses et de violettes qui — pareilles à des personnes qui attendent à côté de vous, mais ne vous connaissent pas — gardaient un silence que leur individualité de choses vivantes rendait plus impressionnant et recevaient frileusement la chaleur d'un feu incandescent de charbon, précieusement posé derrière une vitrine de cristal, dans une cuve de marbre blanc où il faisait écrouler de temps à autre ses dangereux rubis.

Je m'étais assis, mais me levais précipitamment en entendant ouvrir la porte ; ce n'était qu'un second valet de pied, puis un troisième, et le mince résultat auquel aboutissaient leurs allées et venues inutilement émouvantes était de remettre un peu de charbon dans le feu ou d'eau dans les vases. Ils s'en allaient, je me retrouvais seul, une fois refermée la porte que Mme Swann finirait bien par ouvrir. Et, certes, j'eusse été moins troublé dans un antre magique que dans ce petit salon d'attente où le feu me semblait procéder à des transmutations, comme dans le laboratoire de Klingsor. Un nouveau bruit de pas retentissait, je ne me levais pas, ce devait être encore un valet de pied, c'était M. Swann. « Comment ? Vous êtes seul ? Que voulez-vous, ma pauvre femme n'a jamais pu savoir ce que c'est que l'heure. Une heure moins dix. Tous les jours c'est plus tard. Et vous allez voir, elle arrivera sans se presser en croyant qu'elle est en avance. » Et comme il était resté neuro-arthritique et devenu un peu ridicule, avoir une femme si inexacte qui rentrait tellement tard du Bois, qui s'oubliait chez sa couturière, et n'était jamais à l'heure pour le déjeuner, cela inquiétait Swann pour son estomac, mais le flattait dans son amour-propre.

Il me montrait des acquisitions nouvelles qu'il avait faites et m'en expliquait l'intérêt, mais l'émotion, jointe au manque d'habitude d'être encore à jeun à cette heure-là, tout en agitant mon esprit y faisait le vide, de sorte que, capable de parler, je ne l'étais pas d'entendre. D'ailleurs aux œuvres que possédait Swann, il suffisait pour moi qu'elles fussent situées chez lui, y fissent partie de l'heure délicieuse qui précédait le déjeuner. *La Joconde* se serait trouvée là qu'elle ne m'eût pas fait plus de plaisir qu'une robe de chambre de Mme Swann, ou ses flacons de sels.

Je continuais à attendre, seul, ou avec Swann et souvent Gilberte, qui était venue nous tenir compagnie.

L'arrivée de Mme Swann, préparée par tant de majestueuses entrées, me paraissait devoir être quelque chose d'immense. J'épiais chaque craquement. Mais on ne trouve jamais aussi hauts qu'on avait espéré une cathédrale, une vague dans la tempête, le bond d'un danseur ; après ces valets de pied en livrée, pareils aux figurants dont le cortège, au théâtre, prépare, et par là même diminue l'apparition finale de la reine, Mme Swann entrant furtivement en petit paletot de loutre, sa voilette baissée sur un nez rougi par le froid, ne tenait pas les promesses prodiguées dans l'attente à mon imagination.

Mais si elle était restée toute la matinée chez elle, quand elle arrivait dans le salon, c'était vêtue d'un peignoir en crêpe de Chine de couleur claire qui me semblait plus élégant que toutes les robes.

Quelquefois les Swann se décidaient à rester à la maison tout l'après-midi. Et alors, comme on avait déjeuné si tard, je voyais bien vite sur le mur du jardinet décliner le soleil de ce jour qui m'avait paru devoir être différent des autres, et les domestiques avaient beau apporter des lampes de toutes les grandeurs et de toutes les formes, brûlant chacune sur l'autel consacré d'une console, d'un guéridon, d'une « encoignure » ou d'une petite table, comme pour la célébration d'un culte inconnu, rien d'extraordinaire ne naissait de la conversation, et je m'en allais déçu, comme on l'est souvent dès l'enfance après la messe de minuit.

Mais ce désappointement-là n'était guère que spirituel. Je rayonnais de joie dans cette maison où Gilberte, quand elle n'était pas encore avec nous, allait entrer, et me donnerait dans un instant, pour des heures, sa parole, son regard attentif et souriant tel que je l'avais vu pour la première fois à Combray. Tout au plus étais-je un peu jaloux en la voyant souvent disparaître dans de grandes chambres auxquelles on accédait par un escalier intérieur. Obligé de rester au salon, comme l'amoureux d'une actrice

qui n'a que son fauteuil à l'orchestre et rêve avec inquiétude de ce qui se passe dans les coulisses, au foyer
des artistes, je posai à Swann, au sujet de cette autre
partie de la maison, des questions savamment voilées,
mais sur un ton duquel je ne parvins pas à bannir quelque
anxiété. Il m'expliqua que la pièce où allait Gilberte était
la lingerie, s'offrit à me la montrer et me promit que
chaque fois que Gilberte aurait à s'y rendre il la forcerait
à m'y emmener. Par ces derniers mots et la détente qu'ils
me procurèrent, Swann supprima brusquement pour moi
une de ces affreuses distances intérieures au terme desquelles une femme que nous aimons nous apparaît si lointaine.
A ce moment-là, j'éprouvai pour lui une tendresse que je
crus plus profonde que ma tendresse pour Gilberte.
Car, maître de sa fille, il me la donnait et elle, elle se
refusait parfois ; je n'avais pas directement sur elle ce
même empire qu'indirectement par Swann. Enfin elle,
je l'aimais et ne pouvais par conséquent la voir sans ce
trouble, sans ce désir de quelque chose de plus, qui ôte,
auprès de l'être qu'on aime, la sensation d'aimer.

Au reste, le plus souvent, nous ne restions pas à la
maison, nous allions nous promener. Parfois, avant
d'aller s'habiller, Mme Swann se mettait au piano. Ses
belles mains, sortant des manches roses, ou blanches,
souvent de couleurs très vives, de sa robe de chambre de
crêpe de Chine, allongeaient leurs phalanges sur le piano
avec cette même mélancolie qui était dans ses yeux et
n'était pas dans son cœur. Ce fut un de ces jours-là qu'il
lui arriva de me jouer la partie de la Sonate de Vinteuil
où se trouve la petite phrase que Swann avait tant aimée.
Mais souvent on n'entend rien, si c'est une musique un
peu compliquée qu'on écoute pour la première fois. Et
pourtant quand plus tard on m'eût joué deux ou trois fois
cette Sonate, je me trouvai la connaître parfaitement.
Aussi n'a-t-on pas tort de dire « entendre pour la première
fois ». Si l'on n'avait vraiment, comme on l'a cru, rien

distingué à la première audition, la deuxième, la troisième
seraient autant de premières, et il n'y aurait pas de raison
pour qu'on comprît quelque chose de plus à la dixième.
Probablement ce qui fait défaut, la première fois, ce
n'est pas la compréhension, mais la mémoire. Car la
nôtre, relativement à la complexité des impressions
auxquelles elle a à faire face pendant que nous écoutons,
est infime, aussi brève que la mémoire d'un homme qui
en dormant pense mille choses qu'il oublie aussitôt, ou
d'un homme tombé à moitié en enfance qui ne se rappelle
pas la minute d'après ce qu'on vient de lui dire. Ces impressions multiples, la mémoire n'est pas capable de
nous en fournir immédiatement le souvenir. Mais celui-ci
se forme en elle peu à peu et, à l'égard des œuvres qu'on a
entendues deux ou trois fois, on est comme le collégien
qui a relu à plusieurs reprises avant de s'endormir une
leçon qu'il croyait ne pas savoir et qui la récite par cœur
le lendemain matin. Seulement je n'avais encore jusqu'à
ce jour rien entendu de cette Sonate, et là où Swann et sa
femme voyaient une phrase distincte, celle-ci était aussi
loin de ma perception claire qu'un nom qu'on cherche
à se rappeler et à la place duquel on ne trouve que du
néant, un néant d'où une heure plus tard, sans qu'on y
pense, s'élanceront d'elles-mêmes, en un seul bond, les
syllabes d'abord vainement sollicitées. Et non seulement
on ne retient pas tout de suite les œuvres vraiment rares,
mais même au sein de chacune de ces œuvres-là, et cela
m'arriva pour la Sonate de Vinteuil, ce sont les parties
les moins précieuses qu'on perçoit d'abord. De sorte que
je ne me trompais pas seulement en pensant que l'œuvre
ne me réservait plus rien (ce qui fit que je restai longtemps
sans chercher à l'entendre) du moment que Mme Swann
m'en avait joué la phrase la plus fameuse (j'étais aussi
stupide en cela que ceux qui n'espèrent plus éprouver
de surprise devant Saint-Marc de Venise parce que la
photographie leur a appris la forme de ses dômes). Mais

bien plus, même quand j'eus écouté la Sonate d'un bout à l'autre, elle me resta presque tout entière invisible, comme un monument dont la distance ou la brume ne laissent apercevoir que de faibles parties. De là, la mélancolie qui s'attache à la connaissance de tels ouvrages, comme de tout ce qui se réalise dans le temps. Quand ce qui est le plus caché dans la Sonate de Vinteuil se découvrit à moi, déjà, entraîné par l'habitude hors des prises de ma sensibilité, ce que j'avais distingué, préféré tout d'abord, commençait à m'échapper, à me fuir. Pour n'avoir pu aimer qu'en des temps successifs tout ce que m'apportait cette Sonate, je ne la possédai jamais tout entière : elle ressemblait à la vie. Mais, moins décevants que la vie, ces grands chefs-d'œuvre ne commencent pas par nous donner ce qu'ils ont de meilleur. Dans la Sonate de Vinteuil, les beautés qu'on découvre le plus tôt sont aussi celles dont on se fatigue le plus vite, et pour la même raison sans doute, qui est qu'elles diffèrent moins de ce qu'on connaissait déjà. Mais quand celles-là se sont éloignées, il nous reste à aimer telle phrase que son ordre, trop nouveau pour offrir à notre esprit rien que confusion, nous avait rendue indiscernable et gardée intacte ; alors, elle devant qui nous passions tous les jours sans le savoir et qui s'était réservée, qui par le pouvoir de sa seule beauté était devenue invisible et restée inconnue, elle vient à nous la dernière. Mais nous la quitterons aussi en dernier. Et nous l'aimerons plus longtemps que les autres, parce que nous aurons mis plus longtemps à l'aimer. Ce temps du reste qu'il faut à un individu — comme il me le fallut à moi à l'égard de cette Sonate — pour pénétrer une œuvre un peu profonde, n'est que le raccourci et comme le symbole des années, des siècles parfois, qui s'écoulent avant que le public puisse aimer un chef-d'œuvre vraiment nouveau. Aussi l'homme de génie pour s'épargner les méconnaissances de la foule se dit peut-être que, les contemporains manquant du recul

nécessaire, les œuvres écrites pour la postérité ne devraient
être lues que par elle, comme certaines peintures qu'on
juge mal de trop près. Mais en réalité toute lâche précaution pour éviter les faux jugements est inutile, ils
ne sont pas évitables. Ce qui est cause qu'une œuvre
de génie est difficilement admirée tout de suite, c'est
que celui qui l'a écrite est extraordinaire, que peu de
gens lui ressemblent. C'est son œuvre elle-même qui, en
fécondant les rares esprits capables de le comprendre,
les fera croître et multiplier. Ce sont les quatuors de
Beethoven (les quatuors XII, XIII, XIV et XV) qui ont mis
cinquante ans à faire naître, à grossir le public des quatuors
de Beethoven, réalisant ainsi comme tous les chefs-
d'œuvre un progrès sinon dans la valeur des artistes,
du moins dans la société des esprits, largement composée
aujourd'hui de ce qui était introuvable quand le chef-
d'œuvre parut, c'est-à-dire d'êtres capables de l'aimer
Ce qu'on appelle la postérité, c'est la postérité de l'œuvre.
Il faut que l'œuvre (en ne tenant pas compte, pour sim-
plifier, des génies qui à la même époque peuvent parallè-
lement préparer pour l'avenir un public meilleur dont
d'autres génies que lui bénéficieront) crée elle-même sa
postérité. Si donc l'œuvre était tenue en réserve, n'était
connue que de la postérité, celle-ci, pour cette œuvre,
ne serait pas la postérité, mais une assemblée de contemporains ayant simplement vécu cinquante ans plus tard.
Aussi faut-il que l'artiste — et c'est ce qu'avait fait Vinteuil — s'il veut que son œuvre puisse suivre sa route, la
lance, là où il y a assez de profondeur, en plein et lointain
avenir. Et pourtant ce temps à venir, vraie perspective
des chefs-d'œuvre, si n'en pas tenir compte est l'erreur
des mauvais juges, en tenir compte est parfois le dangereux scrupule des bons. Sans doute, il est aisé de s'imaginer, dans une illusion analogue à celle qui uniformise
toutes choses à l'horizon, que toutes les révolutions qui
ont eu lieu jusqu'ici dans la peinture ou la musique

respectaient tout de même certaines règles et que ce
qui est immédiatement devant nous, impressionnisme,
recherche de la dissonance, emploi exclusif de la gamme
chinoise, cubisme, futurisme, diffère outrageusement
de ce qui a précédé. C'est que ce qui a précédé, on le
considère sans tenir compte qu'une longue assimilation
l'a converti pour nous en une matière variée sans doute,
mais somme toute homogène, où Hugo voisine avec
Molière. Songeons seulement aux choquants disparates
que nous présenterait, si nous ne tenions pas compte du
temps à venir et des changements qu'il amène, tel ho-
roscope de notre propre âge mûr tiré devant nous durant
notre adolescence. Seulement tous les horoscopes ne
sont pas vrais, et être obligé pour une œuvre d'art de
faire entrer dans le total de sa beauté le facteur du temps
mêle à notre jugement quelque chose d'aussi hasardeux
et par là d'aussi dénué d'intérêt véritable que toute
prophétie dont la non-réalisation n'impliquera nullement la médiocrité d'esprit du prophète, car ce qui appelle
à l'existence les possibles ou les en exclut n'est pas forcément de la compétence du génie ; on peut en avoir eu
et ne pas avoir cru à l'avenir des chemins de fer, ni des
avions, ou, tout en étant grand psychologue, à la fausseté
d'une maîtresse ou d'un ami, dont de plus médiocres
eussent prévu les trahisons.

Si je ne compris pas la Sonate, je fus ravi d'entendre
jouer Mme Swann. Son toucher me paraissait, comme son
peignoir, comme le parfum de son escalier, comme ses
manteaux, comme ses chrysanthèmes, faire partie d'un
tout individuel et mystérieux, dans un monde infiniment
supérieur à celui où la raison peut analyser le talent.
« N'est-ce pas que c'est beau, cette Sonate de Vinteuil ?
me dit Swann. Le moment où il fait nuit sous les arbres,
où les arpèges du violon font tomber la fraîcheur. Avouez
que c'est bien joli ; il y a là tout le côté statique du clair de
lune, qui est le côté essentiel. Ce n'est pas extraordinaire

qu'une cure de lumière comme elle que suit ma femme
agisse sur les muscles, puisque le clair de lune empêche
les feuilles de bouger. C'est cela qui est si bien peint
dans cette petite phrase, c'est le Bois de Boulogne tombé
en catalepsie. Au bord de la mer c'est encore plus frappant, parce qu'il y a les réponses faibles des vagues que
naturellement on entend très bien puisque le reste ne
peut pas remuer. A Paris c'est le contraire ; c'est tout
au plus si on remarque ces lueurs insolites sur les monuments, ce ciel éclairé comme par un incendie sans
couleurs et sans danger, cette espèce d'immense fait
divers deviné. Mais dans la petite phrase de Vinteuil, et
du reste dans toute la Sonate, ce n'est pas cela, cela se
passe au Bois, dans le gruppetto on entend distinctement la voix de quelqu'un qui dit : « On pourrait presque
lire son journal. » Ces paroles de Swann auraient pu fausser,
pour plus tard, ma compréhension de la Sonate, la musique étant trop peu exclusive pour écarter absolument
ce qu'on nous suggère d'y trouver. Mais je compris par
d'autres propos de lui que ces feuillages nocturnes étaient
tout simplement ceux sous l'épaisseur desquels, dans
maint restaurant des environs de Paris, il avait entendu,
bien des soirs, la petite phrase. Au lieu du sens profond
qu'il lui avait si souvent demandé, ce qu'elle rapportait
à Swann, c'était ces feuillages rangés, enroulés, peints
autour d'elle (et qu'elle lui donnait le désir de revoir
parce qu'elle lui semblait leur être intérieure comme une
âme), c'était tout un printemps dont il n'avait pu jouir
autrefois, n'ayant pas, fiévreux et chagrin comme il
était alors, assez de bien-être pour cela, et que (comme on
fait, pour un malade, des bonnes choses qu'il n'a pu manger) elle lui avait gardé. Les charmes que lui avaient fait
éprouver certaines nuits dans le Bois et sur lesquels la
Sonate de Vinteuil pouvait le renseigner, il n'aurait pu
à leur sujet interroger Odette qui pourtant l'accompagnait
comme la petite phrase. Mais Odette était seulement à

côté de lui alors (non en lui comme le motif de Vinteuil),
ne voyant donc point — Odette eût-elle été mille fois
plus compréhensive — ce qui, pour nul de nous (du
moins j'ai cru longtemps que cette règle ne souffrait
pas d'exceptions) ne peut s'extérioriser. « C'est au fond
assez joli, n'est-ce pas, dit Swann, que le son puisse refléter, comme l'eau, comme une glace. Et remarquez que
la phrase de Vinteuil ne me montre que tout ce à quoi
je ne faisais pas attention à cette époque. De mes soucis,
de mes amours de ce temps-là, elle ne me rappelle plus
rien, elle a fait l'échange. — Charles, il me semble que
ce n'est pas très aimable pour moi tout ce que-vous me
dites là. — Pas aimable ! Les femmes sont magnifiques !
Je voulais dire simplement à ce jeune homme que ce que la
musique montre — du moins à moi — ce n'est pas du
tout la " Volonté en soi " et la "Synthèse de l'infini ",
mais, par exemple, le père Verdurin en redingote dans le
Palmarium du Jardin d'Acclimatation. Mille fois, sans
sortir de ce salon, cette petite phrase m'a emmené dîner à
Armenonville avec elle. Mon Dieu, c'est toujours moins
ennuyeux que d'y aller avec Mme de Cambremer. »
Mme Swann se mit à rire : « C'est une dame qui passe
pour avoir été très éprise de Charles », m'expliqua-t-elle
du même ton dont, un peu avant, en parlant de Ver Meer
de Delft, que j'avais été étonné de voir qu'elle connaissait,
elle m'avait répondu : « C'est que je vous dirai que
Monsieur s'occupait beaucoup de ce peintre-là au
moment où il me faisait la cour. N'est-ce pas, mon petit
Charles ? — Ne parlez pas à tort et à travers de
Mme de Cambremer, dit Swann, dans le fond très flatté.
— Mais je ne fais que répéter ce qu'on m'a dit.
D'ailleurs il paraît qu'elle est très intelligente, je ne
la connais pas. Je la crois très " pushing ", ce qui
m'étonne d'une femme intelligente. Mais tout le monde
dit qu'elle a été folle de vous, cela n'a rien de froissant. » Swann garda un mutisme de sourd, qui était

une espèce de confirmation et une preuve de fatuité.

— Puisque ce que je joue vous rappelle le Jardin d'Acclimatation, reprit Mme Swann en faisant par plaisanterie semblant d'être piquée, nous pourrions le prendre tantôt comme but de promenade si ça amuse ce petit. Il fait très beau et vous retrouveriez vos chères impressions. A propos du Jardin d'Acclimatation, vous savez, ce jeune homme croyait que nous aimions beaucoup une personne que je « coupe » au contraire aussi souvent que je peux, Mme Blatin! Je trouve très humiliant pour nous qu'elle passe pour notre amie. Pensez que le bon docteur Cottard qui ne dit jamais de mal de personne déclare lui-même qu'elle est infecte. — Quelle horreur! Elle n'a pour elle que de ressembler tellement à Savonarole. C'est exactement le portrait de Savonarole par Fra Bartolomeo. » Cette manie qu'avait Swann de trouver ainsi des ressemblances dans la peinture était défendable, car même ce que nous appelons l'expression individuelle est — comme on s'en rend compte avec tant de tristesse quand on aime et qu'on voudrait croire à la réalité unique de l'individu — quelque chose de général, et a pu se rencontrer à différentes époques. Mais si on avait écouté Swann, les cortèges des rois mages, déjà si anachroniques quand Benozzo Gozzoli y introduisait les Médicis, l'eussent été davantage encore puisqu'ils eussent contenu les portraits d'une foule d'hommes, contemporains non de Gozzoli, mais de Swann, c'est-à-dire postérieurs non plus seulement de quinze siècles à la Nativité, mais de quatre au peintre lui-même. Il n'y avait pas selon Swann, dans ces cortèges, un seul Parisien de marque qui manquât, comme dans cet acte d'une pièce de Sardou où, par amitié pour l'auteur et la principale interprète, par mode aussi, toutes les notabilités parisiennes, de célèbres médecins, des hommes politiques, des avocats, vinrent pour s'amuser, chacun un soir, figurer sur la scène. « Mais quel rapport a-t-elle

avec le Jardin d'Acclimatation ? — Tous. — Quoi, vous
croyez qu'elle a un derrière bleu ciel comme les singes ?
— Charles, vous êtes d'une inconvenance! Non, je
pensais au mot que lui a dit le Cynghalais. Racontez-le-lui,
c'est vraiment un "beau mot". — C'est idiot. Vous savez
que Mme Blatin aime à interpeller tout le monde d'un
air qu'elle croit aimable et qui est surtout protecteur. —
Ce que nos bons voisins de la Tamise appellent *patroni-
zing*, interrompit Odette. — Elle est allée dernièrement
au Jardin d'Acclimatation où il y a des noirs, des Cynghalais, je crois, a dit ma femme, qui est beaucoup plus
forte en ethnographie que moi. — Allons, Charles, ne
vous moquez pas. — Mais je ne me moque nullement.
Enfin, elle s'adresse à un de ces noirs : "Bonjour, négro! "
— C'est un rien! — En tous cas, ce qualificatif ne plut
pas au noir : " Moi négro, dit-il avec colère à Mme Blatin,
mais toi, chameau! " — Je trouve cela très drôle! J'adore
cette histoire. N'est-ce pas que c'est " beau "? On voit
bien la mère Blatin : " Moi négro, mais toi chameau! "

Je manifestai un extrême désir d'aller voir ces Cynghalais dont l'un avait appelé Mme Blatin : chameau. Ils ne
m'intéressaient pas du tout. Mais je pensais que pour
aller au Jardin d'Acclimatation et en revenir nous
traverserions cette allée des Acacias où j'avais tant admiré
Mme Swann, et que peut-être le mulâtre ami de Coquelin,
à qui je n'avais jamais pu me montrer saluant Mme Swann,
me verrait assis à côté d'elle au fond d'une victoria.

Pendant ces minutes où Gilberte, partie se préparer,
n'était pas dans le salon avec nous, M. et Mme Swann
se plaisaient à me découvrir les rares vertus de leur fille.
Et tout ce que j'observais semblait prouver qu'ils disaient
vrai! je remarquais que, comme sa mère me l'avait
raconté, elle avait non seulement pour ses amies, mais
pour les domestiques, pour les pauvres, des attentions
délicates, longuement méditées, un désir de faire plaisir,
une peur de mécontenter, se traduisant par de petites

choses qui souvent lui donnaient beaucoup de mal. Elle
avait fait un ouvrage pour notre marchande des Champs-
Élysées et sortit par la neige pour le lui remettre elle-même
et sans un jour de retard. « Vous n'avez pas idée de ce
qu'est son cœur, car elle le cache », disait son père. Si
jeune, elle avait l'air bien plus raisonnable que ses parents.
Quand Swann parlait des grandes relations de sa femme,
Gilberte détournait la tête et se taisait, mais sans air de
blâme, car son père ne lui paraissait pas pouvoir être
l'objet de la plus légère critique. Un jour que je lui avais
parlé de Mˡˡᵉ Vinteuil, elle me dit :

— Jamais je ne la connaîtrai, pour une raison, c'est
qu'elle n'était pas gentille pour son père, à ce qu'on dit,
elle lui faisait de la peine. Vous ne pouvez pas plus comprendre cela que moi, n'est-ce pas, vous qui ne pourriez
sans doute pas plus survivre à votre papa que moi au
mien, ce qui est du reste tout naturel. Comment oublier
jamais quelqu'un qu'on aime depuis toujours ?

Et une fois qu'elle était plus particulièrement câline
avec Swann, comme je le lui fis remarquer quand il fut
loin :

— Oui, pauvre papa, c'est ces jours-ci l'anniversaire
de la mort de son père. Vous pouvez comprendre ce
qu'il doit éprouver, vous comprenez cela, vous, nous
sentons de même sur ces choses-là. Alors, je tâche d'être
moins méchante que d'habitude. — Mais il ne vous trouve
pas méchante, il vous trouve parfaite. — Pauvre papa, c'est
parce qu'il est trop bon.

Ses parents ne me firent pas seulement l'éloge des
vertus de Gilberte—cette même Gilberte qui, même avant
que je l'eusse jamais vue, m'apparaissait devant une église,
dans un paysage de l'Ile-de-France, et qui ensuite,
m'évoquant non plus mes rêves, mais mes souvenirs,
était toujours devant la haie d'épines roses, dans le raidillon que je prenais pour aller du côté de Méséglise.
Comme j'avais demandé à Mᵐᵉ Swann, en m'efforçant

de prendre le ton indifférent d'un ami de la famille, curieux des préférences d'une enfant, quels étaient parmi les camarades de Gilberte ceux qu'elle aimait le mieux, Mme Swann me répondit :

— Mais vous devez être plus avancé que moi dans ses confidences, vous qui êtes le grand favori, le grand crack, comme disent les Anglais.

Sans doute dans ces coïncidences tellement parfaites, quand la réalité se replie et s'applique sur ce que nous avons si longtemps rêvé, elle nous le cache entièrement, se confond avec lui, comme deux figures égales et superposées qui n'en font plus qu'une, alors qu'au contraire, pour donner à notre joie toute sa signification, nous voudrions garder à tous ces points de notre désir, dans le moment même où nous y touchons — et pour être plus certain que ce soit bien eux — le prestige d'être intangibles. Et la pensée ne peut même pas reconstituer l'état ancien pour le confronter au nouveau, car elle n'a plus le champ libre : la connaissance que nous avons faite, le souvenir des premières minutes inespérées, les propos que nous avons entendus, sont là qui obstruent l'entrée de notre conscience et commandent beaucoup plus les issues de notre mémoire que celles de notre imagination, ils rétroagissent davantage sur notre passé que nous ne sommes plus maîtres de voir sans tenir compte d'eux, que sur la forme, restée libre, de notre avenir. J'avais pu croire pendant des années qu'aller chez Mme Swann était une vague chimère que je n'atteindrais jamais ; après avoir passé un quart d'heure chez elle, c'est le temps où je ne la connaissais pas qui était devenu chimérique et vague comme un possible que la réalisation d'un autre possible a anéanti. Comment aurais-je encore pu rêver de la salle à manger comme d'un lieu inconcevable, quand je ne pouvais pas faire un mouvement dans mon esprit sans y rencontrer les rayons infrangibles qu'émettait à l'infini derrière lui, jusque dans mon passé le plus ancien, le homard à l'américaine que je venais de manger ? Et Swann avait dû voir, pour ce qui le concernait lui-même, se produire quelque chose d'analogue : car cet appartement où il me recevait pouvait être considéré comme le lieu où étaient venus se confondre, et coïncider, non pas seulement l'appartement idéal que mon imagination avait engendré, mais un autre encore, celui que l'amour jaloux de Swann, aussi inventif que mes rêves, lui avait si souvent décrit, cet appartement commun à Odette et à lui qui lui était apparu si inaccessible, tel soir où Odette l'avait ramené avec Forcheville prendre de l'orangeade chez elle ; et ce qui était venu s'absorber, pour lui, dans le plan de la salle à manger où nous déjeunions, c'était ce paradis inespéré où jadis il ne pouvait sans trouble imaginer qu'il aurait dit à *leur* maître d'hôtel ces mêmes mots : « Madame est-elle prête ? » que je lui entendais prononcer maintenant avec une légère impatience mêlée de quelque satisfaction d'amour-propre. Pas plus que ne le pouvait sans doute Swann, je n'arrivais à connaître mon bonheur, et quand Gilberte elle-même s'écriait : « Qu'est-ce qui vous aurait dit que la petite fille que vous regardiez, sans lui parler, jouer aux barres, serait votre grande amie chez qui vous iriez tous les jours où cela vous plairait ? », elle parlait d'un changement que j'étais bien obligé de constater du dehors, mais que je ne possédais pas intérieurement, car il se composait de deux états que je ne pouvais, sans qu'ils cessassent d'être distincts l'un de l'autre, réussir à penser à la fois.

Et pourtant cet appartement, parce qu'il avait été si passionnément désiré par la volonté de Swann, devait conserver pour lui quelque douceur, si j'en jugeais par moi pour qui il n'avait pas perdu tout mystère. Ce charme singulier dans lequel j'avais pendant si longtemps supposé que baignait la vie des Swann, je ne l'avais pas entièrement chassé de leur maison en y pénétrant ; je l'avais

fait reculer, dompté qu'il était par cet étranger, ce paria
que j'avais été et à qui M¹ˡᵉ Swann avançait maintenant
gracieusement pour qu'il y prît place, un fauteuil délicieux, hostile et scandalisé ; mais tout autour de moi,
ce charme, dans mon souvenir, je le perçois encore. Est-ce
parce que, ces jours où M. et Mᵐᵉ Swann m'invitaient
à déjeuner, pour sortir ensuite avec eux et Gilberte,
j'imprimais avec mon regard — pendant que j'attendais
seul — sur le tapis, sur les bergères, sur les consoles, sur
les paravents, sur les tableaux, l'idée gravée en moi que
Mᵐᵉ Swann, ou son mari, ou Gilberte allaient entrer ?
Est-ce parce que ces choses ont vécu depuis dans ma
mémoire à côté des Swann et ont fini par prendre quelque
chose d'eux ? Est-ce que, sachant qu'ils passaient leur
existence au milieu d'elles, je faisais de toutes comme les
emblèmes de leur vie particulière, de leurs habitudes
dont j'avais été trop longtemps exclu pour qu'elles ne
continuassent pas à me sembler étrangères même quand
on me fit la faveur de m'y mêler ? Toujours est-il que
chaque fois que je pense à ce salon que Swann (sans que
cette critique impliquât de sa part l'intention de contrarier en rien les goûts de sa femme) trouvait si disparate —
parce que, tout conçu qu'il était encore dans le goût moitié serre, moitié atelier qui était celui de l'appartement
où il avait connu Odette, elle avait pourtant commencé à
remplacer dans ce fouillis nombre des objets chinois
qu'elle trouvait maintenant un peu « toc », bien « à côté »,
par une foule de petits meubles tendus de vieilles soies
Louis XVI (sans compter les chefs-d'œuvre apportés
par Swann de l'hôtel du quai d'Orléans) —, il a au contraire dans mon souvenir, ce salon composite, une cohésion, une unité, un charme individuel que n'ont jamais
même les ensembles les plus intacts que le passé nous ait
légués, ni les plus vivants où se marque l'empreinte d'une
personne ; car nous seuls pouvons, par la croyance qu'elles
ont une existence à elles, donner à certaines choses que

nous voyons une âme qu'elles gardent ensuite et qu'elles
développent en nous. Toutes les idées que je m'étais
faites des heures, différentes de celles qui existent pour
les autres hommes, que passaient les Swann dans cet
appartement qui était pour le temps quotidien de leur
vie ce que le corps est pour l'âme, et qui devait en exprimer la singularité, toutes ces idées réparties, amalgamées
— partout également troublantes et indéfinissables —
dans la place des meubles, dans l'épaisseur des tapis,
dans l'orientation des fenêtres, dans le service des domestiques. Quand, après le déjeuner, nous allions, au soleil,
prendre le café dans la grande baie du salon, tandis que
M\ :sup:`me` Swann me demandait combien je voulais de morceaux de sucre dans mon café, ce n'était pas seulement
le tabouret de soie qu'elle poussait vers moi qui dégageait,
avec le charme douloureux que j'avais perçu autrefois —
sous l'épine rose, puis à côté du massif de lauriers —
dans le nom de Gilberte, l'hostilité que m'avaient témoignée ses parents et que ce petit meuble semblait avoir si
bien sue et partagée que je ne me sentais pas digne et que
je me trouvais un peu lâche d'imposer mes pieds à son
capitonnage sans défense ; une âme personnelle le reliait
secrètement à la lumière de deux heures de l'après-midi,
différente de ce qu'elle était partout ailleurs dans le
golfe où elle faisait jouer à nos pieds ses flots d'or, parmi
lesquels les canapés bleuâtres et les vaporeuses tapisseries
émergeaient comme des îles enchantées ; et il n'était pas
jusqu'au tableau de Rubens accroché au-dessus de la
cheminée qui ne possédât lui aussi le même genre et
presque la même puissance de charme que les bottines
à lacets de M. Swann et ce manteau à pèlerine dont
j'avais tant désiré porter le pareil et que maintenant
Odette demandait à son mari de remplacer par un autre,
pour être plus élégant, quand je leur faisais l'honneur
de sortir avec eux. Elle allait s'habiller elle aussi, bien
que j'eusse protesté qu'aucune robe « de ville » ne vau-

drait à beaucoup près la merveilleuse robe de chambre de
crêpe de Chine ou de soie, vieux rose cerise, rose Tie-
polo, blanche, mauve, verte, rouge, jaune unie ou à
dessins, dans laquelle Mme Swann avait déjeuné et qu'elle
allait ôter. Quand je disais qu'elle aurait dû sortir ainsi,
elle riait, par moquerie de mon ignorance ou plaisir de
mon compliment. Elle s'excusait de posséder tant de
peignoirs parce qu'elle prétendait qu'il n'y avait que
là-dedans qu'elle se sentait bien et elle nous quittait
pour aller mettre une de ces toilettes souveraines qui
s'imposaient à tous, et entre lesquelles pourtant j'étais
parfois appelé à choisir celle que je préférais qu'elle revêtît.

Au jardin d'Acclimatation, que j'étais fier, quand nous
étions descendus de voiture, de m'avancer à côté de
Mme Swann ! Tandis que dans sa démarche nonchalante
elle laissait flotter son manteau, je jetais sur elle des regards
d'admiration auxquels elle répondait coquettement par
un long sourire. Maintenant si nous rencontrions
l'un ou l'autre des camarades, fille ou garçon, de Gilberte,
qui nous saluait de loin, j'étais à mon tour regardé par
eux comme un de ces êtres que j'avais tant enviés, un de
ces amis de Gilberte qui connaissaient sa famille et
étaient mêlés à l'autre partie de sa vie, celle qui ne se
passait pas aux Champs-Élysées.

Souvent dans allées du Bois ou du Jardin d'Acclimatation nous croisions, nous étions salués par telle ou telle
grande dame amie de Swann, qu'il lui arrivait de ne pas
voir et que lui signalait sa femme. « Charles, vous ne
voyez pas Mme de Montmorency ? » Et Swann, avec le
sourire amical dû à une longue familiarité, se découvrait
pourtant largement avec une élégance qui n'était qu'à
lui. Quelquefois la dame s'arrêtait, heureuse de faire à
Mme Swann une politesse qui ne tirait pas à conséquence
et de laquelle on savait qu'elle ne chercherait pas à
profiter ensuite, tant Swann l'avait habituée à rester sur
la réserve. Elle n'en avait pas moins pris toutes les maniè-

res du monde, et si élégante et noble de port que fût la
dame, Mme Swann l'égalait toujours en cela ; arrêtée un
moment auprès de l'amie que son mari venait de rencontrer, elle nous présentait avec tant d'aisance, Gilberte
et moi, gardait tant de liberté et de calme dans son amabilité, qu'il eût été difficile de dire, de la femme de Swann
ou de l'aristocratique passante, laquelle des deux était la
grande dame. Le jour où nous étions allés voir les Cynghalais, comme nous revenions, nous aperçûmes, venant
dans notre direction et suivie de deux autres qui semblaient l'escorter, une dame âgée, mais encore belle,
enveloppée dans un manteau sombre et coiffée d'une
petite capote attachée sous le cou par deux brides. « Ah !
voilà quelqu'un qui va vous intéresser », me dit Swann.
La vieille dame, maintenant à trois pas, nous souriait
avec une douceur caressante. Swann se découvrit, Mme
Swann s'abaissa en une révérence et voulut baiser la main
de la dame pareille à un portrait de Winterhalter, qui la
releva et l'embrassa. « Voyons, voulez-vous mettre votre
chapeau, vous », dit-elle à Swann, d'une grosse voix un
peu maussade, en amie familière. « Je vais vous présenter
à Son Altesse Impériale », me dit Mme Swann. Swann
m'attira un moment à l'écart pendant que Mme Swann
causait du beau temps et des animaux nouvellement arrivés au Jardin d'Acclimatation, avec l'Altesse. « C'est la
princesse Mathilde, me dit-il, vous savez, l'amie de Flau-
bert, de Sainte-Beuve, de Dumas. Songez, c'est la nièce
de Napoléon Ier ! Elle a été demandée en mariage par
Napoléon III et par l'empereur de Russie. Ce n'est pas
intéressant ? Parlez-lui un peu. Mais je voudrais qu'elle
ne nous fît pas rester une heure sur nos jambes. » « J'ai
rencontré Taine qui m'a dit que la Princesse était brouillée avec lui, dit Swann. — Il s'est conduit comme un
cauchon, dit-elle d'une voix rude et en prononçant le
mot comme si ç'avait été le nom de l'évêque contemporain
de Jeanne d'Arc. Après l'article qu'il a écrit sur l'Empe-

reur, je lui ai laissé une carte avec P. P. C. » J'éprouvais
la surprise qu'on a en ouvrant la correspondance de la
duchesse d'Orléans, née princesse Palatine. Et, en effet,
la princesse Mathilde, animée de sentiments si français,
les éprouvait avec une honnête rudesse comme en avait
l'Allemagne d'autrefois et qu'elle avait héritée sans doute
de sa mère wurtembergeoise. Sa franchise un peu fruste
et presque masculine, elle l'adoucissait, dès qu'elle souriait, de langueur italienne. Et le tout était enveloppé
dans une toilette tellement Second Empire que, bien que
la princesse la portât seulement sans doute par attachement aux modes qu'elle avait aimées, elle semblait avoir
eu l'intention de ne pas commettre une faute de couleur
historique et de répondre à l'attente de ceux qui attendaient d'elle l'évocation d'une autre époque. Je soufflai à
Swann de lui demander si elle avait connu Musset. « Très
peu, Monsieur, répondit-elle d'un air qui faisait semblant
d'être fâché, et, en effet, c'était par plaisanterie qu'elle
disait Monsieur à Swann, étant fort intime avec lui. Je
l'ai eu une fois à dîner. Je l'avais invité pour sept heures.
A sept heures et demie, comme il n'était pas là, nous
nous mîmes à table. Il arrive à huit heures, me salue,
s'assied, ne desserre pas les dents, part après le dîner
sans que j'aie entendu le son de sa voix. Il était ivre-mort.
Cela ne m'a pas beaucoup encouragée à recommencer. »
Nous étions un peu à l'écart, Swann et moi. « J'espère
que cette petite séance ne va pas se prolonger, me dit-il,
j'ai mal à la plante des pieds. Aussi je ne sais pas pourquoi
ma femme alimente la conversation. Après cela, c'est elle
qui se plaindra d'être fatiguée et moi je ne peux plus
supporter ces stations debout. » Mme Swann, en effet,
qui tenait le renseignement de Mme Bontemps, était en
train de dire à la princesse que le gouvernement comprenant enfin sa goujaterie, avait décidé de lui envoyer
une invitation pour assister dans les tribunes à la visite
que le tsar Nicolas devait faire le surlendemain aux Invali-

des. Mais la princesse qui, malgré les apparences, malgré le genre de son entourage composé surtout d'artistes et d'hommes de lettres, était restée au fond, et chaque fois qu'elle avait à agir, nièce de Napoléon : « Oui, Madame, je l'ai reçue ce matin et je l'ai renvoyée au ministre qui doit l'avoir à l'heure qu'il est. Je lui ai dit que je n'avais pas besoin d'invitation pour aller aux Invalides. Si le gouvernement désire que j'y aille, ce ne sera pas dans une tribune, mais dans notre caveau, où est le tombeau de l'Empereur. Je n'ai pas besoin de cartes pour cela. J'ai mes clefs. J'entre comme je veux. Le gouvernement n'a qu'à me faire savoir s'il désire que je vienne ou non. Mais si j'y vais, ce sera là ou pas du tout. » A ce moment nous fûmes salués, Mme Swann et moi, par un jeune homme qui lui dit bonjour sans s'arrêter et que je ne savais pas qu'elle connût : Bloch. Sur une question que je lui posai, Mme Swann me dit qu'il lui avait été présenté par Mme Bontemps, qu'il était attaché au Cabinet du ministre, ce que j'ignorais. Du reste, elle ne devait pas l'avoir vu souvent — ou bien elle n'avait pas voulu citer le nom, trouvé peut-être par elle peu « chic », de Bloch — car elle dit qu'il s'appelait M. Moreul. Je lui assurai qu'elle confondait, qu'il s'appelait Bloch. La princesse redressa une traîne qui se déroulait derrière elle et que Mme Swann regardait avec admiration. « C'est justement une fourrure que l'empereur de Russie m'avait envoyée, dit la princesse, et comme j'ai été le voir tantôt, je l'ai mise pour lui montrer que cela avait pu s'arranger en manteau. — Il paraît que le prince Louis s'est engagé dans l'armée russe, la princesse va être désolée de ne plus l'avoir près d'elle, dit Mme Swann qui ne voyait pas les signes d'impatience de son mari. — Il avait bien besoin de cela ! Comme je lui ai dit : Ce n'est pas une raison parce que tu as eu un militaire dans ta famille », répondit la princesse, faisant, avec cette brusque simplicité, allusion à Napoléon Ier. Swann ne tenait plus en place. « Madame, c'est moi qui vais faire l'Altesse et vous demander la permission de prendre congé, mais ma femme a été très souffrante et je ne veux pas qu'elle reste davantage immobile. » Mme Swann refit la révérence et la princesse eut pour nous tous un divin sourire qu'elle sembla amener du passé, des grâces de sa jeunesse, des soirées de Compiègne et qui coula intact et doux sur le visage tout à l'heure grognon, puis elle s'éloigna suivie des deux dames d'honneur qui n'avaient fait, à la façon d'interprètes, de bonnes d'enfants, ou de gardes-malades, que ponctuer notre conversation de phrases insignifiantes et d'explications inutiles. « Vous devriez aller écrire votre nom chez elle, un jour de cette semaine, me dit Mme Swann ; on ne corne pas de bristol à toutes ces *royautés*, comme disent les Anglais, mais elle vous invitera si vous vous faites inscrire. »

Parfois dans ces derniers jours d'hiver, nous entrions, avant d'aller nous promener, dans quelqu'une des petites expositions qui s'ouvraient alors et où Swann, collectionneur de marque, était salué avec une particulière déférence par les marchands de tableaux chez qui elles avaient lieu. Et par ces temps encore froids, mes anciens désirs de partir pour le Midi et Venise étaient réveillés par ces salles où un printemps déjà avancé et un soleil ardent mettaient des reflets violacés sur les Alpilles roses et donnaient la transparence foncée de l'émeraude au Grand Canal. S'il faisait mauvais, nous allions au concert ou au théâtre et goûter ensuite dans un « Thé ». Dès que Mme Swann voulait me dire quelque chose qu'elle désirait que les personnes des tables voisines ou même les garçons qui servaient ne comprissent pas, elle me le disait en anglais comme si c'eût été un langage connu de nous deux seulement. Or tout le monde savait l'anglais, moi seul je ne l'avais pas encore appris et étais obligé de le dire à Mme Swann pour qu'elle cessât de faire sur les personnes qui buvaient le thé ou sur celles qui l'appor-

taient des réflexions que je devinais désobligeantes sans
que j'en comprisse, ni que l'individu visé en perdît, un
seul mot.

Une fois, à propos d'une matinée théâtrale, Gilberte me
causa un étonnement profond. C'était justement le jour
dont elle m'avait parlé d'avance et où tombait l'anniversaire de la mort de son grand-père. Nous devions, elle et
moi, aller entendre avec son institutrice les fragments d'un
opéra et Gilberte s'était habillée dans l'intention de se
rendre à cette exécution musicale, gardant l'air d'indifférence qu'elle avait l'habitude de montrer pour la chose
que nous devions faire, disant que ce pouvait être n'importe quoi pourvu que cela me plût et fût agréable à ses
parents. Avant le déjeuner, sa mère nous prit à part pour
lui dire que cela ennuyait son père de nous voir aller au
concert ce jour-là. Je trouvai que c'était trop naturel.
Gilberte resta impassible mais devint pâle d'une colère
qu'elle ne put cacher, et ne dit plus un mot. Quand
M. Swann revint, sa femme l'emmena à l'autre bout du
salon et lui parla à l'oreille. Il appela Gilberte et la prit à
part dans la pièce à côté. On entendit des éclats de voix.
Je ne pouvais cependant pas croire que Gilberte, si
soumise, si tendre, si sage, résistât à la demande de son
père, un jour pareil et pour une cause si insignifiante.
Enfin Swann sortit en lui disant :

— Tu sais ce que je t'ai dit. Maintenant, fais ce que
tu voudras.

La figure de Gilberte resta contractée pendant tout le
déjeuner, après lequel nous allâmes dans sa chambre.
Puis tout d'un coup, sans une hésitation et comme si
elle n'en avait eu à aucun moment : « Deux heures !
s'écria-t-elle, mais vous savez que le concert commence à
deux heures et demie. » Et elle dit à son institutrice de se
dépêcher.

— Mais, lui dis-je, est-ce que cela n'ennuie pas votre
père ?

— Pas le moins du monde.

— Cependant, il avait peur que cela ne semble bizarre à cause de cet anniversaire.

— Qu'est-ce que cela peut me faire, ce que les autres pensent ? Je trouve ça grotesque de s'occuper des autres dans les choses de sentiment. On sent pour soi, pas pour le public. Mademoiselle qui a peu de distractions se fait une fête d'aller à ce concert, je ne vais pas l'en priver pour faire plaisir au public.

Et elle prit son chapeau.

— Mais Gilberte, lui dis-je en lui prenant le bras, ce n'est pas pour faire plaisir au public, c'est pour faire plaisir à votre père.

— Vous n'allez pas me faire d'observations, j'espère, me cria-t-elle d'une voix dure, en se dégageant vivement.

Faveur plus précieuse encore que de m'emmener avec eux au Jardin d'Acclimatation ou au concert, les Swann ne m'excluaient même pas de leur amitié avec Bergotte, laquelle avait été à l'origine du charme que je leur avais trouvé quand, avant même de connaître Gilberte, je pensais que son intimité avec le divin vieillard eût fait d'elle pour moi la plus passionnante des amies, si le dédain que je devais lui inspirer ne m'eût pas interdit l'espoir qu'elle m'emmenât jamais avec lui visiter les villes qu'il aimait. Or, un jour, Mme Swann m'invita à un grand déjeuner. Je ne savais pas quels devaient être les convives. En arrivant, je fus, dans le vestibule, déconcerté par un incident qui m'intimida. Mme Swann manquait rarement d'adopter les usages qui passent pour élégants pendant une saison et, ne parvenant pas à se maintenir, sont bientôt abandonnés (comme beaucoup d'années auparavant elle avait eu son *hansom cab*, ou faisait imprimer sur une invitation à déjeuner que c'était *to meet* un personnage plus ou moins important). Souvent ces usages n'avaient rien de mystérieux et n'exigeaient pas

d'initiation. C'est ainsi que, mince innovation de ces
années-là et importée d'Angleterre, Odette avait fait faire
à son mari des cartes où le nom de Charles Swann était
précédé de « Mr ». Après la première visite que je lui
avais faite, Mme Swann avait corné chez moi un de ces
« cartons » comme elle disait. Jamais personne ne m'avait
déposé de cartes ; je ressentis tant de fierté, d'émotion,
de reconnaissance, que, réunissant tout ce que je possédais
d'argent, je commandai une superbe corbeille de camélias
et l'envoyai à Mme Swann. Je suppliai mon père d'aller
mettre une carte chez elle, mais de s'en faire vite graver
d'abord où son nom fût précédé de « Mr. ». Il n'obéit à
aucune de mes deux prières, j'en fus désespéré pendant
quelques jours, et me demandai ensuite s'il n'avait pas
eu raison. Mais l'usage du « Mr », s'il était inutile, était
clair. Il n'en était pas ainsi d'un autre qui, le jour de ce
déjeuner, me fut révélé, mais non pourvu de sa signification. Au moment où j'allais passer de l'antichambre
dans le salon, le maître d'hôtel me remit une enveloppe
mince et longue sur laquelle mon nom était écrit. Dans
ma surprise je le remerciai, cependant je regardais l'enveloppe. Je ne savais pas plus ce que j'en devais faire
qu'un étranger, d'un de ces petits instruments que l'on
donne aux convives dans les dîners chinois. Je vis qu'elle
était fermée, je craignis d'être indiscret en l'ouvrant tout
de suite et je la mis dans ma poche d'un air entendu.
Mme Swann m'avait écrit quelques jours auparavant de
venir déjeuner « en petit comité ». Il y avait pourtant
seize personnes, parmi lesquelles j'ignorais absolument
que se trouvât Bergotte. Mme Swann qui venait de me
« nommer », comme elle disait, à plusieurs d'entre elles,
tout à coup, à la suite de mon nom, de la même façon
qu'elle venait de le dire (et comme si nous étions seulement deux invités du déjeuner qui devaient être chacun
également contents de connaître l'autre), prononça le
nom du doux Chantre aux cheveux blancs. Ce nom de

Bergotte me fit tressauter comme le bruit d'un revolver
qu'on aurait déchargé sur moi, mais instinctivement, pour
faire bonne contenance, je saluai ; devant moi, comme ces
prestidigitateurs qu'on aperçoit intacts et en redingote
dans la poussière d'un coup de feu d'où s'envole une
colombe, mon salut m'était rendu par un homme jeune,
rude, petit, râblé et myope, à nez rouge en forme de
coquille de colimaçon et à barbiche noire. J'étais mortel-
lement triste, car ce qui venait d'être réduit en poudre,
ce n'était pas seulement le langoureux vieillard, dont il
ne restait plus rien, c'était aussi la beauté d'une œuvre
immense que j'avais pu loger dans l'organisme défaillant
et sacré que j'avais, comme un temple, construit expressément pour elle, mais à laquelle aucune place n'était réservée dans le corps trapu, rempli de vaisseaux, d'os, de
ganglions, du petit homme à nez camus et à barbiche noire
qui était devant moi. Tout le Bergotte que j'avais lentement et délicatement élaboré moi-même, goutte à goutte,
comme une stalactite, avec la transparente beauté de ses
livres, ce Bergotte-là se trouvait d'un seul coup ne plus
pouvoir être d'aucun usage, du moment qu'il fallait
conserver le nez en colimaçon et utiliser la barbiche noire,
— comme n'est plus bonne à rien la solution que nous
avions trouvée pour un problème dont nous avions lu
incomplètement la donnée et sans tenir compte que le
total devait faire un certain chiffre. Le nez et la barbiche
étaient des éléments aussi inéluctables, et d'autant plus
gênants que, me forçant à rééditier entièrement le personnage de Bergotte, ils semblaient encore impliquer, produire, sécréter incessamment un certain genre d'esprit
actif et satisfait de soi, ce qui n'était pas de jeu, car cet
esprit-là n'avait rien à voir avec la sorte d'intelligence
répandue dans ces livres, si bien connus de moi et que
pénétrait une douce et divine sagesse. En partant d'eux,
je ne serais jamais arrivé à ce nez en colimaçon ; mais en
partant de ce nez, qui n'avait pas l'air de s'en inquiéter,

faisait cavalier seul et « fantaisie », j'allais dans une tout
autre direction que l'œuvre de Bergotte, j'aboutirais,
semblait-il, à quelque mentalité d'ingénieur pressé, de la
sorte de ceux qui quand on les salue croient comme il
faut de dire : « Merci et vous » avant qu'on leur ait
demandé de leurs nouvelles et, si on leur déclare qu'on a
été enchanté de faire leur connaissance, répondent par
une abréviation qu'ils se figurent bien portée, intelligente
et moderne en ce qu'elle évite de perdre en de vaines
formules un temps précieux : « Également ». Sans doute,
les noms sont des dessinateurs fantaisistes, nous donnant
des gens et des pays des croquis si peu ressemblants
que nous éprouvons souvent une sorte de stupeur quand
nous avons devant nous, au lieu du monde imaginé, le
monde visible (qui d'ailleurs n'est pas le monde vrai, nos
sens ne possédant pas beaucoup plus le don de la ressemblance que l'imagination, si bien que les dessins enfin
approximatifs qu'on peut obtenir de la réalité sont au
moins aussi différents du monde vu que celui-ci l'était du
monde imaginé). Mais pour Bergotte la gêne du nom préalable n'était rien auprès de celle que me causait l'œuvre
connue, à laquelle j'étais obligé d'attacher, comme après
un ballon, l'homme à barbiche sans savoir si elle garderait la force de s'élever. Il semblait bien pourtant que ce
fût lui qui eût écrit des livres que j'avais tant aimés, car
Mme Swann ayant cru devoir lui dire mon goût pour
l'un d'eux, il ne montra nul étonnement qu'elle en eût
fait part à lui plutôt qu'à un autre convive, et ne sembla
pas voir là l'effet d'une méprise ; mais, emplissant la
redingote qu'il avait mise en l'honneur de tous ces invités,
d'un corps avide du déjeuner prochain, ayant son attention occupée d'autres réalités importantes, ce ne fut que
comme à un épisode révolu de sa vie antérieure, et comme
si on avait fait allusion à un costume du duc de Guise
qu'il eût mis une certaine année à un bal costumé, qu'il
sourit en se reportant à l'idée de ses livres, lesquels

aussitôt déclinèrent pour moi (entraînant dans leur chute toute la valeur du Beau, de l'univers, de la vie) jusqu'à n'avoir été que quelque médiocre divertissement d'homme à barbiche. Je me disais qu'il avait dû s'y appliquer, mais que, s'il avait vécu dans une île entourée par des bancs d'huîtres perlières, il se fût, à la place, livré avec succès au commerce des perles. Son œuvre ne me semblait plus aussi inévitable. Et alors je me demandais si l'originalité prouve vraiment que les grands écrivains soient des dieux régnant chacun dans un royaume qui n'est qu'à lui, ou bien s'il n'y a pas dans tout cela un peu de feinte, si les différences entre les œuvres ne seraient pas le résultat du travail, plutôt que l'expression d'une différence radicale d'essence entre les diverses personnalités.

Cependant on était passé à table. A côté de mon assiette je trouvai un œillet dont la tige était enveloppée dans du papier d'argent. Il m'embarrassa moins que n'avait fait l'enveloppe remise dans l'antichambre et que j'avais complètement oubliée. L'usage, pourtant aussi nouveau pour moi, me parut plus intelligible quand je vis tous les convives masculins s'emparer d'un œillet semblable qui accompagnait leur couvert et l'introduire dans la boutonnière de leur redingote. Je fis comme eux avec cet air naturel d'un libre penseur dans une église, lequel ne connaît pas la messe, mais se lève quand tout le monde se lève et se met à genoux un peu après que tout le monde s'est mis à genoux. Un autre usage inconnu et moins éphémère me déplut davantage. De l'autre côté de mon assiette il y en avait une plus petite remplie d'une matière noirâtre que je ne savais pas être du caviar. J'étais ignorant de ce qu'il fallait en faire, mais résolu à n'en pas manger.

Bergotte n'était pas placé loin de moi, j'entendais parfaitement ses paroles. Je compris alors l'impression de M. de Norpois. Il avait en effet un organe bizarre ; rien n'altère autant les qualités matérielles de la voix que de contenir de la pensée : la sonorité des diphtongues, l'énergie des labiales, en sont influencées. La diction l'est aussi. La sienne me semblait entièrement différente de sa manière d'écrire, et même les choses qu'il disait, de celles qui remplissent ses ouvrages. Mais la voix sort d'un masque sous lequel elle ne suffit pas à nous faire reconnaître d'abord un visage que nous avons vu à découvert dans le style. Dans certains passages de la conversation où Bergotte avait l'habitude de se mettre à parler d'une façon qui ne paraissait pas affectée et déplaisante qu'à M. de Norpois, j'ai été long à découvrir une exacte correspondance avec les parties de ses livres où sa forme devenait si poétique et musicale. Alors il voyait dans ce qu'il disait une beauté plastique indépendante de la signification des phrases et, comme la parole humaine est en rapport avec l'âme, mais sans l'exprimer comme fait le style, Bergotte avait l'air de parler presque à contresens, psalmodiant certains mots et, s'il poursuivait au-dessous d'eux une seule image, les filant sans intervalle comme un même son, avec une fatigante monotonie. De sorte qu'un débit prétentieux, emphatique et monotone était le signe de la qualité esthétique de ses propos et l'effet, dans sa conversation, de ce même pouvoir qui produisait dans ses livres la suite des images et l'harmonie. J'avais eu d'autant plus de peine à m'en apercevoir d'abord que ce qu'il disait à ces moments-là, précisément parce que c'était vraiment de Bergotte, n'avait pas l'air d'être du Bergotte. C'était un foisonnement d'idées précises, non incluses dans ce « genre Bergotte » que beaucoup de chroniqueurs s'étaient approprié ; et cette dissemblance était probablement — vue d'une façon trouble à travers la conversation, comme une image derrière un verre fumé — un autre aspect de ce fait que, quand on lisait une page de Bergotte, elle n'était jamais ce qu'aurait écrit n'importe lequel de ces plats imitateurs qui pourtant, dans le journal et dans le livre, ornaient leur prose de tant d'images et de pensées

« à la Bergotte ». Cette différence dans le style venait de
ce que « le Bergotte » était avant tout quelque élément
précieux et vrai, caché au cœur de chaque chose, puis
extrait d'elle par ce grand écrivain grâce à son génie,
extraction qui était le but du doux Chantre, et non pas de
faire du Bergotte. A vrai dire il en faisait malgré lui
puisqu'il était Bergotte et qu'en ce sens chaque nouvelle
beauté de son œuvre était la petite quantité de Bergotte
enfouie dans une chose et qu'il en avait tirée. Mais si par
là chacune de ces beautés était apparentée avec les autres
et reconnaissable, elle restait cependant particulière,
comme la découverte qui l'avait mise au jour ; nouvelle,
par conséquent différente de ce qu'on appelait le genre
Bergotte qui était une vague synthèse des Bergotte déjà
trouvés et rédigés par lui, lesquels ne permettaient
nullement à des hommes sans génie d'augurer ce qu'il
découvrirait ailleurs. Il en est ainsi pour tous les grands
écrivains, la beauté de leurs phrases est imprévisible,
comme est celle d'une femme qu'on ne connaît pas encore ;
elle est création puisqu'elle s'applique à un objet extérieur auquel ils pensent — et non à soi — et qu'ils n'ont
pas encore exprimé. Un auteur de Mémoires d'aujour-
d'hui voulant, sans trop en avoir l'air, faire du Saint-
Simon, pourra à la rigueur écrire la première ligne du
portrait de Villars : « C'était un assez grand homme brun...
avec une physionomie vive, ouverte, sortante », mais
quel déterminisme pourra lui faire trouver la seconde
ligne qui commence par : « et véritablement un peu folle » ?
La vraie variété est dans cette plénitude d'éléments réels
et inattendus, dans le rameau chargé de fleurs bleues qui
s'élance, contre toute attente, de la haie printanière qui
semblait déjà comble, tandis que l'imitation purement
formelle de la variété (et on pourrait raisonner de même
pour toutes les autres qualités du style) n'est que vide
et uniformité, c'est-à-dire ce qui est le plus opposé à la
variété, et ne peut chez les imitateurs en donner l'illusion

et en rappeler le souvenir que pour celui qui ne l'a pas
comprise chez les maîtres.

Aussi — de même que la diction de Bergotte eût sans
doute charmé si lui-même n'avait été que quelque amateur récitant du prétendu Bergotte, au lieu qu'elle était
liée à la pensée de Bergotte en travail et en action par des
rapports vitaux que l'oreille ne dégageait pas immédiatement, — de même c'était parce que Bergotte appliquait cette pensée avec précision à la réalité qui lui
plaisait que son langage avait quelque chose de positif,
de trop nourrissant, qui décevait ceux qui s'attendaient à
l'entendre parler seulement de « l'éternel torrent des
apparences » et des « mystérieux frissons de la beauté ».
Enfin la qualité toujours rare et neuve de ce qu'il écrivait se traduisait dans sa conversation par une façon si
subtile d'aborder une question, en négligeant tous ses
aspects déjà connus, qu'il avait l'air de la prendre par un
petit côté, d'être dans le faux, de faire du paradoxe, et
qu'ainsi ses idées semblaient le plus souvent confuses,
chacun appelant idées claires celles qui sont au même
degré de confusion que les siennes propres. D'ailleurs
toute nouveauté ayant pour condition l'élimination préalable du poncif auquel nous étions habitués et qui nous
semblait la réalité même, toute conversation neuve, aussi
bien que toute peinture, toute musique originales, paraî-
tra toujours alambiquée et fatigante. Elle repose sur des
figures auxquelles nous ne sommes pas accoutumés, le
causeur nous paraît ne parler que par métaphores, ce qui
lasse et donne l'impression d'un manque de vérité. (Au
fond, les anciennes formes de langage avaient été autrefois,
elles aussi, des images difficiles à suivre, quand l'auditeur
ne connaissait pas encore l'univers qu'elles peignaient.
Mais depuis longtemps on se figure que c'était l'univers
réel, on se repose sur lui.) Aussi quand Bergotte, ce qui
semble pourtant bien simple aujourd'hui, disait de Cottard
que c'était un ludion qui cherchait son équilibre, et de

Brichot que « plus encore qu'à Mme Swann le soin de sa coiffure lui donnait de la peine, parce que, doublement préoccupé de son profil et de sa réputation, il fallait à tout moment que l'ordonnance de sa chevelure lui donnât l'air à la fois d'un lion et d'un philosophe », on éprouvait vite de la fatigue et on eût voulu reprendre pied sur quelque chose de plus concret, disait-on, pour signifier de plus habituel. Les paroles méconnaissables sorties du masque que j'avais sous les yeux, c'était bien à l'écrivain que j'admirais qu'il fallait les rapporter, elles n'auraient pas su s'insérer dans ses livres à la façon d'un puzzle qui s'encadre entre d'autres, elles étaient dans un autre plan et nécessitaient une transposition moyennant laquelle, un jour que je me répétais des phrases que j'avais entendu dire à Bergotte, j'y retrouvai toute l'armature de son style écrit, dont je pus reconnaître et nommer les différentes pièces dans ce discours parlé qui m'avait paru si différent.

A un point de vue plus accessoire, la façon spéciale, un peu trop minutieuse et intense, qu'il avait de prononcer certains mots, certains adjectifs qui revenaient souvent dans sa conversation et qu'il ne disait pas sans une certaine emphase, faisant ressortir toutes leurs syllabes et chanter la dernière (comme pour le mot « visage » qu'il substituait toujours au mot « figure » et à qui il ajoutait un grand nombre de *v*, d'*s*, de *g* qui semblaient tous exploser de sa main ouverte à ces moments), correspondait exactement à la belle place où dans sa prose il mettait ces mots aimés en lumière, précédés d'une sorte de marge et composés de telle façon dans le nombre total de la phrase, qu'on était obligé, sous peine de faire une faute de mesure, d'y faire compter toute leur « quantité ». Pourtant, on ne retrouvait pas dans le langage de Bergotte certain éclairage qui dans ses livres, comme dans ceux de quelques autres auteurs, modifie souvent dans la phrase écrite l'apparence des mots. C'est sans doute qu'il vient de grandes profondeurs et n'amène pas ses rayons jusqu'à nos paroles dans les heures où, ouverts aux autres par la conversation, nous sommes dans une certaine mesure fermés à nous-même. A cet égard, il y avait plus d'intonations, plus d'accent, dans ses livres que dans ses propos : accent indépendant de la beauté du style, que l'auteur lui-même n'a pas perçu sans doute, car il n'est pas séparable de sa personnalité la plus intime. C'est cet accent qui, aux moments où dans ses livres Bergotte était entièrement naturel, rythmait les mots souvent alors fort insignifiants qu'il écrivait. Cet accent n'est pas noté dans le texte, rien ne l'y indique et pourtant il s'ajoute de lui-même aux phrases, on ne peut pas les dire autrement, il est ce qu'il y avait de plus éphémère et pourtant de plus profond chez l'écrivain, et c'est cela qui portera témoignage sur sa nature, qui dira si, malgré toutes les duretés qu'il a exprimées, il était doux, malgré toutes les sensualités, sentimental.

Certaines particularités d'élocution qui existaient à l'état de faibles traces dans la conversation de Bergotte ne lui appartenaient pas en propre, car quand j'ai connu plus tard ses frères et ses sœurs, je les ai retrouvées chez eux bien plus accentuées. C'était quelque chose de brusque et de rauque dans les derniers mots d'une phrase gaie, quelque chose d'affaibli et d'expirant à la fin d'une phrase triste. Swann, qui avait connu le Maître quand il était enfant, m'a dit qu'alors on entendait chez lui, tout autant que chez ses frères et sœurs, ces inflexions en quelque sorte familiales, tour à tour cris de violente gaieté et murmures d'une lente mélancolie, et que dans la salle où ils jouaient tous ensemble il faisait sa partie mieux qu'aucun, dans leurs concerts successivement assourdissants et languides. Si particulier qu'il soit, tout ce bruit qui s'échappe des êtres est fugitif et ne leur survit pas. Mais il n'en fut pas ainsi de la prononciation de la famille Bergotte. Car s'il est difficile de comprendre

jamais, même dans *les Maîtres Chanteurs*, comment un
artiste peut inventer la musique en écoutant gazouiller
les oiseaux, pourtant Bergotte avait transposé et fixé dans
sa prose cette façon de traîner sur des mots qui se répètent en clameurs de joie ou qui s'égouttent en tristes
soupirs. Il y a dans ses livres telles terminaisons de
phrases où l'accumulation des sonorités se prolonge,
comme aux derniers accords d'une ouverture d'opéra
qui ne peut pas finir et redit plusieurs fois sa suprême
cadence avant que le chef d'orchestre pose son bâton,
dans lesquelles je retrouvai plus tard un équivalent
musical de ces cuivres phonétiques de la famille Bergotte. Mais pour lui, à partir du moment où il les trans-
porta dans ses livres, il cessa inconsciemment d'en user
dans son discours. Du jour où il avait commencé d'écrire
et, à plus forte raison, plus tard, quand je le connus, sa
voix s'en était désorchestrée pour toujours.

Ces jeunes Bergotte — le futur écrivain et ses frères
et sœurs — n'étaient sans doute pas supérieurs, au
contraire, à des jeunes gens plus fins, plus spirituels, qui
trouvaient les Bergotte bien bruyants, voire un peu
vulgaires, agaçants dans leurs plaisanteries qui caracté-
risaient le « genre » moitié prétentieux, moitié bêta, de la
maison. Mais le génie, même le grand talent, vient moins
d'éléments intellectuels et d'affinement social supérieurs
à ceux d'autrui, que de la faculté de les transformer, de
les transposer. Pour faire chauffer un liquide avec une
lampe électrique, il ne s'agit pas d'avoir la plus forte
lampe possible, mais une dont le courant puisse cesser
d'éclairer, être dérivé et donner, au lieu de lumière, de
la chaleur. Pour se promener dans les airs, il n'est pas
nécessaire d'avoir l'automobile la plus puissante, mais
une automobile qui, ne continuant pas de courir à terre
et coupant d'une verticale la ligne qu'elle suivait, soit
capable de convertir en force ascensionnelle sa vitesse
horizontale. De même ceux qui produisent des œuvres

géniales ne sont pas ceux qui vivent dans le milieu le plus délicat, qui ont la conversation la plus brillante, la culture la plus étendue, mais ceux qui ont eu le pouvoir, cessant brusquement de vivre pour eux-mêmes, de rendre leur personnalité pareille à un miroir, de telle sorte que leur vie, si médiocre d'ailleurs qu'elle pouvait être mondainement et même, dans un certain sens, intellectuellement parlant, s'y reflète, le génie consistant dans le pouvoir réfléchissant et non dans la qualité intrinsèque du spectacle reflété. Le jour où le jeune Bergotte put montrer au monde de ses lecteurs le salon de mauvais goût où il avait passé son enfance et les causeries pas très drôles qu'il y tenait avec ses frères, ce jour-là il monta plus haut que les amis de sa famille, plus spirituels et plus distingués : ceux-ci dans leurs belles Rolls-Royce pourraient rentrer chez eux en témoignant un peu de mépris pour la vulgarité des Bergotte ; mais lui, de son modeste appareil qui venait enfin de « décoller », il les survolait.

C'était, non plus avec des membres de sa famille, mais avec certains écrivains de son temps que d'autres traits de son élocution lui étaient communs. De plus jeunes qui commençaient à le renier et prétendaient n'avoir aucune parenté intellectuelle avec lui, la manifestaient sans le vouloir en employant les mêmes adverbes, les mêmes prépositions qu'il répétait sans cesse, en construisant les phrases de la même manière, en parlant sur le même ton amorti, ralenti, par réaction contre le langage éloquent et facile d'une génération précédente. Peut-être ces jeunes gens — on en verra qui étaient dans ce cas — n'avaient-ils pas connu Bergotte. Mais sa façon de penser, inoculée en eux, y avait développé ces altérations de la syntaxe et de l'accent qui sont en relation nécessaire avec l'originalité intellectuelle. Relation qui demande à être interprétée d'ailleurs. Ainsi Bergotte, s'il ne devait rien à personne dans sa façon d'écrire, tenait sa façon de parler d'un de ses vieux camarades, merveilleux causeur dont il avait subi l'ascendant, qu'il imitait sans le vouloir dans la conversation, mais qui, lui, étant moins doué, n'avait jamais écrit de livres vraiment supérieurs. De sorte que, si l'on s'en était tenu à l'originalité du débit, Bergotte eût été étiqueté disciple, écrivain de seconde main, alors que, influencé par son ami dans le domaine de la causerie, il avait été original et créateur comme écrivain. Sans doute encore pour se séparer de la précédente génération, trop amie des abstractions, des grands lieux communs, quand Bergotte voulait dire du bien d'un livre, ce qu'il faisait valoir, ce qu'il citait toujours c'était quelque scène faisant image, quelque tableau sans signification rationnelle. « Ah! si! disait-il, c'est bien! il y a une petite fille en châle orange, ah! c'est bien », ou encore : « Oh! oui, il y a un passage où il y a un régiment qui traverse une ville, ah! oui, c'est bien! » Pour le style, il n'était pas tout à fait de son temps (et restait du reste fort exclusivement de son pays, il détestait Tolstoï, George Eliot, Ibsen et Dostoïevski), car le mot qui revenait toujours quand il voulait faire l'éloge d'un style, c'était le mot « doux ». « Si, j'aime tout de même mieux le Chateaubriand d'*Atala* que celui de *Rancé*, il me semble que c'est plus doux. » Il disait ce mot-là comme un médecin à qui un malade assure que le lait lui fait mal à l'estomac et qui répond : « C'est pourtant bien doux. » Et il est vrai qu'il y avait dans le style de Bergotte une sorte d'harmonie pareille à celle pour laquelle les anciens donnaient à certains de leurs orateurs des louanges dont nous concevons difficilement la nature, habitués que nous sommes à nos langues modernes où on ne cherche pas ce genre d'effets.

Il disait aussi, avec un sourire timide, de pages de lui pour lesquelles on lui déclarait son admiration : « Je crois que c'est assez vrai, c'est assez exact, cela peut être

utile », mais simplement par modestie, comme une femme
à qui on dit que sa robe, ou sa fille, est ravissante, répond,
pour la première : « Elle est commode », pour la seconde :
« Elle a un bon caractère. » Mais l'instinct du construc-
teur était trop profond chez Bergotte pour qu'il ignorât
que la seule preuve qu'il avait bâti utilement et selon la
vérité, résidait dans la joie que son œuvre lui avait
donnée, à lui d'abord, et aux autres ensuite. Seulement,
bien des années plus tard, quand il n'eut plus de talent,
chaque fois qu'il écrivit quelque chose dont il n'était
pas content, pour ne pas l'effacer comme il aurait dû,
pour le publier, il se répéta, à soi-même cette fois :
« Malgré tout, c'est assez exact, cela n'est pas inutile
à mon pays. » De sorte que la phrase murmurée jadis
devant ses admirateurs par une ruse de sa modestie, le
fut, à la fin, dans le secret de son cœur, par les inquiétudes de son orgueil. Et les mêmes mots qui avaient servi
à Bergotte d'excuse superflue pour la valeur de ses premières œuvres, lui devinrent comme une inefficace consolation de la médiocrité des dernières.

Une espèce de sévérité de goût qu'il avait, de volonté
de n'écrire jamais que des choses dont il pût dire :
« C'est doux », et qui l'avait fait passer tant d'années pour
un artiste stérile, précieux, ciseleur de riens, était au
contraire le secret de sa force, car l'habitude fait aussi
bien le style de l'écrivain que le caractère de l'homme, et
l'auteur qui s'est plusieurs fois contenté d'atteindre dans
l'expression de sa pensée à un certain agrément, pose
ainsi pour toujours les bornes de son talent, comme, en
cédant souvent au plaisir, à la paresse, à la peur de souffrir, on dessine soi-même, sur un caractère où la retouche
finit par n'être plus possible, la figure de ses vices et les
limites de sa vertu.

Si, pourtant, malgré tant de correspondances que je
perçus dans la suite entre l'écrivain et l'homme, je
n'avais pas cru au premier moment, chez Mme Swann,

que ce fût Bergotte, que ce fût l'auteur de tant de livres
divins qui se trouvât devant moi, peut-être n'avais-je
pas eu absolument tort, car lui-même (au vrai sens du
mot) ne le « croyait » pas non plus. Il ne le croyait pas
puisqu'il montrait un grand empressement envers des
gens du monde (sans être d'ailleurs snob), envers des
gens de lettres, des journalistes, qui lui étaient bien
inférieurs. Certes, maintenant il avait appris par le
suffrage des autres qu'il avait du génie, à côté de quoi
la situation dans le monde et les positions officielles ne
sont rien. Il avait appris qu'il avait du génie, mais il ne le
croyait pas puisqu'il continuait à simuler la déférence
envers des écrivains médiocres pour arriver à être prochainement académicien, alors que l'Académie ou le
faubourg Saint-Germain n'ont pas plus à voir avec la
part de l'Esprit éternel, laquelle est l'auteur des livres
de Bergotte, qu'avec le principe de causalité ou l'idée
de Dieu. Cela il le savait aussi, comme un kleptomane
sait inutilement qu'il est mal de voler. Et l'homme à
barbiche et à nez en colimaçon avait des ruses de gentle-
man voleur de fourchettes, pour se rapprocher du fauteuil académique espéré, de telle duchesse qui disposait
de plusieurs voix dans les élections, mais de s'en rapprocher en tâchant qu'aucune personne qui eût estimé que
c'était un vice de poursuivre un pareil but, pût voir
son manège. Il n'y réussissait qu'à demi, on entendait
alterner avec les propos du vrai Bergotte ceux du Bergotte
égoïste, ambitieux et qui ne pensait qu'à parler de tels
gens puissants, nobles ou riches, pour se faire valoir,
lui qui dans ses livres, quand il était vraiment lui-même,
avait si bien montré, pur comme celui d'une source, le
charme des pauvres.

Quant à ces autres vices auxquels avait fait allusion
M. de Norpois, à cet amour à demi incestueux qu'on
disait même compliqué d'indélicatesse en matière d'argent, s'ils contredisaient d'une façon choquante la ten-

dance de ses derniers romans, pleins d'un souci si
scrupuleux, si douloureux, du bien, que les moindres
joies de leurs héros en étaient empoisonnées et que pour
le lecteur même il s'en dégageait un sentiment d'angoisse
à travers lequel l'existence la plus douce semblait difficile
à supporter, ces vices ne prouvaient pas cependant, à
supposer qu'on les imputât justement à Bergotte,
que sa littérature fût mensongère, et tant de sensibilité,
de la comédie. De même qu'en pathologie certains états
d'apparence semblable sont dus, les uns à un excès,
d'autres à une insuffisance de tension, de sécrétion, etc.,
de même il peut y avoir vice par hypersensibilité comme
il y a vice par manque de sensibilité. Peut-être n'est-ce
que dans des vies réellement vicieuses que le problème
moral peut se poser avec toute sa force d'anxiété. Et à ce
problème l'artiste donne une solution non pas dans le
plan de sa vie individuelle, mais de ce qui est pour lui
sa vraie vie, une solution générale, littéraire. Comme les
grands docteurs de l'Église commencèrent souvent, tout
en étant bons, par connaître les péchés de tous les
hommes, et en tirèrent leur sainteté personnelle, souvent
les grands artistes, tout en étant mauvais, se servent de
leurs vices pour arriver à concevoir la règle morale de
tous. Ce sont les vices (ou seulement les faiblesses et les
ridicules) du milieu où ils vivaient, les propos inconsé-
quents, la vie frivole et choquante de leur fille, les trahisons de leur femme ou leurs propres fautes, que les
écrivains ont le plus souvent flétris dans leurs diatribes
sans changer pour cela le train de leur ménage ou le
mauvais ton qui règne dans leur foyer. Mais ce contraste
frappait moins autrefois qu'au temps de Bergotte, parce
que d'une part, au fur et à mesure que se corrompait la
société, les notions de moralité allaient s'épurant, et que
d'autre part le public s'était mis au courant plus qu'il
n'avait encore fait jusque-là de la vie privée des écrivains ;
et certains soirs au théâtre on se montrait l'auteur que

j'avais tant admiré à Combray, assis au fond d'une loge
dont la seule composition semblait un commentaire
singulièrement risible ou poignant, un impudent démenti
de la thèse qu'il venait de soutenir dans sa dernière
œuvre. Ce n'est pas ce que les uns ou les autres purent
me dire qui me renseigna beaucoup sur la bonté ou la
méchanceté de Bergotte. Tel de ses proches fournissait
des preuves de sa dureté, tel inconnu citait un trait
(touchant, car il avait été évidemment destiné à rester
caché) de sa sensibilité profonde. Il avait agi cruellement
avec sa femme. Mais, dans une auberge de village où il
était venu passer la nuit, il était resté pour veiller une
pauvresse qui avait tenté de se jeter à l'eau, et quand il
avait été obligé de partir il avait laissé beaucoup d'argent
à l'aubergiste pour qu'il ne chassât pas cette malheureuse
et pour qu'il eût des attentions envers elle. Peut-être,
plus le grand écrivain se développa en Bergotte aux
dépens de l'homme à barbiche, plus sa vie individuelle
se noya dans le flot de toutes les vies qu'il imaginait et
ne lui parut plus l'obliger à des devoirs effectifs, lesquels
étaient remplacés pour lui par le devoir d'imaginer ces
autres vies. Mais en même temps, parce qu'il imaginait
les sentiments des autres aussi bien que s'ils avaient été
les siens, quand l'occasion faisait qu'il avait à s'adresser
à un malheureux, au moins d'une façon passagère, il le
faisait en se plaçant non à son point de vue personnel,
mais à celui même de l'être qui souffrait, point de vue
d'où lui aurait fait horreur le langage de ceux qui continuent à penser à leurs petits intérêts devant la douleur
d'autrui. De sorte qu'il a excité autour de lui des ran-
cunes justifiées et des gratitudes ineffaçables.

C'était surtout un homme qui au fond n'aimait vraiment que certaines images et (comme une miniature au
fond d'un coffret) que les composer et les peindre sous
les mots. Pour un rien qu'on lui avait envoyé, si ce rien
lui était l'occasion d'en entrelacer quelques-unes, il se

montrait prodigue dans l'expression de sa reconnaissance, alors qu'il n'en témoignait aucune pour un riche
présent. Et s'il avait eu à se défendre devant un tribunal,
malgré lui il aurait choisi ses paroles, non selon l'effet
qu'elles pouvaient produire sur le juge, mais en vue
d'images que le juge n'aurait certainement pas aperçues.

Ce premier jour où je le vis chez les parents de Gilberte, je racontai à Bergotte que j'avais entendu récemment la Berma dans *Phèdre*; il me dit que dans la scène
où elle reste le bras levé à la hauteur de l'épaule — précisément une des scènes où on avait tant applaudi — elle
avait su évoquer avec un art très noble des chefs-d'œuvre
qu'elle n'avait peut-être d'ailleurs jamais vus, une Hespéride qui fait ce geste sur une métope d'Olympie, et
aussi les belles vierges de l'ancien Érechthéion.

— Ce peut être une divination, je me figure pourtant
qu'elle va dans les musées. Ce serait intéressant à « repérer » (repérer était une de ces expressions habituelles à
Bergotte et que tels jeunes gens qui ne l'avaient jamais
rencontré lui avaient prises, parlant comme lui par une
sorte de suggestion à distance).

— Vous pensez aux Cariatides ? demanda Swann.

— Non, non, dit Bergotte, sauf dans la scène où elle
avoue sa passion à Œnone et où elle fait avec la main le
mouvement d'Hégêso dans la stèle du Céramique, c'est
un art bien plus ancien qu'elle ranime. Je parlais des
Koraï de l'ancien Érechthéion, et je reconnais qu'il n'y
a peut-être rien qui soit aussi loin de l'art de Racine,
mais il y a déjà tant de choses dans *Phèdre*..., une de
plus... Oh! et puis, si, elle est bien jolie la petite Phèdre
du VIe siècle, la verticalité du bras, la boucle du cheveu
qui « fait marbre », si, tout de même, c'est très fort d'avoir
trouvé tout ça. Il y a là beaucoup plus d'antiquité que
dans bien des livres qu'on appelle, cette année, « antiques ».

Comme Bergotte avait adressé dans un de ses livres

une invocation célèbre à ces statues archaïques, les paroles
qu'il prononçait en ce moment étaient fort claires pour
moi et me donnaient une nouvelle raison de m'intéresser
au jeu de la Berma. Je tâchais de la revoir dans mon
souvenir, telle qu'elle avait été dans cette scène où je
me rappelais qu'elle avait élevé le bras à hauteur de
l'épaule. Et je me disais : « Voilà l'Hespéride d'Olympie ;
voilà la sœur d'une de ces admirables orantes de l'Acro-
pole ; voilà ce que c'est qu'un art noble. » Mais pour que
ces pensées pussent m'embellir le geste de la Berma,
il aurait fallu que Bergotte me les eût fournies avant la
représentation. Alors pendant que cette attitude de
l'actrice existait effectivement devant moi, à ce moment
où la chose qui a lieu a encore la plénitude de la réalité,
j'aurais pu essayer d'en extraire l'idée de sculpture
archaïque. Mais de la Berma dans cette scène, ce que je
gardais c'était un souvenir qui n'était plus modifiable,
mince comme une image dépourvue de ces dessous profonds du présent qui se laissent creuser et d'où l'on peut
tirer véridiquement quelque chose de nouveau, une
image à laquelle on ne peut imposer rétroactivement
une interprétation qui ne serait plus susceptible de vérification, de sanction objective. Pour se mêler à la conversation, Mme Swann me demanda si Gilberte avait pensé
à me donner ce que Bergotte avait écrit sur *Phèdre*. « J'ai
une fille si étourdie », ajouta-t-elle. Bergotte eut un sourire de modestie et protesta que c'étaient des pages sans
importance. « Mais si, c'est ravissant ce petit opuscule,
ce petit *tract* », dit Mme Swann pour se montrer bonne
maîtresse de maison, pour faire croire qu'elle avait lu
la brochure, et aussi parce qu'elle n'aimait pas seulement
complimenter Bergotte, mais faire un choix entre les
choses qu'il écrivait, le diriger. Et à vrai dire elle l'inspira, d'une autre façon, du reste, qu'elle ne crut. Mais
enfin il y a entre ce que fut l'élégance du salon de
Mme Swann et tout un côté de l'œuvre de Bergotte des

rapports tels que chacun des deux peut être alternativement, pour les vieillards d'aujourd'hui, un commentaire
de l'autre.

Je me laissais aller à raconter mes impressions. Souvent
Bergotte ne les trouvait pas justes, mais il me laissait
parler. Je lui dis que j'avais aimé cet éclairage vert qu'il
y a au moment où Phèdre lève le bras. « Ah! vous feriez
très plaisir au décorateur qui est un grand artiste, je le
lui raconterai parce qu'il est très fier de cette lumière-là.
Moi, je dois dire que je ne l'aime pas beaucoup, ça
baigne tout dans une espèce de machine glauque, la
petite Phèdre là dedans fait trop branche de corail au
fond d'un aquarium. Vous direz que ça fait ressortir
le côté cosmique du drame. Ça, c'est vrai. Tout de même
ce serait mieux pour une pièce qui se passerait chez
Neptune. Je sais bien qu'il y a là de la vengeance de
Neptune. Mon Dieu, je ne demande pas qu'on ne pense
qu'à Port-Royal, mais enfin, tout de même, ce que Racine
a raconté ce ne sont pas les amours des oursins. Mais
enfin, c'est ce que mon ami a voulu et c'est très fort tout
de même et, au fond, c'est assez joli. Oui, enfin vous
avez aimé ça, vous avez compris ; n'est-ce pas, au fond
nous pensons de même là-dessus, c'est un peu insensé
ce qu'il a fait, n'est-ce pas, mais enfin c'est très intelligent. » Et quand l'avis de Bergotte était ainsi contraire
au mien, il ne me réduisait nullement au silence, à
l'impossibilité de rien répondre, comme eût fait celui de
M. de Norpois. Cela ne prouve pas que les opinions de
Bergotte fussent moins valables que celles de l'Ambassadeur, au contraire. Une idée forte communique un peu
de sa force au contradicteur. Participant à la valeur universelle des esprits, elle s'insère, se greffe en l'esprit de
celui qu'elle réfute, au milieu d'idées adjacentes, à l'aide
desquelles, reprenant quelque avantage, il la complète,
la rectifie ; si bien que la sentence finale est en quelque
sorte l'œuvre des deux personnes qui discutaient. C'est

aux idées qui ne sont pas, à proprement parler, des idées,
aux idées qui, ne tenant à rien, ne trouvent aucun point
d'appui, aucun rameau fraternel dans l'esprit de l'adversaire, que celui-ci, aux prises avec le pur vide, ne
trouve rien à répondre. Les arguments de M. de Norpois
(en matière d'art) étaient sans réplique parce qu'ils
étaient sans réalité.

Bergotte n'écartant pas mes objections, je lui avouai
qu'elles avaient été méprisées par M. de Norpois. « Mais
c'est un vieux serin, répondit-il ; il vous a donné des coups
de bec parce qu'il croit toujours avoir devant lui un
échaudé ou une seiche. — Comment ! vous connaissez Norpois ? me dit Swann. — Oh ! il est ennuyeux comme la
pluie, interrompit sa femme qui avait grande confiance
dans le jugement de Bergotte et craignait sans doute que
M. de Norpois ne nous eût dit du mal d'elle. J'ai voulu causer avec lui après le dîner, je ne sais pas si c'est l'âge ou la
digestion, mais je l'ai trouvé d'un vaseux. Il semble qu'on
aurait eu besoin de le doper ! — Oui, n'est-ce pas, dit
Bergotte, il est bien obligé de se taire assez souvent pour
ne pas épuiser avant la fin de la soirée la provision
de sottises qui empèsent le jabot de la chemise et maintiennent le gilet blanc. — Je trouve Bergotte et ma femme
bien sévères, dit Swann qui avait pris chez lui " l'emploi "
d'homme de bon sens. Je reconnais que Norpois ne peut
pas vous intéresser beaucoup, mais à un autre point de
vue (car Swann aimait à recueillir les beautés de la " vie ")
il est quelqu'un d'assez curieux, d'assez curieux comme
" amant ". Quand il était secrétaire à Rome, ajouta-t-il,
après s'être assuré que Gilberte ne pouvait pas entendre,
il avait à Paris une maîtresse dont il était éperdu et il
trouvait le moyen de faire le voyage deux fois par semaine
pour la voir deux heures. C'était du reste une femme très
intelligente et ravissante à ce moment-là, c'est une douai-
rière maintenant. Et il en a eu beaucoup d'autres dans
l'intervalle. Moi je serais devenu fou s'il avait fallu que

la femme que j'aimais habitât Paris pendant que j'étais
retenu à Rome. Pour les gens nerveux, il faudrait toujours
qu'ils aimassent, comme disent les gens du peuple,
" au-dessous d'eux " afin qu'une question d'intérêt
mît la femme qu'ils aiment à leur discrétion. » A ce
moment Swann s'aperçut de l'application que je pouvais
faire de cette maxime à lui et à Odette. Et comme, même
chez les êtres supérieurs, au moment où ils semblent
planer avec vous au-dessus de la vie, l'amour-propre
reste mesquin, il fut pris d'une grande mauvaise humeur
contre moi. Mais cela ne se manifesta que par l'inquiétude de son regard. Il ne me dit rien au moment même.
Il ne faut pas trop s'en étonner. Quand Racine, selon un
récit d'ailleurs controuvé, mais dont la matière se répète
tous les jours dans la vie de Paris, fit allusion à Scarron
devant Louis XIV, le plus puissant roi du monde ne dit
rien le soir même au poète. Et c'est le lendemain que
celui-ci tomba en disgrâce.

Mais comme une théorie désire d'être exprimée entièrement, Swann, après cette minute d'irritation et ayant
essuyé le verre de son monocle, compléta sa pensée en
ces mots qui devaient plus tard prendre dans mon souvenir la valeur d'un avertissement prophétique et duquel je
ne sus pas tenir compte. « Cependant le danger de ce
genre d'amours est que la sujétion de la femme calme un
moment la jalousie de l'homme mais la rend aussi plus
exigeante. Il arrive à faire vivre sa maîtresse comme ces
prisonniers qui sont jour et nuit éclairés pour être mieux
gardés. Et cela finit généralement par des drames. »

Je revins à M. de Norpois. « Ne vous y fiez pas, il est
au contraire très mauvaise langue », dit Mᵐᵉ Swann
avec un accent qui me parut d'autant plus signifier que
M. de Norpois avait mal parlé d'elle, que Swann regarda
sa femme d'un air de réprimande et comme pour l'empêcher d'en dire davantage.

Cependant Gilberte qu'on avait déjà priée deux fois

d'aller se préparer pour sortir, restait à nous écouter,
entre sa mère et son père, à l'épaule duquel elle était
câlinement appuyée. Rien, au premier aspect, ne faisait
plus contraste avec Mme Swann, qui était brune, que
cette jeune fille à la chevelure rousse, à la peau dorée.
Mais au bout d'un instant on reconnaissait en Gilberte
bien des traits — par exemple le nez arrêté avec une brusque et infaillible décision par le sculpteur invisible qui
travaille de son ciseau pour plusieurs générations —,
l'expression, les mouvements de sa mère ; pour prendre
une comparaison dans un autre art, elle avait l'air d'un
portrait peu ressemblant encore de Mme Swann que le
peintre, par un caprice de coloriste, eût fait poser à demi
déguisée, prête à se rendre à un dîner de « têtes », en
Vénitienne. Et comme elle n'avait pas qu'une perruque
blonde, mais que tout atome sombre avait été expulsé
de sa chair, laquelle, dévêtue de ses voiles bruns, semblait plus nue, recouverte seulement des rayons dégagés
par un soleil intérieur, le grimage n'était pas que superficiel, mais incarné ; Gilberte avait l'air de figurer quelque
animal fabuleux, ou de porter un travesti mythologique.
Cette peau rousse, c'était celle de son père au point que
la nature semblait avoir eu, quand Gilberte avait été
créée, à résoudre le problème de refaire peu à peu
Mme Swann, en n'ayant à sa disposition comme matière que
la peau de M. Swann. Et la nature l'avait utilisée parfaitement, comme un maître huchier qui tient à laisser
apparents le grain, les nœuds du bois. Dans la figure
de Gilberte, au coin du nez d'Odette parfaitement reproduit, la peau se soulevait pour garder intacts les deux
grains de beauté de M. Swann. C'était une nouvelle
variété de Mme Swann qui était obtenue là, à côté d'elle,
comme un lilas blanc près d'un lilas violet. Il ne faudrait
pourtant pas se représenter la ligne de démarcation entre
les deux ressemblances comme absolument nette. Par
moments, quand Gilberte riait, on distinguait l'ovale de

la joue de son père dans la figure de sa mère comme si on les avait mis ensemble pour voir ce que donnerait le mélange ; cet ovale se précisait comme un embryon se forme : il s'allongeait obliquement, se gonflait, au bout d'un instant il avait disparu. Dans les yeux de Gilberte il y avait le bon regard franc de son père ; c'est celui qu'elle avait eu quand elle m'avait donné la bille d'agate et m'avait dit : « Gardez-la en souvenir de notre amitié. » Mais, posait-on à Gilberte une question sur ce qu'elle avait fait, alors on voyait dans ces mêmes yeux l'embarras, l'incertitude, la dissimulation, la tristesse qu'avait autrefois Odette quand Swann lui demandait où elle était allée et qu'elle lui faisait une de ces réponses mensongères qui désespéraient l'amant et maintenant lui faisaient brusquement changer la conversation en mari incurieux et prudent. Souvent, aux Champs-Élysées, j'avais été inquiet en voyant ce regard chez Gilberte. Mais, la plupart du temps, c'était à tort. Car chez elle, survivance toute physique de sa mère, ce regard — celui-là du moins — ne correspondait plus à rien. C'est quand elle était allée à son cours, quand elle devait rentrer pour une leçon, que les pupilles de Gilberte exécutaient ce mouvement qui jadis en les yeux d'Odette était causé par la peur de révéler qu'elle avait reçu dans la journée un de ses amants ou qu'elle était pressée de se rendre à un rendez-vous. Telles on voyait ces deux natures de M. et de Mme Swann onduler, refluer, empiéter tour à tour l'une sur l'autre, dans le corps de cette Mélusine.

Sans doute on sait bien qu'un enfant tient de son père et de sa mère. Encore la distribution des qualités et des défauts dont il hérite se fait-elle si étrangement que, de deux qualités qui semblaient inséparables chez un des parents, on ne trouve plus que l'une chez l'enfant, et alliée à celui des défauts de l'autre parent qui semblait inconciliable avec elle. Même l'incarnation d'une qualité morale dans un défaut physique incompatible est souvent

une des lois de la ressemblance filiale. De deux sœurs,
l'une aura, avec la fière stature de son père, l'esprit mesquin de sa mère ; l'autre, toute remplie de l'intelligence
paternelle, la présentera au monde sous l'aspect qu'a sa
mère ; de sa mère le gros nez, le ventre noueux et jusqu'à
la voix sont devenus les vêtements de dons qu'on connaissait sous une apparence superbe. De sorte que de
chacune des deux sœurs on peut dire avec autant de
raison que c'est elle qui tient le plus de tel de ses parents.
Il est vrai que Gilberte était fille unique, mais il y avait au
moins deux Gilberte. Les deux natures, de son père et de
sa mère, ne faisaient pas que se mêler en elle ; elles se la
disputaient, et encore ce serait parler inexactement et
donner à supposer qu'une troisième Gilberte souffrait
pendant ce temps-là d'être la proie des deux autres. Or,
Gilberte était tour à tour l'une et puis l'autre, et à chaque
moment rien de plus que l'une, c'est-à-dire incapable,
quand elle était moins bonne, d'en souffrir, la meilleure
Gilberte ne pouvant alors, du fait de son absence momentanée, constater cette déchéance. Aussi la moins bonne
des deux était-elle libre de se réjouir de plaisirs peu nobles.
Quand l'autre parlait avec le cœur de son père, elle avait
des vues larges, on aurait voulu conduire avec elle une
belle et bienfaisante entreprise, on le lui disait, mais au
moment où l'on allait conclure, le cœur de sa mère avait
déjà repris son tour ; et c'est lui qui vous répondait ; et on
était déçu et irrité — presque intrigué comme devant une
substitution de personne — par une réflexion mesquine,
un ricanement fourbe, où Gilberte se complaisait, car ils
sortaient de ce qu'elle-même était à ce moment-là. L'écart
était même parfois tellement grand entre les deux Gilberte
qu'on se demandait, vainement du reste, ce qu'on avait pu
lui faire pour la retrouver si différente. Le rendez-vous
qu'elle vous avait proposé, non seulement elle n'y était
pas venue et ne s'excusait pas ensuite, mais, quelle que fût
l'influence qui eût pu faire changer sa détermination, elle

se montrait si différente ensuite qu'on aurait cru que, victime d'une ressemblance comme celle qui fait le fond des *Ménechmes*, on n'était pas devant la personne qui vous avait si gentiment demandé à vous voir, si elle ne vous eût témoigné une mauvaise humeur qui décelait qu'elle se sentait en faute et désirait éviter les explications.

— Allons, va, tu vas nous faire attendre, lui dit sa mère.

— Je suis si bien près de mon petit papa, je veux rester encore un moment, répondit Gilberte en cachant sa tête sous le bras de son père qui passa tendrement les doigts dans la chevelure blonde.

Swann était de ces hommes qui, ayant vécu longtemps dans les illusions de l'amour, ont vu le bien-être qu'ils ont donné à nombre de femmes accroître le bonheur de celles-ci sans créer de leur part aucune reconnaissance, aucune tendresse envers eux ; mais dans leur enfant ils croient sentir une affection qui, incarnée dans leur nom même, les fera durer après leur mort. Quand il n'y aurait plus de Charles Swann, il y aurait encore une Mlle Swann, ou une Mme X., née Swann, qui continuerait à aimer le père disparu. Même à l'aimer trop peut-être, pensait sans doute Swann, car il répondit à Gilberte : « Tu es une bonne fille » de ce ton attendri par l'inquiétude que nous inspire pour l'avenir la tendresse trop passionnée d'un être destiné à nous survivre. Pour dissimuler son émotion, il se mêla à notre conversation sur la Berma. Il me fit remarquer, mais d'un ton détaché, ennuyé, comme s'il voulait rester en quelque sorte en dehors de ce qu'il disait, avec quelle intelligence, quelle justesse imprévue l'actrice disait à Œnone : « Tu le savais ! » Il avait raison : cette intonation-là, du moins, avait une valeur vraiment intelligible et aurait dû par là satisfaire à mon désir de trouver des raisons irréfutables d'admirer la Berma. Mais c'est à cause de sa clarté même qu'elle ne le contentait point. L'intonation était si ingénieuse, d'une intention, d'un sens si

définis, qu'elle semblait exister en elle-même et que toute
artiste intelligente eût pu l'acquérir. C'était une belle
idée ; mais quiconque la concevrait aussi pleinement, la
posséderait de même. Il restait à la Berma qu'elle l'avait
trouvée, mais peut-on employer ce mot de « trouver »,
quand il s'agit de quelque chose qui ne serait pas différent
si on l'avait reçu, quelque chose qui ne tient pas essentiellement à votre être, puisqu'un autre peut ensuite le
reproduire ?

   « Mon Dieu, mais comme votre présence élève le *niveau
de la conversation !* » me dit, comme pour s'excuser auprès
de Bergotte, Swann qui avait pris dans le milieu Guermantes l'habitude de recevoir les grands artistes comme
de bons amis à qui on cherche seulement à faire manger
les plats qu'ils aiment, jouer aux jeux ou, à la campagne,
se livrer aux sports qui leur plaisent. « Il me semble que
nous parlons bien d'*art*, ajouta-t-il. — C'est très bien, j'aime
beaucoup ça », dit Mᵐᵉ Swann en me jetant un regard
reconnaissant, par bonté et aussi parce qu'elle avait gardé
ses anciennes aspirations vers une conversation plus
intellectuelle. Ce fut ensuite à d'autres personnes, à
Gilberte en particulier, que parla Bergotte. J'avais dit à
celui-ci tout ce que je ressentais avec une liberté qui
m'avait étonné et qui tenait à ce qu'ayant pris avec lui,
depuis des années (au cours de tant d'heures de solitude
et de lecture, où il n'était pour moi que la meilleure partie
de moi-même), l'habitude de la sincérité, de la franchise,
de la confiance, il m'intimidait moins qu'une personne
avec qui j'aurais causé pour la première fois. Et cependant
pour la même raison j'étais fort inquiet de l'impression
que j'avais dû produire sur lui, le mépris que j'avais
supposé qu'il aurait pour mes idées ne datant pas d'aujourd'hui, mais des temps déjà anciens où j'avais
commencé à lire ses livres, dans notre jardin de Combray.
J'aurais peut-être dû me dire pourtant que puisque c'était
sincèrement, en m'abandonnant à ma pensée, que, d'une

part, j'avais tant sympathisé avec l'œuvre de Bergotte et
que, d'autre part, j'avais éprouvé au théâtre un désappointement dont je ne connaissais pas les raisons, ces
deux mouvements instinctifs qui m'avaient entraîné ne
devaient pas être si différents l'un de l'autre, mais obéir
aux mêmes lois ; et que cet esprit de Bergotte, que j'avais
aimé dans ses livres, ne devait pas être quelque chose
d'entièrement étranger et hostile à ma déception et à mon
incapacité de l'exprimer. Car mon intelligence devait
être une, et peut-être même n'en existe-t-il qu'une seule
dont tout le monde est co-locataire, une intelligence sur
laquelle chacun, du fond de son corps particulier, porte
ses regards, comme au théâtre où, si chacun a sa place, en
revanche, il n'y a qu'une seule scène. Sans doute, les idées
que j'avais le goût de chercher à démêler n'étaient pas
celles qu'approfondissait d'ordinaire Bergotte dans ses
livres. Mais si c'était la même intelligence que nous avions,
lui et moi, à notre disposition, il devait, en me les entendant exprimer, se les rappeler, les aimer, leur sourire,
gardant probablement, malgré ce que je supposais, devant
son œil intérieur, une tout autre partie de l'intelligence
que celle dont une découpure avait passé dans ses livres
et d'après laquelle j'avais imaginé tout son univers mental.
De même que les prêtres ayant la plus grande expérience
du cœur, peuvent le mieux pardonner aux péchés qu'ils
ne commettent pas, de même le génie ayant la plus grande
expérience de l'intelligence, peut le mieux comprendre
les idées qui sont le plus opposées à celles qui forment le
fond de ses propres œuvres. J'aurais dû me dire tout cela,
qui d'ailleurs n'a rien de très agréable, car la bienveillance
des hauts esprits a pour corollaire l'incompréhension et
l'hostilité des médiocres ; or, on est beaucoup moins
heureux de l'amabilité d'un grand écrivain, qu'on trouve
à la rigueur dans ses livres, qu'on ne souffre de l'hostilité
d'une femme qu'on n'a pas choisie pour son intelligence,
mais qu'on ne peut s'empêcher d'aimer. J'aurais dû me

dire tout cela, mais ne me le disais pas, j'étais persuadé
que j'avais paru stupide à Bergotte, quand Gilberte me
chuchota à l'oreille :

— Je nage dans la joie, parce que vous avez fait la
conquête de mon grand ami Bergotte. Il a dit à maman
qu'il vous avait trouvé extrêmement intelligent.

— Où allons-nous ? demandai-je à Gilberte.

— Oh ! où on voudra, moi, vous savez, aller ici ou là...

Mais depuis l'incident qui avait eu lieu le jour de l'anniversaire de la mort de son grand-père, je me demandais
si le caractère de Gilberte n'était pas autre que ce que
j'avais cru, si cette indifférence à ce qu'on ferait, cette
sagesse, ce calme, cette douce soumission constante, ne
cachaient pas au contraire des désirs très passionnés que
par amour-propre elle ne voulait pas laisser voir et qu'elle
ne révélait que par sa soudaine résistance quand ils étaient
par hasard contrariés.

Comme Bergotte habitait dans le même quartier que
mes parents, nous partîmes ensemble ; en voiture il me
parla de ma santé : « Nos amis m'ont dit que vous étiez
souffrant. Je vous plains beaucoup. Et puis malgré cela
je ne vous plains pas trop, parce que je vois bien que vous
devez avoir les plaisirs de l'intelligence et c'est probablement ce qui compte surtout pour vous, comme pour tous
ceux qui les connaissent. »

Hélas ! ce qu'il disait là, combien je sentais que c'était
peu vrai pour moi que tout raisonnement, si élevé qu'il
fût, laissait froid, qui n'étais heureux que dans des moments de simple flânerie, quand j'éprouvais du bien-être ;
je sentais combien ce que je désirais dans la vie était
purement matériel, et avec quelle facilité je me serais
passé de l'intelligence. Comme je ne distinguais pas entre
les plaisirs ceux qui me venaient de sources différentes,
plus ou moins profondes et durables, je pensai, au moment
de lui répondre, que j'aurais aimé une existence où j'aurais été lié avec la duchesse de Guermantes et où j'aurais

souvent senti, comme dans l'ancien bureau d'octroi des Champs-Élysées, une fraîcheur qui m'eût rappelé Combray. Or, dans cet idéal de vie que je n'osais lui confier, les plaisirs de l'intelligence ne tenaient aucune place.

— Non, Monsieur, les plaisirs de l'intelligence sont bien peu de chose pour moi, ce n'est pas eux que je recherche, je ne sais même pas si je les ai jamais goûtés.

— Vous croyez vraiment ? me répondit-il. Eh bien, écoutez, si, tout de même, cela doit être cela que vous aimez le mieux, moi, je me le figure, voilà ce que je crois.

Il ne me persuadait certes pas ; pourtant je me sentais plus heureux, moins à l'étroit. A cause de ce que m'avait dit M. de Norpois, j'avais considéré mes moments de rêverie, d'enthousiasme, de confiance en moi, comme purement subjectifs et sans vérité. Or, selon Bergotte qui avait l'air de connaître mon cas, il semblait que le symptôme à négliger, c'était au contraire mes doutes, mon dégoût de moi-même. Surtout ce qu'il avait dit de M. de Norpois ôtait beaucoup de sa force à une condamnation que j'avais crue sans appel.

« Êtes-vous bien soigné ? me demanda Bergotte. Qui est-ce qui s'occupe de votre santé ? » Je lui dis que j'avais vu et reverrais sans doute Cottard. « Mais ce n'est pas ce qu'il vous faut ! me répondit-il. Je ne le connais pas comme médecin. Mais je l'ai vu chez Mme Swann. C'est un imbécile. A supposer que cela n'empêche pas dêtre un bon médecin, ce que j'ai peine à croire, cela empêche d'être un bon médecin pour artistes, pour gens intelligents. Les gens comme vous ont besoin de médecins appropriés, je dirais presque de régimes, de médicaments particuliers. Cottard vous ennuiera et rien que l'ennui empêchera son traitement d'être efficace. Et puis ce traitement ne peut pas être le même pour vous que pour un individu quelconque. Les trois quarts du mal des gens intelligents viennent de leur intelligence. Il leur faut au moins un

médecin qui connaisse ce mal-là. Comment voulez-vous
que Cottard puisse vous soigner ? Il a prévu la difficulté
de digérer les sauces, l'embarras gastrique, mais il n'a pas
prévu la lecture de Shakespeare... Aussi ses calculs ne sont
plus justes avec vous, l'équilibre est rompu, c'est toujours
le petit ludion qui remonte. Il vous trouvera une dilatation de l'estomac, il n'a pas besoin de vous examiner
puisqu'il l'a d'avance dans son œil. Vous pouvez la voir,
elle se reflète dans son lorgnon. » Cette manière de parler
me fatiguait beaucoup, je me disais avec la stupidité du
bon sens : « Il n'y a pas plus de dilatation de l'estomac
reflétée dans le lorgnon du professeur Cottard que de
sottises cachées dans le gilet blanc de M. de Norpois. »
« Je vous conseillerais plutôt, poursuivit Bergotte, le
docteur du Boulbon, qui est tout à fait intelligent —
C'est un grand admirateur de vos œuvres », lui répondis-
je. Je vis que Bergotte le savait et j'en conclus que les
esprits fraternels se rejoignent vite, qu'on a peu de vrais
« amis inconnus ». Ce que Bergotte me dit au sujet de
Cottard me frappa, tout en étant contraire à tout ce que
je croyais. Je ne m'inquiétais nullement de trouver mon
médecin ennuyeux ; j'attendais de lui que, grâce à un art
dont les lois m'échappaient, il rendît au sujet de ma santé
un indiscutable oracle en consultant mes entrailles. Et je
ne tenais pas à ce que, à l'aide d'une intelligence où j'aurais pu le suppléer, il cherchât à comprendre la mienne
que je ne me représentais que comme un moyen, indifférent en soi-même, de tâcher d'atteindre des vérités
extérieures. Je doutais beaucoup que les gens intelligents
eussent besoin d'une autre hygiène que les imbéciles et
j'étais tout prêt à me soumettre à celle de ces derniers.
« Quelqu'un qui aurait besoin d'un bon médecin, c'est
notre ami Swann », dit Bergotte. Et comme je demandais
s'il était malade : « Eh bien, c'est l'homme qui a épousé
une fille, qui avale par jour cinquante couleuvres de
femmes qui ne veulent pas recevoir la sienne, ou d'hommes

qui ont couché avec elle. On les voit, elles lui tordent la bouche. Regardez un jour le sourcil circonflexe qu'il a quand il rentre, pour voir qui il y a chez lui. » La malveillance avec laquelle Bergotte parlait ainsi à un étranger d'amis chez qui il était reçu depuis si longtemps, était aussi nouvelle pour moi que le ton presque tendre que chez les Swann il prenait à tous moments avec eux. Certes, une personne comme ma grand'tante, par exemple, eût été incapable, avec aucun de nous, de ces gentillesses que j'avais entendu Bergotte prodiguer à Swann. Même aux gens qu'elle aimait, elle se plaisait à dire des choses désagréables. Mais, hors de leur présence, elle n'aurait pas prononcé une parole qu'ils n'eussent pu entendre. Rien, moins que notre société de Combray, ne ressemblait au monde. Celle des Swann était déjà un acheminement vers lui, vers ses flots versatiles. Ce n'était pas encore la grande mer, c'était déjà la lagune. « Tout ceci de vous à moi », me dit Bergotte en me quittant devant ma porte. Quelques années plus tard, je lui aurais répondu : « Je ne répète jamais rien. » C'est la phrase rituelle des gens du monde, par laquelle chaque fois le médisant est faussement rassuré. C'est celle que j'aurais déjà, ce jour-là, adressée à Bergotte, car on n'invente pas tout ce qu'on dit, surtout dans les moments où on agit comme personnage social. Mais je ne la connaissais pas encore. D'autre part, celle de ma grand'tante dans une occasion semblable eût été : « Si vous ne voulez pas que ce soit répété, pourquoi le dites-vous ? » C'est la réponse des gens insociables, des « mauvaises têtes ». Je ne l'étais pas : je m'inclinai en silence.

Des gens de lettres qui étaient pour moi des personnages considérables intriguaient pendant des années avant d'arriver à nouer avec Bergotte des relations qui restaient toujours obscurément littéraires et ne sortaient pas de son cabinet de travail, alors que moi, je venais de m'installer parmi les amis du grand écrivain, d'emblée et tranquillement, comme quelqu'un qui, au lieu de faire la queue avec tout le monde pour avoir une mauvaise place, gagne les meilleures, ayant passé par un couloir fermé aux autres. Si Swann me l'avait ainsi ouvert, c'est sans doute parce que, comme un roi se trouve naturellement inviter les amis de ses enfants dans la loge royale, sur le yacht royal, de même les parents de Gilberte recevaient les amis de leur fille au milieu des choses précieuses qu'ils possédaient et des intimités plus précieuses encore qui y étaient encadrées. Mais à cette époque je pensai, et peut-être avec raison, que cette amabilité de Swann était indirectement à l'adresse de mes parents. J'avais cru entendre autrefois à Combray qu'il leur avait offert, voyant mon admiration pour Bergotte, de m'emmener dîner chez lui, et que mes parents avaient refusé, disant que j'étais trop jeune et trop nerveux pour « sortir ». Sans doute, mes parents représentaient-ils pour certaines personnes, justement celles qui me semblaient les plus merveilleuses, quelque chose de tout autre qu'à moi, de sorte que, comme au temps où la dame en rose avait adressé à mon père des éloges dont il s'était montré si peu digne, j'aurais souhaité que mes parents comprissent quel inestimable présent je venais de recevoir et témoignassent leur reconnaissance à ce Swann généreux et courtois qui me l'avait, ou le leur avait, offert, sans avoir plus l'air de s'apercevoir de sa valeur que ne fait dans la fresque de Luini le charmant roi mage, au nez busqué, aux cheveux blonds, et avec lequel on lui avait trouvé autrefois, paraît-il, une grande ressemblance.

Malheureusement, cette faveur que m'avait faite Swann et que, en rentrant, avant même d'ôter mon pardessus, j'annonçai à mes parents, avec l'espoir qu'elle éveillerait dans leur cœur un sentiment aussi ému que le mien et les déterminerait envers les Swann à quelque « politesse » énorme et décisive, cette faveur ne parut pas très appréciée par eux. « Swann t'a présenté à Bergotte ? Excellente

connaissance, charmante relation! s'écria ironiquement
mon père. Il ne manquait plus que cela! » Hélas, quand
j'eus ajouté qu'il ne goûtait pas du tout M. de Norpois :
— Naturellement! reprit-il. Cela prouve bien que c'est
un esprit faux et malveillant. Mon pauvre fils, tu n'avais
pas déjà beaucoup de sens commun, je suis désolé de te
voir tombé dans un milieu qui va achever de te détraquer.

Déjà ma simple fréquentation chez les Swann avait été
loin d'enchanter mes parents. La présentation à Bergotte
leur apparut comme une conséquence néfaste, mais
naturelle, d'une première faute, de la faiblesse qu'ils
avaient eue et que mon grand-père eût appelée un « manque de circonspection ». Je sentis que je n'avais plus pour
compléter leur mauvaise humeur qu'à dire que cet homme
pervers et qui n'appréciait pas M. de Norpois, m'avait
trouvé extrêmement intelligent. Quand mon père, en
effet, trouvait qu'une personne, un de mes camarades par
exemple, était dans une mauvaise voie — comme moi
en ce moment — si celui-là avait alors l'approbation de
quelqu'un que mon père n'estimait pas, il voyait dans ce
suffrage la confirmation de son fâcheux diagnostic. Le
mal ne lui en apparaissait que plus grand. Je l'entendais
déjà qui allait s'écrier : « Nécessairement, c'est *tout un
ensemble !* », mot qui m'épouvantait par l'imprécision et
l'immensité des réformes dont il semblait annoncer l'imminente introduction dans ma si douce vie. Mais comme,
n'eussé-je pas raconté ce que Bergotte avait dit de moi,
rien ne pouvait plus quand même effacer l'impression
qu'avaient éprouvée mes parents, qu'elle fût encore un peu
plus mauvaise n'avait pas grande importance. D'ailleurs
ils me semblaient si injustes, tellement dans l'erreur, que
non seulement je n'avais pas l'espoir, mais presque pas le
désir de les ramener à une vue plus équitable. Pourtant,
sentant, au moment où les mots sortaient de ma bouche,
comme ils allaient être effrayés de penser que j'avais plu à
quelqu'un qui trouvait les hommes intelligents bêtes,

était l'objet du mépris des honnêtes gens, et duquel la
louange en me paraissant enviable m'encouragerait au
mal, ce fut à voix basse et d'un air un peu honteux que,
achevant mon récit, je jetai le bouquet : « Il a dit aux
Swann qu'il m'avait trouvé extrêmement intelligent. »
Comme un chien empoisonné qui, dans un champ, se
jette sans le savoir sur l'herbe qui est précisément l'anti-
dote de la toxine qu'il a absorbée, je venais, sans m'en
douter, de dire la seule parole qui fût au monde capable
de vaincre chez mes parents ce préjugé à l'égard de Bergotte, préjugé contre lequel tous les plus beaux raisonnements que j'aurais pu faire, tous les éloges que je lui
aurais décernés, seraient demeurés vains. Au même instant
la situation changea de face :

— Ah!... Il a dit qu'il te trouvait intelligent ? dit ma
mère. Cela me fait plaisir parce que c'est un homme de
talent.

— Comment! il a dit cela ? reprit mon père... Je ne nie
en rien sa valeur littéraire devant laquelle tout le monde
s'incline, seulement c'est ennuyeux qu'il ait cette existence
peu honorable dont a parlé à mots couverts le père Norpois, ajouta-t-il sans s'apercevoir que, devant la vertu
souveraine des mots magiques que je venais de prononcer,
la dépravation des mœurs de Bergotte ne pouvait guère
lutter plus longtemps que la fausseté de son jugement.

— Oh! mon ami, interrompit maman, rien ne prouve
que ce soit vrai. On dit tant de choses. D'ailleurs,
M. de Norpois est tout ce qu'il y a de plus gentil, mais il
n'est pas toujours très bienveillant, surtout pour les gens
qui ne sont pas de son bord.

— C'est vrai, je l'avais aussi remarqué, répondit mon
père.

— Et puis enfin il sera beaucoup pardonné à Bergotte
puisqu'il a trouvé mon petit enfant gentil, reprit maman
tout en caressant avec ses doigts mes cheveux et en attachant sur moi un long regard rêveur.

Ma mère d'ailleurs n'avait pas attendu ce verdict de
Bergotte pour me dire que je pouvais inviter Gilberte à
goûter quand j'aurais des amis. Mais je n'osais pas le faire
pour deux raisons. La première est que chez Gilberte on
ne servait jamais que du thé. A la maison, au contraire,
maman tenait à ce qu'à côté du thé il y eût du chocolat.
J'avais peur que Gilberte ne trouvât cela commun et n'en
conçût un grand mépris pour nous. L'autre raison fut
une difficulté de protocole que je ne pus jamais réussir
à lever. Quand j'arrivais chez Mme Swann, elle me demandait :

— Comment va Madame votre mère ?

J'avais fait quelques ouvertures à maman pour savoir
si elle ferait de même quand viendrait Gilberte, point qui
me semblait plus grave qu'à la cour de Louis XIV le
« Monseigneur ». Mais maman ne voulut rien entendre.

— Mais non, puisque je ne connais pas Mme Swann.

— Mais elle ne te connaît pas davantage.

— Je ne te dis pas, mais nous ne sommes pas obligées
de faire exactement de même en tout. Moi, je ferai d'autres
amabilités à Gilberte, que Mme Swann n'aura pas pour toi.

Mais je ne fus pas convaincu et préférai ne pas inviter
Gilberte.

Ayant quitté mes parents, j'allai changer de vêtements
et en vidant mes poches je trouvai tout à coup l'enveloppe
que m'avait remise le maître d'hôtel des Swann avant de
m'introduire au salon. J'étais seul maintenant. Je l'ouvris,
à l'intérieur était une carte sur laquelle on m'indiquait la
dame à qui je devais offrir le bras pour aller à table.

Ce fut vers cette époque que Bloch bouleversa ma
conception du monde, ouvrit pour moi des possibilités
nouvelles de bonheur (qui devaient du reste se changer
plus tard en possibilités de souffrance), en m'assurant que,
contrairement à ce que je croyais au temps de mes promenades du côté de Méséglise, les femmes ne demandaient
jamais mieux que de faire l'amour. Il compléta ce service

en m'en rendant un second que je ne devais apprécier que
beaucoup plus tard : ce fut lui qui me conduisit pour la
première fois dans une maison de passe. Il m'avait bien
dit qu'il y avait beaucoup de jolies femmes qu'on peut
posséder. Mais je leur attribuais une figure vague, que les
maisons de passe devaient me permettre de remplacer par
des visages particuliers. De sorte que si j'avais à Bloch
— pour sa « bonne nouvelle » que le bonheur, la possession
de la beauté, ne sont pas choses inaccessibles et que nous
avons fait œuvre inutile en y renonçant à jamais — une
obligation de même genre qu'à tel médecin ou tel philosophe optimiste qui nous fait espérer la longévité dans
ce monde, et de ne pas être entièrement séparé de lui
quand on aura passé dans un autre, les maisons de rendez-
vous que je fréquentai quelques années plus tard — en
me fournissant des échantillons du bonheur, en me permettant d'ajouter à la beauté des femmes cet élément que
nous ne pouvons inventer, qui n'est pas que le résumé des
beautés anciennes, le présent vraiment divin, le seul que
nous ne puissions recevoir de nous-même, devant lequel
expirent toutes les créations logiques de notre intelligence
et que nous ne pouvons demander qu'à la réalité : un
charme individuel — méritèrent d'être classées par moi à
côté de ces autres bienfaiteurs d'origine plus récente mais
d'utilité analogue (avant lesquels nous imaginions sans
ardeur la séduction de Mantegna, de Wagner, de Sienne,
d'après d'autres peintres, d'autres musiciens, d'autres
villes) : les éditions d'histoire de la peinture illustrées, les
concerts symphoniques et les études sur les « villes d'art ».
Mais la maison où Bloch me conduisit et où il n'allait plus
d'ailleurs lui-même depuis longtemps, était d'un rang
trop inférieur, le personnel était trop médiocre et trop peu
renouvelé pour que j'y pusse satisfaire d'anciennes curiosités ou en contracter de nouvelles. La patronne de cette
maison ne connaissait aucune des femmes qu'on lui demandait et en proposait toujours dont on n'aurait pas voulu. Elle

m'en vantait surtout une, une dont, avec un sourire plein
de promesses (comme si ç'avait été une rareté et un régal),
elle disait : « C'est une Juive! Ça ne vous dit rien ? » (C'est
sans doute à cause de cela qu'elle l'appelait Rachel.) Et
avec une exaltation niaise et factice, qu'elle espérait être
communicative et qui finissait sur un râle presque de
jouissance : « Pensez donc, mon petit, une Juive, il me
semble que ça doit être affolant! Rah! » Cette Rachel, que
j'aperçus sans qu'elle me vît, était brune, pas jolie, mais
avait l'air intelligent, et, non sans passer un bout de langue
sur ses lèvres, souriait d'un air plein d'impertinence aux
michés qu'on lui présentait et que j'entendais entamer la
conversation avec elle. Son mince et étroit visage était
entouré de cheveux noirs et frisés, irréguliers comme s'ils
avaient été indiqués par des hachures dans un lavis, à
l'encre de Chine. Chaque fois je promettais à la patronne,
qui me la proposait avec une insistance particulière en
vantant sa grande intelligence et son instruction, que je ne
manquerais pas un jour de venir tout exprès pour faire la
connaissance de Rachel, surnommée par moi « Rachel
quand du Seigneur ». Mais le premier soir j'avais entendu
celle-ci, au moment où elle s'en allait, dire à la patronne :

— Alors, c'est entendu, demain je suis libre, si vous
avez quelqu'un vous n'oublierez pas de me faire chercher.

Et ces mots m'avaient empêché de voir en elle une
personne, parce qu'ils me l'avaient fait classer immédiatement dans une catégorie générale de femmes dont l'habitude commune à toutes était de venir là le soir voir s'il
n'y avait pas un louis ou deux à gagner. Elle variait seulement la forme de sa phrase en disant : « si vous avez besoin
de moi » ou « si vous avez besoin de quelqu'un ».

La patronne, qui ne connaissait pas l'opéra d'Halévy,
ignorait pourquoi j'avais pris l'habitude de dire : « Rachel
quand du Seigneur ». Mais ne pas la comprendre n'a
jamais fait trouver une plaisanterie moins drôle, et c'est
chaque fois en riant de tout son cœur qu'elle me disait :

— Alors, ce n'est pas encore pour ce soir que je vous unis à « Rachel quand du Seigneur » ? Comment dites-vous cela : « Rachel quand du Seigneur ! » Ah ! ça c'est très bien trouvé. Je vais vous fiancer. Vous verrez que vous ne le regretterez pas.

Une fois je faillis me décider, mais elle était « sous presse », une autre fois entre les mains du « coiffeur », un vieux monsieur qui ne faisait rien d'autre aux femmes que verser de l'huile sur leurs cheveux déroulés et les peigner ensuite. Et je me lassai d'attendre, bien que quelques habituées fort humbles, soi-disant ouvrières, mais toujours sans travail, fussent venues me faire de la tisane et tenir avec moi une longue conversation à laquelle — malgré le sérieux des sujets traités — la nudité partielle ou complète de mes interlocutrices donnait une savoureuse simplicité. Je cessai du reste d'aller dans cette maison parce que, désireux de témoigner mes bons sentiments à la femme qui la tenait et avait besoin de meubles, je lui en donnai quelques-uns — notamment un grand canapé — que j'avais hérités de ma tante Léonie. Je ne les voyais jamais, car le manque de place avait empêché mes parents de les laisser entrer chez nous, et ils étaient entassés dans un hangar. Mais dès que je les retrouvai dans la maison où ces femmes se servaient d'eux, toutes les vertus qu'on respirait dans la chambre de ma tante à Combray, m'apparurent, suppliciées par le contact cruel auquel je les avais livrées sans défense ! J'aurais fait violer une morte que je n'aurais pas souffert davantage. Je ne retournai plus chez l'entremetteuse, car ils me semblaient vivre et me supplier, comme ces objets en apparence inanimés d'un conte persan, dans lesquels sont enfermées des âmes qui subissent un martyre et implorent leur délivrance. D'ailleurs, comme notre mémoire ne nous présente pas d'habitude nos souvenirs dans leur suite chronologique, mais comme un reflet où l'ordre des parties est renversé, je me rappelai seulement beaucoup plus tard que c'était sur ce même canapé que, bien des années auparavant, j'avais connu pour la première fois les plaisirs de l'amour avec une de mes petites cousines avec qui je ne savais où me mettre, et qui m'avait donné le conseil assez dangereux de profiter d'une heure où ma tante Léonie était levée.

Toute une autre partie des meubles, et surtout une magnifique argenterie ancienne de ma tante Léonie, je les vendis, malgré l'avis contraire de mes parents, pour pouvoir disposer de plus d'argent et envoyer plus de fleurs à Mᵐᵉ Swann qui me disait en recevant d'immenses corbeilles d'orchidées : « Si j'étais monsieur votre père, je vous ferais donner un conseil judiciaire. » Comment pouvais-je supposer qu'un jour je pourrais regretter tout particulièrement cette argenterie et placer certains plaisirs plus hauts que celui, qui deviendrait peut-être absolument nul, de faire des politesses aux parents de Gilberte ? C'est de même en vue de Gilberte et pour ne pas la quitter que j'avais décidé de ne pas entrer dans les ambassades. Ce n'est jamais qu'à cause d'un état d'esprit qui n'est pas destiné à durer qu'on prend des résolutions définitives. J'imaginais à peine que cette substance étrange qui résidait en Gilberte et rayonnait en ses parents, en sa maison, me rendant indifférent à tout le reste, cette substance pourrait être libérée, émigrer dans un autre être. Vraiment la même substance et, pourtant, devant avoir sur moi de tout autres effets. Car la même maladie évolue ; et un délicieux poison n'est plus toléré de même, quand, avec les années, a diminué la résistance du cœur.

Mes parents cependant auraient souhaité que l'intelligence que Bergotte m'avait reconnue se manifestât par quelque travail remarquable. Quand je ne connaissais pas les Swann je croyais que j'étais empêché de travailler par l'état d'agitation où me mettait l'impossibilité de voir librement Gilberte. Mais quand leur demeure me fut ouverte, à peine je m'étais assis à mon bureau de travail que je me levais et courais chez eux. Et une fois que je les

avais quittés et que j'étais rentré à la maison, mon isolement n'était qu'apparent, ma pensée ne pouvait plus
remonter le courant du flux de paroles par lequel je
m'étais laissé machinalement entraîner pendant des
heures. Seul, je continuais à fabriquer les propos qui
eussent été capables de plaire aux Swann et, pour donner
plus d'intérêt au jeu, je tenais la place de ces partenaires
absents, je me posais à moi-même des questions fictives
choisies de telle façon que mes traits brillants ne leur
servissent que d'heureuse repartie. Silencieux, cet exercice était pourtant une conversation et non une méditation, ma solitude, une vie de salon mentale où c'était non
ma propre personne, mais des interlocuteurs imaginaires
qui gouvernaient mes paroles et où j'éprouvais à former,
au lieu des pensées que je croyais vraies, celles qui me
venaient sans peine, sans régression du dehors vers le
dedans, ce genre de plaisir tout passif que trouve à rester
tranquille quelqu'un qui est alourdi par une mauvaise
digestion.

Si j'avais été moins décidé à me mettre définitivement
au travail, j'aurais peut-être fait un effort pour commencer tout de suite. Mais puisque ma résolution était
formelle et qu'avant vingt-quatre heures, dans les cadres
vides de la journée du lendemain où tout se plaçait si
bien parce que je n'y étais pas encore, mes bonnes dispositions se réaliseraient aisément, il valait mieux ne pas
choisir un soir où j'étais mal disposé pour un début
auquel les jours suivants, hélas! ne devaient pas se montrer plus propices. Mais j'étais raisonnable. De la part
de qui avait attendu des années, il eût été puéril de ne pas
supporter un retard de trois jours. Certain que le surlendemain j'aurais déjà écrit quelques pages, je ne disais
plus un seul mot à mes parents de ma décision ; j'aimais
mieux patienter quelques heures, et apporter à ma grand'-
mère consolée et convaincue, de l'ouvrage en train.
Malheureusement le lendemain n'était pas cette journée

extérieure et vaste que j'avais attendue dans la fièvre. Quand il était fini, ma paresse et ma lutte pénible contre certains obstacles internes avaient simplement duré vingt-quatre heures de plus. Et au bout de quelques jours, mes plans n'ayant pas été réalisés, je n'avais plus le même espoir qu'ils le seraient immédiatement, partant, plus autant de courage pour subordonner tout à cette réalisation : je recommençais à veiller, n'ayant plus pour m'obliger à me coucher de bonne heure un soir, la vision certaine de voir l'œuvre commencée le lendemain matin. Il me fallait avant de reprendre mon élan quelques jours de détente, et la seule fois où ma grand'mère osa d'un ton doux et désenchanté formuler ce reproche : « Hé bien, ce travail, on n'en parle même plus ? », je lui en voulus, persuadé que, n'ayant pas su voir que mon parti était irrévocablement pris, elle venait d'en ajourner encore, et pour longtemps peut-être, l'exécution, par l'énervement que son déni de justice me causait et sous l'empire duquel je ne voudrais pas commencer mon œuvre. Elle sentit que son scepticisme venait de heurter à l'aveugle une volonté. Elle s'en excusa, me dit en m'embrassant : « Pardon, je ne dirai plus rien. » Et pour que je ne me décourageasse pas, m'assura que du jour où je serais bien portant, le travail viendrait tout seul par surcroît.

D'ailleurs, me disais-je, en passant ma vie chez les Swann, ne fais-je pas comme Bergotte ? A mes parents il semblait presque que, tout en étant paresseux, je menais, puisque c'était dans le même salon qu'un grand écrivain, la vie la plus favorable au talent. Et pourtant, que quelqu'un puisse être dispensé de faire ce talent soi-même, par le dedans, et le reçoive d'autrui, est aussi impossible que se faire une bonne santé (malgré qu'on manque à toutes les règles de l'hygiène et qu'on commette les pires excès) rien qu'en dînant souvent en ville avec un médecin. La personne du reste qui était le plus complètement dupe de l'illusion qui m'abusait ainsi

que mes parents, c'était Mme Swann. Quand je lui disais
que je ne pouvais pas venir, qu'il fallait que je restasse à
travailler, elle avait l'air de trouver que je faisais bien des
embarras, qu'il y avait un peu de sottise et de prétention
dans mes paroles :

— Mais Bergotte vient bien, lui ? Est-ce que vous
trouvez que ce qu'il écrit n'est pas bien ? Cela sera même
mieux bientôt, ajoutait-elle, car il est plus aigu, plus
concentré dans le journal que dans le livre où il délaie
un peu. J'ai obtenu qu'il fasse désormais le *leader article*
dans *le Figaro*. Ce sera tout à fait *the right man in the
right place*.

Et elle ajoutait :

— Venez, il vous dira mieux que personne ce qu'il
faut faire.

Et c'était, comme on invite un engagé volontaire avec
son colonel, c'était dans l'intérêt de ma carrière, et comme
si les chefs-d'œuvre se faisaient « par relations », qu'elle
me disait de ne pas manquer de venir le lendemain dîner
chez elle avec Bergotte.

Ainsi, pas plus du côté des Swann que du côté de mes
parents, c'est-à-dire de ceux qui, à des moments différents, avaient semblé devoir y mettre obstacle, aucune
opposition n'était plus faite à cette douce vie où je pouvais
voir Gilberte comme je voulais, avec ravissement, sinon
avec calme. Il ne peut pas y en avoir dans l'amour, puisque ce qu'on a obtenu n'est jamais qu'un nouveau point
de départ pour désirer davantage. Tant que je n'avais pu
aller chez elle, les yeux fixés vers cet inaccessible bonheur,
je ne pouvais même pas imaginer les causes nouvelles de
trouble qui m'y attendaient. Une fois la résistance de ses
parents brisée, et le problème enfin résolu, il recommença à se poser, chaque fois dans d'autres termes. En
ce sens c'était bien en effet chaque jour une nouvelle
amitié qui commençait. Chaque soir, en rentrant, je me
rendais compte que j'avais à dire à Gilberte des choses

capitales, desquelles notre amitié dépendait, et ces choses n'étaient jamais les mêmes. Mais enfin j'étais heureux et aucune menace ne s'élevait plus contre mon bonheur. Il allait en venir, hélas, d'un côté où je n'avais jamais aperçu aucun péril, du côté de Gilberte et de moi-même. J'aurais pourtant dû être tourmenté par ce qui, au contraire, me rassurait, par ce que je croyais du bonheur. C'est, dans l'amour, un état anormal, capable de donner tout de suite à l'accident le plus simple en apparence et qui peut toujours survenir, une gravité que par lui-même cet accident ne comporterait pas. Ce qui rend si heureux, c'est la présence dans le cœur de quelque chose d'instable, qu'on s'arrange perpétuellement à maintenir et dont on ne s'aperçoit presque plus tant qu'il n'est pas déplacé. En réalité, dans l'amour il y a une souffrance permanente, que la joie neutralise, rend virtuelle, ajourne, mais qui peut à tout moment devenir ce qu'elle serait depuis longtemps si l'on n'avait pas obtenu ce qu'on souhaitait, atroce.

Plusieurs fois je sentis que Gilberte désirait éloigner mes visites. Il est vrai que quand je tenais trop à la voir je n'avais qu'à me faire inviter par ses parents qui étaient de plus en plus persuadés de mon excellente influence sur elle. Grâce à eux, pensais-je, mon amour ne court aucun risque; du moment que je les ai pour moi, je peux être tranquille puisqu'ils ont toute autorité sur Gilberte. Malheureusement, à certains signes d'impatience que celle-ci laissait échapper quand son père me faisait venir en quelque sorte malgré elle, je me demandai si ce que j'avais considéré comme une protection pour mon bonheur n'était pas au contraire la raison secrète pour laquelle il ne pourrait durer.

La dernière fois que je vins voir Gilberte, il pleuvait; elle était invitée à une leçon de danse chez des gens qu'elle connaissait trop peu pour pouvoir m'emmener avec elle. J'avais pris à cause de l'humidité plus de caféine que

d'habitude. Peut-être à cause du mauvais temps, peut-
être ayant quelque prévention contre la maison où cette
matinée devait avoir lieu, Mme Swann, au moment
où sa fille allait partir, la rappela avec une extrême
vivacité : « Gilberte! » et me désigna pour signifier que
j'étais venu pour la voir et qu'elle devait rester avec
moi. Ce « Gilberte » avait été prononcé, crié plutôt,
dans une bonne intention pour moi, mais au haussement
d'épaules que fit Gilberte en ôtant ses affaires, je compris que sa mère avait involontairement accéléré l'évolution, peut-être jusque-là possible encore à arrêter, qui
détachait peu à peu de moi mon amie. « On n'est pas
obligé d'aller danser tous les jours », dit Odette à sa fille,
avec une sagesse sans doute apprise autrefois de Swann.
Puis, redevenant Odette, elle se mit à parler anglais à
sa fille. Aussitôt ce fut comme si un mur m'avait caché
une partie de la vie de Gilberte, comme si un génie
malfaisant avait emmené loin de moi mon amie. Dans une
langue que nous savons, nous avons substitué à l'opacité
des sons la transparence des idées. Mais une langue que
nous ne savons pas est un palais clos dans lequel celle
que nous aimons peut nous tromper, sans que, restés
au dehors et désespérément crispés dans notre impuissance, nous parvenions à rien voir, à rien empêcher.
Telle, cette conversation en anglais dont je n'eusse que
souri un mois auparavant et au milieu de laquelle quelques
noms propres français ne laissaient pas d'accroître et
d'orienter mes inquiétudes, avait, tenue à deux pas de
moi par deux personnes immobiles, la même cruauté, me
faisait aussi délaissé et seul, qu'un enlèvement. Enfin
Mme Swann nous quitta. Ce jour-là, peut-être par rancune contre moi, cause involontaire qu'elle n'allât pas
s'amuser, peut-être aussi parce que, la devinant fâchée,
j'étais préventivement plus froid que d'habitude, le
visage de Gilberte, dépouillé de toute joie, nu, saccagé,
sembla tout l'après-midi vouer un regret mélancolique

au pas-de-quatre que ma présence l'empêchait d'aller
danser, et défier toutes les créatures, à commencer par
moi, de comprendre les raisons subtiles qui avaient déterminé chez elle une inclination sentimentale pour le
boston. Elle se borna à échanger, par moments, avec moi,
sur le temps qu'il faisait, la recrudescence de la pluie,
l'avance de la pendule, une conversation ponctuée de
silences et de monosyllabes où je m'entêtais moi-même,
avec une sorte de rage désespérée, à détruire les instants
que nous aurions pu donner à l'amitié et au bonheur.
Et à tous nos propos une sorte de dureté suprême était
conférée par le paroxysme de leur insignifiance para-
doxale, lequel me consolait pourtant, car il empêchait
Gilberte d'être dupe de la banalité de mes réflexions
et de l'indifférence de mon accent. C'est en vain que je
disais : « Il me semble que l'autre jour la pendule retardait plutôt », elle traduisait évidemment : « Comme vous
êtes méchante ! » J'avais beau m'obstiner à prolonger,
tout le long de ce jour pluvieux, ces paroles sans éclaircies,
je savais que ma froideur n'était pas quelque chose d'aussi
définitivement figé que je le feignais, et que Gilberte devait
bien sentir que si, après le lui avoir déjà dit trois fois, je
m'étais hasardé, une quatrième, à lui répéter que les jours
diminuaient, j'aurais eu de la peine à me retenir de fondre
en larmes. Quand elle était ainsi, quand un sourire ne
remplissait pas ses yeux et ne découvrait pas son visage,
on ne peut dire de quelle désolante monotonie étaient
empreints ses yeux tristes et ses traits maussades. Sa
figure, devenue presque laide, ressemblait alors à ces
plages ennuyeuses où la mer, retirée très loin, vous fatigue
d'un reflet toujours pareil que cerne un horizon immuable
et borné. A la fin, ne voyant pas se produire de la part
de Gilberte le changement heureux que j'attendais
depuis plusieurs heures, je lui dis qu'elle n'était pas
gentille : « C'est vous qui n'êtes pas gentil », me répondit-
elle. « Mais si ! » Je me demandai ce que j'avais fait et,

ne le trouvant pas, le lui demandai à elle-même. « Naturellement, vous vous trouvez gentil! », me dit-elle en riant
longuement. Alors je sentis ce qu'il y avait de douloureux
pour moi à ne pouvoir atteindre cet autre plan, plus
insaisissable, de sa pensée, que décrivait son rire. Ce
rire avait l'air de signifier : « Non, non, je ne me laisse
pas prendre à tout ce que vous me dites, je sais que vous
êtes fou de moi, mais cela ne me fait ni chaud ni froid,
car je me fiche de vous. » Mais je me disais qu'après tout
le rire n'est pas un langage assez déterminé pour que je
pusse être assuré de bien comprendre celui-là. Et les
paroles de Gilberte étaient affectueuses. « Mais en quoi
ne suis-je pas gentil ? lui demandai-je, dites-le-moi,
je ferai tout ce que vous voudrez. — Non, cela ne servi-
rait à rien, je ne peux pas vous expliquer. » Un instant
j'eus peur qu'elle crût que je ne l'aimasse pas, et ce fut
pour moi une autre souffrance, non moins vive, mais qui
réclamait une dialectique différente. « Si vous saviez le
chagrin que vous me faites, vous me le diriez. » Mais ce
chagrin qui, si elle avait douté de mon amour, eût dû la
réjouir, l'irrita au contraire. Alors, comprenant mon
erreur, décidé à ne plus tenir compte de ses paroles, la
laissant, sans la croire, me dire : « Je vous aimais vraiment, vous verrez cela un jour » (ce jour où les coupables
assurent que leur innocence sera reconnue et qui, pour
des raisons mystérieuses, n'est jamais celui où on les
interroge), j'eus le courage de prendre subitement la
résolution de ne plus la voir, et sans le lui annoncer encore,
parce qu'elle ne m'aurait pas cru.

Un chagrin causé par une personne qu'on aime peut
être amer, même quand il est inséré au milieu de préoccupations, d'occupations, de joies qui n'ont pas cet être pour
objet et desquelles notre attention ne se détourne que de
temps en temps pour revenir à lui. Mais quand un tel
chagrin naît — comme c'était le cas pour celui-ci — à un
moment où le bonheur de voir cette personne nous rem-

plit tout entiers, la brusque dépression qui se produit
alors dans notre âme jusque-là ensoleillée, soutenue et
calme, détermine en nous une tempête furieuse contre
laquelle nous ne savons pas si nous serons capables de
lutter jusqu'au bout. Celle qui soufflait sur mon cœur
était si violente que je revins vers la maison, bousculé,
meurtri, sentant que je ne pourrais retrouver la respiration qu'en rebroussant chemin, qu'en retournant sous
un prétexte quelconque auprès de Gilberte. Mais elle se
serait dit : « Encore lui! Décidément je peux tout me
permettre, il reviendra chaque fois, d'autant plus docile
qu'il m'aura quittée plus malheureux. » Puis j'étais
irrésistiblement ramené vers elle par ma pensée, et ces
orientations alternatives, cet affolement de la boussole
intérieure persistèrent quand je fus rentré, et se tradui-
sirent par les brouillons des lettres contradictoires que
j'écrivis à Gilberte.

J'allais passer par une de ces conjonctures difficiles
en face desquelles il arrive généralement qu'on se trouve
à plusieurs reprises dans la vie et auxquelles, bien
qu'on n'ait pas changé de caractère, de nature — notre
nature qui crée elle-même nos amours, et presque les
femmes que nous aimons, et jusqu'à leurs fautes — on
ne fait pas face de la même manière à chaque fois, c'est-à-
dire à tout âge. A ces moments-là notre vie est divisée,
et comme distribuée dans une balance, en deux plateaux opposés où elle tient tout entière. Dans l'un, il y a
notre désir de ne pas déplaire, de ne pas paraître trop
humble à l'être que nous aimons sans parvenir à le
comprendre, mais que nous trouvons plus habile de
laisser un peu de côté pour qu'il n'ait pas ce sentiment
de se croire indispensable, qui le détournerait de nous ;
de l'autre côté, il y a une souffrance — non pas une souffrance localisée et partielle — qui ne pourrait au contraire
être apaisée que si, renonçant à plaire à cette femme et à
lui faire croire que nous pouvons nous passer d'elle, nous

allions la retrouver. Qu'on retire du plateau où est la
fierté une petite quantité de volonté qu'on a eu la faiblesse
de laisser s'user avec l'âge, qu'on ajoute dans le plateau
où est le chagrin une souffrance physique acquise et à
qui on a permis de s'aggraver, et au lieu de la solution
courageuse qui l'aurait emporté à vingt ans, c'est l'autre,
devenue trop lourde et sans assez de contre-poids, qui
nous abaisse à cinquante. D'autant plus que les situations,
tout en se répétant, changent, et qu'il y a chance pour
qu'au milieu ou à la fin de la vie, on ait eu pour soi-même
la funeste complaisance de compliquer l'amour d'une
part d'habitude que l'adolescence, retenue par trop
d'autres devoirs, moins libre de soi-même, ne connaît
pas.

Je venais d'écrire à Gilberte une lettre où je laissais
tonner ma fureur, non sans pourtant jeter la bouée de
quelques mots placés comme au hasard, et où mon amie
pourrait accrocher une réconciliation ; un instant après,
le vent ayant tourné, c'était des phrases tendres que je
lui adressais pour la douceur de certaines expressions
désolées, de tels « jamais plus » si attendrissants pour
ceux qui les emploient, si fastidieux pour celle qui les
lira, soit qu'elle les croie mensongers et traduise « jamais
plus » par « ce soir même, si vous voulez bien de moi »
ou qu'elle les croie vrais et lui annonçant alors une de ces
séparations définitives qui nous sont si parfaitement
égales dans la vie quand il s'agit d'êtres dont nous ne
sommes pas épris. Mais puisque nous sommes incapables, tandis que nous aimons, d'agir en dignes prédé-
cesseurs de l'être prochain que nous serons et qui n'aimera plus, comment pourrions-nous tout à fait imaginer
l'état d'esprit d'une femme à qui, même si nous savions
que nous lui sommes indifférents, nous avons perpétuellement fait tenir dans nos rêveries, pour nous bercer
d'un beau songe ou nous consoler d'un gros chagrin, les
mêmes propos que si elle nous aimait ? Devant les pen-

sées, les actions d'une femme que nous aimons, nous sommes aussi désorientés que le pouvaient être devant les phénomènes de la nature, les premiers physiciens (avant que la science fût constituée et eût mis un peu de lumière dans l'inconnu), ou pis encore, comme un être pour l'esprit de qui le principe de causalité existerait à peine, un être qui ne serait pas capable d'établir un lien entre un phénomène et un autre et devant qui le spectacle du monde serait incertain comme un rêve. Certes je m'efforçais de sortir de cette incohérence, de trouver des causes. Je tâchais même d'être « objectif » et pour cela de bien tenir compte de la disproportion qui existait entre l'importance qu'avait pour moi Gilberte et celle non seulement que j'avais pour elle, mais qu'elle-même avait pour les autres êtres que moi, disproportion qui, si je l'eusse omise, eût risqué de me faire prendre une simple amabilité de mon amie pour un aveu passionné, une démarche grotesque et avilissante de ma part, pour le simple et gracieux mouvement qui vous dirige vers de beaux yeux. Mais je craignais aussi de tomber dans l'excès contraire, où j'aurais vu dans l'arrivée inexacte de Gilberte à un rendez-vous, dans un mouvement de mauvaise humeur, une hostilité irrémédiable. Je tâchais de trouver entre ces deux optiques également déformantes celle qui me donnerait la vision juste des choses ; les calculs qu'il me fallait faire pour cela me distrayaient un peu de ma souffrance ; et soit par obéissance à la réponse des nombres, soit que je leur eusse fait dire ce que je désirais, je me décidai le lendemain à aller chez les Swann, heureux, mais de la même façon que ceux qui, s'étant tourmentés longtemps à cause d'un voyage qu'ils ne voulaient pas faire, ne vont pas plus loin que la gare, et rentrent chez eux défaire leur malle. Et, comme, pendant qu'on hésite, la seule idée d'une résolution possible (à moins d'avoir rendu cette idée inerte en décidant qu'on ne prendra pas la résolution) développe,

comme une graine vivace, les linéaments, tout le détail
des émotions qui naîtraient de l'acte exécuté, je me dis
que j'avais été bien absurde de me faire, en projetant de
ne plus voir Gilberte, autant de mal que si j'eusse dû
réaliser ce projet et que, puisque au contraire c'était
pour finir par retourner chez elle, j'aurais pu faire l'éco-
nomie de tant de velléités et d'acceptations douloureuses.

Mais cette reprise des relations d'amitié ne dura que
le temps d'aller jusque chez les Swann : non pas parce
que leur maître d'hôtel, lequel m'aimait beaucoup,
me dit que Gilberte était sortie (je sus en effet, dès le
soir même, que c'était vrai, par des gens qui l'avaient
rencontrée), mais à cause de la façon dont il me le dit :
« Monsieur, Mademoiselle est sortie, je peux affirmer à
Monsieur que je ne mens pas. Si Monsieur veut se renseigner, je peux faire venir la femme de chambre.
Monsieur pense bien que je ferais tout ce que je pourrais
pour lui faire plaisir et que, si Mademoiselle était là, je
mènerais tout de suite Monsieur auprès d'elle. » Ces
paroles, de la sorte qui est la seule importante, involon-
taires, nous donnant la radiographie au moins sommaire
de la réalité insoupçonnable que cacherait un discours
étudié, prouvaient que dans l'entourage de Gilberte on
avait l'impression que je lui étais importun ; aussi, à
peine le maître d'hôtel les eut-il prononcées, qu'elles
engendrèrent chez moi de la haine à laquelle je préférai
donner comme objet, au lieu de Gilberte, le maître
d'hôtel ; il concentra sur lui tous les sentiments de colère
que j'avais pu avoir pour mon amie ; débarrassé d'eux
grâce à ces paroles, mon amour subsista seul ; mais elles
m'avaient montré en même temps que je devais pendant
quelque temps ne pas chercher à voir Gilberte. Elle
allait certainement m'écrire pour s'excuser. Malgré cela,
je ne retournerais pas tout de suite la voir, afin de lui
prouver que je pouvais vivre sans elle. D'ailleurs, une
fois que j'aurais reçu sa lettre, fréquenter Gilberte serait

une chose dont je pourrais plus aisément me priver pendant quelque temps, parce que je serais sûr de la retrouver dès que je le voudrais. Ce qu'il me fallait pour supporter moins tristement l'absence volontaire, c'était sentir mon cœur débarrassé de la terrible incertitude si nous n'étions pas brouillés pour toujours, si elle n'était pas fiancée, partie, enlevée. Les jours qui suivirent ressemblèrent à ceux de cette ancienne semaine du jour de l'an que j'avais dû passer sans Gilberte. Mais cette semaine-là finie, jadis, d'une part mon amie reviendrait aux Champs-Élysées, je la reverrais comme auparavant, j'en étais sûr ; et, d'autre part, je savais avec non moins de certitude que tant que dureraient les vacances du jour de l'an, ce n'était pas la peine d'aller aux Champs-Élysées. De sorte que, durant cette triste semaine déjà lointaine, j'avais supporté ma tristesse avec calme, parce qu'elle n'était mêlée ni de crainte ni d'espérance. Maintenant, au contraire, c'était ce dernier sentiment qui, presque autant que la crainte, rendait ma souffrance intolérable.

N'ayant pas eu de lettre de Gilberte le soir même, j'avais fait la part de sa négligence, de ses occupations, je ne doutais pas d'en trouver une d'elle dans le courrier du matin. Il fut attendu par moi, chaque jour, avec des palpitations de cœur auxquelles succédait un état d'abattement quand je n'y avais trouvé que des lettres de personnes qui n'étaient pas Gilberte, ou bien rien, ce qui n'était pas pire, les preuves d'amitié d'une autre me rendant plus cruelles celles de son indifférence. Je me remettais à espérer pour le courrier de l'après-midi. Même entre les heures des levées des lettres je n'osais pas sortir, car elle eût pu faire porter la sienne. Puis le moment finissait par arriver où, ni facteur ni valet de pied des Swann ne pouvant plus venir, il fallait remettre au lendemain matin l'espoir d'être rassuré, et ainsi, parce que je croyais que ma souffrance ne durerait pas, j'étais obligé pour ainsi dire de la renouveler sans cesse. Le chagrin était peut-être le même, mais au lieu de ne faire, comme autrefois, que prolonger uniformément une émotion initiale, recommençait plusieurs fois par jour en débutant par une émotion si fréquemment renouvelée qu'elle finissait — elle, état tout physique, si momentané — par se stabiliser, si bien que les troubles causés par l'attente ayant à peine le temps de se calmer avant qu'une nouvelle raison d'attendre survînt, il n'y avait plus une seule minute par jour où je ne fusse dans cette anxiété qu'il est pourtant si difficile de supporter pendant une heure. Ainsi ma souffrance était infiniment plus cruelle qu'au temps de cet ancien 1er janvier, parce que cette fois il y avait en moi, au lieu de l'acceptation pure et simple de cette souffrance, l'espoir, à chaque instant, de la voir cesser.

A cette acceptation, je finis pourtant par arriver : alors, je compris qu'elle devait être définitive et je renonçai pour toujours à Gilberte, dans l'intérêt même de mon amour, et parce que je souhaitais avant tout qu'elle ne conservât pas de moi un souvenir dédaigneux. Même, à partir de ce moment-là, et pour qu'elle ne pût former la supposition d'une sorte de dépit amoureux de ma part, quand dans la suite, elle me fixa des rendez-vous, je les acceptais souvent et, au dernier moment, je lui écrivais que je ne pouvais pas venir, mais en protestant que j'en étais désolé, comme j'aurais fait avec quelqu'un que je n'aurais pas désiré voir. Ces expressions de regret qu'on réserve d'ordinaire aux indifférents, persuaderaient mieux Gilberte de mon indifférence, me semblait-il, que ne ferait le ton d'indifférence qu'on affecte seulement envers celle qu'on aime. Quand, mieux qu'avec des paroles, par des actions indéfiniment répétées, je lui aurais prouvé que je n'avais pas de goût à la voir, peut-être en retrouverait-elle pour moi. Hélas! ce serait vain : chercher, en ne la voyant plus, à ranimer en elle ce goût de me voir, c'était la perdre pour toujours ; d'abord, parce que quand il commencerait à renaître, si je voulais qu'il durât, il ne faudrait pas y céder

tout de suite ; d'ailleurs, les heures les plus cruelles seraient passées ; c'était en ce moment qu'elle m'était
indispensable et j'aurais voulu pouvoir l'avertir que bientôt elle ne calmerait, en me revoyant, qu'une douleur
tellement diminuée qu'elle ne serait plus, comme elle l'eût
été encore en ce moment même, et pour y mettre fin, un
motif de capitulation, de se réconcilier et de se revoir.
Et, plus tard, quand je pourrais enfin avouer sans péril à
Gilberte, tant son goût pour moi aurait repris de force,
le mien pour elle, celui-ci n'aurait pu résister à une si
longue absence et n'existerait plus ; Gilberte me serait
devenue indifférente. Je le savais, mais je ne pouvais pas
le lui dire ; elle aurait cru que si je prétendais que je ces-
serais de l'aimer en restant trop longtemps sans la voir,
c'était à seule fin qu'elle me dît de revenir vite auprès
d'elle. En attendant, ce qui me rendait plus aisé de me
condamner à cette séparation, c'est que (afin qu'elle se rendît bien compte que, malgré mes affirmations contraires,
c'était ma volonté, et non un empêchement, non mon état
de santé, qui me privait de la voir) toutes les fois où je
savais d'avance que Gilberte ne serait pas chez ses parents,
devait sortir avec une amie et ne rentrerait pas dîner, j'allais voir Mme Swann (laquelle était redevenue pour moi
ce qu'elle était au temps où je voyais si difficilement sa
fille et où, les jours où celle-ci ne venait pas aux Champs-
Élysées, j'allais me promener avenue des Acacias). De
cette façon j'entendrais parler de Gilberte et j'étais sûr
qu'elle entendrait ensuite parler de moi et d'une façon
qui lui montrerait que je ne tenais pas à elle. Et je trouvais,
comme tous ceux qui souffrent, que ma triste situation
aurait pu être pire. Car, ayant libre entrée dans la demeure
où habitait Gilberte, je me disais toujours, bien que décidé
à ne pas user de cette faculté, que si jamais ma douleur
était trop vive, je pourrais la faire cesser. Je n'étais malheureux qu'au jour le jour. Et c'est trop dire encore.
Combien de fois par heure (mais maintenant sans l'an-

xieuse attente qui m'avait étreint les premières semaines
après notre brouille, avant d'être retourné chez les Swann)
ne me récitais-je pas la lettre que Gilberte m'enverrait
bien un jour, m'apporterait peut-être elle-même! La
constante vision de ce bonheur imaginaire m'aidait à
supporter la destruction du bonheur réel. Pour les femmes
qui ne nous aiment pas, comme pour les « disparus »,
savoir qu'on n'a plus rien à espérer n'empêche pas de
continuer à attendre. On vit aux aguets, aux écoutes ;
des mères dont le fils est parti en mer pour une explora-
tion dangereuse se figurent à toute minute, et alors que la
certitude qu'il a péri est acquise depuis longtemps, qu'il
va entrer, miraculeusement sauvé, et bien portant. Et
cette attente, selon la force du souvenir et la résistance des
organes, ou bien leur permet de traverser les années au
bout desquelles elles supporteront que leur fils ne soit
plus, d'oublier peu à peu et de survivre — ou bien les
fait mourir. D'autre part, mon chagrin était un peu consolé
par l'idée qu'il profitait à mon amour. Chaque visite que
je faisais à Mme Swann sans voir Gilberte, m'était cruelle,
mais je sentais qu'elle améliorait d'autant l'idée que Gilberte avait de moi.

D'ailleurs si je m'arrangeais toujours, avant d'aller chez
Mme Swann, à être certain de l'absence de sa fille, cela
tenait peut-être autant qu'à ma résolution d'être brouillé
avec elle, à cet espoir de réconciliation qui se superposait
à ma volonté de renoncement (bien peu sont absolus, au
moins d'une façon continue, dans cette âme humaine
dont une des lois, fortifiée par les afflux inopinés de souvenirs différents, est l'intermittence) et me masquait ce
qu'elle avait de trop cruel. Cet espoir, je savais bien ce
qu'il avait de chimérique. J'étais comme un pauvre qui
mêle moins de larmes à son pain sec s'il se dit que tout à
l'heure peut-être un étranger va lui laisser toute sa fortune. Nous sommes tous obligés, pour rendre la réalité
supportable, d'entretenir en nous quelques petites folies.

Or mon espérance restait plus intacte — tout en même temps que la séparation s'effectuait mieux — si je ne rencontrais pas Gilberte. Si je m'étais trouvé face à face avec elle chez sa mère, nous aurions peut-être échangé des paroles irréparables qui eussent rendu définitive notre brouille, tué mon espérance et, d'autre part, en créant une anxiété nouvelle, réveillé mon amour et rendu plus difficile ma résignation.

Depuis bien longtemps et fort avant ma brouille avec sa fille, Mme Swann m'avait dit : « C'est très bien de venir voir Gilberte, mais j'aimerais aussi que vous veniez quelquefois pour *moi*, pas à mon Choufleury, où vous vous ennuieriez parce que j'ai trop de monde, mais les autres jours, où vous me trouverez toujours un peu tard. » J'avais donc l'air, en allant la voir, de n'obéir que longtemps après à un désir anciennement exprimé par elle. Et très tard, déjà dans la nuit, presque au moment où mes parents se mettaient à table, je partais faire à Mme Swann une visite pendant laquelle je savais que je ne verrais pas Gilberte et où pourtant je ne penserais qu'à elle. Dans ce quartier, considéré alors comme éloigné, d'un Paris plus sombre qu'aujourd'hui et qui, même dans le centre, n'avait pas d'électricité sur la voie publique et bien peu dans les maisons, les lampes d'un salon situé au rez-de-chaussée ou à un entresol très bas (tel qu'était celui de ses appartements où recevait habituellement Mme Swann) suffisaient à illuminer la rue et à faire lever les yeux au passant qui rattachait à leur clarté, comme à sa cause apparente et voilée, la présence devant la porte de quelques coupés bien attelés. Le passant croyait, et non sans un certain émoi, à une modification survenue dans cette cause mystérieuse, quand il voyait l'un de ces coupés se mettre en mouvement ; mais c'était seulement un cocher qui, craignant que ses bêtes prissent froid, leur faisait faire de temps à autre des allées et venues d'autant plus impressionnantes que les roues caoutchoutées donnaient au pas des chevaux un fond de silence sur lequel il se détachait plus distinct et plus explicite.

Le « jardin d'hiver » que dans ces années-là le passant apercevait d'ordinaire, quelle que fût la rue, si l'appartement n'était pas à un niveau trop élevé au-dessus du trottoir, ne se voit plus que dans les héliogravures des livres d'étrennes de P. J. Stahl où, en contraste avec les rares ornements floraux des salons Louis XVI d'aujourd'hui — une rose ou un iris du Japon dans un vase de cristal à long col qui ne pourrait pas contenir une fleur de plus —, il semble, à cause de la profusion des plantes d'appartement qu'on avait alors et du manque absolu de stylisation dans leur arrangement, avoir dû, chez les maîtresses de maison, répondre plutôt à quelque vivante et délicieuse passion pour la botanique qu'à un froid souci de morte décoration. Il faisait penser, en plus grand, dans les hôtels d'alors, à ces serres minuscules et portatives posées au matin du 1er janvier sous la lampe allumée — les enfants n'ayant pas eu la patience d'attendre qu'il fît jour — parmi les autres cadeaux du jour de l'an, mais le plus beau d'entre eux, consolant, avec les plantes qu'on va pouvoir cultiver, de la nudité de l'hiver ; plus encore qu'à ces serres-là elles-mêmes, ces jardins d'hiver ressemblaient à celle qu'on voyait tout auprès d'elles, figurée dans un beau livre, autre cadeau du jour de l'an, et qui, bien qu'elle fût donnée non aux enfants, mais à Mlle Lili, l'héroïne de l'ouvrage, les enchantait à tel point que, devenus maintenant presque vieillards, ils se demandent si dans ces années fortunées l'hiver n'était pas la plus belle des saisons. Enfin, au fond de ce jardin d'hiver, à travers les arborescences d'espèces variées qui de la rue faisaient ressembler la fenêtre éclairée au vitrage de ces serres d'enfants, dessinées ou réelles, le passant, se hissant sur ses pointes, apercevait généralement un homme en redingote, un gardénia ou un œillet à la boutonnière, debout devant une femme assise, tous deux vagues, comme deux intailles dans une topaze, au

fond de l'atmosphère du salon ambrée par le samovar
— importation récente alors — de vapeurs qui s'en échap-
pent peut-être encore aujourd'hui, mais qu'à cause de
l'habitude personne ne voit plus. Mme Swann tenait
beaucoup à ce « thé » ; elle croyait montrer de l'originalité
et dégager du charme en disant à un homme : « Vous me
trouverez tous les jours un peu tard, venez prendre le thé »,
de sorte qu'elle accompagnait d'un sourire fin et doux ces
mots prononcés par elle avec un accent anglais momentané et desquels son interlocuteur prenait bonne note en
saluant d'un air grave, comme s'ils avaient été quelque
chose d'important et de singulier qui commandât la
déférence et exigeât de l'attention. Il y avait une autre
raison que celles données plus haut et pour laquelle les
fleurs n'avaient pas qu'un caractère d'ornement dans le
salon de Mme Swann, et cette raison-là ne tenait pas à
l'époque, mais en partie à l'existence qu'avait menée
jadis Odette. Une grande cocotte, comme elle avait été,
vit beaucoup pour ses amants, c'est-à-dire chez elle, ce
qui peut la conduire à vivre pour elle. Les choses que
chez une honnête femme on voit et qui certes peuvent lui
paraître, à elle aussi, avoir de l'importance, sont celles,
en tous cas, qui pour la cocotte en ont le plus. Le point
culminant de sa journée est celui non pas où elle s'habille
pour le monde, mais où elle se déshabille pour un homme.
Il lui faut être aussi élégante en robe de chambre, en
chemise de nuit, qu'en toilette de ville. D'autres femmes
montrent leurs bijoux ; elle, elle vit dans l'intimité de ses
perles. Ce genre d'existence impose l'obligation, et finit
par donner le goût d'un luxe secret, c'est-à-dire bien près
d'être désintéressé. Mme Swann l'étendait aux fleurs. Il y
avait toujours près de son fauteuil une immense coupe de
cristal remplie entièrement de violettes de Parme ou de
marguerites effeuillées dans l'eau, et qui semblait témoigner aux yeux de l'arrivant de quelque occupation préférée
et interrompue, comme eût été la tasse de thé que

Mme Swann eût bue seule, pour son plaisir ; d'une occupation plus intime même et plus mystérieuse, si bien qu'on
avait envie de s'excuser en voyant les fleurs étalées là,
comme on l'eût fait de regarder le titre du volume encore
ouvert qui eût révélé la lecture récente, donc peut-être la
pensée actuelle d'Odette. Et plus que le livre, les fleurs
vivaient ; on était gêné, si on entrait faire une visite à
Mme Swann, de s'apercevoir qu'elle n'était pas seule, ou, si
on rentrait avec elle, de ne pas trouver le salon vide, tant y
tenaient une place énigmatique et se rapportant à des heures
de la vie de la maîtresse de maison qu'on ne connaissait pas,
ces fleurs qui n'avaient pas été préparées pour les visiteurs
d'Odette, mais comme oubliées là par elle, avaient eu et
auraient encore avec elle des entretiens particuliers qu'on
avait peur de déranger et dont on essayait en vain de lire
le secret, en fixant des yeux la couleur délavée, liquide,
mauve et dissolue des violettes de Parme. Dès la fin d'octobre Odette rentrait le plus régulièrement qu'elle pouvait
pour le thé, qu'on appelait encore dans ce temps-là le
five o'clock tea, ayant entendu dire (et aimant à répéter)
que si Mme Verdurin s'était fait un salon c'était parce
qu'on était toujours sûr de pouvoir la rencontrer chez elle
à la même heure. Elle s'imaginait elle-même en avoir un,
du même genre, mais plus libre, *senza rigore*, aimait-elle à
dire. Elle se voyait ainsi comme une espèce de Lespinasse
et croyait avoir fondé un salon rival en enlevant à la du
Deffand du petit groupe ses hommes les plus agréables,
en particulier Swann qui l'avait suivie dans sa sécession
et sa retraite, selon une version qu'on comprend qu'elle
eût réussi à accréditer auprès de nouveaux venus, ignorants du passé, mais non auprès d'elle-même. Mais
certains rôles favoris sont par nous joués tant de fois
devant le monde, et repassés en nous-mêmes, que nous
nous référons plus aisément à leur témoignage fictif qu'à
celui d'une réalité presque complètement oubliée. Les
jours où Mme Swann n'était pas sortie du tout, on la trou-

vait dans une robe de chambre de crêpe de Chine, blanche
comme une première neige, parfois aussi dans un de ces
longs tuyautages de mousseline de soie, qui ne semblent
qu'une jonchée de pétales roses ou blancs et qu'on trouverait aujourd'hui peu appropriés à l'hiver, et bien à tort.
Car ces étoffes légères et ces couleurs tendres donnaient
à la femme — dans la grande chaleur des salons d'alors,
fermés de portières, et desquels ce que les romanciers
mondains de l'époque trouvaient à dire de plus élégant,
c'est qu'ils étaient « douillettement capitonnés » — le
même air frileux qu'aux roses qui pouvaient y rester à
côté d'elle malgré l'hiver, dans l'incarnat de leur nudité,
comme au printemps. A cause de cet étouffement des
sons par les tapis et de sa retraite dans des enfoncements,
la maîtresse de la maison, n'étant pas avertie de votre
entrée comme aujourd'hui, continuait à lire pendant que
vous étiez déjà presque devant elle, ce qui ajoutait encore
à cette impression de romanesque, à ce charme d'une
sorte de secret surpris, que nous retrouvons aujourd'hui
dans le souvenir de ces robes déjà démodées alors, que
Mme Swann était peut-être la seule à ne pas avoir encore
abondonnées et qui nous donnent l'idée que la femme qui
les portait devait être une héroïne de roman parce que
nous, pour la plupart, ne les avons guère vues que dans
certains romans d'Henry Gréville. Odette avait maintenant, dans son salon, au commencement de l'hiver, des
chrysanthèmes énormes et d'une variété de couleurs
comme Swann jadis n'eût pu en voir chez elle. Mon
admiration pour eux — quand j'allais faire à Mme Swann
une de ces tristes visites où, de par mon chagrin, je lui
retrouvais toute sa mystérieuse poésie de mère de cette
Gilberte à qui elle dirait le lendemain : « Ton ami m'a
fait une visite » — venait sans doute de ce que, roses pâles
comme la soie Louis XV de ses fauteuils, blancs de neige
comme sa robe de chambre en crêpe de Chine, ou d'un
rouge métallique comme son samovar, ils superposaient

à celle du salon une décoration supplémentaire, d'un
coloris aussi riche, aussi raffiné, mais vivante et qui ne
durerait que quelques jours. Mais j'étais touché par ce
que ces chrysanthèmes avaient moins d'éphémère que de
relativement durable par rapport à ces tons, aussi roses ou
aussi cuivrés, que le soleil couché exalte si somptueusement dans la brume des fins d'après-midi de novembre et
qu'après les avoir aperçus avant que j'entrasse chez
Mme Swann, s'éteignant dans le ciel, je retrouvais pro-
longés, transposés dans la palette enflammée des fleurs.
Comme des feux arrachés par un grand coloriste à l'instabilité de l'atmosphère et du soleil, afin qu'ils vinssent orner
une demeure humaine, ils m'invitaient, ces chrysanthèmes, et malgré toute ma tristesse, à goûter avidement
pendant cette heure du thé les plaisirs si courts de novembre dont ils faisaient flamboyer près de moi la splendeur intime et mystérieuse. Hélas, ce n'était pas dans les
conversations que j'entendais que je pouvais l'atteindre ;
elles lui ressemblaient bien peu. Même avec Mme Cottard, et quoique l'heure fût avancée, Mme Swann se
faisait caressante pour dire : « Mais non, il n'est pas tard,
ne regardez pas la pendule, ce n'est pas l'heure, elle ne va
pas ; qu'est-ce que vous pouvez avoir de si pressé à faire ? »
et elle offrait une tartelette de plus à la femme du professeur qui gardait son porte-cartes à la main.

— On ne peut pas s'en aller de cette maison, disait
Mme Bontemps à Mme Swann, tandis que Mme Cottard,
dans sa surprise d'entendre exprimer sa propre impression, s'écriait : « C'est ce que je me dis toujours, avec ma
petite jugeote, dans mon for intérieur ! » approuvée par des
messieurs du Jockey qui s'étaient confondus en saluts,
et comme comblés par tant d'honneur, quand Mme Swann
les avait présentés à cette petite bourgeoise peu aimable,
qui restait devant les brillants amis d'Odette sur la réserve, sinon sur ce qu'elle appelait la « défensive », car elle
employait toujours un langage noble pour les choses les

plus simples. « On ne le dirait pas, voilà trois mercredis que vous me faites faux bond », disait Mme Swann à Mme Cottard. « C'est vrai, Odette, il y a *des siècles, des éternités* que je ne vous ai vue. Vous voyez que je plaide coupable, mais il faut vous dire, ajoutait-elle d'un air pudibond et vague (car, quoique femme de médecin, elle n'aurait pas osé parler sans périphrases de rhumatisme ou de coliques néphrétiques), que j'ai eu bien des petites *misères*. Chacun a les siennes. Et puis j'ai eu une crise dans ma domesticité mâle. Sans être plus qu'une autre très imbue de mon autorité, j'ai dû, pour faire un exemple, renvoyer mon Vatel qui, je crois, cherchait d'ailleurs une place plus lucrative. Mais son départ a failli entraîner la démission de tout le ministère. Ma femme de chambre ne voulait pas rester non plus, il y a eu des scènes homériques. Malgré tout, j'ai tenu ferme le gouvernail, et c'est une véritable leçon de choses qui n'aura pas été perdue pour moi. Je vous ennuie avec ces histoires de serviteurs, mais vous savez comme moi quel tracas c'est d'être obligée de procéder à des remaniements dans son personnel. Et nous ne verrons pas votre délicieuse fille ? demandait-elle.

— Non, ma délicieuse fille dîne chez une amie », répondait Mme Swann, et elle ajoutait en se tournant vers moi : « Je crois qu'elle vous a écrit pour que vous veniez la voir demain. Et vos babys ? » demandait-elle à la femme du Professeur. Je respirais largement. Ces mots de Mme Swann, qui me prouvaient que je pourrais voir Gilberte quand je voudrais, me faisaient justement le bien que j'étais venu chercher et qui me rendait à cette époque-là les visites à Mme Swann si nécessaires. « Non, je lui écrirai un mot ce soir. Du reste, Gilberte et moi nous ne pouvons plus nous voir », ajoutais-je, ayant l'air d'attribuer notre séparation à une cause mystérieuse, ce qui me donnait encore une illusion d'amour, entretenue aussi par la manière tendre dont je parlais de Gilberte et dont elle parlait de moi. « Vous savez qu'elle vous aime infini-

ment, me disait Mme Swann. Vraiment vous ne voulez
pas demain ? »Tout d'un coup une allégresse me soulevait,
je venais de me dire : « Mais après tout pourquoi pas,
puisque c'est sa mère elle-même qui me le propose ? »
Mais aussitôt je retombais dans ma tristesse. Je craignais
qu'en me voyant Gilberte pensât que mon indifférence de
ces derniers temps avait été simulée et j'aimais mieux
prolonger la séparation. Pendant ces apartés, Mme Bontemps se plaignait de l'ennui que lui causaient les femmes
des hommes politiques, car elle affectait de trouver tout
le monde assommant et ridicule, et d'être désolée de la
position de son mari :

— Alors vous pouvez comme ça recevoir cinquante
femmes de médecins de suite, disait-elle à Mme Cottard
qui, elle, au contraire, était pleine de bienveillance pour
chacun et de respect pour toutes les obligations. Ah,
vous avez de la vertu ! Moi, au ministère, n'est-ce pas,
je suis obligée, naturellement. Hé bien ! c'est plus fort
que moi, vous savez, ces femmes de fonctionnaires, je
ne peux pas m'empêcher de leur tirer la langue. Et ma
nièce Albertine est comme moi. Vous ne savez pas ce
qu'elle est effrontée, cette petite. La semaine dernière,
il y avait à mon jour la femme du sous-secrétaire d'État
aux Finances qui disait qu'elle ne s'y connaissait pas
en cuisine. « Mais, Madame, lui a répondu ma nièce
avec son plus gracieux sourire, vous devriez pourtant
savoir ce que c'est, puisque votre père était marmi-
ton. »

— Oh ! j'aime beaucoup cette histoire, je trouve
cela exquis, disait Mme Swann. Mais au moins pour les
jours de consultation du docteur vous devriez avoir un
petit home, avec vos fleurs, vos livres, les choses que vous
aimez, conseillait-elle à Mme Cottard.

— Comme ça, v'lan dans la figure, v'lan, elle ne lui a
pas envoyé dire. Et elle ne m'avait prévenue de rien,
cette petite masque, elle est rusée comme un singe. Vous

avez de la chance de pouvoir vous retenir ; j'envie les gens qui savent déguiser leur pensée.

— Mais je n'en ai pas besoin, Madame : je ne suis pas si difficile, répondait avec douceur Mme Cottard. D'abord, je n'y ai pas les mêmes droits que vous, ajoutait-elle d'une voix un peu plus forte, qu'elle prenait, afin de les souligner, chaque fois qu'elle glissait dans la conversation quelqu'une de ces amabilités délicates, de ces ingénieuses flatteries qui faisaient l'admiration et aidaient à la carrière de son mari. Et puis, je fais avec plaisir tout ce qui peut être utile au professeur.

— Mais, Madame, il faut pouvoir. Probablement vous n'êtes pas nerveuse. Moi, quand je vois la femme du ministre de la Guerre faire des grimaces, immédiatement je me mets à l'imiter. C'est terrible d'avoir un tempérament comme ça.

— Ah ! oui, dit Mme Cottard, j'ai entendu dire qu'elle avait des tics ; mon mari connaît aussi quelqu'un de très haut placé, et naturellement, quand ces messieurs causent entre eux...

— Mais tenez, Madame, c'est encore comme le chef du Protocole qui est bossu, c'est réglé, il n'est pas depuis cinq minutes chez moi que je vais toucher sa bosse. Mon mari dit que je le ferai révoquer. Eh bien ! zut pour le ministère ! Oui, zut pour le ministère ! je voulais faire mettre ça comme devise sur mon papier à lettres. Je suis sûre que je vous scandalise, parce que vous êtes bonne, moi j'avoue que rien ne m'amuse comme les petites méchancetés. Sans cela la vie serait bien monotone.

Et elle continuait à parler tout le temps du ministère comme si ç'avait été l'Olympe. Pour changer la conversation, Mme Swann se tournant vers Mme Cottard :

— Mais vous me semblez bien belle ? *Redfern fecit ?*

— Non, vous savez que je suis une fervente de Raudnitz. Du reste c'est un retapage.

— Eh bien ! cela a un chic !

14

— Combien croyez-vous ?... Non, changez le premier chiffre.

— Comment, mais c'est pour rien, c'est donné. On m'avait dit trois fois autant.

— Voilà comme on écrit l'Histoire, concluait la femme du docteur. Et, montrant à Mme Swann un tour de cou dont celle-ci lui avait fait présent :

— Regardez, Odette. Vous reconnaissez ?

Dans l'entre-bâillement d'une tenture une tête se montrait, cérémonieusement déférente, feignant par plaisanterie la peur de déranger : c'était Swann. « Odette, le prince d'Agrigente qui est avec moi dans mon cabinet demande s'il pourrait venir vous présenter ses hommages. Que dois-je aller lui répondre ? — Mais que je serai enchantée », disait Odette avec satisfaction, sans se départir d'un calme qui lui était d'autant plus facile qu'elle avait toujours, même comme cocotte, reçu des hommes élégants. Swann partait transmettre l'autorisation et, accompagné du prince, il revenait auprès de sa femme, à moins que dans l'intervalle ne fût entrée Mme Verdurin.

Quand il avait épousé Odette, il lui avait demandé de ne plus fréquenter le petit clan (il avait pour cela bien des raisons et, s'il n'en avait pas eu, l'eût fait tout de même par obéissance à une loi d'ingratitude qui ne souffre pas d'exception et qui fait ressortir l'imprévoyance de tous les entremetteurs ou leur désintéressement). Il avait seulement permis qu'Odette échangeât avec Mme Verdurin deux visites par an, ce qui semblait encore excessif à certains fidèles indignés de l'injure faite à la Patronne qui avait pendant tant d'années traité Odette et même Swann comme les enfants chéris de la maison. Car s'il contenait des faux frères qui lâchaient certains soirs pour se rendre sans le dire à une invitation d'Odette, prêts, dans le cas où ils seraient découverts, à s'excuser sur la curiosité de rencontrer Bergotte (quoique la Patronne prétendît qu'il ne fréquentait pas chez les

Swann, était dépourvu de talent, et malgré cela elle
cherchait, suivant une expression qui lui était chère, à
l'attirer), le petit groupe avait aussi ses « ultras ». Et
ceux-ci, ignorants des convenances particulières qui
détournent souvent les gens de l'attitude extrême qu'on
aimerait à leur voir prendre pour ennuyer quelqu'un,
auraient souhaité et n'avaient pas obtenu que Mᵐᵉ Verdurin cessât toutes relations avec Odette et lui ôtât
ainsi la satisfaction de dire en riant : « Nous allons très
rarement chez la Patronne depuis le Schisme. C'était
encore possible quand mon mari était garçon, mais pour
un ménage ce n'est pas toujours très facile... Monsieur
Swann, pour vous dire la vérité, n'avale pas la mère
Verdurin et il n'appréciait pas beaucoup que j'en fasse
ma fréquentation habituelle. Et moi, fidèle épouse... »
Swann y accompagnait sa femme en soirée, mais évitait
d'être là quand Mᵐᵉ Verdurin venait chez Odette en
visite. Aussi, si la Patronne était dans le salon, le prince
d'Agrigente entrait seul. Seul aussi d'ailleurs il était
présenté par Odette, qui préférait que Mᵐᵉ Verdurin
n'entendît pas de noms obscurs et, voyant plus d'un
visage inconnu d'elle, pût se croire au milieu de notabilités aristocratiques, calcul qui réussissait si bien que, le
soir, Mᵐᵉ Verdurin disait avec dégoût à son mari :
« Charmant milieu ! Il y avait toute la fleur de la Réaction ! »
   Odette vivait à l'égard de Mᵐᵉ Verdurin dans une
illusion inverse. Non que ce salon eût même seulement
commencé alors de devenir ce que nous le verrons être
un jour. Mᵐᵉ Verdurin n'en était même pas encore à la
période d'incubation où on suspend les grandes fêtes
dans lesquelles les rares éléments brillants récemment
acquis seraient noyés dans trop de tourbe et où on préfère attendre que le pouvoir générateur des dix justes
qu'on a réussi à attirer en ait produit septante fois dix.
Comme Odette n'allait pas tarder à le faire, Mᵐᵉ Verdurin
se proposait bien le « monde » comme objectif, mais ses

zones d'attaque étaient encore si limitées et d'ailleurs
si éloignées de celles par où Odette avait quelque chance
d'arriver à un résultat identique, à percer, que celle-ci
vivait dans la plus complète ignorance des plans straté-
giques qu'élaborait la Patronne. Et c'était de la meilleure
foi du monde que, quand on parlait à Odette de Mme Verdurin comme d'une snob, Odette se mettait à rire et
disait : « C'est tout le contraire. D'abord elle n'en a pas
les éléments, elle ne connaît personne. Ensuite il faut
lui rendre cette justice que cela lui plaît ainsi. Non, ce
qu'elle aime ce sont ses mercredis, les causeurs agréables. »
Et secrètement elle enviait à Mme Verdurin (bien qu'elle
ne désespérât pas d'avoir elle-même à une si grande école
fini par les apprendre) ces arts auxquels la Patronne
attachait une telle importance bien qu'ils ne fassent que
nuancer l'inexistant, sculpter le vide, et soient à proprement parler les Arts du Néant : l'art (pour une maîtresse
de maison) de savoir « réunir », de s'entendre à « grouper »,
de « mettre en valeur », de « s'effacer », de servir de
« trait d'union ».

En tous cas les amies de Mme Swann étaient impres-
sionnées de voir chez elle une femme qu'on ne se représentait habituellement que dans son propre salon, entourée d'un cadre inséparable d'invités, de tout un petit
groupe qu'on s'émerveillait de voir ainsi, évoqué, résumé,
resserré, dans un seul fauteuil, sous les espèces de la
Patronne devenue visiteuse dans l'emmitouflement de
son manteau fourré de grèbe, aussi duveteux que les
blanches fourrures qui tapissaient ce salon au sein duquel
Mme Verdurin était elle-même un salon. Les femmes les
plus timides voulaient se retirer par discrétion et employant le pluriel, comme quand on veut faire comprendre aux autres qu'il est plus sage de ne pas trop fatiguer
une convalescente qui se lève pour la première fois,
disaient : « Odette, nous allons vous laisser. » On enviait
Mme Cottard que la Patronne appelait par son prénom.

« Est-ce que je vous enlève ? » lui disait Mme Verdurin
qui ne pouvait supporter la pensée qu'une fidèle allait
rester là au lieu de la suivre. « Mais Madame est assez
aimable pour me ramener, répondait Mme Cottard, ne
voulant pas avoir l'air d'oublier, en faveur d'une personne plus célèbre, qu'elle avait accepté l'offre que
Mme Bontemps lui avait faite de la ramener dans sa
voiture à cocarde. J'avoue que je suis particulièrement
reconnaissante aux amies qui veulent bien me prendre
avec elles dans leur véhicule. C'est une véritable aubaine
pour moi qui n'ai pas d'automédon. — D'autant plus,
répondait la Patronne (n'osant trop rien dire, car elle
connaissait un peu Mme Bontemps et venait de l'inviter
à ses mercredis), que chez Mme de Crécy vous n'êtes pas
près de chez vous. Oh! mon Dieu, je n'arriverai jamais
à dire Mme Swann. » C'était une plaisanterie dans le
petit clan, pour des gens qui n'avaient pas beaucoup
d'esprit, de faire semblant de ne pas pouvoir s'habituer
à dire Mme Swann : « J'avais tellement l'habitude de dire
Mme de Crécy, j'ai encore failli de me tromper. » Seule,
Mme Verdurin, quand elle parlait à Odette, ne faisait
pas que faillir et se trompait exprès. « Cela ne vous
fait pas peur, Odette, d'habiter ce quartier perdu ?
Il me semble que je ne serais qu'à moitié tranquille le
soir pour rentrer. Et puis c'est si humide. Ça ne doit
rien valoir pour l'eczéma de votre mari. Vous n'avez
pas de rats au moins ? — Mais non! Quelle horreur! —
Tant mieux, on m'avait dit cela. Je suis bien aise de
savoir que ce n'est pas vrai, parce que j'en ai une peur
épouvantable et que je ne serais pas revenue chez vous.
Au revoir, ma bonne chérie, à bientôt, vous savez comme
je suis heureuse de vous voir. Vous ne savez pas arranger
les chrysanthèmes, disait-elle en s'en allant, tandis que
Mme Swann se levait pour la reconduire. Ce sont des
fleurs japonaises, il faut les disposer comme font les
Japonais. — Je ne suis pas de l'avis de Mme Verdurin,

bien qu'en toutes choses elle soit pour moi la Loi et les
Prophètes. Il n'y a que vous, Odette, pour trouver des
chrysanthèmes si belles, ou plutôt si beaux puisqu'il paraît que c'est ainsi qu'on dit maintenant, déclarait
Mme Cottard, quand la Patronne avait refermé la porte.
— Chère Mme Verdurin n'est pas toujours très bienveillante pour les fleurs des autres, répondait doucement
Mme Swann. — Qui cultivez-vous, Odette ? demandait
Mme Cottard, pour ne pas laisser se prolonger les critiques à l'adresse de la Patronne... Lemaître ? J'avoue
que devant chez Lemaître, il y avait l'autre jour un grand
arbuste rose qui m'a fait faire une folie. » Mais par pudeur elle se refusa à donner des renseignements plus
précis sur le prix de l'arbuste et dit seulement que le
professeur « qui n'avait pourtant pas la tête près du bonnet » avait tiré flamberge au vent et lui avait dit qu'elle
ne savait pas la valeur de l'argent. « Non, non, je n'ai
de fleuriste attitré que Debac. — Moi aussi, disait
Mme Cottard, mais je confesse que je lui fais des infidé-
lités avec Lachaume. — Ah! vous le trompez avec Lachaume, je le lui dirai, répondait Odette qui s'efforçait
d'avoir de l'esprit et de conduire la conversation chez
elle, où elle se sentait plus à l'aise que dans le petit clan.
Du reste Lachaume devient vraiment trop cher ; ses
prix sont excessifs, savez-vous, ses prix je les trouve
inconvenants! » ajoutait-elle en riant.

Cependant Mme Bontemps, qui avait dit cent fois
qu'elle ne voulait pas aller chez les Verdurin, ravie d'être
invitée aux mercredis, était en train de calculer comment
elle pourrait s'y rendre le plus de fois possible. Elle
ignorait que Mme Verdurin souhaitait qu'on n'en manquât aucun ; d'autre part, elle était de ces personnes peu
recherchées qui, quand elles sont conviées à des « séries »
par une maîtresse de maison, ne vont pas chez elle
comme ceux qui savent faire toujours plaisir, quand ils
ont un moment et le désir de sortir ; elles, au contraire,

se privent par exemple de la première soirée et de la troisième, s'imaginant que leur absence sera remarquée, et se réservent pour la deuxième et la quatrième ; à moins que leurs informations ne leur ayant appris que la troisième sera particulièrement brillante, elles ne suivent un ordre inverse, alléguant que « malheureusement la dernière fois elles n'étaient pas libres ». Telle, Mme Bontemps supputait combien il pouvait y avoir encore de mercredis avant Pâques et de quelle façon elle arriverait à en avoir un de plus, sans pourtant paraître s'imposer. Elle comptait sur Mme Cottard, avec laquelle elle allait revenir, pour lui donner quelques indications. « Oh ! madame Bontemps, je vois que vous vous levez, c'est très mal de donner ainsi le signal de la fuite. Vous me devez une compensation pour n'être pas venue jeudi dernier... Allons, rasseyez-vous un moment. Vous ne ferez tout de même plus d'autre visite avant le dîner. Vraiment, vous ne vous laissez pas tenter ? ajoutait Mme Swann et tout en tendant une assiette de gâteaux : Vous savez que ce n'est pas mauvais du tout, ces petites saletés-là. Ça ne paye pas de mine, mais goûtez-en, vous m'en direz des nouvelles. — Au contraire, ça a l'air délicieux, répondait Mme Cottard ; chez vous, Odette, on n'est jamais à court de victuailles. Je n'ai pas besoin de vous demander la marque de fabrique, je sais que vous faites tout venir de chez Rebattet. Je dois dire que je suis plus éclectique. Pour les petits fours, pour toutes les friandises, je m'adresse souvent à Bourbonneux. Mais je reconnais qu'ils ne savent pas ce que c'est qu'une glace. Rebattet, pour tout ce qui est glace, bavaroise ou sorbet, c'est le grand art. Comme dirait mon mari, c'est le *nec plus ultra*. — Mais ceci est tout simplement fait ici. Vraiment non ? — Je ne pourrai pas dîner, répondait Mme Bontemps, mais je me rassieds un instant ; vous savez, moi, j'adore causer avec une femme intelligente comme vous. — Vous allez me trouver indiscrète,

Odette, mais j'aimerais savoir comment vous jugez le chapeau qu'avait Mme Trombert. Je sais bien que la mode est aux grands chapeaux. Tout de même n'y a-t-il pas un peu d'exagération ? Et à côté de celui avec lequel elle est venue l'autre jour chez moi, celui qu'elle portait tantôt était microscopique. — Mais non, je ne suis pas intelligente, disait Odette, pensant que cela faisait bien. Je suis au fond une gobeuse, qui croit tout ce qu'on lui dit, qui se fait du chagrin pour un rien. » Et elle insinuait qu'elle avait, au commencement, beaucoup souffert d'avoir épousé un homme comme Swann qui avait une vie de son côté et qui la trompait. Cependant le prince d'Agrigente, ayant entendu les mots « je ne suis pas intelligente », trouvait de son devoir de protester, mais il n'avait pas d'esprit de repartie. « Taratata, s'écriait Mme Bontemps, vous, pas intelligente ! — En effet je me disais " Qu'est-ce que j'entends ? " disait le prince en saisissant cette perche. Il faut que mes oreilles m'aient trompé. — Mais non, je vous assure, disait Odette, je suis au fond une petite bourgeoise très choquable, pleine de préjugés, vivant dans son trou surtout très ignorante. » Et pour demander des nouvelles du baron de Charlus : « Avez-vous vu cher baronet ? lui disait-elle. — Vous ignorante, s'écriait Mme Bontemps ! Hé bien alors, qu'est-ce que vous diriez du monde officiel, toutes ces femmes d'Excellences, qui ne savent parler que de chiffons !... Tenez, Madame, pas plus tard qu'il y a huit jours je mets sur *Lohengrin* la ministresse de l'Instruction publique. Elle me répond : « *Lohengrin ?* Ah ! oui, la dernière revue des Folies-Bergère, il paraît que c'est tordant. » Hé bien, Madame, qu'est-ce que vous voulez, quand on entend des choses comme ça, ça vous fait bouillir. J'avais envie de la gifler. Parce que j'ai mon petit caractère, vous savez. Voyons, Monsieur, disait-elle en se tournant vers moi, est-ce que je n'ai pas raison ? — Écoutez, disait Mme Cottard, on est excusable de répondre un peu de travers quand on est interrogée ainsi de but en blanc, sans être prévenue. J'en sais quelque chose, car Mme Verdurin a l'habitude de nous mettre ainsi le couteau sur la gorge. — A propos de Mme Verdurin, demandait Mme Bontemps à Mme Cottard, savez-vous qui il y aura mercredi chez elle ?... Ah ! je me rappelle maintenant que nous avons accepté une invitation pour mercredi prochain. Vous ne voulez pas dîner de mercredi en huit avec nous ? Nous irions ensemble chez Mme Verdurin. Cela m'intimide d'entrer seule, je ne sais pas pourquoi cette grande femme m'a toujours fait peur. — Je vais vous le dire, répondait Mme Cottard, ce qui vous effraye chez Mme Verdurin, c'est son organe. Que voulez-vous ? tout le monde n'a pas un aussi joli organe que Mme Swann. Mais le temps de prendre langue, comme dit la Patronne, et la glace sera bientôt rompue. Car dans le fond elle est très accueillante. Mais je comprends très bien votre sensation, ce n'est jamais agréable de se trouver la première fois en pays perdu. — Vous pourriez aussi dîner avec nous, disait Mme Bontemps à Mme Swann. Après dîner on irait tous ensemble en Verdurin, faire Verdurin ; et, même si ce devait avoir pour effet que la Patronne me fasse les gros yeux et ne m'invite plus, une fois chez elle nous resterons toutes les trois à causer entre nous, je sens que c'est ce qui m'amusera le plus. » Mais cette affirmation ne devait pas être très véridique, car Mme Bontemps demandait : « Qui pensez-vous qu'il y aura de mercredi en huit ? Qu'est-ce qui se passera ? Il n'y aura pas trop de monde, au moins ? — Moi, je n'irai certainement pas, disait Odette. Nous ne ferons qu'une petite apparition au mercredi final. Si cela vous est égal d'attendre jusque-là... » Mais Mme Bontemps ne semblait pas séduite par cette proposition d'ajournement.

Bien que les mérites spirituels d'un salon et son élégance soient généralement en rapports inverses plutôt

que directs, il faut croire, puisque Swann trouvait
Mᵐᵉ Bontemps agréable, que toute déchéance acceptée
a pour conséquence de rendre les gens moins difficiles
sur ceux avec qui ils sont résignés à se plaire, moins
difficiles sur leur esprit comme sur le reste. Et si cela
est vrai, les hommes doivent, comme les peuples, voir
leur culture et même leur langage disparaître avec leur
indépendance. Un des effets de cette indulgence est
d'aggraver la tendance qu'à partir d'un certain âge on
a à trouver agréables les paroles qui sont un hommage
à notre propre tour d'esprit, à nos penchants, un encou-
ragement à nous y livrer ; cet âge-là est celui où un grand
artiste préfère à la société de génies originaux celle
d'élèves qui n'ont en commun avec lui que la lettre
de sa doctrine et par qui il est encensé, écouté ; où un
homme ou une femme remarquables qui vivent pour un
amour trouveront la plus intelligente dans une réunion
la personne peut-être inférieure, mais dont une phrase
aura montré qu'elle sait comprendre et approuver ce
qu'est une existence vouée à la galanterie, et aura ainsi
chatouillé agréablement la tendance voluptueuse de
l'amant ou de la maîtresse ; c'était l'âge aussi où Swann,
en tant qu'il était devenu le mari d'Odette, se plaisait
à entendre dire à Mᵐᵉ Bontemps que c'est ridicule de
ne recevoir que des duchesses (concluant de là, au
contraire de ce qu'il eût fait jadis chez les Verdurin,
que c'était une bonne femme, très spirituelle et qui
n'était pas snob) et à lui raconter des histoires qui la
faisaient « tordre », parce qu'elle ne les connaissait pas
et que d'ailleurs elle « saisissait » vite, aimant à flatter
et à s'amuser.

— Alors le docteur ne raffole pas, comme vous, des
fleurs ? demandait Mᵐᵉ Swann à Mᵐᵉ Cottard. — Oh !
vous savez que mon mari est un sage ; il est modéré en
toutes choses. Si, pourtant, il a une passion. » L'œil
brillant de malveillance, de joie et de curiosité : « La-

quelle, Madame ? » demandait Mme Bontemps. Avec
simplicité, Mme Cottard répondait : « La lecture. —
Oh ! c'est une passion de tout repos chez un mari !
s'écriait Mme Bontemps, en étouffant un rire satanique.
— Quand le docteur est dans un livre, vous savez ! —
Hé bien, Madame, cela ne doit pas vous effrayer beaucoup... — Mais si !... pour sa vue. Je vais aller le retrouver, Odette, et je reviendrai au premier jour frapper à
votre porte. A propos de vue, vous a-t-on dit que l'hôtel
particulier que vient d'acheter Mme Verdurin sera
éclairé à l'électricité ? Je ne le tiens pas de ma petite
police particulière, mais d'une autre source : c'est
l'électricien lui-même, Mildé, qui me l'a dit. Vous voyez
que je cite mes auteurs ! Jusqu'aux chambres qui auront
leurs lampes électriques avec un abat-jour qui tamisera
la lumière. C'est évidemment un luxe charmant. D'ailleurs nos contemporaines veulent absolument du nouveau, n'en fût-il plus au monde. Il y a la belle-sœur d'une
de mes amies qui a le téléphone posé chez elle ! Elle
peut faire une commande à un fournisseur sans sortir
de son appartement ! J'avoue que j'ai platement intrigué
pour avoir la permission de venir un jour parler devant
l'appareil. Cela me tente beaucoup, mais plutôt chez
une amie que chez moi. Il me semble que je n'aimerais
pas avoir le téléphone à domicile. Le premier amusement passé, cela doit être un vrai casse-tête. Allons,
Odette, je me sauve, ne retenez plus Mme Bontemps
puisqu'elle se charge de moi, il faut absolument que je
m'arrache, vous me faites faire du joli, je vais être rentrée
après mon mari ! »

Et moi aussi, il fallait que je rentrasse, avant d'avoir
goûté à ces plaisirs de l'hiver, desquels les chrysanthèmes
m'avaient semblé être l'enveloppe éclatante. Ces plaisirs n'étaient pas venus et cependant Mme Swann n'avait
pas l'air d'attendre encore quelque chose. Elle laissait
les domestiques emporter le thé comme elle aurait

annoncé : « On ferme! » Et elle finissait par me dire :
« Alors, vraiment, vous partez ? Hé bien, *good bye !* »
Je sentais que j'aurais pu rester sans rencontrer ces
plaisirs inconnus, et que ma tristesse n'était pas seule
à m'avoir privé d'eux. Ne se trouvaient-ils donc pas
situés sur cette route battue des heures qui mènent
toujours si vite à l'instant du départ, mais plutôt sur
quelque chemin de traverse inconnu de moi et par où
il eût fallu bifurquer ? Du moins le but de ma visite
était atteint, Gilberte saurait que j'étais venu chez ses
parents quand elle n'était pas là, et que j'y avais, comme
n'avait cessé de le répéter Mme Cottard, « fait d'emblée,
de prime abord, la conquête de Mme Verdurin ». (« Il
faut, ajoutait la femme du docteur, qui ne l'avait jamais
vue faire " autant de frais ", que vous ayez ensemble
des atomes crochus. ») Elle saurait que j'avais parlé
d'elle comme je devais le faire, avec tendresse, mais que
je n'avais pas cette incapacité de vivre sans que nous nous
vissions que je croyais à la base de l'ennui qu'elle avait
éprouvé ces derniers temps auprès de moi. J'avais dit
à Mme Swann que je ne pouvais plus me trouver avec
Gilberte. Je l'avais dit, comme si j'avais décidé pour
toujours de ne plus la voir. Et la lettre que j'allais envoyer
à Gilberte serait conçue dans le même sens. Seulement,
à moi-même, pour me donner courage, je ne me propo-
sais qu'un suprême et court effort de peu de jours. Je me
disais : « C'est le dernier rendez-vous d'elle que je refuse,
j'accepterai le prochain. » Pour me rendre la séparation
moins difficile à réaliser, je ne me la présentais pas
comme définitive. Mais je sentais bien qu'elle le serait.

Le 1er janvier me fut particulièrement douloureux
cette année-là. Tout l'est sans doute, qui fait date et
anniversaire, quand on est malheureux. Mais si c'est
par exemple d'avoir perdu un être cher, la souffrance
consiste seulement dans une comparaison plus vive avec
le passé. Il s'y ajoutait dans mon cas l'espoir informulé

que Gilberte, ayant voulu me laisser l'initiative des premiers pas et constatant que je ne les avais pas faits,
n'avait attendu que le prétexte du 1er janvier pour
m'écrire : « Enfin, qu'y a-t-il ? je suis folle de vous,
venez que nous nous expliquions franchement, je ne
peux pas vivre sans vous voir. » Dès les derniers jours de
l'année cette lettre me parut probable. Elle ne l'était
peut-être pas, mais, pour que nous la croyions telle, le
désir, le besoin que nous en avons suffit. Le soldat est
persuadé qu'un certain délai indéfiniment prolongeable
lui sera accordé avant qu'il soit tué, le voleur, avant qu'il
soit pris, les hommes en général, avant qu'ils aient à
mourir. C'est là l'amulette qui préserve les individus —
et parfois les peuples — non du danger, mais de la
peur du danger, en réalité de la croyance au danger,
ce qui dans certains cas permet de les braver sans qu'il
soit besoin d'être brave. Une confiance de ce genre, et
aussi peu fondée, soutient l'amoureux qui compte sur
une réconciliation, sur une lettre. Pour que je n'eusse
pas attendu celle-là, il eût suffi que j'eusse cessé de la
souhaiter. Si indifférent qu'on sache que l'on est à celle
qu'on aime encore, on lui prête une série de pensées —
fussent-elles d'indifférence — une intention de les manifester, une complication de vie intérieure, où l'on est
l'objet peut-être d'une antipathie, mais aussi d'une
attention permanentes. Pour imaginer, au contraire,
ce qui se passait en Gilberte, il eût fallu que je pusse tout
simplement anticiper, dès ce 1er janvier-là, ce que j'eusse
ressenti celui d'une des années suivantes, et où l'attention, ou le silence, ou la tendresse, ou la froideur de
Gilberte eussent passé à peu près inaperçus à mes yeux
et où je n'eusse pas songé, pas même pu songer à chercher la solution de problèmes qui auraient cessé de se
poser pour moi. Quand on aime, l'amour est trop grand
pour pouvoir être contenu tout entier en nous ; il irradie
vers la personne aimée, rencontre en elle une surface

qui l'arrête, le force à revenir vers son point de départ, et c'est ce choc en retour de notre propre tendresse que nous appelons les sentiments de l'autre et qui nous charme plus qu'à l'aller, parce que nous ne reconnaissons pas qu'elle vient de nous.

Le 1ᵉʳ janvier sonna toutes ses heures sans qu'arrivât cette lettre de Gilberte. Et comme j'en reçus quelques-unes de vœux tardifs ou retardés par l'encombrement des courriers à ces dates-là, le 3 et le 4 janvier, j'espérais encore, de moins en moins pourtant. Les jours qui suivirent, je pleurai beaucoup. Certes, cela tenait à ce qu'ayant été moins sincère que je ne l'avais cru quand j'avais renoncé à Gilberte, j'avais gardé cet espoir d'une lettre d'elle pour la nouvelle année. Et, le voyant épuisé avant que j'eusse eu le temps de me précautionner d'un autre, je souffrais comme un malade qui a vidé sa fiole de morphine sans en avoir sous la main une seconde. Mais peut-être en moi — et ces deux explications ne s'excluent pas, car un seul sentiment est quelquefois fait de contraires — l'espérance que j'avais de recevoir enfin une lettre avait-elle rapproché de moi l'image de Gilberte, recréé les émotions que l'attente de me trouver près d'elle, sa vue, sa manière d'être avec moi, me causaient autrefois. La possibilité immédiate d'une réconciliation avait supprimé cette chose de l'énormité de laquelle nous ne nous rendons pas compte : la résignation. Les neurasthéniques ne peuvent croire les gens qui leur assurent qu'ils seront peu à peu calmés en restant au lit sans recevoir de lettres, sans lire de journaux. Ils se figurent que ce régime ne fera qu'exaspérer leur nervosité. De même, les amoureux, le considérant du sein d'un état contraire, n'ayant pas commencé de l'expérimenter, ne peuvent croire à la puissance bienfaisante du renoncement.

A cause de la violence de mes battements de cœur on me fit diminuer la caféine, ils cessèrent. Alors je me de-

mandai si ce n'était pas un peu à elle qu'était due cette
angoisse que j'avais éprouvée quand je m'étais à peu près
brouillé avec Gilberte, et que j'avais attribuée, chaque
fois qu'elle se renouvelait, à la souffrance de ne plus voir
mon amie ou de risquer de ne la voir qu'en proie à la
même mauvaise humeur. Mais, si ce médicament avait
été à l'origine des souffrances que mon imagination eût
alors faussement interprétées (ce qui n'aurait rien d'extraordinaire, les plus cruelles peines morales ayant souvent pour cause chez les amants l'habitude physique de
la femme avec qui ils vivent), c'était à la façon du philtre
qui, longtemps après avoir été absorbé, continue à lier
Tristan à Yseult. Car l'amélioration physique que la
diminution de la caféine amena presque immédiatement
chez moi n'arrêta pas l'évolution du chagrin que l'absorption du toxique avait peut-être sinon créé, du moins
su rendre plus aigu.

Seulement, quand le milieu du mois de janvier approcha, une fois déçues mes espérances d'une lettre pour le
jour de l'an, et la douleur supplémentaire qui avait
accompagné leur déception une fois calmée, ce fut mon
chagrin d'avant« les Fêtes » qui recommença. Ce qu'il
y avait peut-être encore en lui de plus cruel, c'est que
j'en fusse moi-même l'artisan conscient, volontaire,
impitoyable et patient. La seule chose à laquelle je
tinsse, mes relations avec Gilberte, c'est moi qui tra-
vaillais à les rendre impossibles en créant peu à peu, par
la séparation prolongée d'avec mon amie, non pas son
indifférence, mais, ce qui reviendrait finalement au
même, la mienne. C'était à un long et cruel suicide du
moi qui en moi-même aimait Gilberte, que je m'achar-
nais avec continuité, avec la clairvoyance non seulement
de ce que je faisais dans le présent, mais de ce qui en
résulterait pour l'avenir : je savais non pas seulement
que dans un certain temps je n'aimerais plus Gilberte,
mais encore qu'elle-même le regretterait, et que les

tentatives qu'elle ferait alors pour me voir seraient aussi
vaines que celles d'aujourd'hui, non plus parce que je
l'aimerais trop, mais parce que j'aimerais certainement
une autre femme que je resterais à désirer, à attendre,
pendant des heures dont je n'oserais pas distraire une
parcelle pour Gilberte qui ne me serait plus rien. Et
sans doute, en ce moment même où (puisque j'étais
résolu à ne plus la voir, à moins d'une demande formelle
d'explications, d'une complète déclaration d'amour
de sa part, lesquelles n'avaient plus aucune chance de
venir) j'avais déjà perdu Gilberte et l'aimais davantage
(je sentais tout ce qu'elle était pour moi mieux que
l'année précédente, quand, passant tous mes après-midi
avec elle, selon que je voulais, je croyais que rien ne
menaçait notre amitié), sans doute, en ce moment, l'idée
que j'éprouverais un jour les mêmes sentiments pour
une autre m'était odieuse, car cette idée m'enlevait,
outre Gilberte, mon amour et ma souffrance : mon
amour, ma souffrance, où en pleurant j'essayais de saisir
justement ce qu'était Gilberte, et desquels il me fallait
reconnaître qu'ils ne lui appartenaient pas spécialement
et seraient, tôt ou tard, le lot de telle ou telle femme. De
sorte — c'était du moins alors ma manière de penser —
qu'on est toujours détaché des êtres : quand on aime,
on sent que cet amour ne porte pas leur nom, pourra
dans l'avenir renaître, aurait même pu, dans le passé,
naître, pour une autre et non pour celle-là ; et dans le
temps où l'on n'aime pas, si l'on prend philosophique-
ment son parti de ce qu'il y a de contradictoire dans
l'amour, c'est que cet amour dont on parle à son aise,
on ne l'éprouve pas alors, donc on ne le connaît pas,
la connaissance en ces matières étant intermittente et ne
survivant pas à la présence effective du sentiment. Cet
avenir où je n'aimerais plus Gilberte et que ma souffrance
m'aidait à deviner sans que mon imagination pût encore
se le représenter clairement, certes il eût été temps encore

d'avertir Gilberte qu'il se formerait peu à peu, que sa venue était, sinon imminente, du moins inéluctable, si elle-même, Gilberte, ne venait pas à mon aide et ne détruisait pas dans son germe ma future indifférence. Combien de fois ne fus-je pas sur le point d'écrire, ou d'aller dire à Gilberte : « Prenez garde, j'en ai pris la résolution, la démarche que je fais est une démarche suprême. Je vous vois pour la dernière fois. Bientôt je ne vous aimerai plus ! » A quoi bon ? De quel droit eussé-je reproché à Gilberte une indifférence que, sans me croire coupable pour cela, je manifestais à tout ce qui n'était pas elle ? La dernière fois ! A moi, cela me paraissait quelque chose d'immense, parce que j'aimais Gilberte. A elle, cela lui eût fait sans doute autant d'impression que ces lettres où des amis demandent à nous faire une visite avant de s'expatrier, visite que, comme aux ennuyeuses femmes qui nous aiment, nous leur refusons parce que nous avons des plaisirs devant nous. Le temps dont nous disposons chaque jour est élastique ; les passions que nous ressentons le dilatent, celles que nous inspirons le rétrécissent, et l'habitude le remplit.

D'ailleurs, j'aurais eu beau parler à Gilberte, elle ne m'aurait pas entendu. Nous nous imaginons toujours, quand nous parlons, que ce sont nos oreilles, notre esprit qui écoutent. Mes paroles ne seraient parvenues à Gilberte que déviées, comme si elles avaient eu à traverser le rideau mouvant d'une cataracte avant d'arriver à mon amie, méconnaissables, rendant un son ridicule, n'ayant plus aucune espèce de sens. La vérité qu'on met dans les mots ne se fraye pas son chemin directement, n'est pas douée d'une évidence irrésistible. Il faut qu'assez de temps passe pour qu'une vérité de même ordre ait pu se former en eux. Alors, l'adversaire politique qui, malgré tous les raisonnements et toutes les preuves, tenait le sectateur de la doctrine opposée pour un traître, partage lui-même la conviction détestée, à laquelle celui qui cherchait

inutilement à la répandre ne tient plus. Alors, le chef-
d'œuvre qui pour les admirateurs qui le lisaient haut
semblait montrer en soi les preuves de son excellence et
n'offrait à ceux qui écoutaient qu'une image insane ou
médiocre, sera par eux proclamé chef-d'œuvre, trop tard
pour que l'auteur puisse l'apprendre. Pareillement, en
amour, les barrières, quoi qu'on fasse, ne peuvent être
brisées du dehors par celui qu'elles désespèrent ; et c'est
quand il ne se souciera plus d'elles que, tout à coup, par
l'effet du travail venu d'un autre côté, accompli à l'intérieur de celle qui n'aimait pas, ces barrières, attaquées
jadis sans succès, tomberont sans utilité. Si j'étais venu
annoncer à Gilberte mon indifférence future et le moyen
de la prévenir, elle aurait induit de cette démarche que
mon amour pour elle, le besoin que j'avais d'elle, étaient
encore plus grands qu'elle n'avait cru, et son ennui de
me voir en eût été augmenté. Et il est bien vrai, du reste,
que c'est cet amour qui m'aidait, par les états d'esprit
disparates qu'il faisait se succéder en moi, à prévoir,
mieux qu'elle, la fin de cet amour. Pourtant, un tel
avertissement, je l'eusse peut-être adressé, par lettre
ou de vive voix, à Gilberte, quand assez de temps eût
passé, me la rendant ainsi, il est vrai, moins indispensable, mais aussi ayant pu lui prouver qu'elle ne me l'était
pas. Malheureusement, certaines personnes, bien ou mal
intentionnées, lui parlèrent de moi d'une façon qui dut
lui laisser croire qu'elles le faisaient à ma prière. Chaque
fois que j'appris ainsi que Cottard, ma mère elle-même,
et jusqu'à M. de Norpois avaient, par de maladroites
paroles, rendu inutile tout le sacrifice que je venais
d'accomplir, gâché tout le résultat de ma réserve, en me
donnant faussement l'air d'en être sorti, j'avais un double
ennui. D'abord je ne pouvais plus faire dater que de ce jour-
là ma pénible et fructueuse abstention que les fâcheux
avaient à mon insu interrompue et, par conséquent,
annihilée. Mais, de plus, j'eusse eu moins de plaisir à voir

Gilberte qui me croyait maintenant non plus dignement résigné, mais manœuvrant dans l'ombre pour une entrevue qu'elle avait dédaigné d'accorder. Je maudissais ces vains bavardages de gens qui souvent, sans même l'intention de nuire ou de rendre service, pour rien, pour parler, quelquefois parce que nous n'avons pas pu nous empêcher de le faire devant eux et qu'ils sont indiscrets (comme nous), nous causent, à point nommé, tant de mal. Il est vrai que dans la funeste besogne accomplie pour la destruction de notre amour, ils sont loin de jouer un rôle égal à deux personnes qui ont pour habitude, l'une par excès de bonté et l'autre de méchanceté, de tout défaire au moment que tout allait s'arranger. Mais ces deux personnes-là, nous ne leur en voulons pas comme aux inopportuns Cottard, car la dernière, c'est la personne que nous aimons, et la première, c'est nous-même.

Cependant, comme, presque chaque fois que j'allais la voir, Mme Swann m'invitait à venir goûter avec sa fille et me disait de répondre directement à celle-ci, j'écrivais souvent à Gilberte, et dans cette correspondance je ne choisissais pas les phrases qui eussent pu, me semblait-il, la persuader, je cherchais seulement à frayer le lit le plus doux au ruissellement de mes pleurs. Car le regret comme le désir ne cherche pas à s'analyser, mais à se satisfaire ; quand on commence d'aimer, on passe le temps non à savoir ce qu'est son amour, mais à préparer les possibilités des rendez-vous du lendemain. Quand on renonce, on cherche non à connaître son chagrin, mais à offrir de lui à celle qui le cause l'expression qui nous paraît la plus tendre. On dit les choses qu'on éprouve le besoin de dire et que l'autre ne comprendra pas, on ne parle que pour soi-même. J'écrivais : « J'avais cru que ce ne serait pas possible. Hélas, je vois que ce n'est pas si difficile. » Je disais aussi : « Je ne vous verrai probablement plus », je le disais en continuant à me garder d'une froideur qu'elle eût pu croire affectée,

et ces mots, en les écrivant, me faisaient pleurer, parce
que je sentais qu'ils exprimaient non ce que j'aurais voulu
croire, mais ce qui arriverait en réalité. Car à la prochaine
demande de rendez-vous qu'elle me ferait adresser,
j'aurais encore, comme cette fois, le courage de ne pas
céder et, de refus en refus, j'arriverais peu à peu au
moment où, à force de ne plus l'avoir vue, je ne désirerais
pas la voir. Je pleurais mais je trouvais le courage, je
connaissais la douceur, de sacrifier le bonheur d'être
auprès d'elle à la possibilité de lui paraître agréable un
jour, un jour où, hélas! lui paraître agréable me serait
indifférent. L'hypothèse même, pourtant si peu vraisemblable, qu'en ce moment, comme elle l'avait prétendu
pendant la dernière visite que je lui avais faite, elle m'aimât, que ce que je prenais pour l'ennui qu'on éprouve
auprès de quelqu'un dont on est las, ne fût dû qu'à une
susceptibilité jalouse, à une feinte d'indifférence analogue à la mienne, ne faisait que rendre ma résolution
moins cruelle. Il me semblait alors que, dans quelques
années, après que nous nous serions oubliés l'un l'autre,
quand je pourrais retrospectivement lui dire que cette
lettre qu'en ce moment j'étais en train de lui écrire n'avait
été nullement sincère, elle me répondrait : « Comment,
vous, vous m'aimiez ? Si vous saviez comme je l'attendais,
cette lettre, comme j'espérais un rendez-vous, comme elle
me fit pleurer! » La pensée, pendant que je lui écrivais,
aussitôt rentré de chez sa mère, que j'étais peut-être
en train de consommer précisément ce malentendu-là,
cette pensée, par sa tristesse même, par le plaisir d'imaginer que j'étais aimé de Gilberte, me poussait à continuer ma lettre.

Si, au moment de quitter Mme Swann quand son « thé »
finissait, je pensais à ce que j'allais écrire à sa fille,
Mme Cottard, elle, en s'en allant, avait eu des pensées d'un
caractère tout différent. Faisant sa « petite inspection »,
elle n'avait pas manqué de féliciter Mme Swann sur les

meubles nouveaux, les récentes « acquisitions » remarquées dans le salon. Elle pouvait d'ailleurs y retrouver, quoique en bien petit nombre, quelques-uns des objets qu'Odette avait autrefois dans l'hôtel de la rue La Pérouse, notamment ses animaux en matières précieuses, ses fétiches.

Mais Mᵐᵉ Swann, ayant appris d'un ami qu'elle vénérait le mot « tocard » — lequel lui avait ouvert de nouveaux horizons, parce qu'il désignait précisément les choses que quelques années auparavant elle avait trouvées « chic » — toutes ces choses-là, successivement, avaient suivi dans leur retraite le treillage doré qui servait d'appui aux chrysanthèmes, mainte bonbonnière de chez Giroux et le papier à lettres à couronne (pour ne pas parler des louis en carton semés sur les cheminées et que, bien avant qu'elle connût Swann, un homme de goût lui avait conseillé de sacrifier). D'ailleurs dans le désordre artiste, dans le pêle-mêle d'atelier, des pièces aux murs encore peints de couleurs sombres qui les faisaient aussi différentes que possible des salons blancs que Mᵐᵉ Swann eut un peu plus tard, l'Extrême-Orient reculait de plus en plus devant l'invasion du XVIIIᵉ siècle ; et les coussins que, afin que je fusse plus « confortable », Mᵐᵉ Swann entassait et pétrissait derrière mon dos étaient semés de bouquets Louis XV, et non plus comme autrefois de dragons chinois. Dans la chambre où on la trouvait le plus souvent et dont elle disait : « Oui, je l'aime assez, je m'y tiens beaucoup ; je ne pourrais pas vivre au milieu de choses hostiles et pompier ; c'est ici que je travaille » (sans d'ailleurs préciser si c'était à un tableau, peut-être à un livre, le goût d'en écrire commençait à venir aux femmes qui aiment à faire quelque chose et à ne pas être inutiles), elle était entourée de Saxe (aimant cette dernière sorte de porcelaine, dont elle prononçait le nom avec un accent anglais, jusqu'à dire à propos de tout : C'est joli, cela ressemble à des fleurs de Saxe) ; elle redoutait pour eux, plus encore que jadis pour

ses magots et ses potiches, le toucher ignorant des domestiques auxquels elle faisait expier les transes qu'ils lui
avaient données par des emportements auxquels Swann,
maître si poli et doux, assistait sans en être choqué. La
vue lucide de certaines infériorités n'ôte d'ailleurs rien à
la tendresse ; celle-ci les fait au contraire trouver charmantes. Maintenant c'était plus rarement dans des robes
de chambre japonaises qu'Odette recevait ses intimes,
mais plutôt dans les soies claires et mousseuses de peignoirs Watteau desquelles elle faisait le geste de caresser
sur ses seins l'écume fleurie, et dans lesquelles elle se
baignait, se prélassait, s'ébattait, avec un tel air de bien-
être, de rafraîchissement de la peau, et des respirations si
profondes, qu'elle semblait les considérer non pas comme
décoratives à la façon d'un cadre, mais comme nécessaires
de la même manière que le « tub » et le « footing », pour
contenter les exigences de sa physionomie et les raffinements de son hygiène. Elle avait l'habitude de dire qu'elle
se passerait plus aisément de pain que d'art et de propreté,
et qu'elle eût été plus triste de voir brûler *la Joconde* que
des « foultitudes » de personnes qu'elle connaissait. Théo-
ries qui semblaient paradoxales à ses amies, mais la faisaient passer pour une femme supérieure auprès d'elles et
lui valaient une fois par semaine la visite du ministre de
Belgique, de sorte que dans le petit monde dont elle était
le soleil, chacun eût été bien étonné si l'on avait appris
qu'ailleurs, chez les Verdurin par exemple, elle passât
pour bête. A cause de cette vivacité d'esprit, Mme Swann
préférait la société des hommes à celle des femmes. Mais
quand elle critiquait celles-ci, c'était toujours en cocotte,
signalant en elles les défauts qui pouvaient leur nuire
auprès des hommes, de grosses attaches, un vilain teint,
pas d'orthographe, des poils aux jambes, une odeur
pestilentielle, de faux sourcils. Pour telle au contraire qui
lui avait jadis montré de l'indulgence et de l'amabilité,
elle était plus tendre, surtout si celle-là était malheureuse.

Elle la défendait avec adresse et disait : « On est injuste pour elle, car c'est une gentille femme, je vous assure. »

Ce n'était pas seulement l'ameublement du salon d'Odette, c'était Odette elle-même que Mme Cottard et tous ceux qui avaient fréquenté Mme de Crécy auraient eu peine, s'ils ne l'avaient pas vue depuis longtemps, à reconnaître. Elle semblait avoir tant d'années de moins qu'autrefois ! Sans doute, cela tenait en partie à ce qu'elle avait engraissé, et, devenue mieux portante, avait l'air plus calme, plus frais, plus reposé, et d'autre part à ce que les coiffures nouvelles, aux cheveux lissés, donnaient plus d'extension à son visage qu'une poudre rose animait, et où ses yeux et son profil, jadis trop saillants, semblaient maintenant résorbés. Mais une autre raison de ce changement consistait en ceci que, arrivée au milieu de la vie, Odette s'était enfin découvert, ou inventé, une physionomie personnelle, un « caractère » immuable, un « genre de beauté », et sur ses traits décousus — qui pendant si longtemps, livrés aux caprices hasardeux et impuissants de la chair, prenant à la moindre fatigue pour un instant des années, une sorte de vieillesse passagère, lui avaient composé tant bien que mal, selon son humeur et selon sa mine, un visage épars, journalier, informe et charmant — avait appliqué ce type fixe, comme une jeunesse immortelle.

Swann avait dans sa chambre, au lieu des belles photographies qu'on faisait maintenant de sa femme, et où la même expression énigmatique et victorieuse laissait reconnaître, quels que fussent la robe et le chapeau, sa silhouette et son visage triomphants, un petit daguerréotype ancien tout simple, antérieur à ce type, et duquel la jeunesse et la beauté d'Odette, non encore trouvées par elle, semblaient absentes. Mais sans doute Swann, fidèle ou revenu à une conception différente, goûtait-il dans la jeune femme grêle aux yeux pensifs, aux traits las, à l'attitude suspendue entre la marche et l'immobilité, une

grâce plus botticellienne. Il aimait encore, en effet, à voir
en sa femme un Botticelli. Odette qui au contraire cherchait non à faire ressortir, mais à compenser, à dissimuler ce qui, en elle-même, ne lui plaisait pas, ce qui
était peut-être, pour un artiste, son « caractère », mais que,
comme femme, elle trouvait des défauts, ne voulait pas
entendre parler de ce peintre. Swann possédait une
merveilleuse écharpe orientale, bleue et rose, qu'il avait
achetée parce que c'était exactement celle de la Vierge du
Magnificat. Mais Mme Swann ne voulait pas la porter.
Une fois seulement elle laissa son mari lui commander
une toilette toute criblée de pâquerettes, de bluets, de
myosotis et de campanules d'après la Primavera du *Printemps*. Parfois, le soir, quand elle était fatiguée, il me
faisait remarquer tout bas comme elle donnait, sans s'en
rendre compte, à ses mains pensives le mouvement délié,
un peu tourmenté de la Vierge qui trempe sa plume dans
l'encrier que lui tend l'ange, avant d'écrire sur le livre
saint où est déjà tracé le mot « Magnificat ». Mais il ajoutait : « Surtout ne le lui dites pas, il suffirait qu'elle le sût
pour qu'elle fît autrement. »

Sauf à ces moments d'involontaire fléchissement où
Swann essayait de retrouver la mélancolique cadence
botticellienne, le corps d'Odette était maintenant découpé
en une seule silhouette, cernée tout entière par une « ligne »
qui, pour suivre le contour de la femme, avait abandonné
les chemins accidentés, les rentrants et les sortants factices, les lacis, l'éparpillement composite des modes
d'autrefois, mais qui aussi, là où c'était l'anatomie qui se
trompait en faisant des détours inutiles en deçà ou au
delà du tracé idéal, savait rectifier d'un trait hardi les écarts
de la nature, suppléer, pour toute une partie du parcours,
aux défaillances aussi bien de la chair que des étoffes.
Les coussins, le « strapontin » de l'affreuse « tournure »
avaient disparu, ainsi que ces corsages à basques qui,
dépassant la jupe et raidis par des baleines, avaient ajouté

si longtemps à Odette un ventre postiche et lui avaient donné l'air d'être composée de pièces disparates qu'aucune individualité ne reliait. La verticale des « effilés » et la courbe des ruches avaient cédé la place à l'inflexion d'un corps qui faisait palpiter la soie comme la sirène bat l'onde et donnait à la percaline une expression humaine, maintenant qu'il s'était dégagé, comme une forme organisée et vivante, du long chaos et de l'enveloppement nébuleux des modes détrônées. Mais Mme Swann cependant avait voulu, avait su garder un vestige de certaines d'entre elles, au milieu même de celles qui les avaient remplacées. Quand, le soir, ne pouvant travailler et étant assuré que Gilberte était au théâtre avec des amies, j'allais à l'improviste chez ses parents, je trouvais souvent Mme Swann dans quelque élégant déshabillé dont la jupe, d'un de ces beaux tons sombres, rouge foncé ou orange, qui avaient l'air d'avoir une signification particulière parce qu'ils n'étaient plus à la mode, était obliquement traversée d'une rampe ajourée et large de dentelle noire qui faisait penser aux volants d'autrefois. Quand, par un jour encore froid de printemps, elle m'avait, avant ma brouille avec sa fille, emmené au Jardin d'Acclimatation, sous sa veste qu'elle entr'ouvrait plus ou moins selon qu'elle se réchauffait en marchant, le « dépassant » en dents de scie de sa chemisette avait l'air du revers entrevu de quelque gilet absent, pareil à l'un de ceux qu'elle avait portés quelques années plus tôt et dont elle aimait que les bords eussent ce léger déchiquetage ; et sa cravate — de cet « écossais » auquel elle était restée fidèle, mais en adoucissant tellement les tons (le rouge devenu rose et le bleu, lilas) que l'on aurait presque cru à un de ces taffetas gorge-de-pigeon qui étaient la dernière nouveauté — était nouée de telle façon sous son menton, sans qu'on pût voir où elle était attachée, qu'on pensait invinciblement à ces « brides » de chapeaux qui ne se portaient plus. Pour peu qu'elle sût « durer » encore quelque temps ainsi, les jeunes gens, essayant de comprendre ses toilettes, diraient : « Madame Swann, n'est-ce pas, c'est toute une époque ? » Comme dans un beau style qui superpose des formes différentes et que fortifie une tradition cachée, dans la toilette de Mme Swann, ces souvenirs incertains de gilets, ou de boucles, parfois une tendance aussitôt réprimée au « saute en barque » et jusqu'à une allusion lointaine et vague au « suivez-moi jeune homme », faisaient circuler sous la forme concrète la ressemblance inachevée d'autres plus anciennes qu'on n'aurait pu y trouver effectivement réalisées par la couturière ou la modiste, mais auxquelles on pensait sans cesse, et enveloppaient Mme Swann de quelque chose de noble — peut-être que l'inutilité même de ces atours faisait qu'ils semblaient répondre à un but plus qu'utilitaire, peut-être à cause du vestige conservé des années passées, ou encore d'une sorte d'individualité vestimentaire, particulière à cette femme, et qui donnait à ses mises les plus différentes un même air de famille. On sentait qu'elle ne s'habillait pas seulement pour la commodité ou la parure de son corps ; elle était entourée de sa toilette comme de l'appareil délicat et spiritualisé d'une civilisation.

Quand Gilberte, qui d'habitude donnait ses goûters le jour où recevait sa mère, devait au contraire être absente et qu'à cause de cela je pouvais aller au « Choufleury » de Mme Swann, je la trouvais vêtue de quelque belle robe, certaines en taffetas, d'autres en faille, ou en velours, ou en crêpe de Chine, ou en satin, ou en soie, et qui, non point lâches comme les déshabillés qu'elle revêtait ordinairement à la maison, mais combinées comme pour la sortie au dehors, donnaient, cet après-midi-là, à son oisiveté chez elle quelque chose d'alerte et d'agissant. Et sans doute la simplicité hardie de leur coupe était bien appropriée à sa taille et à ses mouvements dont les manches avaient l'air d'être la couleur, changeante selon les jours ; on aurait dit qu'il y avait soudain de la décision dans le velours bleu, une humeur facile dans le taffetas blanc, et qu'une sorte de réserve suprême et pleine de distinction dans la façon d'avancer le bras avait, pour devenir visible, revêtu l'apparence, brillante du sourire des grands sacrifices, du crêpe de Chine noir. Mais, en même temps, à ces robes si vives la complication des « garnitures » sans utilité pratique, sans raison d'être visible, ajoutait quelque chose de désintéressé, de pensif, de secret, qui s'accordait à la mélancolie que Mme Swann gardait toujours, au moins dans la cernure de ses yeux et les phalanges de ses mains. Sous la profusion des porte-bonheur en saphir, des trèfles à quatre feuilles d'émail, des médailles d'argent, des médaillons d'or, des amulettes de turquoise, des chaînettes de rubis, des châtaignes de topaze, il y avait dans la robe elle-même tel dessin colorié poursuivant sur un empiècement rapporté son existence antérieure, telle rangée de petits boutons de satin qui ne boutonnaient rien et ne pouvaient pas se déboutonner, une soutache cherchant à faire plaisir avec la minutie, la discrétion d'un rappel délicat, lesquels, tout autant que les bijoux, avaient l'air — n'ayant sans cela aucune justification possible — de déceler une intention, d'être un gage de tendresse, de retenir une confidence, de répondre à une superstition, de garder le souvenir d'une guérison, d'un vœu, d'un amour ou d'une philippine. Et parfois, dans le velours bleu du corsage un soupçon de crevé Henri II, dans la robe de satin noir un léger renflement qui, soit aux manches, près des épaules, faisait penser aux « gigots » 1830, soit au contraire sous la jupe, aux « paniers » Louis XV, donnaient à la robe un air imperceptible d'être un costume et, en insinuant sous la vie présente comme une réminiscence indiscernable du passé, mêlaient à la personne de Mme Swann le charme de certaines héroïnes historiques ou romanesques. Et si je le lui faisais remarquer : « Je ne joue pas au golf comme plusieurs de mes amies, disait-elle. Je n'aurais aucune excuse à être, comme elles, vêtue de sweaters. »

Dans la confusion du salon, revenant de reconduire une visite, ou prenant une assiette de gâteaux pour les offrir à une autre, Mme Swann, en passant près de moi, me prenait une seconde à part : « Je suis spécialement chargée par Gilberte de vous inviter à déjeuner pour après-demain. Comme je n'étais pas certaine de vous voir, j'allais vous écrire si vous n'étiez pas venu. » Je continuais à résister. Et cette résistance me coûtait de moins en moins, parce qu'on a beau aimer le poison qui vous fait du mal, quand on en est privé par quelque nécessité depuis déjà un certain temps, on ne peut pas ne pas attacher quelque prix au repos qu'on ne connaissait plus, à l'absence d'émotions et de souffrances. Si l'on n'est pas tout à fait sincère en se disant qu'on ne voudra jamais revoir celle qu'on aime, on ne le serait pas non plus en disant qu'on veut la revoir. Car, sans doute, on ne peut supporter son absence qu'en se la promettant courte, en pensant au jour où on se retrouvera, mais d'autre part on sent à quel point ces rêves quotidiens d'une réunion prochaine et sans cesse ajournée sont moins douloureux que ne serait une entrevue qui pourrait être suivie de jalousie, de sorte que la nouvelle qu'on va revoir celle qu'on aime donnerait une commotion peu agréable. Ce qu'on recule maintenant de jour en jour, ce n'est plus la fin de l'intolérable anxiété causée par la séparation, c'est le recommencement redouté d'émotions sans issue. Comme à une telle entrevue on préfère le souvenir docile, qu'on complète à son gré de rêveries où celle qui dans la réalité ne vous aime pas, vous fait, au contraire, des déclarations, quand vous êtes tout seul! Ce souvenir qu'on peut arriver, en y mêlant peu à peu beaucoup de ce qu'on désire, à rendre aussi doux qu'on veut, comme on le préfère à l'entretien ajourné où on aurait affaire à un être à qui on ne dicterait plus à son gré les paroles qu'on désire, mais dont on subirait les nouvelles froideurs, les violences inattendues! Nous savons tous, quand nous n'aimons plus, que l'oubli, même le souvenir vague ne causent pas tant de souffrances que l'amour malheureux. C'est d'un tel oubli anticipé que je préférais, sans me l'avouer, la reposante douceur.

D'ailleurs, ce qu'une telle cure de détachement psychique et d'isolement peut avoir de pénible, le devient de moins en moins pour une autre raison, c'est qu'elle affaiblit, en attendant de la guérir, cette idée fixe qu'est un amour. Le mien était encore assez fort pour que je tinsse à reconquérir tout mon prestige aux yeux de Gilberte, lequel, par ma séparation volontaire, devait, me semblait-il, grandir progressivement, de sorte que chacune de ces calmes et tristes journées où je ne la voyais pas, venant chacune après l'autre, sans interruption, sans prescription (quand un fâcheux ne se mêlait pas de mes affaires), était une journée non pas perdue, mais gagnée. Inutilement gagnée peut-être, car bientôt on pourrait me déclarer guéri. La résignation, modalité de l'habitude, permet à certaines forces de s'accroître indéfiniment. Celles, si infimes, que j'avais pour supporter mon chagrin, le premier soir de ma brouille avec Gilberte, avaient été portées depuis lors à une puissance incalculable. Seulement la tendance de tout ce qui existe à se prolonger est parfois coupée de brusques impulsions auxquelles nous nous concédons avec d'autant moins de scrupules de nous laisser aller que nous savons pendant combien de jours, de mois, nous avons pu, nous pourrions encore, nous priver. Et souvent, c'est quand la bourse où l'on épargne va être pleine qu'on la vide tout d'un coup, c'est sans attendre le résultat du traitement et quand déjà on s'est habitué à lui, qu'on le cesse. Et un jour où Mᵐᵉ Swann me redisait ses habituelles paroles sur le plaisir que Gilberte aurait à me voir, mettant ainsi le bonheur dont je me privais déjà depuis si longtemps comme à la portée de ma main, je fus bouleversé en comprenant qu'il était encore possible de le goûter ; et j'eus peine à attendre le lendemain ; je venais de me résoudre à aller surprendre Gilberte avant son dîner.

Ce qui m'aida à patienter tout l'espace d'une journée fut un projet que je fis. Du moment que tout était oublié, que j'étais réconcilié avec Gilberte, je ne voulais plus la voir qu'en amoureux. Tous les jours, elle recevrait de moi les plus belles fleurs qui fussent. Et si Mᵐᵉ Swann, bien qu'elle n'eût pas le droit d'être une mère trop sévère, ne me permettait pas des envois de fleurs quotidiens, je trouverais des cadeaux plus précieux et moins fréquents. Mes parents ne me donnaient pas assez d'argent pour acheter des choses chères. Je songeai à une grande potiche de vieux Chine qui me venait de ma tante Léonie et dont maman prédisait chaque jour que Françoise allait venir en lui disant : « A s'est décollée » et qu'il n'en resterait rien. Dans ces conditions, n'était-il pas plus sage de la vendre, de la vendre pour pouvoir faire tout le plaisir que je voudrais à Gilberte ? Il me semblait que je pourrais bien en tirer mille francs. Je la fis envelopper ; l'habitude m'avait empêché de jamais la voir : m'en séparer eut au moins un avantage, qui fut de me faire faire sa connaissance. Je l'emportai avec moi avant d'aller chez les Swann et, en donnant leur adresse au cocher, je lui dis de prendre par les Champs-Élysées, au coin desquels était le magasin d'un grand marchand de chinoiseries que connaissait mon père. A ma grande surprise, il m'offrit séance tenante de la potiche non pas mille, mais dix mille francs. Je pris ces billets avec ravissement ; pendant toute une année, je pourrais combler chaque jour Gilberte de roses et de lilas. Quand je fus remonté dans la voiture en quittant le marchand, le cocher, tout naturellement, comme les Swann demeuraient près du Bois, se trouva, au lieu du chemin habituel, descendre l'avenue des Champs-Élysées. Il avait déjà dépassé le coin de la rue de Berri, quand, dans le crépuscule, je crus reconnaître, très près de la maison des Swann, mais allant dans la direction inverse et s'en éloignant, Gilberte qui marchait lentement, quoique d'un

pas délibéré, à côté d'un jeune homme avec qui elle causait et duquel je ne pus distinguer le visage. Je me soule-
vai dans la voiture, voulant faire arrêter, puis j'hésitai. Les
deux promeneurs étaient déjà un peu loin, et les deux
lignes douces et parallèles que traçait leur lente promenade allaient s'estompant dans l'ombre élyséenne. Bientôt
j'arrivai devant la maison de Gilberte. Je fus reçu par
Mme Swann : « Oh ! elle va être désolée, me dit-elle, je ne
sais pas comment elle n'est pas là. Elle a eu très chaud
tantôt à un cours, elle m'a dit qu'elle voulait aller prendre
un peu l'air avec une de ses amies. — Je crois que je l'ai
aperçue avenue des Champs-Élysées. — Je ne pense pas
que ce fût elle. En tous cas, ne le dites pas à son père, il
n'aime pas qu'elle sorte à ces heures-là. *Good evening.* » Je
partis, dis au cocher de reprendre le même chemin mais
ne retrouvai pas les deux promeneurs. Où avaient-ils été ?
Que se disaient-ils dans le soir, de cet air confidentiel ?

Je rentrai, tenant avec désespoir les dix mille francs
inespérés qui avaient dû me permettre de faire tant de
petits plaisirs à cette Gilberte que, maintenant, j'étais
décidé à ne plus revoir. Sans doute, cet arrêt chez le
marchand de chinoiseries m'avait réjoui en me faisant
espérer que je ne verrais plus jamais mon amie que contente de moi et reconnaissante. Mais si je n'avais pas
fait cet arrêt si la voiture n'avait pas pris par l'avenue,
des Champs-Élysées, je n'eusse pas rencontré Gilberte
et ce jeune homme. Ainsi un même fait porte des rameaux
opposites et le malheur qu'il engendre annule le bonheur
qu'il avait causé. Il m'était arrivé le contraire de ce qui
se produit si fréquemment. On désire une joie, et le
moyen matériel de l'atteindre fait défaut. « Il est triste,
a dit La Bruyère, d'aimer sans une grande fortune. »
Il ne reste plus qu'à essayer d'anéantir peu à peu le désir
de cette joie. Pour moi, au contraire, le moyen matériel
avait été obtenu, mais, au même moment, sinon par un
effet logique, du moins par une conséquence fortuite

de cette réussite première, la joie avait été dérobée. Il semble, d'ailleurs, qu'elle doive nous l'être toujours. D'ordinaire, il est vrai, pas dans la même soirée où nous avons acquis ce qui la rend possible. Le plus souvent, nous continuons de nous évertuer et d'espérer quelque temps. Mais le bonheur ne peut jamais avoir lieu. Si les circonstances arrivent à être surmontées, la nature transporte la lutte du dehors au dedans et fait peu à peu changer assez notre cœur pour qu'il désire autre chose que ce qu'il va posséder. Et si la péripétie a été si rapide que notre cœur n'a pas eu le temps de changer, la nature ne désespère pas pour cela de nous vaincre, d'une manière plus tardive il est vrai, plus subtile, mais aussi efficace. C'est alors à la dernière seconde que la possession du bonheur nous est enlevée, ou plutôt c'est cette possession même que par une ruse diabolique la nature charge de détruire le bonheur. Ayant échoué dans tout ce qui était du domaine des faits et de la vie, c'est une impossibilité dernière, l'impossibilité psychologique du bonheur, que la nature crée. Le phénomène du bonheur ne se produit pas ou donne lieu aux réactions les plus amères.

Je serrai les dix mille francs. Mais ils ne me servaient plus à rien. Je les dépensai du reste encore plus vite que si j'eusse envoyé tous les jours des fleurs à Gilberte, car, quand le soir venait, j'étais si malheureux que je ne pouvais rester chez moi et allais pleurer dans les bras de femmes que je n'aimais pas. Quant à chercher à faire un plaisir quelconque à Gilberte, je ne le souhaitais plus ; maintenant retourner dans la maison de Gilberte n'eût pu que me faire souffrir. Même revoir Gilberte, qui m'eût été si délicieux la veille, ne m'eût plus suffi. Car j'aurais été inquiet tout le temps où je n'aurais pas été près d'elle. C'est ce qui fait qu'une femme, par toute nouvelle souffrance qu'elle nous inflige, souvent sans le savoir, augmente son pouvoir sur nous, mais aussi nos exigences envers elle. Par ce mal qu'elle nous a fait, la femme nous cerne de plus en plus, redouble nos chaînes, mais aussi celles dont il nous aurait jusque-là semblé suffisant de la garrotter pour que nous nous sentions tranquilles. La veille encore, si je n'avais pas cru ennuyer Gilberte, je me serais contenté de réclamer de rares entrevues, lesquelles maintenant ne m'eussent plus contenté et que j'eusse remplacées par bien d'autres conditions. Car en amour, au contraire de ce qui se passe après les combats, on les fait plus dures, on ne cesse de les aggraver, plus on est vaincu, si toutefois on est en situation de les imposer. Ce n'était pas mon cas à l'égard de Gilberte. Aussi je préférai d'abord ne pas retourner chez sa mère. Je continuais bien à me dire que Gilberte ne m'aimait pas, que je le savais depuis assez longtemps, que je pouvais la revoir si je voulais, et, si je ne le voulais pas, l'oublier à la longue. Mais ces idées, comme un remède qui n'agit pas contre certaines affections, étaient sans aucune espèce de pouvoir efficace contre ces deux lignes parallèles, que je revoyais de temps à autre, de Gilberte et du jeune homme s'enfonçant à petits pas dans l'avenue des Champs-Élysées. C'était un mal nouveau, qui lui aussi finirait pas s'user, c'était une image qui, un jour, se présenterait à mon esprit entièrement décantée de tout ce qu'elle contenait de nocif, comme ces poisons mortels qu'on manie sans danger, comme un peu de dynamite à quoi on peut allumer sa cigarette sans crainte d'explosion. En attendant, il y avait en moi une autre force qui luttait de toute sa puissance contre cette force malsaine qui me représentait sans changement la promenade de Gilberte dans le crépuscule : pour briser les assauts renouvelés de ma mémoire, travaillait utilement en sens inverse mon imagination. La première de ces deux forces, certes, continuait à me montrer ces deux promeneurs de l'avenue des Champs-Élysées, et m'offrait d'autres images désagréables, tirées du passé, par exemple Gilberte haussant les

épaules quand sa mère lui demandait de rester avec moi.
Mais la seconde force, travaillant sur le canevas de mes
espérances, dessinait un avenir bien plus complaisam-
ment développé que ce pauvre passé en somme si restreint. Pour une minute où je revoyais Gilberte maussade,
combien n'y en avait-il pas où je combinais une démarche
qu'elle ferait faire pour notre réconciliation, pour nos
fiançailles peut-être! Il est vrai que cette force que l'imagination dirigeait vers l'avenir, elle la puisait malgré
tout dans le passé. Au fur et à mesure que s'effacerait
mon ennui que Gilberte eût haussé les épaules, diminue-
rait aussi le souvenir de son charme, souvenir qui me
faisait souhaiter qu'elle revînt vers moi. Mais j'étais
encore bien loin de cette mort du passé. J'aimais toujours celle qu'il est vrai que je croyais détester. Chaque
fois qu'on me trouvait bien coiffé, ayant bonne mine,
j'aurais voulu qu'elle fût là. J'étais irrité du désir que
beaucoup de gens manifestèrent à cette époque de me
recevoir et chez lesquels je refusai d'aller. Il y eut une
scène à la maison parce que je n'accompagnai pas mon
père à un dîner officiel où il devait y avoir les Bontemps
avec leur nièce Albertine, petite jeune fille presque encore
enfant. Les différentes périodes de notre vie se chevau-
chent ainsi l'une l'autre. On refuse dédaigneusement, à
cause de ce qu'on aime et qui vous sera un jour si égal,
de voir ce qui vous est égal aujourd'hui, qu'on aimera
demain, qu'on aurait peut-être pu, si on avait consenti à
le voir, aimer plus tôt, et qui eût ainsi abrégé vos souffrances actuelles, pour les remplacer, il est vrai, par
d'autres. Les miennes allaient se modifiant. J'avais
l'étonnement d'apercevoir au fond de moi-même, un
jour un sentiment, le jour suivant un autre, généralement
inspirés par telle espérance ou telle crainte relatives à
Gilberte. A la Gilberte que je portais en moi. J'aurais dû
me dire que l'autre, la réelle, était peut-être entièrement
différente de celle-là, ignorait tous les regrets que je lui

prêtais, pensait probablement beaucoup moins à moi non seulement que moi à elle, mais que je ne la faisais elle-même penser à moi quand j'étais seul en tête à tête avec ma Gilberte fictive, cherchais quelles pouvaient être ses vraies intentions à mon égard, et l'imaginais ainsi, son attention toujours tournée vers moi.

Pendant ces périodes où, tout en s'affaiblissant, persiste le chagrin, il faut distinguer entre celui que nous cause la pensée constante de la personne elle-même, et celui que raniment certains souvenirs, telle phrase méchante dite, tel verbe employé dans une lettre qu'on a reçue. En réservant de décrire, à l'occasion d'un amour ultérieur, les formes diverses du chagrin, disons que, de ces deux-là, la première est infiniment moins cruelle que la seconde. Cela tient à ce que notre notion de la personne, vivant toujours en nous, y est embellie de l'auréole que nous ne tardons pas à lui rendre, et s'empreint sinon des douceurs fréquentes de l'espoir, tout au moins du calme d'une tristesse permanente. (D'ailleurs, il est à remarquer que l'image d'une personne qui nous fait souffrir tient peu de place dans ces complications qui aggravent un chagrin d'amour, le prolongent et l'empêchent de guérir, comme dans certaines maladies la cause est hors de proportions avec la fièvre consécutive et la lenteur à entrer en convalescence.) Mais si l'idée de la personne que nous aimons reçoit le reflet d'une intelligence généralement optimiste, il n'en est pas de même de ces souvenirs particuliers, de ces propos méchants, de cette lettre hostile (je n'en reçus qu'une seule qui le fût, de Gilberte), on dirait que la personne elle-même réside dans ces fragments pourtant si restreints, et portée à une puissance qu'elle est bien loin d'avoir dans l'idée habituelle que nous nous formons d'elle tout entière. C'est que la lettre, nous ne l'avons pas, comme l'image de l'être aimé, contemplée dans le calme mélancolique du regret ; nous l'avons lue, dévorée, dans l'angoisse affreuse dont nous étreignait un malheur inattendu. La formation de cette sorte de chagrins est autre ; ils nous viennent du dehors, et c'est par le chemin de la plus cruelle souffrance qu'ils sont allés jusqu'à notre cœur. L'image de notre amie, que nous croyons ancienne, authentique, a été en réalité refaite par nous bien des fois. Le souvenir cruel, lui, n'est pas contemporain de cette image restaurée, il est d'un autre âge, il est un des rares témoins d'un monstrueux passé. Mais comme ce passé continue à exister, sauf en nous à qui il a plu de lui substituer un merveilleux âge d'or, un paradis où tout le monde sera réconcilié, ces souvenirs, ces lettres sont un rappel à la réalité et devraient nous faire sentir, par le brusque mal qu'ils nous font, combien nous nous sommes éloignés d'elle dans les folles espérances de notre attente quotidienne. Ce n'est pas que cette réalité doive toujours rester la même, bien que cela arrive parfois. Il y a dans notre vie bien des femmes que nous n'avons jamais cherché à revoir et qui ont tout naturellement répondu à notre silence nullement voulu par un silence pareil. Seulement celles-là, comme nous ne les aimions pas, nous n'avons pas compté les années passées loin d'elles, et cet exemple, qui l'infirmerait, est négligé par nous quand nous raisonnons sur l'efficacité de l'isolement, comme le sont, par ceux qui croient aux pressentiments, tous les cas où les leurs ne furent pas vérifiés.

Mais enfin l'éloignement peut être efficace. Le désir, l'appétit de nous revoir finissent par renaître dans le cœur qui actuellement nous méconnaît. Seulement il y faut du temps. Or, nos exigences en ce qui concerne le temps ne sont pas moins exorbitantes que celles réclamées par le cœur pour changer. D'abord, du temps, c'est précisément ce que nous accordons le moins aisément, car notre souffrance est cruelle et nous sommes pressés de la voir finir. Ensuite, ce temps dont l'autre cœur aura besoin pour changer, le nôtre s'en servira pour changer

lui aussi, de sorte que quand le but que nous nous propo-
sions deviendra accessible, il aura cessé d'être un but
pour nous. D'ailleurs, l'idée même qu'il sera accessible,
qu'il n'est pas de bonheur que, lorsqu'il ne sera plus un
bonheur pour nous, nous ne finissions par atteindre,
cette idée comporte une part, mais une part seulement,
de vérité. Il nous échoit quand nous y sommes devenus
indifférents. Mais précisément cette indifférence nous a
rendus moins exigeants et nous permet de croire rétrospectivement qu'il nous eût ravis à une époque où il
nous eût peut-être semblé fort incomplet. On n'est pas
très difficile, ni très bon juge, sur ce dont on ne se soucie
point. L'amabilité d'un être que nous n'aimons plus et
qui semble encore excessive à notre indifférence, eût
peut-être été bien loin de suffire à notre amour. Ces
tendres paroles, cette offre d'un rendez-vous, nous pensons au plaisir qu'elles nous auraient causé, non à toutes
celles dont nous les aurions voulu voir immédiatement
suivies et que, par cette avidité, nous aurions peut-être
empêché de se produire. De sorte qu'il n'est pas certain
que le bonheur survenu trop tard, quand on ne peut plus
en jouir, quand on n'aime plus, soit tout à fait ce même
bonheur dont le manque nous rendit jadis si malheureux.
Une seule personne pourrait en décider, notre moi
d'alors; il n'est plus là; et sans doute suffirait-il qu'il
revînt pour que, identique ou non, le bonheur s'évanouît.

En attendant ces réalisations après coup d'un rêve
auquel je ne tiendrais plus, à force d'inventer, comme au
temps où je connaissais à peine Gilberte, des paroles, des
lettres où elle implorait mon pardon, avouait n'avoir
jamais aimé que moi et demandait à m'épouser, une série
de douces images incessamment recréées finirent par prendre plus de place dans mon esprit que la vision de Gilberte et du jeune homme, laquelle n'était plus alimentée
par rien. Je serais peut-être dès lors retourné chez
Mme Swann, sans un rêve que je fis et où un de mes amis,

lequel n'était pourtant pas de ceux que je me connaissais, agissait envers moi avec la plus grande fausseté et croyait à la mienne. Brusquement réveillé par la souffrance que venait de me causer ce rêve et voyant qu'elle persistait, je repensai à lui, cherchai à me rappeler quel était l'ami que j'avais vu en dormant et dont le nom espagnol n'était déjà plus distinct. A la fois Joseph et Pharaon, je me mis à interpréter mon rêve. Je savais que dans beaucoup d'entre eux il ne faut tenir compte ni de l'apparence des personnes, lesquelles peuvent être déguisées et avoir interchangé leurs visages, comme ces saints mutilés des cathédrales que des archéologues ignorants ont refaits, en mettant sur le corps de l'un la tête de l'autre, et en mêlant les attributs et les noms. Ceux que les êtres portent dans un rêve peuvent nous abuser. La personne que nous aimons doit y être reconnue seulement à la force de la douleur éprouvée. La mienne m'apprit que, devenue pendant mon sommeil un jeune homme, la personne dont la fausseté récente me faisait encore mal était Gilberte. Je me rappelai alors que, la dernière fois que je l'avais vue, le jour où sa mère l'avait empêchée d'aller à une matinée de danse, elle avait, soit sincèrement, soit en le feignant, refusé, tout en riant d'une façon étrange, de croire à mes bonnes intentions pour elle. Par association, ce souvenir en ramena un autre dans ma mémoire. Longtemps auparavant, ç'avait été Swann qui n'avait pas voulu croire à ma sincérité, ni que je fusse un bon ami pour Gilberte. Inutilement je lui avais écrit, Gilberte m'avait rapporté ma lettre et me l'avait rendue avec le même rire incompréhensible. Elle ne me l'avait pas rendue tout de suite, je me rappelai toute la scène derrière le massif de lauriers. On devient moral dès qu'on est malheureux. L'antipathie actuelle de Gilberte pour moi me sembla comme un châtiment infligé par la vie à cause de la conduite que j'avais eue ce jour-là. Les châtiments, on croit les éviter, parce qu'on fait attention aux

voitures en traversant, qu'on évite les dangers. Mais il
en est d'internes. L'accident vient du côté auquel on ne
songeait pas, du dedans, du cœur. Les mots de Gilberte :
« Si vous voulez, continuons à lutter » me firent horreur.
Je l'imaginai telle, chez elle peut-être, dans la lingerie,
avec le jeune homme que j'avais vu l'accompagnant dans
l'avenue des Champs-Élysées. Ainsi, autant que (il y
avait quelque temps) de croire que j'étais tranquillement installé dans le bonheur, j'avais été insensé, maintenant que j'avais renoncé à être heureux, de tenir pour
assuré que, du moins, j'étais devenu, je pourrais rester
calme. Car, tant que notre cœur enferme d'une façon
permanente l'image d'un autre être, ce n'est pas seulement notre bonheur qui peut à tout moment être détruit ;
quand ce bonheur est évanoui, quand nous avons souffert, puis, que nous avons réussi à endormir notre souffrance, ce qui est aussi trompeur et précaire qu'avait été
le bonheur même, c'est le calme. Le mien finit par revenir, car ce qui, modifiant notre état moral, nos désirs,
est entré, à la faveur d'un rêve, dans notre esprit, cela
aussi peu à peu se dissipe : la permanence et la durée ne
sont promises à rien, pas même à la douleur. D'ailleurs
ceux qui souffrent par l'amour sont, comme on dit de
certains malades, leur propre médecin. Comme il ne
peut leur venir de consolation que de l'être qui cause leur
douleur et que cette douleur est une émanation de lui,
c'est en elle qu'ils finissent par trouver un remède. Elle
le leur découvre elle-même à un moment donné, car
au fur et à mesure qu'ils la retournent en eux, cette douleur leur montre un autre aspect de la personne regrettée,
tantôt si haïssable qu'on n'a même plus le désir de la
revoir parce qu'avant de se plaire avec elle il faudrait la
faire souffrir, tantôt si douce que la douceur qu'on lui
prête, on lui en fait un mérite et on en tire une raison
d'espérer. Mais la souffrance qui s'était renouvelée en
moi eut beau finir par s'apaiser, je ne voulus plus retour-

ner que rarement chez Mme Swann. C'est d'abord que chez ceux qui aiment et sont abandonnés, le sentiment d'attente — même d'attente inavouée — dans lequel ils vivent se transforme de lui-même et, bien qu'en apparence identique, fait succéder à un premier état, un second exactement contraire. Le premier était la suite, le reflet des incidents douloureux qui nous avaient bouleversés. L'attente de ce qui pourrait se produire est mêlée d'effroi, d'autant plus que nous désirons à ce moment-là, si rien de nouveau ne nous vient du côté de celle que nous aimons, agir nous-mêmes, et nous ne savons trop quel sera le succès d'une démarche après laquelle il ne sera peut-être plus possible d'en entamer d'autre. Mais bientôt, sans que nous nous en rendions compte, notre attente qui continue est déterminée, nous l'avons vu, non plus par le souvenir du passé que nous avons subi, mais par l'espérance d'un avenir imaginaire. Dès lors, elle est presque agréable. Puis la première, en durant un peu, nous a habitués à vivre dans l'expectative. La souffrance que nous avons éprouvée durant nos derniers rendez-vous, survit encore en nous, mais déjà ensommeillée. Nous ne sommes pas trop pressés de la renouveler, d'autant plus que nous ne voyons pas bien ce que nous demanderions maintenant. La possession d'un peu plus de la femme que nous aimons ne ferait que nous rendre plus nécessaire ce que nous ne possédons pas, et qui resterait, malgré tout, nos besoins naissant de nos satisfactions, quelque chose d'irréductible.

Enfin une dernière raison s'ajouta plus tard à celle-ci pour me faire cesser complètement mes visites à Mme Swann. Cette raison, plus tardive, n'était pas que j'eusse encore oublié Gilberte, mais de tâcher de l'oublier plus vite. Sans doute, depuis que ma grande souffrance était finie, mes visites chez Mme Swann étaient redevenues, pour ce qui me restait de tristesse, le calmant et la distraction qui m'avaient été si précieux au début.

Mais la raison de l'efficacité du premier faisait aussi
l'inconvénient de la seconde, à savoir qu'à ces visites le
souvenir de Gilberte était intimement mêlé. La distraction ne m'eût été utile que si elle eût mis en lutte avec
un sentiment que la présence de Gilberte n'alimentait
plus, des pensées, des intérêts, des passions où Gilberte
ne fût entrée pour rien. Ces états de conscience auxquels
l'être qu'on aime reste étranger occupent alors une place
qui, si petite qu'elle soit d'abord, est autant de retranché à
l'amour qui occupait l'âme tout entière. Il faut chercher
à nourrir, à faire croître ces pensées, cependant que
décline le sentiment qui n'est plus qu'un souvenir, de
façon que les éléments nouveaux introduits dans l'esprit
lui disputent, lui arrachent une part de plus en plus
grande de l'âme, et finalement la lui dérobent toute. Je
me rendais compte que c'était la seule manière de tuer
un amour, et j'étais encore assez jeune, assez courageux
pour entreprendre de le faire, pour assumer la plus cruelle
des douleurs, qui naît de la certitude que, quelque temps
qu'on doive y mettre, on réussira. La raison que je donnais maintenant dans mes lettres à Gilberte, de mon refus
de la voir, c'était une allusion à quelque mystérieux
malentendu, parfaitement fictif, qu'il y aurait eu entre
elle et moi et sur lequel j'avais espéré d'abord que Gilberte me demanderait des explications. Mais, en fait,
même dans les relations les plus insignifiantes de la vie,
un éclaircissement n'est sollicité par un correspondant
qui sait qu'une phrase obscure, mensongère, incrimi-
natrice, est mise à dessein pour qu'il proteste, et qui est
trop heureux de sentir par là qu'il possède — et de garder
— la maîtrise et l'initiative des opérations. A plus forte
raison en est-il de même dans des relations plus tendres,
où l'amour a tant d'éloquence, l'indifférence si peu de
curiosité. Gilberte n'ayant pas mis en doute ni cherché
à connaître ce malentendu, il devint pour moi quelque
chose de réel auquel je me référais dans chaque lettre.

Et il y a dans ces situations prises à faux, dans l'affectation
de la froideur, un sortilège qui vous y fait persévérer.
A force d'écrire : « Depuis que nos cœurs sont désunis »,
pour que Gilberte me répondît : « Mais ils ne le sont pas,
expliquons-nous », j'avais fini par me persuader qu'ils
l'étaient. En répétant toujours : « La vie a pu changer pour
nous, elle n'effacera pas le sentiment que nous eûmes »,
par désir de m'entendre dire enfin : « Mais il n'y a rien de
changer, ce sentiment est plus fort que jamais », je vivais
avec l'idée que la vie avait changé en effet, que nous garde-
rions le souvenir du sentiment qui n'était plus, comme
certains nerveux, pour avoir simulé une maladie, finissent par rester toujours malades. Maintenant chaque
fois que j'avais à écrire à Gilberte, je me reportais à ce
changement imaginé et dont l'existence, désormais tacitement reconnue par le silence qu'elle gardait à ce sujet
dans ses réponses, subsisterait entre nous. Puis Gilberte
cessa de s'en tenir à la prétérition. Elle-même adopta
mon point de vue ; et, comme dans les toasts officiels où
le chef d'État qui est reçu reprend à peu près les mêmes
expressions dont vient d'user le chef d'État qui le reçoit,
chaque fois que j'écrivais à Gilberte : « La vie a pu nous
séparer, le souvenir du temps où nous nous connûmes
durera », elle ne manqua pas de répondre : « La vie a pu
nous séparer, elle ne pourra nous faire oublier les bonnes
heures qui nous seront toujours chères » (nous aurions
été bien embarrassés de dire pourquoi « la vie » nous avait
séparés, quel changement s'était produit). Je ne souffrais
plus trop. Pourtant un jour où je lui disais dans une lettre
que j'avais appris la mort de notre vieille marchande
de sucre d'orge des Champs-Élysées, comme je venais
d'écrire ces mots : « J'ai pensé que cela vous a fait de la
peine, en moi cela a remué bien des souvenirs », je ne pus
m'empêcher de fondre en larmes en voyant que je parlais
au passé, et comme s'il s'agissait d'un mort déjà presque
oublié, de cet amour auquel malgré moi je n'avais jamais

cessé de penser comme étant vivant, pouvant du moins renaître. Rien de plus tendre que cette correspondance entre amis qui ne voulaient plus se voir. Les lettres de Gilberte avaient la délicatesse de celles que j'écrivais aux indifférents, et me donnaient les mêmes marques apparentes d'affection si douces pour moi à recevoir d'elle.

D'ailleurs, peu à peu, chaque refus de la voir me fit moins de peine. Et, comme elle me devenait moins chère, mes souvenirs douloureux n'avaient plus assez de force pour détruire dans leur retour incessant la formation du plaisir que j'avais à penser à Florence, à Venise. Je regrettais, à ces moments-là, d'avoir renoncé à entrer dans la diplomatie et de m'être fait une existence sédentaire pour ne pas m'éloigner d'une jeune fille que je ne verrais plus et que j'avais déjà presque oubliée. On construit sa vie pour une personne et, quand enfin on peut l'y recevoir, cette personne ne vient pas, puis meurt pour nous et on vit prisonnier dans ce qui n'était destiné qu'à elle. Si Venise semblait à mes parents bien lointain et bien fiévreux pour moi, il était du moins facile d'aller sans fatigue s'installer à Balbec. Mais pour cela il eût fallu quitter Paris, renoncer à ces visites, grâce auxquelles, si rares qu'elles fussent, j'entendais quelquefois Mᵐᵉ Swann me parler de sa fille. Je commençais du reste à y trouver tel ou tel plaisir où Gilberte n'était pour rien.

Quand le printemps approcha, ramenant le froid, au temps des Saints de glace et des giboulées de la Semaine Sainte, comme Mᵐᵉ Swann trouvait qu'on gelait chez elle, il m'arrivait souvent de la voir recevant dans des fourrures, ses mains et ses épaules frileuses disparaissant sous le blanc et brillant tapis d'un immense manchon plat et d'un collet, tous deux d'hermine, qu'elle n'avait pas quittés en rentrant et qui avaient l'air des derniers carrés des neiges de l'hiver plus persistants que

les autres, et que la chaleur du feu ni le progrès de la
saison n'avaient réussi à fondre. Et la vérité totale de ces
semaines glaciales mais déjà fleurissantes, était suggérée
pour moi dans ce salon, où bientôt je n'irais plus, par
d'autres blancheurs plus enivrantes, celles, par exemple,
des « boules de neige » assemblant au sommet de leurs
hautes tiges nues, comme les arbustes linéaires des
préraphaélites, leurs globes parcellés mais unis, blancs
comme des anges annonciateurs et qu'entourait une
odeur de citron. Car la châtelaine de Tansonville savait
qu'avril, même glacé, n'est pas dépourvu de fleurs, que
l'hiver, le printemps, l'été, ne sont pas séparés par des
cloisons aussi hermétiques que tend à le croire le boule-
vardier qui jusqu'aux premières chaleurs s'imagine le
monde comme renfermant seulement des maisons nues
sous la pluie. Que Mme Swann se contentât des envois
que lui faisait son jardinier de Combray et que, par
l'intermédiaire de sa fleuriste « attitrée », elle ne comblât
pas les lacunes d'une insuffisante évocation à l'aide d'em-
prunts faits à la précocité méditerranéenne, je suis loin
de le prétendre et je ne m'en souciais pas. Il me suffisait,
pour avoir la nostalgie de la campagne, qu'à côté des
névés du manchon que tenait Mme Swann, les boules de
neige (qui n'avaient peut-être dans la pensée de la maîtresse de la maison d'autre but que de faire, sur les conseils de Bergotte, « symphonie en blanc majeur » avec
son ameublement et sa toilette) me rappelassent que l'Enchantement du Vendredi Saint figure un miracle naturel auquel on pourrait assister tous les ans si l'on était
plus sage, et aidées de parfum acide et capiteux de corolles d'autres espèces dont j'ignorais les noms et qui
m'avaient fait rester tant de fois en arrêt dans mes promenades de Combray, rendissent le salon de Mme Swann
aussi virginal, aussi candidement fleuri sans aucune
feuille, aussi surchargé d'odeurs authentiques, que le
petit raidillon de Tansonville.

Mais c'était encore trop que celui-ci me fût rappelé. Son souvenir risquait d'entretenir le peu qui subsistait de mon amour pour Gilberte. Aussi, bien que je ne souffrisse plus du tout durant ces visites à Mme Swann, je les espaçai encore et cherchai à la voir le moins possible. Tout au plus, comme je continuais à ne pas quitter Paris, me concédai-je certaines promenades avec elle. Les beaux jours étaient enfin revenus, et la chaleur. Comme je savais qu'avant le déjeuner Mme Swann sortait pendant une heure et allait faire quelques pas avenue du Bois, près de l'Étoile et de l'endroit qu'on appelait alors, à cause des gens qui venaient regarder les riches qu'ils ne connaissaient que de nom, le « Club des Pannés », j'obtins de mes parents que le dimanche — car je n'étais pas libre en semaine à cette heure-là — je pourrais ne déjeuner que bien après eux, à une heure un quart, et aller faire un tour auparavant. Je n'y manquai jamais pendant ce mois de mai, Gilberte étant allée à la campagne chez des amies. J'arrivais à l'Arc de Triomphe vers midi. Je faisais le guet à l'entrée de l'avenue, ne perdant pas des yeux le coin de la petite rue par où Mme Swann, qui n'avait que quelques mètres à franchir, venait de chez elle. Comme c'était déjà l'heure où beaucoup de promeneurs rentraient déjeuner, ceux qui restaient étaient peu nombreux et, pour la plus grande part, des gens élégants. Tout d'un coup, sur le sable de l'allée, tardive, alentie et luxuriante comme la plus belle fleur et qui ne s'ouvrirait qu'à midi, Mme Swann apparaissait, épanouissant autour d'elle une toilette toujours différente mais que je me rappelle surtout mauve ; puis elle hissait et déployait sur un long pédoncule, au moment de sa plus complète irradiation, le pavillon de soie d'une large ombrelle de la même nuance que l'effeuillaison des pétales de sa robe. Toute une suite l'environnait ; Swann, quatre ou cinq hommes de club qui étaient venus la voir le matin chez elle ou qu'elle

avait rencontrés ; et leur noire ou grise agglomération
obéissante, exécutant les mouvements presque méca-
niques d'un cadre inerte autour d'Odette, donnait l'air
à cette femme qui seule avait de l'intensité dans les yeux,
de regarder devant elle, d'entre tous ces hommes, comme
d'une fenêtre dont elle se fût approchée, et la faisait
surgir, frêle, sans crainte, dans la nudité de ses tendres
couleurs, comme l'apparition d'un être d'une espèce
différente, d'une race inconnue, et d'une puissance
presque guerrière, grâce à quoi elle compensait à elle
seule sa multiple escorte. Souriante, heureuse du beau
temps, du soleil qui n'incommodait pas encore, ayant
l'air d'assurance et de calme du créateur qui a accompli
son œuvre et ne se soucie plus du reste, certaine que sa
toilette — dussent des passants vulgaires ne pas l'apprécier — était la plus élégante de toutes, elle la portait pour
soi-même et pour ses amis, naturellement, sans attention
exagérée, mais aussi sans détachement complet, n'empêchant pas les petits nœuds de son corsage et de sa jupe
de flotter légèrement devant elle comme des créatures
dont elle n'ignorait pas la présence et à qui elle permettait
avec indulgence de se livrer à leurs jeux, selon leur rythme
propre, pourvu qu'ils suivissent sa marche, et même,
sur son ombrelle mauve que souvent elle tenait encore
fermée quand elle arrivait, elle laissait tomber par moment, comme sur un bouquet de violettes de Parme, son
regard heureux et si doux que, quand il ne s'attachait
plus à ses amis mais à un objet inanimé, il avait l'air de
sourire encore. Elle réservait ainsi, elle faisait occuper
à sa toilette cet intervalle d'élégance dont les hommes à
qui Mᵐᵉ Swann parlait le plus en camarade respectaient
l'espace et la nécessité, non sans une certaine déférence
de profanes, un aveu de leur propre ignorance, et sur lequel ils reconnaissaient à leur amie, comme à un malade
sur les soins spéciaux qu'il doit prendre, ou comme à
une mère sur l'éducation de ses enfants, compétence et

juridiction. Non moins que par la cour qui l'entourait
et ne semblait pas voir les passants, Mme Swann, à cause
de l'heure tardive de son apparition, évoquait cet appartement où elle avait passé une matinée si longue et où il
faudrait qu'elle rentrât bientôt déjeuner ; elle semblait
en indiquer la proximité par la tranquillité flâneuse de
sa promenade, pareille à celle qu'on fait à petits pas dans
son jardin ; de cet appartement on aurait dit qu'elle
portait encore autour d'elle l'ombre intérieure et fraîche.
Mais, par tout cela même, sa vue ne me donnait que davantage la sensation du plein air et de la chaleur. D'autant
plus que, déjà persuadé qu'en vertu de la liturgie et des
rites dans lesquels Mme Swann était profondément versée,
sa toilette était unie à la saison et à l'heure par un lien
nécessaire, unique, les fleurs de son flexible chapeau de
paille, les petits rubans de sa robe me semblaient naître
du mois de mai plus naturellement encore que les fleurs
des jardins et des bois ; et pour connaître le trouble nouveau de la saison, je ne levais pas les yeux plus haut que
son ombrelle, ouverte et tendue comme un autre ciel
plus proche, rond, clément, mobile et bleu. Car ces
rites, s'ils étaient souverains, mettaient leur gloire, et
par conséquent Mme Swann mettait la sienne, à obéir
avec condescendance au matin, au printemps, au soleil,
lesquels ne me semblaient pas assez flattés qu'une
femme si élégante voulût bien ne pas les ignorer et eût
choisi à cause d'eux une robe d'une étoffe plus claire,
plus légère, faisant penser, par son évasement au col
et aux manches, à la moiteur du cou et des poignets,
fît enfin pour eux tous les frais d'une grande dame qui,
s'étant gaîment abaissée à aller voir à la campagne des
gens communs et que tout le monde, même le vulgaire,
connaît, n'en a pas moins tenu à revêtir spécialement
pour ce jour-là une toilette champêtre. Dès son arrivée,
je saluais Mme Swann, elle m'arrêtait et me disait :
« *Good morning* » en souriant. Nous faisons quelques

pas. Et je comprenais que ces canons selon lesquels elle s'habillait, c'était pour elle-même qu'elle y obéissait, comme à une sagesse supérieure dont elle eût été la grande prêtresse : car s'il lui arrivait qu'ayant trop chaud, elle entr'ouvrît, ou même ôtât tout à fait et me donnât à porter sa jaquette qu'elle avait cru garder fermée, je découvrais dans la chemisette mille détails d'exécution qui avaient eu grande chance de rester inaperçus, comme ces parties d'orchestre auxquelles le compositeur a donné tous ses soins, bien qu'elles ne doivent jamais arriver aux oreilles du public ; ou, dans les manches de la jaquette pliée sur mon bras, je voyais, je regardais longuement, par plaisir ou par amabilité, quelque détail exquis, une bande d'une teinte délicieuse, une satinette mauve habituellement cachée aux yeux de tous, mais aussi délicatement travaillées que les parties extérieures, comme ces sculptures gothiques d'une cathédrale dissimulées au revers d'une balustrade à quatre-vingts pieds de hauteur, aussi parfaites que les bas-reliefs du grand porche, mais que personne n'avait jamais vues avant qu'au hasard d'un voyage, un artiste n'eût obtenu de monter se promener en plein ciel, pour dominer toute la ville, entre les deux tours.

Ce qui augmentait cette impression que Mme Swann se promenait dans l'avenue du Bois comme dans l'allée d'un jardin à elle, c'était — pour ces gens qui ignoraient ses habitudes de « footing » — qu'elle fût venue à pied, sans voiture qui suivît, elle que, dès le mois de mai, on avait l'habitude de voir passer avec l'attelage le plus soigné, la livrée la mieux tenue de Paris, mollement et majestueusement assise comme une déesse, dans le tiède plein air d'une immense victoria à huit ressorts. A pied, Mme Swann avait l'air, surtout avec sa démarche que ralentissait la chaleur, d'avoir cédé à une curiosité, de commettre une élégante infraction aux règles du protocole, comme ces souverains qui sans consulter

personne, accompagnés par l'admiration un peu scan-
dalisée d'une suite qui n'ose formuler une critique,
sortent de leur loge pendant un gala et visitent le foyer
en se mêlant pendant quelques instants aux autres spectateurs. Ainsi, entre Mᵐᵉ Swann et la foule, celle-ci
sentait ces barrières d'une certaine sorte de richesse,
lesquelles lui semblent les plus infranchissables de toutes.
Le faubourg Saint-Germain a bien aussi les siennes,
mais moins parlantes aux yeux et à l'imagination des
« pannés ». Ceux-ci, auprès d'une grande dame plus
simple, plus facile à confondre avec une petite bourgeoise, moins éloignée du peuple, n'éprouveront pas ce
sentiment de leur inégalité, presque de leur indignité,
qu'ils ont devant une Mᵐᵉ Swann. Sans doute, ces sortes
de femmes ne sont pas elles-mêmes frappées comme eux
du brillant appareil dont elles sont entourées, elles n'y
font plus attention, mais c'est à force d'y être habituées,
c'est-à-dire d'avoir fini par le trouver d'autant plus
naturel, d'autant plus nécessaire, par juger les autres
êtres selon qu'ils sont plus ou moins initiés à ces habitudes du luxe : de sorte que (la grandeur qu'elles laissent éclater en elles, qu'elles découvrent chez les autres,
étant toute matérielle, facile à constater, longue à acquérir, difficile à compenser), si ces femmes mettent un
passant au rang le plus bas, c'est de la même manière
qu'elles lui sont apparues au plus haut, à savoir immédiatement, à première vue, sans appel. Peut-être cette
classe sociale particulière qui comptait alors des femmes
comme lady Israels, mêlée à celles de l'aristocratie, et
Mᵐᵉ Swann, qui devait les fréquenter un jour, cette
classe intermédiaire, inférieure au faubourg Saint-
Germain, puisqu'elle le courtisait, mais supérieure à ce
qui n'est pas du faubourg Saint-Germain, et qui avait
ceci de particulier que, déjà dégagée du monde des riches,
elle était la richesse encore, mais la richesse devenue
ductile, obéissant à une destination, à une pensée artis-

tiques, l'argent malléable, poétiquement ciselé et qui
sait sourire, peut-être cette classe, du moins avec le
même caractère et le même charme, n'existe-t-elle plus.
D'ailleurs, les femmes qui en faisaient partie n'auraient
plus aujourd'hui ce qui était la première condition de leur
règne, puisque avec l'âge elles ont, presque toutes,
perdu leur beauté. Or, autant que du faîte de sa noble
richesse, c'était du comble glorieux de son été mûr et si
savoureux encore, que M⁽ᵐᵉ⁾ Swann, majestueuse, souriante et bonne, s'avançant dans l'avenue du Bois,
voyait comme Hypatie, sous la lente marche de ses pieds,
rouler les mondes. Des jeunes gens qui passaient la
regardaient anxieusement, incertains si leurs vagues
relations avec elle (d'autant plus qu'ayant à peine été
présentés une fois à Swann, ils craignaient qu'il ne les
reconnût pas) étaient suffisantes pour qu'ils se permis-
sent de la saluer. Et ce n'était qu'en tremblant devant les
conséquences, qu'ils s'y décidaient, se demandant si
leur geste audacieusement provocateur et sacrilège,
attentant à l'inviolable suprématie d'une caste, n'allait
pas déchaîner des catastrophes ou faire descendre le
châtiment d'un dieu. Il déclenchait seulement, comme
un mouvement d'horlogerie, la gesticulation de petits
personnages salueurs qui n'étaient autres que l'entourage
d'Odette, à commencer par Swann, lequel soulevait
son tube doublé de cuir vert, avec une grâce souriante,
apprise dans le faubourg Saint-Germain, mais à laquelle
ne s'alliait plus l'indifférence qu'il aurait eue autrefois.
Elle était remplacée (comme il s'était dans une certaine
mesure pénétré des préjugés d'Odette) à la fois par
l'ennui d'avoir à répondre à quelqu'un d'assez mal habillé
et par la satisfaction que sa femme connût tant de monde,
sentiment mixte qu'il traduisait en disant aux amis élégants qui l'accompagnaient : « Encore un ! Ma parole,
je me demande où Odette va chercher tous ces gens-là ! »
Cependant, ayant répondu par un signe de tête au pas-

sant alarmé déjà hors de vue, mais dont le cœur battait
encore, Mme Swann se tournait vers moi : « Alors, me
disait-elle, c'est fini ? Vous ne viendrez plus jamais voir
Gilberte ? Je suis contente d'être exceptée et que vous
ne me « dropiez » pas tout à fait. J'aime vous voir, mais
j'aimais aussi l'influence que vous aviez sur ma fille.
Je crois qu'elle le regrette beaucoup aussi. Enfin, je ne
veux pas vous tyranniser, parce que vous n'auriez qu'à
ne plus vouloir me voir non plus! — Odette, Sagan qui
vous dit bonjour », faisait remarquer Swann à sa femme.
Et, en effet, le prince, faisant comme dans une apothéose
de théâtre, de cirque, ou dans un tableau ancien, faire
front à son cheval, adressait à Odette un grand salut
théâtral et comme allégorique, où s'amplifiait toute la
chevaleresque courtoisie du grand seigneur inclinant son
respect devant la Femme, fût-elle incarnée en une femme
que sa mère ou sa sœur ne pourraient pas fréquenter.
D'ailleurs, à tout moment, reconnue au fond de la transparence liquide et du vernis lumineux de l'ombre que
versait sur elle son ombrelle, Mme Swann était saluée
par les derniers cavaliers attardés, comme cinématogra-
phiés au galop sur l'ensoleillement blanc de l'avenue,
hommes de cercle dont les noms, célèbres pour le public — Antoine de Castellane, Adalbert de Montmorency et tant d'autres — étaient pour Mme Swann des
noms familiers d'amis. Et, comme la durée moyenne
de la vie — la longévité relative — est beaucoup plus
grande pour les souvenirs des sensations poétiques que
pour ceux des souffrances du cœur, depuis si longtemps
que se sont évanouis les chagrins que j'avais alors à cause
de Gilberte, il leur a survécu, le plaisir que j'éprouve,
chaque fois que je veux lire, en une sorte de cadran
solaire, les minutes qu'il y a entre midi un quart et une
heure, au mois de mai, à me revoir causant ainsi avec
Mme Swann, sous son ombrelle, comme sous le reflet
d'un berceau de glycines.

Noms de pays :

Le pays

Premier séjour à Balbec,
jeunes filles au bord de la mer.

Premiers crayons de M. de Charlus et de Robert de Saint-Loup. — Dîner chez Bloch. — Les dîners à Rivebelle. — Albertine apparaît.

J'étais arrivé à une presque complète indifférence à l'égard de Gilberte, quand deux ans plus tard je partis avec ma grand'mère pour Balbec. Quand je subissais le charme d'un visage nouveau, quand c'était à l'aide d'une autre jeune fille que j'espérais connaître les cathédrales gothiques, les palais et les jardins de l'Italie, je me disais tristement que notre amour, en tant qu'il est l'amour d'une certaine créature, n'est peut-être pas quelque chose de bien réel, puisque, si des associations de rêveries agréables ou douloureuses peuvent le lier pendant quelque temps à une femme jusqu'à nous faire penser qu'il a été inspiré par elle d'une façon nécessaire, en revanche si nous nous dégageons volontairement ou à notre insu de ces associations, cet amour, comme s'il était au contraire spontané et venait de nous seuls, renaît pour se donner à une autre femme. Pourtant, au moment de ce départ pour Balbec et pendant les premiers temps de mon séjour, mon indifférence n'était encore qu'intermittente. Souvent (notre vie étant si peu chronologique, interférant tant d'anachronismes dans la suite des jours), je vivais dans ceux, plus anciens que la veille ou l'avant-veille, où j'aimais Gilberte. Alors ne plus la voir m'était soudain douloureux, comme c'eût été dans ce temps-là. Le moi qui l'avait aimée, remplacé déjà presque entièrement par un autre, resurgissait, et il m'était rendu beaucoup plus fréquemment par une chose futile que par une chose importante. Par exemple, pour anticiper sur mon séjour en Normandie, j'entendis à Balbec un inconnu que je croisai sur la digue, dire : « La famille du directeur du ministère des Postes. » Or (comme je ne savais pas alors l'influence que cette famille devait avoir sur ma vie), ce propos aurait dû me paraître oiseux, mais il me causa une vive souffrance, celle qu'éprouvait un moi, aboli pour une grande part depuis longtemps, à être séparé de Gilberte. C'est que jamais je n'avais repensé à une conversation que Gilberte avait eue devant moi avec son père, relativement à la famille du « directeur du ministère des Postes ». Or, les souvenirs d'amour ne font pas exception aux lois générales de la mémoire, elles-mêmes régies par les lois plus générales de l'habitude. Comme celle-ci affaiblit tout, ce qui nous rappelle le mieux un être, c'est justement ce que nous avions oublié (parce que c'était insignifiant, et que nous lui avons ainsi laissé toute sa force). C'est pourquoi la meilleure part de notre mémoire est hors de nous, dans un souffle pluvieux, dans l'odeur de renfermé d'une chambre ou dans l'odeur d'une première flambée, partout où nous retrouvons de nous-même ce que notre intelligence, n'en ayant pas l'emploi, avait dédaigné, la dernière réserve du passé, la meilleure, celle qui, quand toutes nos larmes semblent taries, sait nous faire pleurer encore. Hors de nous ? En nous pour mieux dire, mais dérobée à nos propres regards, dans un oubli plus ou moins prolongé. C'est grâce à cet oubli seul que nous pouvons de temps à autre retrouver l'être que nous fûmes, nous placer vis-à-vis des choses comme cet être l'était, souffrir à nouveau, parce que nous ne sommes plus nous, mais lui, et qu'il aimait ce qui nous est maintenant indifférent. Au grand jour de la mémoire habituelle, les images du passé pâlissent peu à peu, s'effacent, il

ne reste plus rien d'elles, nous ne le retrouverons plus.
Ou plutôt nous ne le retrouverions plus, si quelques mots
(comme « directeur au ministère des Postes ») n'avaient
été soigneusement enfermés dans l'oubli, de même qu'on
dépose à la Bibliothèque Nationale un exemplaire d'un
livre qui sans cela risquerait de devenir introuvable.

Mais cette souffrance et ce regain d'amour pour Gilberte ne furent pas plus longs que ceux qu'on a en rêve,
et cette fois, au contraire, parce qu'à Balbec l'Habitude
ancienne n'était plus là pour les faire durer. Et si ces
effets de l'Habitude semblent contradictoires, c'est qu'elle
obéit à des lois multiples. A Paris j'étais devenu de plus
en plus indifférent à Gilberte, grâce à l'Habitude. Le
changement d'habitude, c'est-à-dire la cessation momentanée de l'Habitude, paracheva l'œuvre de l'Habitude
quand je partis pour Balbec. Elle affaiblit mais stabilise,
elle amène la désagrégation mais la fait durer indéfiniment. Chaque jour depuis des années je calquais tant
bien que mal mon état d'âme sur celui de la veille. A
Balbec un lit nouveau, à côté duquel on m'apportait
le matin un petit déjeuner différent de celui de Paris,
ne devait plus soutenir les pensées dont s'était nourri
mon amour pour Gilberte : il y a des cas (assez rares, il
est vrai) où, la sédentarité immobilisant les jours, le
meilleur moyen de gagner du temps, c'est de changer
de place. Mon voyage à Balbec fut comme la première
sortie d'un convalescent qui n'attendait plus qu'elle
pour s'apercevoir qu'il est guéri.

Ce voyage, on le ferait sans doute aujourd'hui en automobile, croyant le rendre ainsi plus agréable. On verra
qu'accompli de cette façon, il serait même, en un sens,
plus vrai puisqu'on y suivrait de plus près, dans une
intimité plus étroite, les diverses gradations selon lesquelles change la face de la terre. Mais enfin le plaisir
spécifique du voyage n'est pas de pouvoir descendre en
route et s'arrêter quand on est fatigué, c'est de rendre la

différence entre le départ et l'arrivée non pas aussi insensible, mais aussi profonde qu'on peut, de la ressentir dans sa totalité, intacte, telle qu'elle était en nous quand notre imagination nous portait du lieu où nous vivions jusqu'au cœur d'un lieu désiré, en un bond qui nous semblait moins miraculeux parce qu'il franchissait une distance que parce qu'il unissait deux individualités distinctes de la terre, qu'il nous menait d'un nom à un autre nom, et que schématise (mieux qu'une promenade où, comme on débarque où l'on veut, il n'y a guère plus d'arrivée) l'opération mystérieuse qui s'accomplissait dans ces lieux spéciaux, les gares, lesquels ne font presque pas partie de la ville mais contiennent l'essence de sa personnalité de même que sur un écriteau signalétique elles portent son nom.

Mais en tout genre, notre temps a la manie de vouloir ne montrer les choses qu'avec ce qui les entoure dans la réalité, et par là de supprimer l'essentiel, l'acte de l'esprit qui les isola d'elle. On « présente » un tableau au milieu de meubles, de bibelots, de tentures de la même époque, fade décor qu'excelle à composer dans les hôtels d'aujourd'hui la maîtresse de maison la plus ignorante la veille, passant maintenant ses journées dans les archives et les bibliothèques et au milieu duquel le chef-d'œuvre qu'on regarde tout en dînant ne nous donne pas la même enivrante joie qu'on ne doit lui demander que dans une salle de musée, laquelle symbolise bien mieux, par sa nudité et son dépouillement de toutes particularités, les espaces intérieurs où l'artiste s'est abstrait pour créer.

Malheureusement ces lieux merveilleux que sont les gares, d'où l'on part pour une destination éloignée, sont aussi des lieux tragiques, car si le miracle s'y accomplit grâce auquel les pays qui n'avaient encore d'existence que dans notre pensée vont être ceux au milieu desquels nous vivrons, pour cette raison même il faut renoncer, au sortir de la salle d'attente, à retrouver tout à l'heure la chambre

familière où l'on était il y a un instant encore. Il faut laisser
toute espérance de rentrer coucher chez soi, une fois qu'on
s'est décidé à pénétrer dans l'antre empesté par où l'on
accède au mystère, dans un de ces grands ateliers vitrés,
comme celui de Saint-Lazare où j'allai chercher le train
de Balbec, et qui déployait au-dessus de la ville éventrée
un de ces immenses ciels crus et gros de menaces amon-
celées de drame, pareils à certains ciels, d'une modernité
presque parisienne, de Mantegna ou de Véronèse, et sous
lequel ne pouvait s'accomplir que quelque acte terrible et
solennel comme un départ en chemin de fer ou l'érection
de la Croix.

Tant que je m'étais contenté d'apercevoir du fond de
mon lit de Paris l'église persane de Balbec au milieu des
flocons de la tempête, aucune objection à ce voyage n'avait
été faite par mon corps. Elles avaient commencé seulement
quand il avait compris qu'il serait de la partie et que le soir
de l'arrivée on me conduirait à « ma » chambre qui lui
serait inconnue. Sa révolte était d'autant plus profonde
que la veille même du départ j'avais appris que ma mère
ne nous accompagnerait pas, mon père, retenu au ministère jusqu'au moment où il partirait pour l'Espagne avec
M. de Norpois, ayant préféré louer une maison dans les
environs de Paris. D'ailleurs, la contemplation de Balbec
ne me semblait pas moins désirable parce qu'il fallait
l'acheter au prix d'un mal qui au contraire me semblait
figurer et garantir la réalité de l'impression que j'allais
chercher, impression que n'aurait remplacée aucun spectacle prétendu équivalent, aucun « panorama » que j'eusse
pu aller voir sans être empêché par cela même de rentrer
dormir dans mon lit. Ce n'était pas la première fois que je
sentais que ceux qui aiment et ceux qui ont du plaisir ne
sont pas les mêmes. Je croyais désirer aussi profondément
Balbec que le docteur qui me soignait et qui me dit,
s'étonnant, le matin du départ, de mon air malheureux :
« Je vous réponds que si je pouvais seulement trouver

huit jours pour aller prendre le frais au bord de la mer, je
ne me ferais pas prier. Vous allez avoir les courses, les
régates, ce sera exquis. » Pour moi, j'avais déjà appris, et
même bien avant d'aller entendre la Berma, que, quelle
que fût la chose que j'aimerais, elle ne serait jamais placée
qu'au terme d'une poursuite douloureuse, au cours de
laquelle il me faudrait d'abord sacrifier mon plaisir à ce
bien suprême, au lieu de l'y chercher.

Ma grand'mère concevait naturellement notre départ
d'une façon un peu différente et, toujours aussi désireuse
qu'autrefois de donner aux présents qu'on me faisait un
caractère artistique, avait voulu, pour m'offrir de ce
voyage une « épreuve » en partie ancienne, que nous refis-
sions moitié en chemin de fer, moitié en voiture le trajet
qu'avait suivi Mme de Sévigné quand elle était allée de
Paris à « L'Orient » en passant par Chaulnes et par « le
Pont-Audemer ». Mais ma grand'mère avait été obligée de
renoncer à ce projet, sur la défense de mon père, qui
savait, quand elle organisait un déplacement en vue de
lui faire rendre tout le profit intellectuel qu'il pouvait
comporter, combien on pouvait pronostiquer de trains
manqués, de bagages perdus, de maux de gorge et de
contraventions. Elle se réjouissait du moins à la pensée
que jamais, au moment d'aller sur la plage, nous ne serions
exposés à en être empêchés par la survenue de ce que sa
chère Sévigné appelle une chienne de carrossée, puisque
nous ne connaîtrions personne à Balbec, Legrandin ne
nous ayant pas offert de lettre d'introduction pour sa
sœur. (Abstention qui n'avait pas été appréciée de même
par mes tantes Céline et Victoire, lesquelles, ayant connu
jeune fille celle qu'elles n'avaient appelée jusqu'ici, pour
marquer cette intimité d'autrefois, que « Renée de Cambremer », et possédant encore d'elle de ces cadeaux qui
meublent une chambre et la conversation, mais auxquels
la réalité actuelle ne correspond pas, croyaient venger
notre affront en ne prononçant plus jamais, chez Mme

Legrandin mère, le nom de sa fille, et se bornant à se congratuler une fois sorties par des phrases comme : « Je n'ai pas fait allusion à qui tu sais, je crois qu'*on* aura compris. »)

Donc nous partirions simplement de Paris par ce train de une heure vingt-deux que je m'étais plu trop longtemps à chercher dans l'indicateur des chemins de fer, où il me donnait chaque fois l'émotion, presque la bienheureuse illusion du départ, pour ne pas me figurer que je le connaissais. Comme la détermination dans notre imagination des traits d'un bonheur tient plutôt à l'identité des désirs qu'il nous inspire qu'à la précision des renseignements que nous avons sur lui, je croyais connaître celui-là dans ses détails, et je ne doutais pas que j'éprouverais dans le wagon un plaisir spécial quand la journée commencerait à fraîchir, que je contemplerais tel effet à l'approche d'une certaine station ; si bien que ce train, réveillant toujours en moi les images des mêmes villes que j'enveloppais dans la lumière de ces heures de l'après-midi qu'il traverse, me semblait différent de tous les autres trains ; et j'avais fini, comme on fait souvent pour un être qu'on n'a jamais vu mais dont on se plaît à s'imaginer qu'on a conquis l'amitié, par donner une physionomie particulière et immuable à ce voyageur artiste et blond qui m'aurait emmené sur sa route, et à qui j'aurais dit adieu au pied de la cathédrale de Saint-Lô, avant qu'il se fût éloigné vers le couchant.

Comme ma grand'mère ne pouvait se résoudre à aller « tout bêtement » à Balbec, elle s'arrêterait vingt-quatre heures chez une de ses amies, de chez laquelle je repartirais le soir même pour ne pas déranger, et aussi de façon à voir dans la journée du lendemain l'église de Balbec, qui, avions-nous appris, était assez éloignée de Balbec-Plage, et où je ne pourrais peut-être pas aller ensuite au début de mon traitement de bains. Et peut-être était-il moins pénible pour moi de sentir l'objet admirable de mon voyage placé avant la cruelle première nuit où j'entrerais

dans une demeure nouvelle et accepterais d'y vivre. Mais
il avait fallu d'abord quitter l'ancienne ; ma mère avait
arrangé de s'installer ce jour-là même à Saint-Cloud, et elle
avait pris, ou feint de prendre, toutes ses dispositions
pour y aller directement après nous avoir conduits à la
gare, sans avoir à repasser par la maison où elle craignait
que je ne voulusse, au lieu de partir pour Balbec, rentrer
avec elle. Et même, sous le prétexte d'avoir beaucoup à
faire dans la maison qu'elle venait de louer et d'être à
court de temps, en réalité pour m'éviter la cruauté de ce
genre d'adieux, elle avait décidé de ne pas rester avec nous
jusqu'à ce départ du train où, dissimulée auparavant dans
des allées et venues et des préparatifs qui n'engagent pas
définitivement, une séparation apparaît brusquement
impossible à souffrir, alors qu'elle n'est déjà plus possible
à éviter, concentrée tout entière dans un instant immense
de lucidité impuissante et suprême.

Pour la première fois je sentais qu'il était possible que
ma mère vécût sans moi, autrement que pour moi, d'une
autre vie. Elle allait habiter de son côté avec mon père à
qui peut-être elle trouvait que ma mauvaise santé, ma
nervosité, rendaient l'existence un peu compliquée et
triste. Cette séparation me désolait davantage parce que
je me disais qu'elle était probablement pour ma mère le
terme des déceptions successives que je lui avais causées,
qu'elle m'avait tues et après lesquelles elle avait compris
la difficulté de vacances communes ; et peut-être aussi le
premier essai d'une existence à laquelle elle commençait à
se résigner pour l'avenir, au fur et à mesure que les années
viendraient pour mon père et pour elle, d'une existence
où je la verrais moins, où, ce qui même dans mes cauche-
mars ne m'était jamais apparu, elle serait déjà pour moi
un peu étrangère, une dame qu'on verrait rentrer seule
dans une maison où je ne serais pas, demandant au
concierge s'il n'y avait pas de lettres de moi.

Je pus à peine répondre à l'employé qui voulut me

prendre ma valise. Ma mère essayait, pour me consoler,
des moyens qui lui paraissaient les plus efficaces. Elle
croyait inutile d'avoir l'air de ne pas voir mon chagrin,
elle le plaisantait doucement :

— Eh bien, qu'est-ce que dirait l'église de Balbec
si elle savait que c'est avec cet air malheureux qu'on
s'apprête à aller la voir ? Est-ce cela, le voyageur ravi
dont parle Ruskin ? D'ailleurs, je saurai si tu as été à la
hauteur des circonstances, même loin je serai encore
avec mon petit loup. Tu auras demain une lettre de ta
maman.

— Ma fille, dit ma grand'mère, je te vois comme
Mme de Sévigné, une carte devant les yeux et ne nous
quittant pas un instant.

Puis maman cherchait à me distraire, elle me demandait
ce que je commanderais pour dîner, elle admirait Françoise, lui faisait compliment d'un chapeau et d'un
manteau qu'elle ne reconnaissait pas, bien qu'ils eussent
jadis excité son horreur quand elle les avait vus neufs sur
ma grand'tante, l'un avec l'immense oiseau qui le surmontait, l'autre surchargé de dessins affreux et de jais. Mais
le manteau étant hors d'usage, Françoise l'avait fait
retourner et exhibait un envers de drap uni d'un beau ton.
Quant à l'oiseau, il y avait longtemps que, cassé, il avait
été mis au rancart. Et, de même qu'il est quelquefois
troublant de rencontrer les raffinements vers lesquels les
artistes les plus conscients s'efforcent, dans une chanson
populaire, à la façade de quelque maison de paysan qui
fait épanouir au-dessus de la porte une rose blanche ou
soufrée juste à la place qu'il fallait — de même le nœud de
velours, la coque de ruban qui eussent ravi dans un portrait de Chardin ou de Whistler, Françoise les avait placés
avec un goût infaillible et naïf sur le chapeau devenu
charmant.

Pour remonter à un temps plus ancien, la modestie et
l'honnêteté qui donnaient souvent de la noblesse au visage

de notre vieille servante ayant gagné les vêtements que, en femme réservée mais sans bassesse, qui sait « tenir son rang et garder sa place », elle avait revêtus pour le voyage afin d'être digne d'être vue avec nous sans avoir l'air de chercher à se faire voir, Françoise, dans le drap cerise mais passé de son manteau et les poils sans rudesse de son collet de fourrure, faisait penser à quelqu'une de ces images d'Anne de Bretagne peintes dans des livres d'Heures par un vieux maître, et dans lesquelles tout est si bien en place, le sentiment de l'ensemble s'est si également répandu dans toutes les parties que la riche et désuète singularité du costume exprime la même gravité pieuse que les yeux, les lèvres et les mains.

On n'aurait pu parler de pensée à propos de Françoise. Elle ne savait rien, dans ce sens total où ne rien savoir équivaut à ne rien comprendre, sauf les rares vérités que le cœur est capable d'atteindre directement. Le monde immense des idées n'existait pas pour elle. Mais devant la clarté de son regard, devant les lignes délicates de ce nez, de ces lèvres, devant tous ces témoignages, absents de tant d'êtres cultivés chez qui ils eussent signifié la distinction suprême, le noble détachement d'un esprit d'élite, on était troublé comme devant le regard intelligent et bon d'un chien à qui on sait pourtant que sont étrangères toutes les conceptions des hommes, et on pouvait se demander s'il n'y a pas parmi ces autres humbles frères, les paysans, des êtres qui sont comme les hommes supérieurs du monde des simples d'esprit, ou plutôt qui, condamnés par une injuste destinée à vivre parmi les simples d'esprit, privés de lumière, mais pourtant, plus naturellement, plus essentiellement apparentés aux natures d'élite que ne le sont la plupart des gens instruits, sont comme des membres dispersés, égarés, privés de raison, de la famille sainte, des parents, restés en enfance, des plus hautes intelligences, et auxquels — comme il apparaît dans la lueur impossible à méconnaître de leurs yeux où pourtant elle ne s'applique à rien — il n'a manqué, pour avoir du talent, que du savoir.

Ma mère, voyant que j'avais peine à contenir mes larmes, me disait : « Régulus avait coutume dans les grandes circonstances... Et puis ce n'est pas gentil pour ta maman. Citons Mme de Sévigné, comme ta grand'mère : « Je vais être obligée de me servir de tout le courage que tu n'as pas. » Et se rappelant que l'affection pour autrui détourne des douleurs égoïstes, elle tâchait de me faire plaisir en me disant qu'elle croyait que son trajet de Saint-Cloud s'effectuerait bien, qu'elle était contente du fiacre qu'elle avait gardé, que le cocher était poli et la voiture confortable. Je m'efforçais de sourire à ces détails et j'inclinais la tête d'un air d'acquiescement et de satisfaction. Mais ils ne m'aidaient qu'à me représenter avec plus de vérité le départ de maman et c'est le cœur serré que je la regardais comme si elle était déjà séparée de moi, sous ce chapeau de paille rond qu'elle avait acheté pour la campagne, dans une robe légère qu'elle avait mise à cause de cette longue course par la pleine chaleur et qui la faisaient autre, appartenant déjà à la villa de « Montretout » où je ne la verrais pas.

Pour éviter les crises de suffocation que me donnerait le voyage, le médecin m'avait conseillé de prendre au moment du départ un peu trop de bière ou de cognac, afin d'être dans cet état qu'il appelait « euphorie », où le système nerveux est momentanément moins vulnérable. J'étais encore incertain si je le ferais, mais je voulais au moins que ma grand'mère reconnût qu'au cas où je m'y déciderais, j'aurais pour moi le droit et la sagesse. Aussi j'en parlais comme si mon hésitation ne portait que sur l'endroit où je boirais de l'alcool, buffet ou wagon-bar. Mais aussitôt, à l'air de blâme que prit le visage de ma grand'mère et de ne pas même vouloir s'arrêter à cette idée : « Comment, m'écriai-je, me résolvant soudain à cette action d'aller boire, dont l'exécution devenait nécessaire à prouver ma liberté puisque son annonce verbale n'avait pu passer sans protestation, comment, tu sais combien je suis malade, tu sais ce que le médecin m'a dit, et voilà le conseil que tu me donnes! »

Quand j'eus expliqué mon malaise à ma grand'mère, elle eut un air si désolé, si bon, en répondant : « Mais alors, va vite chercher de la bière ou une liqueur, si cela doit te faire du bien » que je me jetai sur elle et la couvris de baisers. Et si j'allai cependant boire beaucoup trop dans le bar du train, ce fut parce que je sentais que sans cela j'aurais un accès trop violent et que c'est encore ce qui la peinerait le plus. Quand, à la première station, je remontai dans notre wagon, je dis à ma grand'mère combien j'étais heureux d'aller à Balbec, que je sentais que tout s'arrangerait bien, qu'au fond je m'habituerais vite à être loin de maman, que ce train était agréable, l'homme du bar et les employés si charmants que j'aurais voulu refaire souvent ce trajet pour avoir la possibilité de les revoir. Ma grand'mère cependant ne paraissait pas éprouver la même joie que moi de toutes ces bonnes nouvelles. Elle me répondit en évitant de me regarder : « Tu devrais peut-être essayer de dormir un peu », et tourna les yeux vers la fenêtre dont nous avions abaissé le rideau qui ne remplissait pas tout le cadre de la vitre, de sorte que le soleil pouvait glisser sur le chêne ciré de la portière et le drap de la banquette (comme une réclame beaucoup plus persuasive pour une vie mêlée à la nature que celles accrochées trop haut dans le wagon, par les soins de la Compagnie, et représentant des paysages dont je ne pouvais pas lire les noms) la même clarté tiède et dormante qui faisait la sieste dans les clairières.

Mais quand ma grand'mère croyait que j'avais les yeux fermés, je la voyais par moments sous son voile à gros pois jeter un regard sur moi, puis le retirer, puis recommencer, comme quelqu'un qui cherche à s'efforcer, pour s'y habituer, à un exercice qui lui est pénible.

Alors je lui parlais, mais cela ne semblait pas lui être
agréable. Et à moi pourtant ma propre voix me donnait
du plaisir, et de même les mouvements les plus insensibles, les plus intérieurs de mon corps. Aussi je tâchais de
les faire durer, je laissais chacune de mes inflexions s'attarder longtemps aux mots, je sentais chacun de mes
regards se trouver bien là où il s'était posé et y rester au
delà du temps habituel. « Allons, repose-toi, me dit ma
grand'mère. Si tu ne peux pas dormir, lis quelque chose. »
Et elle me passa un volume de Mme de Sévigné que j'ouvris, pendant qu'elle-même s'absorbait dans les *Mémoires
de Madame de Beausergent*. Elle ne voyageait jamais sans
un tome de l'une et de l'autre. C'était ses deux auteurs de
prédilection. Ne bougeant pas volontiers ma tête en ce
moment et éprouvant un grand plaisir à garder une position une fois que je l'avais prise, je restai à tenir le volume
de Mme de Sévigné sans l'ouvrir, et je n'abaissai pas sur
lui mon regard qui n'avait devant lui que le store bleu de
la fenêtre. Mais contempler ce store me paraissait admirable et je n'eusse pas pris la peine de répondre à qui eût
voulu me détourner de ma contemplation. La couleur
bleue du store me semblait, non peut-être par sa beauté,
mais par sa vivacité intense, effacer à tel point toutes les
couleurs qui avaient été devant mes yeux depuis le jour
de ma naissance jusqu'au moment où j'avais fini d'avaler
ma boisson et où elle avait commencé de faire son effet,
qu'à côté de ce bleu du store, elles étaient pour moi aussi
ternes, aussi nulles, que peut l'être rétrospectivement
l'obscurité où ils ont vécu pour les aveugles-nés qu'on
opère sur le tard et qui voient enfin les couleurs. Un vieil
employé vint nous demander nos billets. Les reflets
argentés qu'avaient les boutons en métal de sa tunique ne
laissèrent pas de me charmer. Je voulus lui demander de
s'asseoir à côté de nous. Mais il passa dans un autre wagon,
et je songeai avec nostalgie à la vie des cheminots, lesquels, passant tout leur temps en chemin de fer, ne

devaient guère manquer un seul jour de voir ce vieil
employé. Le plaisir que j'éprouvais à regarder le store
bleu et à sentir que ma bouche était à demi ouverte commença enfin à diminuer. Je devins plus mobile ; je remuai
un peu ; j'ouvris le volume que ma grand'mère m'avait
tendu et je pus fixer mon attention sur les pages que je
choisis çà et là. Tout en lisant je sentais grandir mon
admiration pour Mme de Sévigné.

Il ne faut pas se laisser tromper par des particularités
purement formelles qui tiennent à l'époque, à la vie de
salon et qui font que certaines personnes croient qu'elles
ont fait leur Sévigné quand elles ont dit : « Mandez-moi,
ma bonne » ou « Ce comte me parut avoir bien de l'esprit »,
ou « Faner est la plus jolie chose du monde. » Déjà Mme de
Simiane s'imagine ressembler à sa grand'mère, parce
qu'elle écrit : « M. de la Boulie se porte à merveille,
Monsieur, et il est fort en état d'entendre des nouvelles
de sa mort », ou « Oh ! mon cher marquis, que votre lettre
me plaît ! Le moyen de ne pas y répondre », ou encore :
« Il me semble, Monsieur, que vous me devez une réponse
et moi des tabatières de bergamote. Je m'en acquitte pour
huit, il en viendra d'autres... ; jamais la terre n'en avait
tant porté. C'est apparemment pour vous plaire. » Et elle
écrit dans ce même genre la lettre sur la saignée, sur les
citrons, etc., qu'elle se figure être des lettres de Mme de
Sévigné. Mais ma grand'mère, qui était venue à celle-ci
par le dedans, par l'amour pour les siens, pour la nature,
m'avait appris à en aimer les vraies beautés, qui sont tout
autres. Elles devaient bientôt me frapper d'autant plus
que Mme de Sévigné est une grande artiste de la même
famille qu'un peintre que j'allais rencontrer à Balbec et
qui eut une influence si profonde sur ma vision des choses,
Elstir. Je me rendis compte à Balbec que c'est de la même
façon que lui qu'elle nous présente les choses, dans l'ordre
de nos perceptions, au lieu de les expliquer d'abord par
leur cause. Mais déjà cet après-midi-là, dans ce wagon, en

relisant la lettre où apparaît le clair de lune : « Je ne pus résister à la tentation, je mets toutes mes coiffes et casaques qui n'étaient pas nécessaires, je vais dans ce mail dont l'air est bon comme celui de ma chambre ; je trouve mille coquecigrues, *des moines blancs et noirs, plusieurs religieuses grises et blanches, du linge jeté par-ci par-là, des hommes ensevelis tout droits contre des arbres*, etc. », je fus ravi par ce que j'eusse appelé un peu plus tard (ne peint-elle pas les paysages de la même façon que lui, les caractères ?) le côté Dostoïevski des *Lettres de Madame de Sévigné.*

Quand le soir, après avoir conduit ma grand'mère et être resté quelques heures chez son amie, j'eus repris seul le train, du moins je ne trouvai pas pénible la nuit qui vint ; c'est que je n'avais pas à la passer dans la prison d'une chambre dont l'ensommeillement me tiendrait éveillé ; j'étais entouré par la calmante activité de tous ces mouvements du train qui me tenaient compagnie, s'offraient à causer avec moi si je ne trouvais pas le sommeil, me berçaient de leurs bruits que j'accouplais comme le son des cloches à Combray, tantôt sur un rythme, tantôt sur un autre (entendant selon ma fantaisie d'abord quatre doubles croches égales, puis une double croche furieusement précipitée contre une noire) ; ils neutralisaient la force centrifuge de mon insomnie en exerçant sur elle des pressions contraires qui me maintenaient en équilibre et sur lesquelles mon immobilité et bientôt mon sommeil se sentirent portés avec la même impression rafraîchissante que m'aurait donnée un repos dû à la vigilance de forces puissantes au sein de la nature et de la vie, si j'avais pu pour un moment m'incarner en quelque poisson qui dort dans la mer, promené dans son assoupissement par les courants et la vague, ou en quelque aigle étendu sur le seul appui de la tempête.

Les levers de soleil sont un accompagnement des longs voyages en chemin de fer, comme les œufs durs, les journaux illustrés, les jeux de cartes, les rivières où des barques s'évertuent sans avancer. A un moment où je dénombrais les pensées qui avaient rempli mon esprit pendant les minutes précédentes, pour me rendre compte si je venais ou non de dormir (et où l'incertitude même qui me faisait me poser la question était en train de me fournir une réponse affirmative), dans le carreau de la fenêtre, au-dessus d'un petit bois noir, je vis des nuages échancrés dont le doux duvet était d'un rose fixé, mort, qui ne changera plus, comme celui qui tient les plumes de l'aile qui l'a assimilé ou le pastel sur lequel l'a déposé la fantaisie du peintre. Mais je sentais qu'au contraire cette couleur n'était ni inertie, ni caprice, mais nécessité et vie. Bientôt s'amoncelèrent derrière elle des réserves de lumière. Elle s'aviva, le ciel devint d'un incarnat que je tâchais, en collant mes yeux à la vitre, de mieux voir, car je le sentais en rapport avec l'existence profonde de la nature, mais la ligne du chemin de fer ayant changé de direction, le train tourna, la scène matinale fut remplacée dans le cadre de la fenêtre par un village nocturne aux toits bleus de clair de lune, avec un lavoir encrassé de la nacre opaline de la nuit, sous un ciel encore semé de toutes ses étoiles, et je me désolais d'avoir perdu ma bande de ciel rose quand je l'aperçus de nouveau, mais rouge cette fois, dans la fenêtre d'en face qu'elle abandonna à un deuxième coude de la voie ferrée ; si bien que je passais mon temps à courir d'une fenêtre à l'autre pour rapprocher, pour rentoiler les fragments intermittents et opposites de mon beau matin écarlate et versatile et en avoir une vue totale et un tableau continu.

Le paysage devint accidenté, abrupt, le train s'arrêta à une petite gare entre deux montagnes. On ne voyait au fond de la gorge, au bord du torrent, qu'une maison de garde enfoncée dans l'eau qui coulait au ras des fenêtres. Si un être peut être le produit d'un sol dont on goûte en lui le charme particulier, plus encore que la

paysanne que j'avais tant désiré voir apparaître quand
j'errais seul du côté de Méséglise, dans les bois de Roussainville, ce devait être la grande fille que je vis sortir
de cette maison et, sur le sentier qu'illuminait obliquement le soleil levant, venir vers la gare en portant une
jarre de lait. Dans la vallée à qui ces hauteurs cachaient
le reste du monde, elle ne devait jamais voir personne que
dans ces trains qui ne s'arrêtaient qu'un instant. Elle
longea les wagons, offrant du café au lait à quelques voyageurs réveillés. Empourpré des reflets du matin, son
visage était plus rose que le ciel. Je ressentis devant elle
ce désir de vivre qui renaît en nous chaque fois que nous
prenons de nouveau conscience de la beauté et du bonheur. Nous oublions toujours qu'ils sont individuels et,
leur substituant dans notre esprit un type de convention
que nous formons en faisant une sorte de moyenne entre
les différents visages qui nous ont plu, entre les plaisirs
que nous avons connus, nous n'avons que des images
abstraites qui sont languissantes et fades parce qu'il leur
manque précisément ce caractère d'une chose nouvelle,
différente de ce que nous avons connu, ce caractère qui
est propre à la beauté et au bonheur. Et nous portons
sur la vie un jugement pessimiste et que nous supposons
juste, car nous avons cru y faire entrer en ligne de compte
le bonheur et la beauté, quand nous les avons omis et
remplacés par des synthèses où d'eux il n'y a pas un seul
atome. C'est ainsi que bâille d'avance d'ennui un lettré
à qui on parle d'un nouveau « beau livre », parce qu'il
imagine une sorte de composé de tous les beaux livres
qu'il a lus, tandis qu'un beau livre est particulier, imprévisible, et n'est pas fait de la somme de tous les chefs-
d'œuvre précédents, mais de quelque chose que s'être
parfaitement assimilé cette somme ne suffit nullement à
faire trouver, car c'est justement en dehors d'elle. Dès
qu'il a eu connaissance de cette nouvelle œuvre, le lettré,
tout à l'heure blasé, se sent de l'intérêt pour la réalité

qu'elle dépeint. Telle, étrangère aux modèles de beauté
que dessinait ma pensée quand je me trouvais seul, la
belle fille me donna aussitôt le goût d'un certain bonheur
(seule forme, toujours particulière, sous laquelle nous
puissions connaître le goût du bonheur), d'un bonheur
qui se réaliserait en vivant auprès d'elle. Mais ici encore
la cessation momentanée de l'Habitude agissait pour une
grande part. Je faisais bénéficier la marchande de lait
de ce que c'était mon être au complet, apte à goûter de
vives jouissances, qui était en face d'elle. C'est d'ordinaire avec notre être réduit au minimum que nous vivons ;
la plupart de nos facultés restent endormies, parce qu'elles
se reposent sur l'habitude qui sait ce qu'il y a à faire et
n'a pas besoin d'elles. Mais par ce matin de voyage, l'interruption de la routine de mon existence, le changement
de lieu et d'heure avaient rendu leur présence indispensable. Mon habitude, qui était sédentaire et n'était pas
matinale, faisait défaut, et toutes mes facultés étaient
accourues pour la remplacer rivalisant entre elles de
zèle — s'élevant toutes, comme des vagues, à un même
niveau inaccoutumé — de la plus basse à la plus noble,
de la respiration, de l'appétit, et de la circulation san-
guine à la sensibilité et à l'imagination. Je ne sais si,
en me faisant croire que cette fille n'était pas pareille
aux autres femmes, le charme sauvage de ces lieux ajoutait
au sien, mais elle le leur rendait. La vie m'aurait paru
délicieuse si seulement j'avais pu, heure par heure, la
passer avec elle, l'accompagner jusqu'au torrent, jusqu'à la vache, jusqu'au train, être toujours à ses côtés,
me sentir connu d'elle, ayant ma place dans sa pensée.
Elle m'aurait initié aux charmes de la vie rustique et des
premières heures du jour. Je lui fis signe qu'elle vînt
me donner du café au lait. J'avais besoin d'être remarqué
d'elle. Elle ne me vit pas, je l'appelai. Au-dessus de son
corps très grand, le teint de sa figure était si doré et si
rose qu'elle avait l'air d'être vue à travers un vitrail

illuminé. Elle revint sur ses pas, je ne pouvais détacher
mes yeux de son visage de plus en plus large, pareil à un
soleil qu'on pourrait fixer et qui s'approcherait jusqu'à
venir tout près de vous, se laissant regarder de près,
vous éblouissant d'or et de rouge. Elle posa sur moi son
regard perçant, mais comme les employés fermaient les
portières, le train se mit en marche ; je la vis quitter la
gare et reprendre le sentier, il faisait grand jour maintenant : je m'éloignais de l'aurore. Que mon exaltation eût
été produite par cette fille, ou au contraire eût causé la
plus grande partie du plaisir que j'avais eu à me trouver
près d'elle, en tous cas elle était si mêlée à lui que mon
désir de la revoir était avant tout le désir moral de ne
pas laisser cet état d'excitation périr entièrement, de ne
pas être séparé à jamais de l'être qui y avait, même à son
insu, participé. Ce n'est pas seulement que cet état fût
agréable. C'est surtout que (comme la tension plus
grande d'une corde ou la vibration plus rapide d'un nerf
produit une sonorité ou une couleur différente) il donnait
une autre tonalité à ce que je voyais, il m'introduisait
comme acteur dans un univers inconnu et infiniment plus
intéressant ; cette belle fille que j'apercevais encore,
tandis que le train accélérait sa marche, c'était comme une
partie d'une vie autre que celle que je connaissais, séparée
d'elle par un liséré, et où les sensations qu'éveillaient les
objets n'étaient plus les mêmes, et d'où sortir maintenant
eût été comme mourir à moi-même. Pour avoir la douceur de me sentir du moins rattaché à cette vie, il eût
suffi que j'habitasse assez près de la petite station pour
pouvoir venir tous les matins demander du café au lait
à cette paysanne. Mais, hélas ! elle serait toujours absente
de l'autre vie vers laquelle je m'en allais de plus en plus
vite et que je ne me résignais à accepter qu'en combinant
des plans qui me permettraient un jour de reprendre ce
même train et de m'arrêter à cette même gare, projet
qui avait aussi l'avantage de fournir un aliment à la

disposition intéressée, active, pratique, machinale, paresseuse, centrifuge qui est celle de notre esprit, car il se
détourne volontiers de l'effort qu'il faut pour approfondir en soi-même, d'une façon générale et désintéressée,
une impression agréable que nous avons eue. Et comme
d'autre part nous voulons continuer à penser à elle,
il préfère l'imaginer dans l'avenir, préparer habilement
les circonstances qui pourront la faire renaître, ce qui
ne nous apprend rien sur son essence, mais nous évite
la fatigue de la recréer en nous-même et nous permet
d'espérer la recevoir de nouveau du dehors.

Certains noms de villes, Vézelay ou Chartres, Bourges
ou Beauvais, servent à désigner, par abréviation, leur
église principale. Cette acception partielle où nous le
prenons si souvent, finit — s'il s'agit de lieux que nous ne
connaissons pas encore — par sculpter le nom tout entier
qui dès lors, quand nous voudrons y faire entrer l'idée
de la ville — de la ville que nous n'avons jamais vue, —
lui imposera — comme un moule — les mêmes ciselures,
et du même style, en fera une sorte de grande cathédrale.
Ce fut pourtant à une station de chemin de fer, au-dessus
d'un buffet, en lettres blanches sur un avertisseur bleu,
que je lus le nom, presque de style persan, de Balbec.
Je traversai vivement la gare et le boulevard qui y abou-
tissait, je demandai la grève pour ne voir que l'église et la
mer ; on n'avait pas l'air de comprendre ce que je voulais
dire. Balbec-le-vieux, Balbec-en-terre, où je me trouvais, n'était ni une plage ni un port. Certes, c'était bien
dans la mer que les pêcheurs avaient trouvé, selon la
légende, le Christ miraculeux dont un vitrail de cette
église qui était à quelques mètres de moi racontait la
découverte ; c'était bien de falaises battues par les flots
qu'avait été tirée la pierre de la nef et des tours. Mais
cette mer, qu'à cause de cela j'avais imaginée venant
mourir au pied du vitrail, était à plus de cinq lieues de
distance, à Balbec-Plage, et, à côté de sa coupole, ce

clocher que, parce que j'avais lu qu'il était lui-même une
âpre falaise normande où s'amassaient les grains, où
tournoyaient les oiseaux, je m'étais toujours représenté
comme recevant à sa base la dernière écume des vagues
soulevées, il se dressait sur une place où était l'embran-
chement de deux lignes de tramways, en face d'un Café
qui portait, écrit en lettres d'or, le mot « Billard » ; il
se détachait sur un fond de maisons aux toits desquelles
ne se mêlait aucun mât. Et l'église — entrant dans mon
attention avec le Café, avec le passant à qui il avait fallu
demander mon chemin, avec la gare où j'allais retourner
— faisait un avec tout le reste, semblait un accident, un
produit de cette fin d'après-midi, dans laquelle la coupole
moelleuse et gonflée sur le ciel était comme un fruit dont
la même lumière qui baignait les cheminées des maisons,
mûrissait la peau rose, dorée et fondante. Mais je ne
voulus plus penser qu'à la signification éternelle des sculptures, quand je reconnus les Apôtres dont j'avais vu les
statues moulées au musée du Trocadéro et qui, des deux
côtés de la Vierge, devant la baie profonde du porche,
m'attendaient comme pour me faire honneur. La figure
bienveillante, camuse et douce, le dos voûté, ils semblaient s'avancer d'un air de bienvenue en chantant
l'*Alleluia* d'un beau jour. Mais on s'apercevait que leur
expression était immuable comme celle d'un mort et ne
se modifiait que si on tournait autour d'eux. Je me disais :
C'est ici, c'est l'église de Balbec. Cette place qui a l'air
de savoir sa gloire, est le seul lieu du monde qui possède
l'église de Balbec. Ce que j'ai vu jusqu'ici, c'était des
photographies de cette église, et, de ces Apôtres, de cette
Vierge du porche si célèbres, les moulages seulement.
Maintenant c'est l'église elle-même, c'est la statue elle-
même, elles, les uniques : c'est bien plus.

C'était moins aussi peut-être. Comme un jeune homme,
un jour d'examen ou de duel, trouve le fait sur lequel on
l'a interrogé, la balle qu'il a tirée, bien peu de chose

quand il pense aux réserves de science et de courage dont
il aurait voulu faire preuve, de même mon esprit qui
avait dressé la Vierge du Porche hors des reproductions
que j'en avais eues sous les yeux, inaccessible aux vicis-
situdes qui pouvaient menacer celles-ci, intacte si on
les détruisait, idéale, ayant une valeur universelle, s'étonnait de voir la statue qu'il avait mille fois sculptée, réduite
maintenant à sa propre apparence de pierre, occupant
par rapport à la portée de mon bras une place où elle
avait pour rivales une affiche électorale et la pointe de ma
canne, enchaînée à la Place, inséparable du débouché
de la grand'rue, ne pouvant fuir les regards du Café et
du bureau d'omnibus, recevant sur son visage la moitié
du rayon, de soleil couchant — et bientôt, dans quelques
heures, de la clarté du réverbère — dont le bureau
du Comptoir d'Escompte recevait l'autre moitié, gagnée,
en même temps que cette Succursale d'un Établissement
de crédit, par le relent des cuisines du pâtissier, soumise
à la tyrannie du Particulier au point que, si j'avais voulu
tracer ma signature sur cette pierre, c'est elle, la Vierge
illustre que jusque-là j'avais douée d'une existence générale et d'une intangible beauté, la Vierge de Balbec,
l'unique (ce qui, hélas! voulait dire la seule), qui, sur son
corps encrassé de la même suie que les maisons voisines,
aurait, sans pouvoir s'en défaire, montré à tous les admirateurs venus là pour la contempler, la trace de mon
morceau de craie et les lettres de mon nom, et c'était
elle enfin, l'œuvre d'art immortelle et si longtemps désirée,
que je trouvais métamorphosée, ainsi que l'église elle-
même, en une petite vieille de pierre dont je pouvais
mesurer la hauteur et compter les rides. L'heure passait,
il fallait retourner à la gare où je devais attendre ma grand'-
mère et Françoise pour gagner ensemble Balbec-Plage.
Je me rappelais ce que j'avais lu sur Balbec, les paroles
de Swann : « C'est délicieux, c'est aussi beau que Sienne. »
Et n'accusant de ma déception que des contingences, la

mauvaise disposition où j'étais, ma fatigue, mon incapacité de savoir regarder, j'essayais de me consoler en pensant qu'il restait d'autres villes encore intactes pour moi, que je pourrais prochainement peut-être pénétrer, comme au milieu d'une pluie de perles, dans le frais gazouillis des égouttements de Quimperlé, traverser le reflet verdissant et rose qui baignait Pont-Aven ; mais pour Balbec, dès que j'y étais entré, ç'avait été comme si j'avais entr'ouvert un nom qu'il eût fallu tenir hermétiquement clos et où, profitant de l'issue que je leur avais imprudemment offerte, en chassant toutes les images qui y vivaient jusque-là, un tramway, un café, les gens qui passaient sur la place, la succursale du Comptoir d'Escompte, irrésistiblement poussés par une pression externe et une force pneumatique, s'étaient engouffrés à l'intérieur des syllabes qui, refermées sur eux, les laissaient maintenant encadrer le porche de l'église persane et ne cesseraient plus de les contenir.

Dans le petit chemin de fer d'intérêt local qui devait nous conduire à Balbec-Plage, je retrouvai ma grand'-mère, mais l'y retrouvai seule — car elle avait imaginé de faire partir avant elle, pour que tout fût préparé d'avance (mais, lui ayant donné un renseignement faux, n'avait réussi qu'à faire partir dans une mauvaise direction) Françoise qui en ce moment, sans s'en douter, filait à toute vitesse sur Nantes et se réveillerait peut-être à Bordeaux. A peine fus-je assis dans le wagon rempli par la lumière fugitive du couchant et par la chaleur persistante de l'après-midi (la première, hélas ! me permettant de voir en plein sur le visage de ma grand'mère combien la seconde l'avait fatiguée), elle me demanda : « Hé bien, Balbec ? » avec un sourire si ardemment éclairé par l'espérance du grand plaisir qu'elle pensait que j'avais éprouvé, que je n'osai pas lui avouer tout d'un coup ma déception. D'ailleurs, l'impression que mon esprit avait recherchée m'occupait moins au

fur et à mesure que se rapprochait le lieu auquel mon
corps allait avoir à s'accoutumer. Au terme, encore éloigné de plus d'une heure, de ce trajet, je cherchais à
imaginer le directeur de l'hôtel de Balbec pour qui
j'étais, en ce moment, inexistant, et j'aurais voulu me
présenter à lui dans une compagnie plus prestigieuse que
celle de ma grand'mère qui allait certainement lui demander des rabais. Il m'apparaissait empreint d'une morgue
certaine, mais très vague de contours.

A tout moment le petit chemin de fer nous arrêtait
à l'une des stations qui précédaient Balbec-Plage et dont
les noms mêmes (Incarville, Marcouville, Doville, Pont-à-
Couleuvre, Arambouville, Saint-Mars-le-Vieux, Her-
monville, Maineville) me semblaient étranges, alors que,
lus dans un livre, ils auraient eu quelque rapport avec
les noms de certaines localités qui étaient voisines de
Combray. Mais à l'oreille d'un musicien deux motifs,
matériellement composés de plusieurs des mêmes notes,
peuvent ne présenter aucune ressemblance, s'ils diffèrent par la couleur de l'harmonie et de l'orchestration.
De même, rien moins que ces tristes noms faits de sable,
d'espace trop aéré et vide, et de sel, au-dessus desquels
le mot ville s'échappait comme vole dans Pigeon-vole,
ne me faisait penser à ces autres noms de Roussainville
ou de Martinville qui, parce que je les avais entendu
prononcer si souvent par ma grand'tante à table, dans la
« salle », avaient acquis un certain charme sombre où
s'étaient peut-être mélangés des extraits du goût des
confitures, de l'odeur du feu de bois et du papier d'un
livre de Bergotte, de la couleur de grès de la maison
d'en face, et qui, aujourd'hui encore, quand ils remontent,
comme une bulle gazeuse, du fond de ma mémoire,
conservent leur vertu spécifique à travers les couches
superposées de milieux différents qu'ils ont à franchir
avant d'atteindre jusqu'à la surface.

C'étaient, dominant la mer lointaine du haut de leur

dune ou s'accommodant déjà pour la nuit au pied de
collines d'un vert cru et d'une forme désobligeante,
comme celle du canapé d'une chambre d'hôtel où l'on
vient d'arriver, composées de quelques villas que prolongeait un terrain de tennis et quelquefois un casino
dont le drapeau claquait au vent fraîchissant, évidé
et anxieux, de petites stations qui me montraient pour
la première fois leurs hôtes, mais me les montraient par
leur dehors habituel — des joueurs de tennis en casquette blanche, le chef de gare vivant là, près de ses
tamaris et de ses roses, une dame coiffée d'un « canotier », qui, décrivant le tracé quotidien d'une vie que je
ne connaîtrais jamais, rappelait son lévrier qui s'attardait,
et rentrait dans son chalet où la lampe était déjà allumée
— et qui blessaient cruellement de ces images étrangement usuelles et dédaigneusement familières mes regards
inconnus et mon cœur dépaysé. Mais combien ma souffrance s'aggrava quand nous eûmes débarqué dans le
hall du Grand-Hôtel de Balbec, en face de l'escalier
monumental qui imitait le marbre, et pendant que ma
grand'mère, sans souci d'accroître l'hostilité et le mépris
des étrangers au milieu desquels nous allions vivre, dis-
cutait les « conditions » avec le directeur, sorte de poussah
à la figure et à la voix pleines de cicatrices (qu'avait
laissées l'extirpation sur l'une, de nombreux boutons,
sur l'autre, des divers accents dus à des origines lointaines et à une enfance cosmopolite), au smoking de
mondain, au regard de psychologue prenant généralement, à l'arrivée de l' « omnibus », les grands seigneurs
pour des râleux et les rats d'hôtel pour des grands seigneurs! Oubliant sans doute que lui-même ne touchait
pas cinq cents francs d'appointements mensuels, il
méprisait profondément les personnes pour qui cinq
cents francs ou plutôt, comme il disait, « vingt-cinq
louis » est « une somme » et les considérait comme faisant
partie d'une race de parias à qui n'était pas destiné le

Grand-Hôtel. Il est vrai que, dans ce Palace même, il y avait des gens qui ne payaient pas très cher tout en étant estimés du directeur, à condition que celui-ci fût certain qu'ils regardaient à dépenser non pas par pauvreté mais par avarice. Elle ne saurait en effet rien ôter au prestige, puisqu'elle est un vice et peut par conséquent se rencontrer dans toutes les situations sociales. La situation sociale était la seule chose à laquelle le directeur fît attention, la situation sociale, ou plutôt les signes qui lui paraissaient impliquer qu'elle était élevée, comme de ne pas se découvrir en entrant dans le hall, de porter des knickerbockers, un patelot à taille, et de sortir un cigare ceint de pourpre et d'or d'un étui en maroquin écrasé (tous avantages, hélas! qui me faisaient défaut). Il émaillait ses propos commerciaux d'expressions choisies, mais à contresens.

Tandis que j'entendais ma grand'mère, sans se froisser qu'il l'écoutât son chapeau sur la tête et tout en sifflotant, lui demander sur une intonation artificielle : « Et quels sont... vos prix ?... Oh! beaucoup trop élevés pour mon petit budget », attendant sur une banquette, je me réfugiais au plus profond de moi-même, je m'efforçais d'émigrer dans des pensées éternelles, de ne laisser rien de moi, rien de vivant, à la surface de mon corps — insensibilisée comme l'est celle des animaux qui par inhibition font les morts quand on les blesse — afin de ne pas trop souffrir dans ce lieu où mon manque total d'habitude m'était rendu plus sensible encore par la vue de celle que semblaient en avoir au même moment une dame élégante à qui le directeur témoignait son respect en prenant des familiarités avec le petit chien dont elle était suivie, le jeune gandin qui, la plume au chapeau, rentrait en demandant « s'il avait des lettres », tous ces gens pour qui c'était regagner leur home que de gravir les degrés en faux marbre. Et en même temps le regard de Minos, Éaque et Rhadamante (regard dans lequel je plongeai mon âme dépouillée, comme dans un inconnu où plus rien ne la protégeait) me fut jeté sévèrement par des messieurs qui, peu versés peut-être dans l'art de « recevoir », portaient le titre de « chefs de réception » ; plus loin, derrière un vitrage clos, des gens étaient assis dans un salon de lecture pour la description duquel il m'aurait fallu choisir dans le Dante tour à tour les couleurs qu'il prête au Paradis et à l'Enfer, selon que je pensais au bonheur des élus qui avaient le droit d'y lire en toute tranquillité, ou à la terreur que m'eût causée ma grand'mère, si dans son insouci de ce genre d'impressions, elle m'eût ordonné d'y pénétrer.

Mon impression de solitude s'accrut encore un moment après. Comme j'avais avoué à ma grand'mère que je n'étais pas bien, que je croyais que nous allions être obligés de revenir à Paris, sans protester elle avait dit qu'elle sortait pour quelques emplettes, utiles aussi bien si nous partions que si nous restions (et que je sus ensuite m'être toutes destinées, Françoise ayant avec elle des affaires qui m'eussent manqué) ; en l'attendant j'étais allé faire les cent pas dans les rues encombrées d'une foule qui y maintenait une chaleur d'appartement et où étaient encore ouverts la boutique du coiffeur et le salon d'un pâtissier chez lequel des habitués prenaient des glaces, devant la statue de Duguay-Trouin. Elle me causa à peu près autant de plaisir que son image au milieu d'un « illustré » peut en procurer au malade qui le feuillette dans le cabinet d'attente d'un chirurgien. Je m'étonnais qu'il y eût des gens assez différents de moi pour que, cette promenade dans la ville, le directeur eût pu me la conseiller comme une distraction, et aussi pour que le lieu de supplice qu'est une demeure nouvelle pût paraître à certains « un séjour de délices » comme disait le prospectus de l'hôtel, qui pouvait exagérer mais pourtant s'adressait à toute une clientèle dont il flattait les goûts. Il est vrai qu'il invoquait, pour la faire venir au Grand-

Hôtel de Balbec, non seulement « la chère exquise » et le « coup d'œil féerique des jardins du Casino », mais encore les « arrêts de Sa Majesté la Mode, qu'on ne peut violer impunément sans passer pour un béotien, ce à quoi aucun homme bien élevé ne voudrait s'exposer ».

Le besoin que j'avais de ma grand'mère était grandi par ma crainte de lui avoir causé une désillusion. Elle devait être découragée, sentir que si je ne supportais pas cette fatigue c'était à désespérer qu'aucun voyage pût me faire du bien. Je me décidai à rentrer l'attendre ; le directeur vint lui-même pousser un bouton : et un personnage encore inconnu de moi, qu'on appelait « lift » (et qui, au point le plus haut de l'hôtel, là où serait le lanternon d'une église normande, était installé comme un photographe derrière son vitrage ou comme un organiste dans sa chambre), se mit à descendre vers moi avec l'agilité d'un écureuil domestique, industrieux et captif. Puis en glissant de nouveau le long d'un pilier il m'entraîna à sa suite vers le dôme de la nef commerciale. A chaque étage, des deux côtés de petits escaliers de communication, se dépliaient en éventails de sombres galeries, dans lesquelles, portant un traversin, passait une femme de chambre. J'appliquais à son visage, rendu indécis par le crépuscule, le masque de mes rêves les plus passionnés, mais lisais dans son regard tourné vers moi l'horreur de mon néant. Cependant pour dissiper, au cours de l'interminable ascension, l'angoisse mortelle que j'éprouvais à traverser en silence le mystère de ce clair-obscur sans poésie, éclairée d'une seule rangée verticale de verrières que faisait l'unique water-closet de chaque étage, j'adressai la parole au jeune organiste, artisan de mon voyage et compagnon de ma captivité, lequel continuait à tirer les registres de son instrument et à pousser les tuyaux. Je m'excusai de tenir autant de place, de lui donner tellement de peine, et lui demandai si je ne le gênais pas dans l'exercice d'un art à l'endroit

duquel, pour flatter le virtuose, je fis plus que manifester
de la curiosité, je confessai ma prédilection. Mais il ne me
répondit pas, soit étonnement de mes paroles, attention
à son travail, souci de l'étiquette, dureté de son ouïe,
respect du lieu, crainte du danger, paresse d'intelligence
ou consigne du directeur.

Il n'est peut-être rien qui donne plus l'impression de
la réalité de ce qui nous est extérieur que le changement
de la position, par rapport à nous, d'une personne même
insignifiante, avant que nous l'ayons connue, et après.
J'étais le même homme qui avait pris à la fin de l'après-
midi le petit chemin de fer de Balbec, je portais en moi
la même âme. Mais dans cette âme, à l'endroit où, à
six heures, il y avait, avec l'impossibilité d'imaginer le
directeur, le Palace, son personnel, une attente vague
et craintive du moment où j'arriverais, se trouvaient
maintenant les boutons extirpés dans la figure du directeur cosmopolite (en réalité naturalisé Monégasque, bien
qu'il fût — comme il disait, parce qu'il employait
toujours des expressions qu'il croyait distinguées, sans
s'apercevoir qu'elles étaient vicieuses — « d'originalité
roumaine »), son geste pour sonner le lift, le lift lui-
même, toute une frise de personnages de guignol sortis
de cette boîte de Pandore qu'était le Grand-Hôtel,
indéniables, inamovibles et, comme tout ce qui est
réalisé, stérilisants. Mais du moins ce changement dans
lequel je n'étais pas intervenu me prouvait qu'il s'était
passé quelque chose d'extérieur à moi — si dénuée
d'intérêt que cette chose fût en soi — et j'étais comme
le voyageur qui, ayant eu le soleil devant lui en commençant une course, constate que les heures ont passé,
quand il le voit derrière lui. J'étais brisé par la fatigue,
j'avais la fièvre, je me serais bien couché, mais je n'avais
rien de ce qu'il eût fallu pour cela. J'aurais voulu au
moins m'étendre un instant sur le lit, mais à quoi bon
puisque je n'aurais pu y faire trouver de repos à cet

ensemble de sensations qui est pour chacun de nous
son corps conscient, sinon son corps matériel, et puisque
les objets inconnus qui l'encerclaient, en le forçant à
mettre ses perceptions sur le pied permanent d'une
défensive vigilante, auraient maintenu mes regards,
mon ouïe, tous mes sens, dans une position aussi réduite
et incommode (même si j'avais allongé mes jambes)
que celle du cardinal La Balue dans la cage où il ne pouvait ni se tenir debout ni s'asseoir. C'est notre attention
qui met des objets dans une chambre et l'habitude qui les
en retire et nous y fait de la place. De la place, il n'y en
avait pas pour moi dans ma chambre de Balbec (mienne
de nom seulement), elle était pleine de choses qui ne me
connaissaient pas, me rendirent le coup d'œil méfiant
que je leur jetai et, sans tenir aucun compte de mon
existence, témoignèrent que je dérangeais le train-train
de la leur. La pendule — alors qu'à la maison je n'entendais la mienne que quelques secondes par semaine seulement quand je sortais d'une profonde méditation —
continua sans s'interrompre un instant à tenir dans une
langue inconnue des propos qui devaient être désobli-
geants pour moi, car les grands rideaux violets l'écoutaient sans répondre, mais dans une attitude analogue
à celle des gens qui haussent les épaules pour montrer
que la vue d'un tiers les irrite. Ils donnaient à cette
chambre si haute un caractère quasi historique qui eût
pu la rendre appropriée à l'assassinat du duc de Guise,
et plus tard à une visite de touristes conduits par un
guide de l'agence Cook, — mais nullement à mon sommeil. J'étais tourmenté par la présence de petites bibliothèques à vitrines, qui couraient le long des murs, mais
surtout par une grande glace à pieds, arrêtée en travers
de la pièce et avant le départ de laquelle je sentais qu'il
n'y aurait pas pour moi de détente possible. Je levais
à tout moment mes regards — que les objets de ma chambre de Paris ne gênaient pas plus que ne faisaient mes

propres prunelles, car ils n'étaient plus que des annexes
de mes organes, un agrandissement de moi-même — vers
le plafond surélevé de ce belvédère situé au sommet de
l'hôtel et que ma grand'mère avait choisi pour moi ;
et, jusque dans cette région plus intime que celle où nous
voyons et où nous entendons, dans cette région où nous
éprouvons la qualité des odeurs, c'était presque à l'intérieur de mon moi que celle du vétiver venait pousser
dans mes derniers retranchements son offensive, à laquelle
j'opposais non sans fatigue la riposte inutile et incessante d'un reniflement alarmé. N'ayant plus d'univers,
plus de chambre, plus de corps que menacé par les ennemis qui m'entouraient, qu'envahi jusque dans les os
par la fièvre, j'étais seul, j'avais envie de mourir. Alors
ma grand'mère entra ; et à l'expansion de mon cœur
refoulé s'ouvrirent aussitôt des espaces infinis.

Elle portait une robe de chambre de percale qu'elle
revêtait à la maison chaque fois que l'un de nous était
malade (parce qu'elle s'y sentait plus à l'aise, disait-elle,
attribuant toujours à ce qu'elle faisait des mobiles
égoïstes), et qui était pour nous soigner, pour nous veiller,
sa blouse de servante et de garde, son habit de religieuse.
Mais tandis que les soins de celles-là, la bonté qu'elles
ont, le mérite qu'on leur trouve et la reconnaissance qu'on
leur doit, augmentent encore l'impression qu'on a
d'être, pour elles, un autre, de se sentir seul, gardant pour
soi la charge de ses pensées, de son propre désir de vivre,
je savais, quand j'étais avec ma grand'mère, si grand
chagrin qu'il y eût en moi, qu'il serait reçu dans une pitié
plus vaste encore ; que tout ce qui était mien, mes soucis,
mon vouloir, serait, en ma grand'mère, étayé sur un
désir de conservation et d'accroissement de ma propre
vie autrement fort que celui que j'avais moi-même ;
et mes pensées se prolongeaient en elle sans subir de
déviation parce qu'elles passaient de mon esprit dans
le sien sans changer de milieu, de personne. Et —

comme quelqu'un qui veut nouer sa cravate devant une
glace sans comprendre que le bout qu'il voit n'est pas
placé par rapport à lui du côté où il dirige sa main, ou
comme un chien qui poursuit à terre l'ombre dansante
d'un insecte — trompé par l'apparence du corps comme
on l'est dans ce monde où nous ne percevons pas directement les âmes, je me jetai dans les bras de ma grand'-
mère et je suspendis mes lèvres à sa figure comme si
j'accédais ainsi à ce cœur immense qu'elle m'ouvrait.
Quand j'avais ainsi ma bouche collée à ses joues, à son
front, j'y puisais quelque chose de si bienfaisant, de si
nourricier, que je gardais l'immobilité, le sérieux, la
tranquille avidité d'un enfant qui tète.

Je regardais ensuite sans me lasser son grand visage
découpé comme un beau nuage ardent et calme, derrière
lequel on sentait rayonner la tendresse. Et tout ce qui
recevait encore, si faiblement que ce fût, un peu de ses
sensations, tout ce qui pouvait ainsi être dit encore à
elle, en était aussitôt si spiritualisé, si sanctifié que de
mes paumes je lissais ses beaux cheveux à peine gris avec
autant de respect, de précaution et de douceur que si
j'y avais caressé sa bonté. Elle trouvait un tel plaisir
dans toute peine qui m'en épargnait une, et, dans un
moment d'immobilité et de calme pour mes membres
fatigués, quelque chose de si délicieux, que quand,
ayant vu qu'elle voulait m'aider à me coucher et me
déchausser, je fis le geste de l'en empêcher et de commencer à me déshabiller moi-même, elle arrêta d'un regard
suppliant mes mains qui touchaient aux premiers boutons
de ma veste et de mes bottines.

— Oh, je t'en prie, me dit-elle. C'est une telle joie
pour ta grand'mère. Et surtout ne manque pas de frapper au mur si tu as besoin de quelque chose cette nuit,
mon lit est adossé au tien, la cloison est très mince. D'ici
un moment quand tu seras couché, fais-le, pour voir
si nous nous comprenons bien.

Et, en effet, ce soir-là, je frappai trois coups — que, une semaine plus tard, quand je fus souffrant, je renouvelai pendant quelques jours tous les matins parce que ma gran'dmère voulait me donner du lait de bonne heure. Alors quand je croyais entendre qu'elle était réveillée — pour qu'elle n'attendît pas et pût, tout de suite après, se rendormir — je risquais trois petits coups, timidement, faiblement, distinctement malgré tout, car si je craignais d'interrompre son sommeil dans le cas où je me serais trompé et où elle eût dormi, je n'aurais pas voulu non plus qu'elle continuât d'épier un appel qu'elle n'aurait pas distingué d'abord et que je n'oserais pas renouveler. Et à peine j'avais frappé mes coups que j'en entendais trois autres, d'une intonation différente ceux-là, empreints d'une calme autorité, répétés à deux reprises pour plus de clarté et qui disaient : « Ne t'agite pas, j'ai entendu ; dans quelques instants je serai là » ; et bientôt après ma grand'mère arrivait. Je lui disais que j'avais eu peur qu'elle ne m'entendît pas ou crût que c'était un voisin qui avait frappé ; elle riait :

— Confondre les coups de mon pauvre loup avec d'autres, mais entre mille sa grand'mère les reconnaî- trait! Crois-tu donc qu'il y en ait d'autres au monde qui soient aussi bêtas, aussi fébriles, aussi partagés entre la crainte de me réveiller et de ne pas être compris ? Mais quand même elle se contenterait d'un grattement on reconnaîtrait tout de suite sa petite souris, surtout quand elle est aussi unique et à plaindre que la mienne. Je l'entendais déjà depuis un moment qui hésitait, qui se remuait dans le lit, qui faisait tous ses manèges.

Elle entr'ouvrait les persiennes ; à l'annexe en saillie de l'hôtel, le soleil était déjà installé sur les toits comme un couvreur matinal qui commence tôt son ouvrage et l'accomplit en silence pour ne pas réveiller la ville qui dort encore et de laquelle l'immobilité le fait paraître plus agile. Elle me disait l'heure, le temps qu'il ferait,

que ce n'était pas la peine que j'allasse jusqu'à la fenêtre,
qu'il y avait de la brume sur la mer, si la boulangerie
était déjà ouverte, quelle était cette voiture qu'on entendait : tout cet insignifiant lever de rideau, ce négligeable
introït du jour auquel personne n'assiste, petit morceau
de vie qui n'était qu'à nous deux, que j'évoquerais volontiers dans la journée devant Françoise ou des étrangers en
parlant du brouillard à couper au couteau qu'il y avait
eu le matin à six heures, avec l'ostentation non d'un
savoir acquis, mais d'une marque d'affection reçue par
moi seul ; doux instant matinal qui s'ouvrait comme une
symphonie par le dialogue rythmé de mes trois coups
auquel la cloison, pénétrée de tendresse et de joie, devenue
harmonieuse, immatérielle, chantant comme les anges,
répondait par trois autres coups, ardemment attendus,
deux fois répétés, et où elle savait transporter l'âme de
ma grand'mère tout entière et la promesse de sa venue,
avec une allégresse d'annonciation et une fidélité musicale. Mais cette première nuit d'arrivée, quand ma
grand'mère m'eut quitté, je recommençai à souffrir,
comme j'avais déjà souffert à Paris au moment de quitter
la maison. Peut-être cet effroi que j'avais — qu'ont tant
d'autres — de coucher dans une chambre inconnue,
peut-être cet effroi n'est-il que la forme la plus humble,
obscure, organique, presque inconsciente, de ce grand
refus désespéré qu'opposent les choses qui constituent
le meilleur de notre vie présente à ce que nous revêtions
mentalement de notre acceptation la formule d'un avenir
où elles ne figurent pas ; refus qui était au fond de
l'horreur que m'avait fait si souvent éprouver la pensée
que mes parents mourraient un jour, que les nécessités
de la vie pourraient m'obliger à vivre loin de Gilberte,
ou simplement à me fixer définitivement dans un pays
où je ne verrais plus jamais mes amis ; refus qui était
encore au fond de la difficulté que j'avais à penser à ma
propre mort ou à une survie comme celle que Bergotte

promettait aux hommes dans ses livres, dans laquelle je
ne pourrais emporter mes souvenirs, mes défauts, mon
caractère, qui ne se résignaient pas à l'idée de ne plus
être et ne voulaient pour moi ni du néant, ni d'une
éternité où ils ne seraient plus.

Quand Swann m'avait dit à Paris, un jour que j'étais
particulièrement souffrant : « Vous devriez partir pour
ces délicieuses îles de l'Océanie, vous verrez que vous n'en
reviendrez plus », j'aurais voulu lui répondre : « Mais
alors je ne verrai plus votre fille, je vivrai au milieu de
choses et de gens qu'elle n'a jamais vus. » Et pourtant
ma raison me disait : « Qu'est-ce que cela peut faire,
puisque tu n'en seras pas affligé ? Quand M. Swann te
dit que tu ne reviendras pas, il entend par là que tu ne
voudras pas revenir, et puisque tu ne le voudras pas,
c'est que, là-bas, tu seras heureux. » Car ma raison savait
que l'habitude — l'habitude qui allait assumer maintenant l'entreprise de me faire aimer ce logis inconnu, de
changer la place de la glace, la nuance des rideaux, d'arrêter la pendule — se charge aussi bien de nous rendre
chers les compagnons qui nous avaient déplu d'abord,
de donner une autre forme aux visages, de rendre sympathique le son d'une voix, de modifier l'inclinaison des
cœurs. Certes ces amitiés nouvelles pour des lieux et des
gens ont pour trame l'oubli des anciennes ; mais justement ma raison pensait que je pouvais envisager sans
terreur la perspective d'une vie où je serais à jamais séparé
d'êtres dont je perdrais le souvenir, et c'est comme une
consolation qu'elle offrait à mon cœur une promesse
d'oubli qui ne faisait au contraire qu'affoler son désespoir. Ce n'est pas que notre cœur ne doive éprouver, lui
aussi, quand la séparation sera consommée, les effets
analgésiques de l'habitude ; mais jusque-là il continuera
de souffrir. Et la crainte d'un avenir où nous seront
enlevés la vue et l'entretien de ceux que nous aimons et
d'où nous tirons aujourd'hui notre plus chère joie, cette

crainte, loin de se dissiper, s'accroît, si à la douleur d'une
telle privation nous pensons que s'ajoutera ce qui nous
semble actuellement plus cruel encore : ne pas la ressentir
comme une douleur, y rester indifférent ; car alors notre
moi serait changé : ce ne serait plus seulement le charme
de nos parents, de notre maîtresse, de nos amis, qui ne
serait plus autour de nous ; notre affection pour eux
aurait été si parfaitement arrachée de notre cœur dont elle
est aujourd'hui une notable part, que nous pourrions
nous plaire à cette vie séparée d'eux dont la pensée nous
fait horreur aujourd'hui ; ce serait donc une vraie mort
de nous-même, mort suivie, il est vrai, de résurrection,
mais en un moi différent et jusqu'à l'amour duquel ne
peuvent s'élever les parties de l'ancien moi condamnées
à mourir. Ce sont elles — mêmes les plus chétives, comme
les obscurs attachements aux dimensions, à l'atmosphère
d'une chambre — qui s'effarent et refusent, en des rébel-
lions où il faut voir un mode secret, partiel, tangible et
vrai de la résistance à la mort, de la longue résistance
désespérée et quotidienne à la mort fragmentaire et
successive telle qu'elle s'insère dans toute la durée de
notre vie, détachant de nous à chaque moment des lam-
beaux de nous-mêmes sur la mortification desquels des
cellules nouvelles multiplieront. Et pour une nature
nerveuse comme était la mienne (c'est-à-dire chez qui
les intermédiaires, les nerfs, remplissent mal leurs fonctions, n'arrêtent pas dans sa route vers la conscience,
mais y laissent au contraire parvenir, distincte, épuisante,
innombrable et douloureuse, la plainte des plus humbles
éléments du moi qui vont disparaître), l'anxieuse alarme
que j'éprouvais sous ce plafond inconnu et trop haut
n'était que la protestation d'une amitié qui survivait
en moi pour un plafond familier et bas. Sans doute
cette amitié disparaîtrait, une autre ayant pris sa place
(alors la mort, puis une nouvelle vie auraient, sous le
nom d'Habitude, accompli leur œuvre double) ; mais,

jusqu'à son anéantissement, chaque soir elle souffrirait, et, ce premier soir-là surtout, mise en présence d'un avenir déjà réalisé où il n'y avait plus de place pour elle, elle se révoltait, elle me torturait du cri de ses lamentations chaque fois que mes regards, ne pouvant se détourner de ce qui les blessait, essayaient de se poser au plafond inaccessible.

Mais le lendemain matin! — après qu'un domestique fut venu m'éveiller et m'apporter de l'eau chaude, et pendant que je faisais ma toilette et essayais vainement de trouver les affaires dont j'avais besoin dans ma malle d'où je ne tirais, pêle-mêle, que celles qui ne pouvaient me servir à rien, quelle joie, pensant déjà au plaisir du déjeuner et de la promenade, de voir dans la fenêtre et dans toutes les vitrines des bibliothèques, comme dans les hublots d'une cabine de navire, la mer nue, sans ombrages, et pourtant à l'ombre sur une moitié de son étendue que délimitait une ligne mince et mobile, et de suivre des yeux les flots qui s'élançaient l'un après l'autre comme des sauteurs sur un tremplin! A tous moments, tenant à la main la serviette raide et empesée où était écrit le nom de l'Hôtel et avec laquelle je faisais d'inutiles efforts pour me sécher, je retournais près de la fenêtre jeter encore un regard sur ce vaste cirque éblouissant et montagneux et sur les sommets neigeux de ses vagues en pierre d'émeraude çà et là polie et translucide, lesquelles avec une placide violence et un froncement léonin laissaient s'accomplir et dévaler l'écroulement de leurs pentes auxquelles le soleil ajoutait un sourire sans visage. Fenêtre à laquelle je devais ensuite me mettre chaque matin comme au carreau d'une diligence dans laquelle on a dormi, pour voir si pendant la nuit s'est rapprochée ou éloignée une chaîne désirée — ici ces collines de la mer qui, avant de revenir vers nous en dansant, peuvent reculer si loin que souvent ce n'était qu'après une longue plaine sablonneuse que j'apercevais

à une grande distance leurs premières ondulations, dans
un lointain transparent, vaporeux et bleuâtre comme ces
glaciers qu'on voit au fond des tableaux des primitifs
toscans. D'autres fois, c'était tout près de moi que le
soleil riait sur ces flots d'un vert aussi tendre que celui
que conserve aux prairies alpestres (dans les montagnes
où le soleil s'étale çà et là comme un géant qui en descendrait gaîment, par bonds inégaux, les pentes) moins
l'humidité du sol que la liquide mobilité de la lumière.
Au reste, dans cette brèche que la plage et les flots
pratiquent au milieu du reste du monde pour y faire
passer, pour y accumuler la lumière, c'est elle surtout,
selon la direction d'où elle vient et que suit notre œil,
c'est elle qui déplace et situe les vallonnements de la
mer. La diversité de l'éclairage ne modifie pas moins
l'orientation d'un lieu, ne dresse pas moins devant nous
de nouveaux buts qu'il nous donne le désir d'atteindre,
que ne ferait un trajet longuement et effectivement
parcouru en voyage. Quand, le matin, le soleil venait de
derrière l'hôtel, découvrant devant moi les grèves illu-
minées jusqu'aux premiers contreforts de la mer, il
semblait m'en montrer un autre versant et m'engager à
poursuivre, sur la route tournante de ses rayons, un
voyage immobile et varié à travers les plus beaux sites
du paysage accidenté des heures. Et dès ce premier
matin, le soleil me désignait au loin, d'un doigt souriant,
ces cimes bleues de la mer qui n'ont de nom sur aucune
carte géographique, jusqu'à ce qu'étourdi de sa sublime
promenade à la surface retentissante et chaotique de leurs
crêtes et de leurs avalanches, il vînt se mettre à l'abri du
vent dans ma chambre, se prélassant sur le lit défait et
égrenant ses richesses sur le lavabo mouillé, dans la
malle ouverte, où, par sa splendeur même et son luxe
déplacé, il ajoutait encore à l'impression du désordre.
Hélas, le vent de mer, une heure plus tard, dans la grande
salle à manger — tandis que nous déjeunions et que, de

la gourde de cuir d'un citron, nous répandions quelques gouttes d'or sur deux soles qui bientôt laissèrent dans nos assiettes le panache de leurs arêtes, frisé comme une plume et sonore comme une cithare — il parut cruel à ma grand'mère de n'en pas sentir le souffle vivifiant à cause du châssis transparent mais clos qui, comme une vitrine, nous séparait de la plage tout en nous la laissant entièrement voir et dans lequel le ciel entrait si complètement que son azur avait l'air d'être la couleur des fenêtres et ses nuages blancs, un défaut du verre. Me persuadant que j'étais « assis sur le môle » ou au fond du « boudoir » dont parle Baudelaire, je me demandais si son « soleil rayonnant sur la mer », ce n'était pas — bien différent du rayon du soir, simple et superficiel comme un trait doré et tremblant — celui qui en ce moment brûlait la mer comme une topaze, la faisait fermenter, devenir blonde et laiteuse comme de la bière, écumante comme du lait, tandis que par moments s'y promenaient çà et là de grandes ombres bleues que quelque dieu semblait s'amuser à déplacer en bougeant un miroir dans le ciel. Malheureusement ce n'était pas seulement par son aspect que différait de la « salle » de Combray donnant sur les maisons d'en face, cette salle à manger de Balbec, nue, emplie de soleil vert comme l'eau d'une piscine, et à quelques mètres de laquelle la marée pleine et le grand jour élevaient, comme devant la cité céleste, un rempart indestructible et mobile d'émeraude et d'or. A Combray, comme nous étions connus de tout le monde, je ne me souciais de personne. Dans la vie de bains de mer on ne connaît pas ses voisins. Je n'étais pas encore assez âgé et j'étais resté trop sensible pour avoir renoncé au désir de plaire aux êtres et de les posséder. Je n'avais pas l'indifférence plus noble qu'aurait éprouvée un homme du monde à l'égard des personnes qui déjeunaient dans la salle à manger, ni des jeunes gens et des jeunes filles passant sur la digue,

avec lesquels je souffrais de penser que je ne pourrais pas
faire d'excursions, moins pourtant que si ma grand'mère,
dédaigneuse des formes mondaines et ne s'occupant que
de ma santé, leur avait adressé la demande, humiliante
pour moi, de m'agréer comme compagnon de promenade.
Soit qu'ils rentrassent vers quelque chalet inconnu, soit
qu'ils en sortissent pour se rendre raquette en main à
un terrain de tennis, ou montassent sur des chevaux
dont les sabots me piétinaient le cœur, je les regardais
avec une curiosité passionnée, dans cet éclairage aveuglant de la plage où les proportions sociales sont changées,
je suivais tous leurs mouvements à travers la transparence de cette grande baie vitrée qui laissait passer tant
de lumière. Mais elle interceptait le vent et c'était un
défaut à l'avis de ma grand'mère qui, ne pouvant supporter l'idée que je perdisse le bénéfice d'une heure d'air,
ouvrit subrepticement un carreau et fit envoler du même
coup, avec les menus, les journaux, voiles et casquettes
de toutes les personnes qui étaient en train de déjeuner ;
elle-même, soutenue par le souffle céleste, restait calme
et souriante comme sainte Blandine, au milieu des invec-
tives qui, augmentant mon impression d'isolement et de
tristesse, réunissaient contre nous les touristes mépri-
sants, dépeignés et furieux.

Pour une certaine partie — ce qui, à Balbec, donnait
à la population, d'ordinaire banalement riche et cosmopolite, de ces sortes d'hôtels de grand luxe, un caractère
régional assez accentué — ils se composaient de personnalités éminentes des principaux départements de
cette partie de la France, d'un premier président de
Caen, d'un bâtonnier de Cherbourg, d'un grand notaire
du Mans qui, à l'époque des vacances, partant des points
sur lesquels toute l'année ils étaient disséminés en tirail-
leurs ou comme des pions au jeu de dames, venaient
se concentrer dans cet hôtel. Ils y conservaient toujours
les mêmes chambres, et, avec leurs femmes qui avaient

des prétentions à l'aristocratie, formaient un petit groupe
auquel s'étaient adjoints un grand avocat et un grand
médecin de Paris qui le jour du départ leur disaient :

— Ah! c'est vrai, vous ne prenez pas le même train
que nous, vous êtes privilégiés, vous serez rendus pour
le déjeuner.

— Comment, privilégiés ? Vous qui habitez la capitale, Paris, la grand'ville, tandis que j'habite un pauvre
chef-lieu de cent mille âmes, il est vrai cent deux mille
au dernier recensement ; mais qu'est-ce à côté de vous
qui en comptez deux millions cinq cent mille, et qui allez
retrouver l'asphalte et tout l'éclat du monde parisien ?

Ils le disaient avec un roulement d'r paysan, sans y
mettre d'aigreur, car c'étaient des lumières de leur
province qui auraient pu comme d'autres venir à Paris —
on avait plusieurs fois offert au premier président de
Caen un siège à la Cour de cassation — mais avaient
préféré rester sur place, par amour de leur ville, ou de
l'obscurité, ou de la gloire, ou parce qu'ils étaient réac-
tionnaires, et pour l'agrément des relations de voisinage
avec les châteaux. Plusieurs d'ailleurs ne regagnaient
pas tout de suite leur chef-lieu.

Car — comme la baie de Balbec était un petit univers
à part au milieu du grand, une corbeille des saisons où
étaient rassemblés en cercle les jours variés et les mois
successifs, si bien que, non seulement les jours où on
apercevait Rivebelle, ce qui était signe d'orage, on y
distinguait du soleil sur les maisons pendant qu'il faisait
noir à Balbec, mais encore que, quand les froids avaient
gagné Balbec, on était certain de trouver sur cette autre
rive deux ou trois mois supplémentaires de chaleur —
ceux de ces habitués du Grand-Hôtel dont les vacances
commençaient tard ou duraient longtemps, faisaient,
quand arrivaient les pluies et les brumes, à l'approche de
l'automne, charger leurs malles sur une barque, et traversaient rejoindre l'été à Rivebelle ou à Costedor. Ce

petit groupe de l'hôtel de Balbec regardait d'un air
méfiant chaque nouveau venu, et, en ayant l'air de ne pas
s'intéresser à lui, tous interrogeaient sur son compte
leur ami le maître d'hôtel. Car c'était le même — Aimé —
qui revenait tous les ans faire la saison et leur gardait
leurs tables ; et mesdames leurs épouses, sachant que sa
femme attendait un bébé, travaillaient après les repas
chacune à une pièce de la layette, tout en nous toisant
avec leur face-à-main, ma grand'mère et moi, parce que
nous mangions des œufs durs dans la salade, ce qui était
réputé commun et ne se faisait pas dans la bonne société
d'Alençon. Ils affectaient une attitude de méprisante
ironie à l'égard d'un Français qu'on appelait Majesté
et qui s'était, en effet, proclamé lui-même roi d'un petit
îlot de l'Océanie peuplé seulement par quelques sauvages. Il habitait l'hôtel avec sa jolie maîtresse, sur le
passage de qui, quand elle allait se baigner, les gamins
criaient : « Vive la reine ! » parce qu'elle faisait pleuvoir
sur eux des pièces de cinquante centimes. Le premier
président et le bâtonnier ne voulaient même pas avoir
l'air de la voir, et si quelqu'un de leurs amis la regardait,
ils croyaient devoir le prévenir que c'était une petite
ouvrière.

— Mais on m'avait assuré qu'à Ostende ils usaient
de la cabine royale.

— Naturellement ! On la loue pour vingt francs. Vous
pouvez la prendre si cela vous fait plaisir. Et je sais
pertinemment que, lui, avait fait demander une audience
au roi qui lui a fait savoir qu'il n'avait pas à connaître
ce souverain de Guignol.

— Ah, vraiment, c'est intéressant ! il y a tout de même
des gens !...

Et sans doute tout cela était vrai, mais c'était aussi par
ennui de sentir que pour une bonne partie de la foule ils
n'étaient, eux, que de bons bourgeois qui ne connaissaient pas ce roi et cette reine prodigues de leur monnaie,

que le notaire, le président, le bâtonnier, au passage de
ce qu'ils appelaient un carnaval, éprouvaient tant de
mauvaise humeur et manifestaient tout haut une indignation au courant de laquelle était leur ami le maître
d'hôtel, qui, obligé de faire bon visage aux souverains
plus généreux qu'authentiques, cependant tout en prenant
leur commande, adressait de loin à ses vieux clients un
clignement d'œil significatif. Peut-être y avait-il aussi
un peu de ce même ennui d'être par erreur crus moins
« chic » et de ne pouvoir expliquer qu'ils l'étaient davantage, au fond du « Joli Monsieur! » dont ils qualifiaient
un jeune gommeux, fils poitrinaire et fêtard d'un grand
industriel et qui, tous les jours, dans un veston nouveau,
une orchidée à la boutonnière, déjeunait au champagne,
et allait, pâle, impassible, un sourire d'indifférence aux
lèvres, jeter au Casino sur la table de baccara des sommes
énormes « qu'il n'a pas les moyens de perdre », disait
d'un air renseigné le notaire au premier président duquel
la femme « tenait de bonne source » que ce jeune homme
« fin de siècle » faisait mourir de chagrin ses parents.

D'autre part, le bâtonnier et ses amis ne tarissaient
pas de sarcasmes au sujet d'une vieille dame riche et
titrée, parce qu'elle ne se déplaçait qu'avec tout son train
de maison. Chaque fois que la femme du notaire et la
femme du premier président la voyaient dans la salle
à manger au moment des repas, elles l'inspectaient
insolemment avec leur face-à-main du même air minutieux et défiant que si elle avait été quelque plat au nom
pompeux mais à l'apparence suspecte qu'après le résultat
défavorable d'une observation méthodique on fait
éloigner, avec un geste distant et une grimace de dégoût.

Sans doute par là voulaient-elles seulement montrer
que, s'il y avait certaines choses dont elles manquaient
— dans l'espèce certaines prérogatives de la vieille dame,
et être en relations avec elle — c'était non pas parce
qu'elles ne pouvaient, mais ne voulaient pas les posséder.

Mais elles avaient fini par s'en convaincre elles-mêmes ;
et c'est la suppression de tout désir, de la curiosité pour
les formes de la vie qu'on ne connaît pas, de l'espoir
de plaire à de nouveaux êtres, remplacés chez ces femmes
par un dédain simulé, par une allégresse factice, qui
avait l'inconvénient de leur faire mettre du déplaisir
sous l'étiquette de contentement et se mentir perpétuellement à elles-mêmes, deux conditions pour qu'elles
fussent malheureuses. Mais tout le monde dans cet
hôtel agissait sans doute de la même manière qu'elles,
bien que sous d'autres formes, et sacrifiait, sinon à
l'amour-propre, du moins à certains principes d'éducation ou à des habitudes intellectuelles, le trouble délicieux
de se mêler à une vie inconnue. Sans doute le microcosme
dans lequel s'isolait la vieille dame n'était pas empoisonné de virulentes aigreurs comme le groupe où rica-
naient de rage la femme du notaire et du premier président. Il était, au contraire, embaumé d'un parfum fin
et vieillot mais qui n'était pas moins factice. Car, au
fond, la vieille dame eût probablement trouvé, à séduire,
à s'attacher (en se renouvelant pour cela elle-même)
la sympathie mystérieuse d'êtres nouveaux, un charme
dont est dénué le plaisir qu'il y a à ne fréquenter que des
gens de son monde et à se rappeler que, ce monde étant
le meilleur qui soit, le dédain mal informé d'autrui
est négligeable. Peut-être sentait-elle que, si elle était
arrivée inconnue au Grand-Hôtel de Balbec, elle eût,
avec sa robe de laine noire et son bonnet démodé, fait
sourire quelque noceur qui de son « rocking » eût mur-
muré « quelle purée! » ou surtout quelque homme de
valeur ayant gardé, comme le premier président, entre
ses favoris poivre et sel, un visage frais et des yeux spirituels comme elle les aimait, et qui eût aussitôt désigné
à la lentille rapprochante du face-à-main conjugal l'apparition de ce phénomène insolite ; et peut-être était-ce
par inconsciente appréhension de cette première minute

qu'on sait courte mais qui n'est pas moins redoutée
— comme la première tête qu'on pique dans l'eau —
que cette dame envoyait d'avance un domestique mettre
l'hôtel au courant de sa personnalité et de ses habitudes
et, coupant court aux salutations du directeur, gagnait,
avec une brièveté où il y avait plus de timidité que
d'orgueil, sa chambre où des rideaux personnels, rem-
plaçant ceux qui pendaient aux fenêtres, des paravents,
des photographies, mettaient si bien, entre elle et le
monde extérieur auquel il eût fallu s'adapter, la cloison
de ses habitudes, que c'était son chez elle, au sein duquel
elle était restée, qui voyageait plutôt qu'elle-même.

Dès lors, ayant placé entre elle d'une part, le personnel
de l'hôtel et les fournisseurs de l'autre, ses domestiques
qui recevaient à sa place le contact de cette humanité
nouvelle et entretenaient autour de leur maîtresse
l'atmosphère accoutumée, ayant mis ses préjugés entre
elle et les baigneurs, insoucieuse de déplaire à des gens
que ses amies n'auraient pas reçus, c'est dans son monde
qu'elle continuait à vivre par la correspondance avec ses
amis, par le souvenir, par la conscience intime qu'elle
avait de sa situation, de la qualité de ses manières, de
la compétence de sa politesse. Et tous les jours, quand elle
descendait pour aller dans sa calèche faire une promenade, sa femme de chambre qui portait ses affaires
derrière elle, son valet de pied qui la devançait semblaient
comme ces sentinelles qui, aux portes d'une ambassade
pavoisée aux couleurs du pays dont elle dépend, garantis-
sent pour elle, au milieu d'un sol étranger, le privilège
de son exterritorialité. Elle ne quitta pas sa chambre
avant le milieu de l'après-midi, le jour de notre arrivée,
et nous ne l'aperçûmes pas dans la salle à manger où le
directeur, comme nous étions nouveaux venus, nous
conduisit, sous sa protection, à l'heure du déjeuner,
comme un gradé qui mène des bleus chez le caporal
tailleur pour les faire habiller ; mais nous y vîmes, en

revanche, au bout d'un instant un hobereau et sa fille, d'une obscure mais très ancienne famille de Bretagne, M. et M¹¹ᵉ de Stermaria, dont on nous avait fait donner la table, croyant qu'ils ne rentreraient que le soir. Venus seulement à Balbec pour retrouver des châtelains qu'ils connaissaient dans le voisinage, ils ne passaient dans la salle à manger de l'hôtel, entre les invitations acceptées au dehors et les visites rendues, que le temps strictement nécessaire. C'était leur morgue qui les préservait de toute sympathie humaine, de tout intérêt pour les inconnus assis autour d'eux, et au milieu desquels M. de Stermaria gardait l'air glacial, pressé, distant, rude, pointilleux et malintentionné qu'on a dans un buffet de chemin de fer au milieu de voyageurs qu'on n'a jamais vus, qu'on ne reverra pas, et avec qui on ne conçoit d'autres rapports que de défendre contre eux son poulet froid et son coin dans le wagon. A peine commencions-nous à déjeuner qu'on vint nous faire lever sur l'ordre de M. de Stermaria, lequel venait d'arriver et, sans le moindre geste d'excuse à notre adresse, pria à haute voix le maître d'hôtel de veiller à ce qu'une pareille erreur ne se renouvelât pas, car il lui était désagréable que « des gens qu'il ne connaissait pas » eussent pris sa table.

Et certes dans le sentiment qui poussait une certaine actrice (plus connue d'ailleurs à cause de son élégance, de son esprit, de ses belles collections de porcelaine allemande que pour quelques rôles joués à l'Odéon), son amant, jeune homme très riche pour lequel elle s'était cultivée, et deux hommes très en vue de l'aristocratie, à faire dans la vie bande à part, à ne voyager qu'ensemble, à prendre à Balbec leur déjeuner, très tard, quand tout le monde avait fini, à passer la journée dans leur salon à jouer aux cartes, il n'entrait aucune malveillance, mais seulement les exigences du goût qu'ils avaient pour certaines formes spirituelles de conversation, pour certains raffinements de bonne chère, lequel leur faisait trouver plaisir à ne vivre, à ne prendre leurs repas qu'ensemble, et leur eût rendu insupportable la vie en commun avec des gens qui n'y avaient pas été initiés. Même devant une table servie ou devant une table à jeu, chacun d'eux avait besoin de savoir que dans le convive ou le partenaire qui était assis en face de lui, reposaient en suspens et inutilisés un certain savoir qui permet de reconnaître la camelote dont tant de demeures parisiennes se parent comme d'un « Moyen Age » ou d'une « Renaissance » authentiques et, en toutes choses, des critériums communs à eux pour distinguer le bon et le mauvais. Sans doute ce n'était plus, dans ces moments-là, que par quelque rare et drôle interjection jetée au milieu du silence du repas ou de la partie, ou par la robe charmante et nouvelle que la jeune actrice avait revêtue pour déjeuner ou faire un poker, que se manifestait l'existence spéciale dans laquelle ces amis voulaient partout rester plongés. Mais en les enveloppant ainsi d'habitudes qu'ils connaissaient à fond, elle suffisait à les protéger contre le mystère de la vie ambiante. Pendant les longs après-midi, la mer n'était suspendue en face d'eux que comme une toile d'une couleur agréable accrochée dans le boudoir d'un riche célibataire, et ce n'était que dans l'intervalle des coups qu'un des joueurs, n'ayant rien de mieux à faire, levait les yeux vers elle pour en tirer une indication sur le beau temps ou sur l'heure, et rappeler aux autres que le goûter attendait. Et le soir ils ne dînaient pas à l'hôtel où, les sources électriques faisant sourdre à flots la lumière dans la grande salle à manger, celle-ci devenait comme un immense et merveilleux aquarium devant la paroi de verre duquel la population ouvrière de Balbec, les pêcheurs et aussi les familles de petits bourgeois, invisibles dans l'ombre, s'écrasaient au vitrage pour apercevoir, lentement balancée dans des remous d'or, la vie luxueuse de ces gens, aussi extraordinaire pour les pauvres que celle de poissons et de mol-

lusques étranges (une grande question sociale, de savoir
si la paroi de verre protégera toujours le festin des bêtes
merveilleuses et si les gens obscurs qui regardent avidement dans la nuit ne viendront pas les cueillir dans leur
aquarium et les manger). En attendant, peut-être parmi
la foule arrêtée et confondue dans la nuit y avait-il quelque
écrivain, quelque amateur d'ichtyologie humaine, qui,
regardant les mâchoires de vieux monstres féminins se
refermer sur un morceau de nourriture engloutie, se
complaisait à classer ceux-ci par race, par caractères innés
et aussi par ces caractères acquis qui font qu'une vieille
dame serbe dont l'appendice buccal est d'un grand poisson
de mer, parce que depuis son enfance elle vit dans les
eaux douces du faubourg Saint-Germain, mange la
salade comme une La Rochefoucauld.

A cette heure-là on apercevait les trois hommes en
smoking attendant la femme en retard, laquelle bientôt,
en une robe presque chaque fois nouvelle et des écharpes
choisies selon un goût particulier à son amant, après
avoir, de son étage, sonné le lift, sortait de l'ascenseur
comme d'une boîte de joujoux. Et tous les quatre qui
trouvaient que le phénomène international du Palace,
implanté à Balbec, y avait fait fleurir le luxe plus que la
bonne cuisine, s'engouffrant dans une voiture, allaient
dîner à une demi-lieue de là dans un petit restaurant
réputé où ils avaient avec le cuisinier d'interminables
conférences sur la composition du menu et la confection
des plats. Pendant ce trajet la route bordée de pommiers
qui part de Balbec n'était pour eux que la distance qu'il
fallait franchir — peu distincte dans la nuit noire de celle
qui séparait leurs domiciles parisiens du Café Anglais ou
de la Tour d'Argent — avant d'arriver au petit restaurant
élégant où, tandis que les amis du jeune homme riche l'en-
viaient d'avoir une maîtresse si bien habillée, les écharpes
de celle-ci tendaient devant la petite société comme un
voile parfumé et souple, mais qui la séparait du monde.

Malheureusement pour ma tranquillité, j'étais bien loin d'être comme tous ces gens. De beaucoup d'entre eux je me souciais ; j'aurais voulu ne pas être ignoré d'un homme au front déprimé, au regard fuyant entre les œillères de ses préjugés et de son éducation, le grand seigneur de la contrée, lequel n'était autre que le beau-frère de Legrandin : il venait quelquefois en visite à Balbec et, le dimanche, par la garden-party hebdomadaire que sa femme et lui donnaient, dépeuplait l'hôtel d'une partie de ses habitants, parce qu'un ou deux d'entre eux étaient invités à ces fêtes et parce que les autres, pour ne pas avoir l'air de ne pas l'être, choisissaient ce jour-là pour faire une excursion éloignée. Il avait, d'ailleurs, été le premier jour fort mal reçu à l'hôtel quand le personnel, frais débarqué de la Côte d'Azur, ne savait pas encore qui il était. Non seulement il n'était pas habillé en flanelle blanche, mais, par vieille manière française et ignorance de la vie des Palaces, entrant dans un hall où il y avait des femmes, il avait ôté son chapeau dès la porte, ce qui avait fait que le directeur n'avait même pas touché le sien pour lui répondre, estimant que ce devait être quelqu'un de la plus humble extraction, ce qu'il appelait un homme « sortant de l'ordinaire ». Seule la femme du notaire s'était sentie attirée vers le nouveau venu qui fleurait toute la vulgarité gourmée des gens comme il faut, et elle avait déclaré, avec le fond de discernement infaillible et d'autorité sans réplique d'une personne pour qui la première société du Mans n'a pas de secrets, qu'on se sentait devant lui en présence d'un homme d'une haute distinction, parfaitement bien élevé et qui tranchait sur tout ce qu'on rencontrait à Balbec et qu'elle jugeait infréquentable tant qu'elle ne le fréquentait pas. Ce jugement favorable qu'elle avait porté sur le beau-frère de Legrandin tenait peut-être au terne aspect de quelqu'un qui n'avait rien d'intimidant, peut-être à ce qu'elle avait reconnu dans ce gentilhomme-fermier à

allure de sacristain les signes maçonniques de son propre
cléricalisme.

J'avais beau avoir appris que les jeunes gens qui montaient tous les jours à cheval devant l'hôtel étaient les
fils du propriétaire véreux d'un magasin de nouveautés
et que mon père n'eût jamais consenti à connaître, la
« vie de bains de mer » les dressait, à mes yeux, en statues
équestres de demi-dieux, et le mieux que je pouvais
espérer était qu'ils ne laissassent jamais tomber leurs
regards sur le pauvre garçon que j'étais, qui ne quittait
la salle à manger de l'hôtel que pour aller s'asseoir sur le
sable. J'aurais voulu inspirer de la sympathie même à
l'aventurier qui avait été roi d'une île déserte en Océanie,
même au jeune tuberculeux dont j'aimais à supposer qu'il
cachait sous ses dehors insolents une âme craintive et
tendre qui eût peut-être prodigué pour moi seul des trésors
d'affection. D'ailleurs (au contraire de ce qu'on dit
d'habitude des relations de voyage), comme être vu
avec certaines personnes peut vous ajouter, sur une plage
où l'on retourne quelquefois, un coefficient sans équivalent dans la vraie vie mondaine, il n'y a rien, non pas
qu'on tienne aussi à distance, mais qu'on cultive si soigneusement dans la vie de Paris, que les amitiés de bains
de mer. Je me souciais de l'opinion que pouvaient avoir
de moi toutes ces notabilités momentanées ou locales
que ma disposition à me mettre à la place des gens et à
recréer leur état d'esprit me faisait situer non à leur
rang réel, à celui qu'ils auraient occupé à Paris par exemple
et qui eût été fort bas, mais à celui qu'ils devaient croire le
leur, et qui l'était à vrai dire à Balbec où l'absence de
commune mesure leur donnait une sorte de supériorité
et d'intérêt singulier. Hélas, d'aucune de ces personnes
le mépris ne m'était aussi pénible que celui de M. de
Stermaria.

Car j'avais remarqué sa fille dès son entrée, son joli
visage pâle et presque bleuté, ce qu'il y avait de parti-

culier dans le port de sa haute taille, dans sa démarche,
et qui m'évoquait avec raison son hérédité, son éducation
aristocratique, et d'autant plus clairement que je savais
son nom, — comme ces thèmes expressifs inventés par
des musiciens de génie et qui peignent splendidement le
scintillement de la flamme, le bruissement du fleuve et la
paix de la campagne, pour les auditeurs qui, en parcourant préalablement le livret, ont aiguillé leur imagination
dans la bonne voie. La « race », en ajoutant aux charmes
de Mˡˡᵉ de Stermaria l'idée de leur cause, les rendait plus
intelligibles, plus complets. Elle les faisait aussi plus désirables, annonçant qu'ils étaient peu accessibles, comme un
prix élevé ajoute à la valeur d'un objet qui nous a plu.
Et la tige héréditaire donnait à ce teint composé de sucs
choisis la saveur d'un fruit exotique ou d'un cru célèbre.

Or, un hasard mit tout d'un coup entre nos mains le
moyen de nous donner, à ma grand'mère et à moi,
pour tous les habitants de l'hôtel un prestige immédiat.
En effet, dès ce premier jour, au moment où la vieille
dame descendait de chez elle, exerçant, grâce au valet
de pied qui la précédait, à la femme de chambre qui
courait derrière avec un livre et une couverture oubliés,
une action sur les âmes, et excitant chez tous une curiosité
et un respect auxquels il fut visible qu'échappait moins
que personne M. de Stermaria, le directeur se pencha vers
ma grand'mère, et par amabilité (comme on montre le
Shah de Perse ou la Reine Ranavalo à un spectateur
obscur qui ne peut évidemment avoir aucune relation
avec le puissant souverain, mais peut trouver intéressant
de l'avoir vu à quelques pas) il lui coula dans l'oreille :
« La marquise de Villeparisis », cependant qu'au même
moment cette dame apercevant ma grand'mère ne
pouvait retenir un regard de joyeuse surprise.

On peut penser que l'apparition soudaine, sous les
traits d'une petite vieille, de la plus puissante des fées
ne m'aurait pas causé plus de plaisir, dénué comme j'étais

de tout recours pour m'approcher de Mlle de Ṣtermaria, dans un pays où je ne connaissais personne. J'entends personne au point de vue pratique. Esthétiquement, le nombre des types humains est trop restreint pour qu'on n'ait pas bien souvent, dans quelque endroit qu'on aille, la joie de revoir des gens de connaissance, même sans les chercher dans les tableaux des vieux maîtres, comme faisait Swann. C'est ainsi que dès les premiers jours de notre séjour à Balbec, il m'était arrivé de rencontrer Legrandin, le concierge de Swann, et Mme Swann elle-même, devenus, le premier, un garçon de café, le second, un étranger de passage que je ne revis pas, et la dernière, un maître baigneur. Et une sorte d'aimantation attire et retient si inséparablement les uns auprès des autres certains caractères de physionomie et de mentalité que quand la nature introduit ainsi une personne dans un nouveau corps, elle ne la mutile pas trop. Legrandin changé en garçon de café gardait intacts sa stature, le profil de son nez et une partie du menton ; Mme Swann, dans le sexe masculin et la condition de maître baigneur, avait été suivie non seulement par sa physionomie habituelle, mais même par une certaine manière de parler. Seulement elle ne pouvait pas m'être de plus d'utilité, entourée de sa ceinture rouge et hissant, à la moindre houle, le drapeau qui interdit les bains (car les maîtres baigneurs sont prudents, sachant rarement nager), qu'elle ne l'eût pu dans la fresque de la *Vie de Moïse* où Swann l'avait reconnue jadis sous les traits de la fille de Jethro. Tandis que cette Mme de Villeparisis était bien la véritable, elle n'avait pas été victime d'un enchantement qui l'eût dépouillée de sa puissance, mais était capable, au contraire, d'en mettre un à la disposition de la mienne qu'il centuplerait, et grâce auquel, comme si j'avais été porté par les ailes d'un oiseau fabuleux, j'allais franchir en quelques instants les distances sociales infinies — au moins à Balbec — qui me séparaient de Mlle de Stermaria.

Malheureusement, s'il y avait quelqu'un qui, plus que quiconque, vécût enfermé dans son univers particulier, c'était ma grand'mère. Elle ne m'aurait même pas méprisé, elle ne m'aurait pas compris, si elle avait su que j'attachais de l'importance à l'opinion, que j'éprouvais de l'intérêt pour la personne, de gens dont elle ne remarquait seulement pas l'existence et dont elle devait quitter Balbec sans avoir retenu le nom ; je n'osais pas lui avouer que si ces mêmes gens l'avaient vue causer avec Mme de Villeparisis, j'en aurais eu un grand plaisir, parce que je sentais que la marquise avait du prestige dans l'hôtel et que son amitié nous eût posés aux yeux de M. de Stermaria. Non d'ailleurs que l'amie de ma grand'-mère me représentât le moins du monde une personne de l'aristocratie : j'étais trop habitué à son nom devenu familier à mes oreilles avant que mon esprit s'arrêtât sur lui, quand, tout enfant, je l'entendais prononcer à la maison ; et son titre n'y ajoutait qu'une particularité bizarre comme aurait fait un prénom peu usité, ainsi qu'il arrive dans les noms de rue où on n'aperçoit rien de plus noble dans la rue Lord-Byron, dans la si populaire et vulgaire rue Rochechouart, ou dans la rue de Gramont que dans la rue Léonce-Reynaud ou la rue Hippolyte-Lebas. Mme de Villeparisis ne me faisait pas plus penser à une personne d'un monde spécial que son cousin Mac-Mahon, que je ne différenciais pas de M. Carnot, président de la République comme lui, et de Raspail dont Françoise avait acheté la photographie avec celle de Pie IX. Ma grand'mère avait pour principe qu'en voyage on ne doit plus avoir de relations, qu'on ne va pas au bord de la mer pour voir des gens, qu'on a tout le temps pour cela à Paris, qu'ils vous feraient perdre en politesses, en banalités, le temps précieux qu'il faut passer tout entier au grand air, devant les vagues ; et trouvant plus commode de supposer que cette opinion était partagée par tout le monde et qu'elle autorisait entre de vieux amis que le

hasard mettait en présence dans le même hôtel la fiction
d'un incognito réciproque, au nom que lui cita le directeur, elle se contenta de détourner les yeux et eut l'air
de ne pas voir Mme de Villeparisis qui, comprenant que
ma grand'mère ne tenait pas à faire de reconnaissances,
regarda à son tour dans le vague. Elle s'éloigna, et je
restai dans mon isolement comme un naufragé de qui a
paru s'approcher un vaisseau, lequel a disparu ensuite
sans s'être arrêté.

Elle prenait aussi ses repas dans la salle à manger, mais
à l'autre bout. Elle ne connaissait aucune des personnes
qui habitaient l'hôtel ou y venaient en visite, pas même
M. de Cambremer ; en effet, je vis qu'il ne la saluait pas,
un jour où il avait accepté avec sa femme une invitation
à déjeuner du bâtonnier, lequel, ivre de l'honneur d'avoir
le gentilhomme à sa table, évitait ses amis des autres
jours et se contentait de leur adresser de loin un clignement d'œil pour faire à cet événement historique une
allusion toutefois assez discrète pour qu'elle ne pût être
interprétée comme une invite à s'approcher.

— Eh bien, j'espère que vous vous mettez bien, que
vous êtes un homme chic, lui dit le soir la femme du premier président.

— Chic ? pourquoi ? demanda le bâtonnier, dissimulant sa joie sous un étonnement exagéré ; à cause de mes
invités ? dit-il en sentant qu'il était incapable de feindre
plus longtemps ; mais qu'est-ce que ça a de chic d'avoir
des amis à déjeuner ? Faut bien qu'ils déjeunent quelque
part !

— Mais si, c'est chic ! C'était bien les *de* Cambremer,
n'est-ce pas ? Je les ai bien reconnus. C'est une marquise.
Et authentique. Pas par les femmes.

— Oh ! c'est une femme bien simple, elle est charmante,
on ne fait pas moins de façons. Je pensais que vous alliez
venir, je vous faisais des signes... je vous aurais présenté !
dit-il en corrigeant par une légère ironie l'énormité de

cette proposition, comme Assuérus quand il dit à Esther :
« Faut-il de mes États vous donner la moitié ? »

— Non, non, non, non, nous restons cachés, comme
l'humble violette.

— Mais vous avez eu tort, je vous le répète, répondit
le bâtonnier, enhardi maintenant que le danger était
passé. Ils ne vous auraient pas mangés. Allons-nous faire
notre petit bésigue ?

— Mais volontiers, nous n'osions pas vous le proposer,
maintenant que vous traitez des marquises !

— Oh! allez, elles n'ont rien de si extraordinaire.
Tenez, j'y dîne demain soir. Voulez-vous y aller à ma
place ? C'est de grand cœur. Franchement, j'aime autant
rester ici.

— Non, non!... on me révoquerait comme réactionnaire, s'écria le président, riant aux larmes de sa plaisanterie. Mais vous aussi, vous êtes reçu à Féterne, ajouta-
t-il en se tournant vers le notaire.

— Oh! je vais là les dimanches, on entre par une porte,
on sort par l'autre. Mais ils ne déjeunent pas chez moi
comme chez le bâtonnier.

M. de Stermaria n'était pas ce jour-là à Balbec, au
grand regret du bâtonnier. Mais insidieusement il dit
au maître d'hôtel :

— Aimé, vous pourrez dire à M. de Stermaria qu'il
n'est pas le seul noble qu'il y ait eu dans cette salle à
manger. Vous avez bien vu ce monsieur qui a déjeuné
avec moi ce matin ? Hein ? petites moustaches, air militaire ? Eh bien, c'est le marquis de Cambremer.

— Ah, vraiment ? cela ne m'étonne pas!

— Ça lui montrera qu'il n'est pas le seul homme titré.
Et attrape donc! Il n'est pas mal de leur rabattre leur
caquet à ces nobles. Vous savez Aimé, ne lui dites rien
si vous voulez, moi, ce que j'en dis, ce n'est pas pour moi ;
du reste, il le connaît bien.

Et le lendemain, M. de Stermaria, qui savait que le

bâtonnier avait plaidé pour un de ses amis, alla se présenter lui-même.

— Nos amis communs, les de Cambremer, voulaient justement nous réunir, nos jours n'ont pas coïncidé, enfin je ne sais plus, dit le bâtonnier, qui comme beaucoup de menteurs s'imaginent qu'on ne cherchera pas à élucider un détail insignifiant qui suffit pourtant (si le hasard vous met en possession de l'humble réalité qui est en contradiction avec lui) pour dénoncer un caractère et inspirer à jamais la méfiance.

Comme toujours, mais plus facilement pendant que son père s'était éloigné pour causer avec le bâtonnier, je regardais Mlle de Stermaria. Autant que la singularité hardie et toujours belle de ses attitudes, comme quand, les deux coudes posés sur la table, elle élevait son verre au-dessus de ses deux avant-bras, la sécheresse d'un regard vite épuisé, la dureté foncière, familiale, qu'on sentait, mal recouverte sous ses inflexions personnelles, au fond de sa voix, et qui avait choqué ma grand'mère, une sorte de cran d'arrêt atavique auquel elle revenait dès que dans un coup d'œil ou une intonation elle avait achevé de donner sa pensée propre ; tout cela ramenait la pensée de celui qui la regardait vers la lignée qui lui avait légué cette insuffisance de sympathie humaine, des lacunes de sensibilité, un manque d'ampleur dans l'étoffe qui à tout moment faisait faute. Mais à certains regards qui passaient un instant sur le fond si vite à sec de sa prunelle et dans lesquels on sentait cette douceur presque humble que le goût prédominant des plaisirs des sens donne à la plus fière, laquelle bientôt ne reconnaît plus qu'un prestige, celui qu'a pour elle tout être qui peut les lui faire éprouver, fût-ce un comédien ou un saltimbanque pour lequel elle quittera peut-être un jour son mari ; à certaine teinte d'un rose sensuel et vif qui s'épanouissait dans ses joues pâles, pareille à celle qui mettait son incarnat au cœur des nymphéas blancs de la Vivonne,

je croyais sentir qu'elle eût facilement permis que je
vinsse chercher sur elle le goût de cette vie si poétique
qu'elle menait en Bretagne, vie à laquelle, soit par trop
d'habitude, soit par distinction innée, soit par dégoût
de la pauvreté ou de l'avarice des siens, elle ne semblait
pas trouver grand prix, mais que pourtant elle contenait
enclose en son corps. Dans la chétive réserve de volonté
qui lui avait été transmise et qui donnait à son expression
quelque chose de lâche, peut-être n'eût-elle pas trouvé les
ressources d'une résistance. Et, surmonté d'une plume
un peu démodée et prétentieuse, le feutre gris qu'elle
portait invariablement à chaque repas me la rendait plus
douce, non parce qu'il s'harmonisait avec son teint
d'argent et de rose, mais parce qu'en me la faisant supposer pauvre, il la rapprochait de moi. Obligée à une attitude de convention par la présence de son père, mais
apportant déjà à la perception et au classement des êtres
qui étaient devant elle des principes autres que lui, peut-
être voyait-elle en moi non le rang insignifiant, mais le
sexe et l'âge. Si un jour M. de Stermaria était sorti sans
elle, surtout si Mme de Villeparisis en venant s'asseoir
à notre table lui avait donné de nous une opinion qui
m'eût enhardi à m'approcher d'elle, peut-être aurions-
nous pu échanger quelques paroles, prendre un rendez-
vous, nous lier davantage. Et, un mois où elle serait
restée seule sans ses parents dans son château romanesque, peut-être aurions-nous pu nous promener seuls
le soir tous deux dans le crépuscule où luiraient plus
doucement au-dessus de l'eau assombrie les fleurs roses
des bruyères, sous les chênes battus par le clapotement
des vagues. Ensemble nous aurions parcouru cette île
empreinte pour moi de tant de charme parce qu'elle
avait enfermé la vie habituelle de Mlle de Stermaria et
qu'elle reposait dans la mémoire de ses yeux. Car il me
semblait que je ne l'aurais vraiment possédée que là,
quand j'aurais traversé ces lieux qui l'enveloppaient de

tant de souvenirs — voile que mon désir voulait arracher, et de ceux que la nature interpose entre la femme et quelques êtres (dans la même intention qui lui fait, pour tous, mettre l'acte de la reproduction entre eux et le plus vif plaisir, et pour les insectes, placer devant le nectar le pollen qu'ils doivent emporter) afin que, trompés par l'illusion de la posséder ainsi plus entière, ils soient forcés de s'emparer d'abord des paysages au milieu desquels elle vit et qui, plus utiles pour leur imagination que le plaisir sensuel, n'eussent pas suffi pourtant, sans lui, à les attirer.

Mais je dus détourner mes regards de Mlle de Stermaria, car déjà, considérant sans doute que faire la connaissance d'une personnalité importante était un acte curieux et bref qui se suffisait à lui-même et qui, pour développer tout l'intérêt qu'il comportait, n'exigeait qu'une poignée de main et un coup d'œil pénétrant sans conversation immédiate ni relations ultérieures, son père avait pris congé du bâtonnier et retournait s'asseoir en face d'elle, en se frottant les mains comme un homme qui vient de faire une précieuse acquisition. Quant au bâtonnier, la première émotion de cette entrevue une fois passée, comme les autres jours on l'entendait par moments, s'adressant au maître d'hôtel :

— Mais moi je ne suis pas roi, Aimé ; allez donc près du roi... Dites, Premier, cela a l'air très bon, ces petites truites-là, nous allons en demander à Aimé. Aimé, cela me semble tout à fait recommandable, ce petit poisson que vous avez là-bas : vous allez nous apporter de cela, Aimé, et à discrétion.

Il répétait tout le temps le nom d'Aimé, ce qui faisait que quand il avait quelqu'un à dîner, son invité lui disait : « Je vois que vous êtes tout à fait bien dans la maison » et croyait devoir aussi prononcer constamment « Aimé » par cette disposition, où il entre à la fois de la timidité, de la vulgarité et de la sottise, qu'ont certaines

personnes à croire qu'il est spirituel et élégant d'imiter
à la lettre les gens avec qui elles se trouvent. Il le répétait
sans cesse, mais avec un sourire, car il tenait à étaler à
la fois ses bonnes relations avec le maître d'hôtel et sa
supériorité sur lui. Et le maître d'hôtel lui aussi, chaque
fois que revenait son nom, souriait d'un air attendri et
fier, montrant qu'il ressentait l'honneur et comprenait
la plaisanterie.

Si intimidants que fussent toujours pour moi les repas,
dans ce vaste restaurant, habituellement comble, du
Grand-Hôtel, ils le devenaient davantage encore quand
arrivait pour quelques jours le propriétaire (ou directeur
général élu par une société de commanditaires, je ne sais)
non seulement de ce palace, mais de sept ou huit autres
situés aux quatre coins de la France et dans chacun desquels, faisant entre eux la navette, il venait passer, de temps
en temps, une semaine. Alors, presque au commencement
du dîner, apparaissait chaque soir, à l'entrée de la salle
à manger, cet homme petit, à cheveux blancs, à nez rouge,
d'une impassibilité et d'une correction extraordinaires,
et qui était connu, paraît-il, à Londres aussi bien qu'à
Monte-Carlo, pour un des premiers hôteliers de l'Europe.
Une fois que j'étais sorti un instant au commencement
du dîner, comme en rentrant je passai devant lui, il me
salua, sans doute pour montrer que j'étais chez lui, mais
avec une froideur dont je ne pus démêler si la cause était
la réserve de quelqu'un qui n'oublie pas ce qu'il est, ou
le dédain pour un client sans importance. Devant ceux
qui en avaient au contraire une très grande, le Directeur
général s'inclinait avec autant de froideur mais plus
profondément, les paupières abaissées par une sorte de
respect pudique, comme s'il eût devant lui, à un enterre-
ment, le père de la défunte ou le Saint Sacrement. Sauf
pour ces saluts glacés et rares, il ne faisait pas un mouvement, comme pour montrer que ses yeux étincelants
qui semblaient lui sortir de la figure, voyaient tout,

réglaient tout, assuraient dans « le Dîner au Grand-
Hôtel » aussi bien le fini des détails que l'harmonie de
l'ensemble. Il se sentait évidemment plus que metteur en
scène, que chef d'orchestre, véritable généralissime. Jugeant qu'une contemplation portée à son maximum
d'intensité lui suffisait pour s'assurer que tout était prêt,
qu'aucune faute commise ne pouvait entraîner la déroute,
et pour prendre enfin ses responsabilités, il s'abstenait
non seulement de tout geste, même de bouger ses yeux
pétrifiés par l'attention qui embrassaient et dirigeaient
la totalité des opérations. Je sentais que les mouvements
de ma cuiller eux-mêmes ne lui échappaient pas, et,
s'éclipsât-il dès après le potage, pour tout le dîner la
revue qu'il venait de passer m'avait coupé l'appétit.
Le sien était fort bon, comme on pouvait le voir au déjeuner qu'il prenait comme un simple particulier, à la même
heure que tout le monde, dans la salle à manger. Sa table
n'avait qu'une particularité, c'est qu'à côté, pendant
qu'il mangeait, l'autre directeur, l'habituel, restait
debout tout le temps à faire la conversation. Car étant
le subordonné du Directeur général, il cherchait à le
flatter et avait de lui une grande peur. La mienne était
moindre pendant ces déjeuners, car, perdu alors au
milieu des clients, il mettait la discrétion d'un général
assis dans un restaurant où se trouvent aussi des soldats,
à ne pas avoir l'air de s'occuper d'eux. Néanmoins quand
le concierge, entouré de ses « chasseurs » m'annonçait :
« Il repart demain matin pour Dinard. De là il va à
Biarritz et après à Cannes », je respirais plus librement.

Ma vie dans l'hôtel était rendue non seulement triste
parce que je n'y avais pas de relations, mais incommode
parce que Françoise en avait noué de nombreuses. Il
peut sembler qu'elles auraient dû nous faciliter bien des
choses. C'était tout le contraire. Les prolétaires, s'ils
avaient quelque peine à être traités en personnes de
connaissance par Françoise et ne le pouvaient qu'à de

certaines conditions de grande politesse envers elle, en revanche, une fois qu'ils y étaient arrivés, étaient les seules gens qui comptassent pour elle. Son vieux code lui enseignait qu'elle n'était tenue à rien envers les amis de ses maîtres, qu'elle pouvait si elle était pressée envoyer promener une dame venue pour voir ma grand'mère. Mais envers ses relations à elle, c'est-à-dire avec les rares gens du peuple admis à sa difficile amitié, le protocole le plus subtil et le plus absolu réglait ses actions. Ainsi Françoise ayant fait la connaissance du cafetier et d'une petite femme de chambre qui faisait des robes pour une dame belge, ne remontait plus préparer les affaires de ma grand'mère tout de suite après déjeuner, mais seulement une heure plus tard parce que le cafetier voulait lui faire du café ou une tisane à la caféterie, que la femme de chambre lui demandait de venir la regarder coudre et que leur refuser eût été impossible et de ces choses qui ne se font pas. D'ailleurs des égards particuliers étaient dus à la petite femme de chambre qui était orpheline et avait été élevée chez des étrangers auprès desquels elle allait passer parfois quelques jours. Cette situation excitait la pitié de Françoise et aussi son dédain bienveillant. Elle qui avait de la famille, une petite maison qui lui venait de ses parents et où son frère élevait quelques vaches, elle ne pouvait pas considérer comme son égale une déracinée. Et comme cette petite espérait pour le 15 août aller voir ses bienfaiteurs, Françoise ne pouvait se tenir de répéter : « Elle me fait rire. Elle dit : j'espère d'aller chez moi pour le 15 août. Chez moi, qu'elle dit! C'est seulement pas son pays, c'est des gens qui l'ont recueillie, et ça dit chez moi comme si c'était vraiment chez elle. Pauvre petite! quelle misère qu'elle peut bien avoir pour qu'elle ne connaisse pas ce que c'est que d'avoir un chez soi. » Mais si encore Françoise ne s'était liée qu'avec des femmes de chambre amenées par des clients, lesquelles

dînaient avec elle aux « courriers » et, devant son beau
bonnet de dentelles et son fin profil, la prenaient pour
quelque dame, noble peut-être, réduite par les circonstances ou poussée par l'attachement à servir de dame de
compagnie à ma grand'mère, si en un mot Françoise
n'eût connu que des gens qui n'étaient pas de l'hôtel,
le mal n'eût pas été grand, parce qu'elle n'eût pu les
empêcher de nous servir à quelque chose, pour la raison
qu'en aucun cas, et même inconnus d'elle, ils n'auraient
pu nous servir à rien. Mais elle s'était liée aussi avec un
sommelier, avec un homme de la cuisine, avec une gou-
vernante d'étage. Et il en résultait en ce qui concernait
notre vie de tous les jours que Françoise qui, le jour de
son arrivée, quand elle ne connaissait encore personne,
sonnait à tort et à travers pour la moindre chose, à des
heures où ma grand-mère et moi nous n'aurions pas osé
le faire, et, si nous lui en faisions une légère observation,
répondait : « Mais on paye assez cher pour ça », comme
si elle avait payé elle-même, maintenant, depuis qu'elle
était amie d'une personnalité de la cuisine, ce qui nous
avait paru de bon augure pour notre commodité, si ma
grand'mère ou moi nous avions froid aux pieds, Françoise, fût-il une heure tout à fait normale, n'osait pas
sonner ; elle assurait que ce serait mal vu parce que cela
obligerait à rallumer les fourneaux ou gênerait le dîner
des domestiques qui seraient mécontents. Et elle finissait
par une locution qui, malgré la façon incertaine dont elle
la prononçait, n'en était pas moins claire et nous donnait
nettement tort : « Le fait est... » Nous n'insistions pas,
de peur de nous en faire infliger une, bien plus grave :
« C'est quelque chose!... » De sorte qu'en somme nous
ne pouvions plus avoir d'eau chaude parce que Françoise était devenue l'amie de celui qui la faisait chauffer.

À la fin, nous aussi, nous fîmes une relation, malgré
mais par ma grand'mère, car elle et Mme de Villeparisis
tombèrent un matin l'une sur l'autre dans une porte et

furent obligées de s'aborder non sans échanger au préalable des gestes de surprise, d'hésitation, exécuter des
mouvements de recul, de doute et enfin des protestations
de politesse et de joie comme dans certaines scènes de
Molière où deux acteurs monologuant depuis longtemps
chacun de son côté à quelques pas l'un de l'autre, sont
censés ne pas s'être vus encore, et tout à coup s'aperçoivent, n'en peuvent croire leurs yeux, entrecoupent
leurs propos, finalement parlent ensemble, le cœur ayant
suivi le dialogue, et se jettent dans les bras l'un de l'autre.
Mme de Villeparisis, par discrétion, voulut au bout d'un
instant quitter ma grand'mère qui, au contraire, préféra
la retenir jusqu'au déjeuner, désirant apprendre comment
elle faisait pour avoir son courrier plut tôt que nous et de
bonnes grillades (car Mme de Villeparisis, très gourmande,
goûtait fort peu la cuisine de l'hôtel où l'on nous servait
des repas que ma grand'mère, citant toujours Mme de
Sévigné, prétendait être « d'une magnificence à mourir
de faim »). Et la marquise prit l'habitude de venir tous
les jours, en attendant qu'on la servît, s'asseoir un moment
près de nous dans la salle à manger, sans permettre que
nous nous levions, que nous nous dérangions en rien.
Tout au plus nous attardions-nous souvent à causer avec
elle, notre déjeuner fini, à ce moment sordide où les
couteaux traînent sur la nappe à côté des serviettes
défaites. Pour ma part, afin de garder, pour pouvoir
aimer Balbec, l'idée que j'étais sur la pointe extrême de
la terre, je m'efforçais de regarder plus loin, de ne voir
que la mer, d'y chercher des effets décrits par Baudelaire et de ne laisser tomber mes regards sur notre table
que les jours où y était servi quelque vaste poisson,
monstre marin qui, au contraire des couteaux et des
fourchettes, était contemporain des époques primitives
où la vie commençait à affluer dans l'Océan, au temps des
Cimmériens, et duquel le corps aux innombrables ver-
tèbres, aux nerfs bleus et roses, avait été construit par

la nature, mais selon un plan architectural, comme une polychrome cathédrale de la mer.

Comme un coiffeur, voyant un officier qu'il sert avec une considération particulière reconnaître un client qui vient d'entrer et entamer un bout de causette avec lui, se réjouit en comprenant qu'ils sont du même monde et ne peut s'empêcher de sourire en allant chercher le bol de savon, car il sait que dans son établissement, aux besognes vulgaires du simple salon de coiffure s'ajoutent des plaisirs sociaux, voire aristocratiques, tel Aimé, voyant que Mme de Villeparisis avait retrouvé en nous d'anciennes relations, s'en allait chercher nos rince-bouche avec le même sourire orgueilleusement modeste et savamment discret de maîtresse de maison qui sait se retirer à propos. On eût dit aussi un père heureux et attendri qui veille sans le troubler sur le bonheur de fiançailles qui se sont nouées à sa table. Du reste, il suffisait qu'on prononçât le nom d'une personne titrée pour qu'Aimé parût heureux, au contraire de Françoise devant qui on ne pouvait dire « le comte Un tel » sans que son visage s'assombrît et que sa parole devînt sèche et brève, ce qui signifiait qu'elle chérissait la noblesse, non pas moins que ne faisait Aimé, mais davantage. Puis Françoise avait la qualité qu'elle trouvait chez les autres le plus grand des défauts, elle était fière. Elle n'était pas de la race agréable et pleine de bonhomie dont Aimé faisait partie. Ils éprouvent, ils manifestent un vif plaisir quand on leur raconte un fait plus ou moins piquant, mais inédit, qui n'est pas dans le journal. Françoise ne voulait pas avoir l'air étonné. On aurait dit devant elle que l'archiduc Rodolphe, dont elle n'avait jamais soupçonné l'existence, était non pas mort comme cela passait pour assuré, mais vivant, qu'elle eût répondu « Oui », comme si elle le savait depuis longtemps. Il est, d'ailleurs, à croire que, pour que même de notre bouche à nous, qu'elle appelait si humblement ses maîtres et qui l'avions presque si entièrement domptée, elle ne pût entendre, sans avoir à réprimer un mouvement de colère, le nom d'un noble, il fallait que la famille dont elle était sortie occupât dans son village une situation aisée, indépendante, et qui ne devait être troublée dans la considération dont elle jouissait que par ces mêmes nobles chez lesquels au contraire, dès l'enfance, un Aimé a servi comme domestique, s'il n'y a pas été élevé par charité. Pour Françoise, Mme de Villeparisis avait donc à se faire pardonner d'être noble. Mais, en France du moins, c'est justement le talent, comme la seule occupation, des grands seigneurs et des grandes dames. Françoise, obéissant à la tendance des domestiques qui recueillent sans cesse sur les rapports de leurs maîtres avec les autres personnes des observations fragmentaires dont ils tirent parfois des inductions erronées — comme font les humains sur la vie des animaux —, trouvait à tout moment qu'on nous avait « manqué », conclusion à laquelle l'amenait facilement, d'ailleurs, autant que son amour excessif pour nous, le plaisir qu'elle avait à nous être désagréable. Mais, ayant constaté, sans erreur possible, les mille prévenances dont nous entourait et dont l'entourait elle-même Mme de Villeparisis, Françoise l'excusa d'être marquise et, comme elle n'avait jamais cessé de lui savoir gré de l'être, elle la préféra à toutes les personnes que nous connaissions. C'est qu'aussi aucune ne s'efforçait d'être aussi continuellement aimable. Chaque fois que ma grand'mère remarquait un livre que Mme de Villeparisis lisait, ou disait avoir trouvé beaux des fruits que celle-ci avait reçus d'une amie, une heure après un valet de chambre montait nous remettre livre ou fruits. Et quand nous la voyions ensuite, pour répondre à nos remerciements elle se contentait de dire, ayant l'air de chercher une excuse à son présent dans quelque utilité spéciale : « Ce n'est pas un chef-d'œuvre, mais les journaux arrivent si tard, il faut bien avoir quelque

chose à lire » ou : « C'est toujours plus prudent d'avoir
du fruit dont on est sûr au bord de la mer. »

— Mais il me semble que vous ne mangez jamais
d'huîtres, nous dit Mme de Villeparisis (augmentant
l'impression de dégoût que j'avais à cette heure-là, car
la chair vivante des huîtres me répugnait encore plus que
la viscosité des méduses ne me ternissait la plage de
Balbec) ; elles sont exquises sur cette côte! Ah! je dirai
à ma femme de chambre d'aller prendre vos lettres en
même temps que les miennes. Comment, votre fille vous
écrit *tous les jours* ? Mais qu'est-ce que vous pouvez
trouver à vous dire!

Ma grand'mère se tut, mais on peut croire que ce fut
par dédain, elle qui répétait pour maman les mots de
Mme de Sévigné : « Dès que j'ai reçu une lettre, j'en voudrais tout à l'heure une autre, je ne respire que d'en recevoir. Peu de gens sont dignes de comprendre ce que je
sens. » Et je craignais qu'elle n'appliquât à Mme de Villeparisis la conclusion : « Je cherche ceux qui sont de
ce petit nombre et j'évite les autres. » Elle se rabattit sur
l'éloge des fruits que Mme de Villeparisis nous avait fait
porter la veille. Et ils étaient, en effet, si beaux que le
directeur, malgré la jalousie de ses compotiers dédaignés,
m'avait dit : « Je suis comme vous, je suis plus frivole
de fruit que de tout autre dessert. » Ma grand'mère dit
à son amie qu'elle les avait d'autant plus appréciés que
ceux qu'on servait à l'hôtel étaient généralement détes-
tables. « Je ne peux pas, ajouta-t-elle, dire comme
Mme de Sévigné que si nous voulions par fantaisie trouver un mauvais fruit, nous serions obligés de le
faire venir de Paris. — Ah, oui, vous lisez Mme de Sévigné. Je vous vois depuis le premier jour avec ses *Lettres*
(elle oubliait qu'elle n'avait jamais aperçu ma grand'mère
dans l'hôtel avant de la rencontrer dans cette porte).
Est-ce que vous ne trouvez pas que c'est un peu exagéré
ce souci constant de sa fille, elle en parle trop pour que

ce soit bien sincère. Elle manque de naturel. » Ma grand'-
mère trouva la discussion inutile et, pour éviter d'avoir à
parler des choses qu'elle aimait devant quelqu'un qui ne
pouvait les comprendre, elle cacha, en posant son sac
sur eux, les *Mémoires de Madame de Beausergent*.

Quand Mme de Villeparisis rencontrait Françoise au
moment (que celle-ci appelait « le midi ») où, coiffée
d'un beau bonnet et entourée de la considération générale, elle descendait « manger aux courriers », Mme de Villeparisis l'arrêtait pour lui demander de nos nouvelles.
Et Françoise, nous transmettant les commissions de la
marquise : « Elle a dit : Vous leur donnerez bien le bonjour », contrefaisant la voix de Mme de Villeparisis de
laquelle elle croyait citer textuellement les paroles, tout
en ne les déformant pas moins que Platon celles de
Socrate ou saint Jean celles de Jésus. Françoise était
naturellement très touchée de ces attentions. Tout au
plus ne croyait-elle pas ma grand'mère et pensait-elle
que celle-ci mentait dans un intérêt de classe, les gens
riches se soutenant les uns les autres, quand elle assurait
que Mme de Villeparisis avait été autrefois ravissante.
Il est vrai qu'il n'en subsistait que de bien faibles restes
dont on n'eût pu, à moins d'être plus artiste que Françoise, restituer la beauté détruite. Car, pour comprendre
combien une vieille femme a pu être jolie, il ne faut pas
seulement regarder, mais traduire chaque trait.

— Il faudra que je pense une fois à lui demander si je
me trompe et si elle n'a pas quelque parenté avec des
Guermantes, me dit ma grand'mère qui excita par là
mon indignation. Comment aurais-je pu croire à une
communauté d'origine entre deux noms qui étaient entrés
en moi, l'un par la porte basse et honteuse de l'expérience, l'autre par la porte d'or de l'imagination ?

On voyait souvent passer depuis quelques jours, en
pompeux équipage, grande, rousse, belle, avec un nez
un peu fort, la princesse de Luxembourg, qui était en

villégiature pour quelques semaines dans le pays. Sa
calèche s'était arrêtée devant l'hôtel, un valet de pied
était venu parler au directeur, était retourné à la voiture
et avait rapporté des fruits merveilleux (qui unissaient
dans une seule corbeille, comme la baie elle-même,
diverses saisons), avec une carte : « La princesse de
Luxembourg », où étaient écrits quelques mots au crayon.
A quel voyageur princier demeurant ici incognito, pouvaient être destinés ces fruits, des prunes glauques,
lumineuses et sphériques comme était à ce moment-là
la rotondité de la mer, des raisins transparents suspendus
au bois desséché comme une claire journée d'automne,
des poires d'un outremer céleste ? Car ce ne pouvait
être à l'amie de ma grand'mère que la princesse avait
voulu faire visite. Pourtant le lendemain soir Mᵐᵉ de Villeparisis nous envoya la grappe de raisins fraîche et dorée
et des prunes et des poires que nous reconnûmes aussi,
quoique les prunes eussent passé, comme la mer à l'heure
de notre dîner, au mauve et que dans l'outremer des
poires flottassent quelques formes de nuages roses.
Quelques jours après nous rencontrâmes Mᵐᵉ de Villeparisis en sortant du concert symphonique qui se donnait
le matin sur la plage. Persuadé que les œuvres que j'y
entendais (le prélude de *Lohengrin*, l'ouverture de *Tann-
häuser*, etc.) exprimaient les vérités les plus hautes, je
tâchais de m'élever autant que je pouvais pour atteindre
jusqu'à elles, je tirais de moi, pour les comprendre, je
leur remettais tout ce que je recélais alors de meilleur,
de plus profond.
  Or, en sortant du concert, comme, en reprenant le
chemin qui va vers l'hôtel, nous nous étions arrêtés un
instant sur la digue, ma grand'mère et moi, pour échanger
quelques mots avec Mᵐᵉ de Villeparisis qui nous annonçait qu'elle avait commandé pour nous à l'hôtel des
« croque-monsieur » et des œufs à la crème, je vis de loin
venir dans notre direction la princesse de Luxembourg,

à demi appuyée sur une ombrelle de façon à imprimer
à son grand et merveilleux corps cette légère inclinaison,
à lui faire dessiner cette arabesque si chère aux femmes
qui avaient été belles sous l'Empire et qui savaient, les
épaules tombantes, le dos remonté, la hanche creuse,
la jambe tendue, faire flotter mollement leur corps comme
un foulard, autour de l'armature d'une invisible tige
inflexible et oblique qui l'aurait traversé. Elle sortait
tous les matins faire son tour de plage presque à l'heure
où tout le monde, après le bain, remontait pour le déjeuner, et comme le sien était seulement à une heure et
demie, elle ne rentrait à sa villa que longtemps après que
les baigneurs avaient abandonné la digue déserte et
brûlante. Mme de Villeparisis présenta ma grand'mère,
voulut me présenter, mais dut me demander mon nom,
car elle ne se le rappelait pas. Elle ne l'avait peut-être
jamais su ou, en tous cas, avait oublié depuis bien des
années à qui ma grand'mère avait marié sa fille. Ce nom
parut faire une vive impression sur Mme de Villeparisis.
Cependant la princesse de Luxembourg nous avait tendu
la main et, de temps en temps, tout en causant avec la
marquise, elle se détournait pour poser de doux regards
sur ma grand'mère et sur moi, avec cet embryon de
baiser qu'on ajoute au sourire quand celui-ci s'adresse
à un bébé avec sa nounou. Même, dans son désir de ne
pas avoir l'air de siéger dans une sphère supérieure à la
nôtre, elle avait sans doute mal calculé la distance, car,
par une erreur de réglage, ses regards s'imprégnèrent
d'une telle bonté que je vis approcher le moment où elle
nous flatterait de la main comme deux bêtes sympathi-
ques qui eussent passé la tête vers elle, à travers un
grillage, au Jardin d'Acclimatation. Aussitôt du reste
cette idée d'animaux et de Bois de Boulogne prit plus de
consistance pour moi. C'était l'heure où la digue est
parcourue par des marchands ambulants et criards qui
vendent des gâteaux, des bonbons, des petits pains. Ne

sachant que faire pour nous témoigner sa bienveillance,
la princesse arrêta le premier qui passa ; il n'avait plus
qu'un pain de seigle, du genre de ceux qu'on jette aux
canards. La princesse le prit et me dit : « C'est pour votre
grand'mère. » Pourtant, ce fut à moi qu'elle le tendit,
en me disant avec un fin sourire : « Vous le lui donnerez
vous même », pensant qu'ainsi mon plaisir serait plus
complet s'il n'y avait pas d'intermédiaires entre moi et
les animaux. D'autres marchands s'approchèrent, elle
remplit mes poches de tout ce qu'ils avaient, de paquets
tout ficelés, de plaisirs, de babas et de sucres d'orge.
Elle me dit : « Vous en mangerez et vous en ferez manger
aussi à votre grand'mère » et elle fit payer les marchands
par le petit nègre habillé en satin rouge qui la suivait
partout et qui faisait l'émerveillement de la plage. Puis
elle dit adieu à Mme de Villeparisis et nous tendit la
main avec l'intention de nous traiter de la même manière
que son amie, en intimes, et de se mettre à notre portée.
Mais cette fois, elle plaça sans doute notre niveau un peu
moins bas dans l'échelle des êtres, car son égalité avec
nous fut signifiée par la princesse à ma grand'mère au
moyen de ce tendre et maternel sourire qu'on adresse
à un gamin quand on lui dit au revoir comme à une grande
personne. Par un merveilleux progrès de l'évolution,
ma grand'mère n'était plus un canard ou une antilope,
mais déjà ce que Mme Swann eût appelé un « baby ».
Enfin, nous ayant quittés tous trois, la princesse reprit sa
promenade sur la digue ensoleillée en incurvant sa taille
magnifique qui comme un serpent autour d'une baguette
s'enlaçait à l'ombrelle blanche imprimée de bleu que
Mme de Luxembourg tenait fermée à la main. C'était
ma première altesse, je dis la première, car la princesse
Mathilde n'était pas altesse du tout de façons. La seconde,
on le verra plus tard, ne devait pas moins m'étonner
par sa bonne grâce. Une forme de l'amabilité des grands
seigneurs, intermédiaires bénévoles entre les souverains

et les bourgeois, me fut apprise le lendemain quand
Mme de Villeparisis nous dit : « Elle vous a trouvés charmants. C'est une femme d'un grand jugement, de beaucoup
de cœur. Elle n'est pas comme tant de souveraines ou
d'altesses. Elle a une vraie valeur. » Et Mme de Villeparisis ajouta d'un air convaincu, et toute ravie de pouvoir nous le dire : « Je crois qu'elle serait enchantée de
vous revoir. »

Mais ce matin-là même, en quittant la princesse de
Luxembourg, Mme de Villeparisis me dit une chose qui
me frappa davantage et qui n'était pas du domaine de
l'amabilité.

— Est-ce que vous êtes le fils du directeur au Ministère ? me demanda-t-elle. Ah ! il paraît que votre père
est un homme charmant. Il fait un bien beau voyage en
ce moment.

Quelques jours auparavant nous avions appris par
une lettre de maman que mon père et son compagnon
M. de Norpois avaient perdu leurs bagages.

— Ils sont retrouvés, ou plutôt ils n'ont jamais été
perdus, voici ce qui était arrivé, nous dit Mme de Villeparisis, qui, sans que nous sussions comment, avait l'air
beaucoup plus renseigné que nous sur les détails du
voyage. Je crois que votre père avancera son retour à la
semaine prochaine, car il renoncera probablement à
aller à Algésiras. Mais il a envie de consacrer un jour
de plus à Tolède, car il est admirateur d'un élève de
Titien dont je ne me rappelle pas le nom et qu'on ne voit
bien que là.

Et je me demandais par quel hasard, dans la lunette
indifférente à travers laquelle Mme de Villeparisis considérait d'assez loin l'agitation sommaire, minuscule et
vague de la foule des gens qu'elle connaissait, se trouvait
intercalé à l'endroit où elle considérait mon père un
morceau de verre prodigieusement grossissant qui lui
faisait voir avec tant de relief et dans le plus grand détail

tout ce qu'il avait d'agréable, les contingences qui le
forçaient à revenir, ses ennuis de douane, son goût pour
le Greco, et, changeant pour elle l'échelle de sa vision,
lui montrait ce seul homme si grand au milieu des autres,
tout petits, comme ce Jupiter à qui Gustave Moreau a
donné, quand il l'a peint à côté d'une faible mortelle,
une stature plus qu'humaine.

Ma grand'mère prit congé de Mme de Villeparisis pour
que nous pussions rester à respirer l'air un instant de
plus devant l'hôtel, en attendant qu'on nous fît signe à
travers le vitrage que notre déjeuner était servi. On
entendit un tumulte. C'était la jeune maîtresse du roi
des sauvages, qui venait de prendre son bain et rentrait
déjeuner.

— Vraiment c'est un fléau, c'est à quitter la France!
s'écria rageusement le bâtonnier qui passait à ce moment.

Cependant la femme du notaire attachait des yeux
écarquillés sur la fausse souveraine.

— Je ne peux pas vous dire comme Mme Blandais
m'agace en regardant ces gens-là comme cela, dit le
bâtonnier au président. Je voudrais pouvoir lui donner
une gifle. C'est comme cela qu'on donne de l'importance
à cette canaille qui naturellement ne demande qu'à ce
que l'on s'occupe d'elle. Dites donc à son mari de l'avertir
que c'est ridicule ; moi, je ne sors plus avec eux s'ils ont
l'air de faire attention aux déguisés.

Quant à la venue de la princesse de Luxembourg,
dont l'équipage, le jour où elle avait apporté des fruits,
s'était arrêté devant l'hôtel, elle n'avait pas échappé au
groupe de la femme du notaire, du bâtonnier et du premier président, déjà depuis quelque temps fort agitées
de savoir si c'était une marquise authentique et non une
aventurière que cette Mme de Villeparisis qu'on traitait
avec tant d'égards, desquels toutes ces dames brûlaient
d'apprendre qu'elle était indigne. Quand Mme de Villeparisis traversait le hall, la femme du premier présidert,

qui flairait partout des irrégulières, levait son nez de
sur son ouvrage et la regardait d'une façon qui faisait
mourir de rire ses amies.

— Oh! moi, vous savez, disait-elle avec orgueil, je
commence toujours par croire le mal. Je ne consens à
admettre qu'une femme est vraiment mariée que quand
on m'a sorti les extraits de naissance et les actes notariés.
Du reste, n'ayez crainte, je vais procéder à ma petite
enquête.

Et chaque jour toutes ces dames accouraient en riant.

— Nous venons aux nouvelles.

Mais le soir de la visite de la princesse de Luxembourg,
la femme du Premier mit un doigt sur sa bouche.

— Il y a du nouveau.

— Oh! elle est extraordinaire, Mme Poncin! je n'ai
jamais vu... mais dites, qu'y a-t-il?

— Hé bien, il y a qu'une femme aux cheveux jaunes,
avec un pied de rouge sur la figure, une voiture qui sentait l'horizontale d'une lieue, et comme n'en ont que ces
demoiselles, est venue tantôt pour voir la prétendue
marquise.

— Ouil you uouil! patatras! Voyez-vous ça! mais
c'est cette dame que nous avons vue, vous vous rappelez,
bâtonnier, nous avons bien trouvé qu'elle marquait
très mal, mais nous ne savions pas qu'elle était venue
pour la marquise. Une femme avec un nègre, n'est-ce pas?

— C'est cela même.

— Ah! vous m'en direz tant. Vous ne savez pas son
nom?

— Si, j'ai fait semblant de me tromper, j'ai pris la
carte, elle a comme nom de guerre la princesse de
Luxembourg! Avais-je raison de me méfier! C'est agréable d'avoir ici une promiscuité avec cette espèce de
Baronne d'Ange.

Le bâtonnier cita Mathurin Régnier et *Macette* au
premier président.

Il ne faut, d'ailleurs, pas croire que ce malentendu fut momentané comme ceux qui se forment au deuxième acte d'un vaudeville pour se dissiper au dernier. Mme de Luxembourg, nièce du roi d'Angleterre et de l'empereur d'Autriche, et Mme de Villeparisis parurent toujours, quand la première venait chercher la seconde pour se promener en voiture, deux drôlesses de l'espèce de celles dont on se gare difficilement dans les villes d'eaux. Les trois quarts des hommes du faubourg Saint-Germain passent aux yeux d'une bonne partie de la bourgeoisie pour des décavés crapuleux (qu'ils sont d'ailleurs quelquefois individuellement) et que, par conséquent, personne ne reçoit. La bourgeoisie est trop honnête en cela, car leurs tares ne les empêcheraient nullement d'être reçus avec la plus grande faveur là où elle ne le sera jamais. Et eux s'imaginent tellement que la bourgeoisie le sait qu'ils affectent une simplicité en ce qui les concerne, un dénigrement pour leurs amis particulièrement « à la côte », qui achève le malentendu. Si par hasard un homme du grand monde est en rapports avec la petite bourgeoisie parce qu'il se trouve, étant extrêmement riche, avoir la présidence des plus importantes sociétés financières, la bourgeoisie qui voit enfin un noble digne d'être grand bourgeois, jurerait qu'il ne fraye pas avec le marquis joueur et ruiné qu'elle croit d'autant plus dénué de relations qu'il est plus aimable. Et elle n'en revient pas quand le duc, président du conseil d'administration de la colossale Affaire, donne pour femme à son fils la fille du marquis joueur, mais dont le nom est le plus ancien de France, de même qu'un souverain fera plutôt épouser à son fils la fille d'un roi détrôné que d'un président de la république en fonctions. C'est dire que les deux mondes ont l'un de l'autre une vue aussi chimérique que les habitants d'une plage située à une des extrémités de la baie de Balbec, ont de la plage située à l'autre extrémité : de Rivebelle on voit un peu Marcouville l'Orgueilleuse ; mais cela même trompe, car on croit qu'on est vu de Marcouville, d'où au contraire les splendeurs de Rivebelle sont en grande partie invisibles.

Le médecin de Balbec appelé pour un accès de fièvre que j'avais eu, ayant estimé que je ne devrais pas rester toute la journée au bord de la mer, en plein soleil, par les grandes chaleurs, et rédigé à mon usage quelques ordonnances pharmaceutiques, ma grand'mère prit les ordonnances avec un respect apparent où je reconnus tout de suite sa ferme décision de n'en faire exécuter aucune, mais tint compte du conseil en matière d'hygiène et accepta l'offre de Mme de Villeparisis de nous faire faire quelques promenades en voiture. J'allais et je venais, jusqu'à l'heure du déjeuner, de ma chambre à celle de ma grand'mère. Elle ne donnait pas directement sur la mer comme la mienne mais prenait jour de trois côtés différents : sur un coin de la digue, sur une cour et sur la campagne, et était meublée autrement, avec des fauteuils brodés de filigranes métalliques et de fleurs roses d'où semblait émaner l'agréable et fraîche odeur qu'on trouvait en entrant. Et à cette heure où des rayons venus d'expositions et comme d'heures différentes, brisaient les angles du mur, à côté d'un reflet de la plage mettaient sur la commode un reposoir diapré comme les fleurs du sentier, suspendaient à la paroi les ailes repliées, tremblantes et tièdes d'une clarté prête à reprendre son vol, chauffaient comme un bain un carré de tapis provincial devant la fenêtre de la courette que le soleil festonnait comme une vigne, ajoutaient au charme et à la complexité de la décoration mobilière en semblant exfolier la soie fleurie des fauteuils et détacher leur passementerie, cette chambre, que je traversais un moment avant de m'habiller pour la promenade, avait l'air d'un prisme où se décomposaient les couleurs de la lumière du dehors, d'une ruche où les sucs de la journée que j'allais goûter étaient dissociés, épars, enivrants et visibles, d'un jardin de l'espérance

qui se dissolvait en une palpitation de rayons d'argent
et de pétales de rose. Mais avant tout j'avais ouvert mes
rideaux dans l'impatience de savoir quelle était la Mer
qui jouait ce matin-là au bord du rivage, comme une Né-
réide. Car chacune de ces Mers ne restait jamais plus
d'un jour. Le lendemain il y en avait une autre qui parfois
lui ressemblait. Mais je ne vis jamais deux fois la même.

Il y en avait qui étaient d'une beauté si rare qu'en les
apercevant mon plaisir était encore accru par la surprise.
Par quel privilège, un matin plutôt qu'un autre, la
fenêtre en s'entr'ouvrant découvrit-elle à mes yeux
émerveillés la nymphe Glaukonomè, dont la beauté
paresseuse et qui respirait mollement, avait la transparence d'une vaporeuse émeraude à travers laquelle
je voyais affluer les éléments pondérables qui la coloraient ?
Elle faisait jouer le soleil avec un sourire alangui par une
brume invisible qui n'était qu'un espace vide réservé
autour de sa surface translucide rendue ainsi plus abrégée
et plus saisissante, comme ces déesses que le sculpteur
détache sur le reste du bloc qu'il ne daigne par dégrossir.
Telle, dans sa couleur unique, elle nous invitait à la
promenade sur ces routes grossières et terriennes, d'où,
installés dans la calèche de Mme de Villeparisis, nous
apercevrions tout le jour, et sans jamais l'atteindre, la
fraîcheur de sa molle palpitation.

Mme de Villeparisis faisait atteler de bonne heure,
pour que nous eussions de temps d'aller soit jusqu'à
Saint-Mars-le-Vêtu, soit jusqu'aux rochers de Quette-
holme ou à quelque autre but d'excursion qui, pour une
voiture assez lente, était fort lointain et demandait toute
la journée. Dans ma joie de la longue promenade que
nous allions entreprendre, je fredonnais quelque air
récemment écouté, et je faisais les cent pas en attendant
que Mme de Villeparisis fût prête. Si c'était dimanche,
sa voiture n'était pas seule devant l'hôtel ; plusieurs
fiacres loués attendaient non seulement les personnes qui

étaient invitées au château de Féterne chez Mme de
Cambremer, mais celles qui, plutôt que de rester là comme
des enfants punis, déclaraient que le dimanche était un
jour assommant à Balbec et partaient dès après déjeuner
se cacher dans une plage voisine ou visiter quelque site.
Et même souvent, quand on demandait à Mme Blandais si
elle avait été chez les Cambremer, elle répondait péremp-
toirement : « Non, nous étions aux cascades du Bec »,
comme si c'était là la seule raison pour laquelle elle
n'avait pas passé la journée à Féterne. Et le bâtonnier
disait charitablement :

— Je vous envie, j'aurais bien changé avec vous, c'est
autrement intéressant.

A côté des voitures, devant le porche où j'attendais,
était planté comme un arbrisseau d'une espèce rare un
jeune chasseur qui ne frappait pas moins les yeux par
l'harmonie singulière de ses cheveux colorés que par son
épiderme de plante. A l'intérieur dans le hall qui correspondait au narthex, ou église des catéchumènes, des
églises romanes, et où les personnes qui n'habitaient
pas l'hôtel avaient le droit de passer, les camarades du
groom « extérieur » ne travaillaient pas beaucoup plus
que lui mais exécutaient du moins quelques mouvements.
Il est probable que le matin ils aidaient au nettoyage.
Mais l'après-midi ils restaient là seulement comme des
choristes qui, même quand ils ne servent à rien, demeu-
rent en scène pour ajouter à la figuration. Le Directeur
général, celui qui me faisait si peur, comptait augmenter
considérablement leur nombre l'année suivante, car il
« voyait grand ». Et sa décision affligeait beaucoup le
Directeur de l'hôtel, lequel trouvait que tous ces enfants
n'étaient que des « faiseurs d'embarras », entendant par
là qu'ils embarrassaient le passage et ne servaient à
rien. Du moins, entre le déjeuner et le dîner, entre les
sorties et les rentrées des clients, remplissaient-ils le
vide de l'action comme ces élèves de Mme de Maintenon

qui, sous le costume de jeunes Isréalites, font intermède chaque fois qu'Esther ou Joad s'en vont. Mais le chasseur du dehors, aux nuances précieuses, à la taille élancée et frêle, non loin duquel j'attendais que la marquise descendît, gardait une immobilité à laquelle s'ajoutait de la mélancolie, car ses frères aînés avaient quitté l'hôtel pour des destinées plus brillantes et il se sentait isolé sur cette terre étrangère. Enfin Mme de Villeparisis arrivait. S'occuper de sa voiture et l'y faire monter eût peut-être dû faire partie des fonctions du chasseur. Mais il savait qu'une personne qui amène ses gens avec soi se fait servir par eux et d'habitude donne peu de pourboires dans un hôtel, que les nobles de l'ancien faubourg Saint-Germain agissent de même. Mme de Villeparisis appartenait à la fois à ces deux catégories. Le chasseur arborescent en concluait qu'il n'avait rien à attendre de la marquise et, laissant le maître d'hôtel et la femme de chambre de celle-ci l'installer avec ses affaires, il rêvait tristement au sort envié de ses frères et conservait son immobilité végétale.

Nous partions ; quelque temps après avoir contourné la station du chemin de fer, nous entrions dans une route campagnarde qui me devint bientôt aussi familière que celles de Combray, depuis le coude où elle s'amorçait entre des clos charmants jusqu'au tournant où nous la quittions et qui avait de chaque côté des terres labourées. Au milieu d'elles, on voyait çà et là un pommier, privé il est vrai de ses fleurs et ne portant plus qu'un bouquet de pistils, mais qui suffisait à m'enchanter parce que je reconnaissais ces feuilles inimitables dont la large étendue, comme le tapis d'estrade d'une fête nuptiale maintenant terminée, avait été tout récemment foulée par la traîne de satin blanc des fleurs rougissantes.

Combien de fois à Paris, dans le mois de mai de l'année suivante, il m'arriva d'acheter une branche de pommier chez le fleuriste et de passer ensuite la nuit devant ses

fleurs où s'épanouissait la même essence crémeuse qui
poudrait encore de son écume les bourgeons de feuilles
et entre les blanches corolles desquelles il semblait que ce
fût le marchand qui, par générosité envers moi, par goût
inventif aussi et contraste ingénieux, eût ajouté de chaque
côté, en surplus, un seyant bouton rose ; je les regardais,
je les faisais poser sous ma lampe — si longtemps que
j'étais souvent encore là quand l'aurore leur apportait la
même rougeur qu'elle devait faire en même temps à Balbec — et je cherchais à les reporter sur cette route par l'imagination, à les multiplier, à les étendre dans le cadre préparé, sur la toile toute prête, de ces clos dont je savais le
dessin par cœur et que j'aurais tant voulu, qu'un jour je
devais, revoir, au moment où, avec la verve ravissante du
génie, le printemps couvre leur canevas de ses couleurs.

Avant de monter en voiture, j'avais composé le tableau
de mer que j'allais chercher, que j'espérais voir avec le
« soleil rayonnant », et qu'à Balbec je n'apercevais que
trop morcelé entre tant d'enclaves vulgaires et que mon
rêve n'admettait pas, de baigneurs, de cabines, de yachts
de plaisance. Mais quand, la voiture de Mme de Villeparisis étant parvenue en haut d'une côte, j'apercevais
la mer entre les feuillages des arbres, alors sans doute de
si loin disparaissaient ces détails contemporains qui
l'avaient mise comme en dehors de la nature et de l'histoire, et je pouvais en regardant les flots m'efforcer de
penser que c'étaient les mêmes que Leconte de Lisle
nous peint dans *l'Orestie* quand « tel qu'un vol d'oiseaux
carnassiers dans l'aurore », les guerriers chevelus de
l'héroïque Hellas « de cent mille avirons battaient le flot
sonore ». Mais, en revanche, je n'étais plus assez près de
la mer qui ne me semblait pas vivante, mais figée, je ne
sentais plus de puissance sous ses couleurs étendues
comme celles d'une peinture entre les feuilles où elle
apparaissait aussi inconsistante que le ciel, et seulement
plus foncée que lui.

Mme de Villeparisis voyant que j'aimais les églises me
promettait que nous irions voir une fois l'une, une fois
l'autre, et surtout celle de Carqueville « toute cachée sous
son vieux lierre », dit-elle avec un mouvement de la main
qui semblait envelopper avec goût la façade absente
dans un feuillage invisible et délicat. Mme de Villeparisis
avait souvent, avec ce petit geste descriptif, un mot juste
pour définir le charme et la particularité d'un monument,
évitant toujours les termes techniques, mais ne pouvant
dissimuler qu'elle savait très bien les choses dont elle
parlait. Elle semblait chercher à s'en excuser sur ce qu'un
des châteaux de son père, et où elle avait été élevée, étant
situé dans une région où il y avait des églises du même
style qu'autour de Balbec, il eût été honteux qu'elle
n'eût pas pris le goût de l'architecture, le château étant
d'ailleurs le plus bel exemplaire de celle de la Renaissance.
Mais comme il était aussi un vrai musée, comme d'autre
part Chopin et Liszt y avaient joué, Lamartine récité
des vers, tous les artistes connus de tout un siècle écrit
des pensées, des mélodies, fait des croquis sur l'album
familial, Mme de Villeparisis ne donnait, par grâce,
bonne éducation, modestie réelle, ou manque d'esprit
philosophique, que cette origine purement matérielle à
sa connaissance de tous les arts et finissait par avoir l'air
de considérer la peinture, la musique, la littérature et
la philosophie comme l'apanage d'une jeune fille élevée
de la façon la plus aristocratique dans un monument
classé et illustre. On aurait dit qu'il n'y avait pas pour elle
d'autres tableaux que ceux dont on a hérité. Elle fut
contente que ma grand'mère aimât un collier qu'elle
portait et qui dépassait de sa robe. Il était dans le portrait
d'une bisaïeule à elle, par Titien, et qui n'était jamais
sorti de la famille. Comme cela on était sûr que c'était
un vrai. Elle ne voulait pas entendre parler des tableaux
achetés on ne sait comment par un Crésus, elle était
d'avance persuadée qu'ils étaient faux et n'avait aucun

désir de les voir. Nous savions qu'elle-même faisait des
aquarelles de fleurs, et ma grand'mère qui les avait
entendu vanter lui en parla. Mme de Villeparisis changea
de conversation par modestie, mais sans montrer plus
d'étonnement ni de plaisir qu'une artiste suffisamment
connue à qui les compliments n'apprennent rien. Elle se
contenta de dire que c'était un passe-temps charmant
parce que si les fleurs nées du pinceau n'étaient pas
fameuses, du moins les peindre vous faisait vivre dans la
société des fleurs naturelles, de la beauté desquelles,
surtout quand on était obligé de les regarder de plus près
pour les imiter, on ne se lassait pas. Mais à Balbec Mme
de Villeparisis se donnait congé pour laisser reposer ses
yeux.

Nous fûmes étonnés, ma grand'mère et moi, de voir
combien elle était plus « libérale » que même la plus
grande partie de la bourgeoisie. Elle s'étonnait qu'on fût
scandalisé des expulsions des jésuites, disant que cela
s'était toujours fait, même sous la monarchie, même en
Espagne. Elle défendait la République à laquelle elle ne
reprochait son anticléricalisme que dans cette mesure :
« Je trouverais tout aussi mauvais qu'on m'empêchât
d'aller à la messe, si j'en ai envie, que d'être forcée d'y
aller, si je ne le veux pas », lançant même certains mots
comme : « Oh! la noblesse aujourd'hui, qu'est-ce que
c'est! » « Pour moi, un homme qui ne travaille pas, ce
n'est rien », peut-être seulement parce qu'elle sentait
ce qu'ils prenaient de piquant, de savoureux, de mémo-
rable dans sa bouche.

En entendant souvent exprimer avec franchise des
opinions avancées — pas jusqu'au socialisme cependant,
qui était la bête noire de Mme de Villeparisis — précisément par une de ces personnes en considération de l'esprit
desquelles notre scrupuleuse et timide impartialité se
refuse à condamner les idées des conservateurs, nous
n'étions pas loin, ma grand'mère et moi, de croire qu'en

notre agréable compagne se trouvaient la mesure et le
modèle de la vérité en toutes choses. Nous la croyions
sur parole tandis qu'elle jugeait ses Titiens, la colonnade
de son château, l'esprit de conversation de Louis-Philippe.
Mais — comme ces érudits qui émerveillent quand on les
met sur la peinture égyptienne et les inscriptions étrusques
et qui parlent d'une façon si banale des œuvres modernes
que nous nous demandons si nous n'avons pas surfait
l'intérêt des sciences où ils sont versés, puisque n'y apparaît pas cette même médiocrité qu'ils ont pourtant dû
y apporter aussi bien que dans leurs niaises études
sur Baudelaire — Mme de Villeparisis, interrogée par
moi sur Chateaubriand, sur Balzac, sur Victor Hugo,
tous reçus jadis par ses parents et entrevus par elle-même,
riait de mon admiration, racontait sur eux des traits
piquants comme elle venait de faire sur des grands
seigneurs ou des hommes politiques, et jugeait sévèrement
ces écrivains, précisément parce qu'ils avaient manqué
de cette modestie, de cet effacement de soi, de cet art sobre
qui se contente d'un seul trait juste et n'appuie pas, qui
fuit plus que tout le ridicule de la grandiloquence, de
cet à-propos, de ces qualités de modération de jugement
et de simplicité, auxquelles on lui avait appris qu'atteint
la vraie valeur ; on voyait qu'elle n'hésitait pas à leur
préférer des hommes qui, peut-être, en effet, avaient eu,
à cause d'elles, l'avantage sur un Balzac, un Hugo, un
Vigny, dans un salon, dans une académie, un conseil
des ministres, Molé, Fontanes, Vitrolles, Bersot, Pasquier,
Lebrun, Salvandy ou Daru.

— C'est comme les romans de Stendhal pour qui
vous aviez l'air d'avoir de l'admiration. Vous l'auriez
beaucoup étonné en lui parlant sur ce ton. Mon père
qui le voyait chez M. Mérimée — un homme de talent,
au moins, celui-là — m'a souvent dit que Beyle (c'était
son nom) était d'une vulgarité affreuse, mais spirituel
dans un dîner, et ne s'en faisant pas accroire pour ses

livres. Du reste, vous avez pu voir vous-mêmes par quel
haussement d'épaules il a répondu aux éloges outrés de
M. de Balzac. En cela, du moins, il était homme de bonne
compagnie.

Elle avait de tous ces grands hommes des autographes,
et semblait, se prévalant des relations particulières que
sa famille avait eues avec eux, penser que son jugement
à leur égard était plus juste que celui de jeunes gens qui,
comme moi, n'avaient pas pu les fréquenter.

— Je crois que je peux en parler, car ils venaient chez
mon père ; et, comme disait M. Sainte-Beuve qui avait
bien de l'esprit, il faut croire sur eux ceux qui les ont
vus de près et ont pu juger plus exactement de ce qu'ils
valaient.

Parfois, comme la voiture gravissait une route montante entre des terres labourées, rendant les champs plus
réels, leur ajoutant une marque d'authenticité, comme la
précieuse fleurette dont certains maîtres anciens signaient
leurs tableaux, quelques bleuets hésitants, pareils à ceux
de Combray, suivaient notre voiture. Bientôt nos chevaux les distançaient, mais, après quelques pas, nous en
apercevions un autre qui en nous attendant avait piqué
devant nous dans l'herbe son étoile bleue ; plusieurs
s'enhardissaient jusqu'à venir se poser au bord de la
route et c'était toute une nébuleuse qui se formait avec
mes souvenirs lointains et les fleurs apprivoisées.

Nous redescendions la côte ; alors nous croisions, la
montant à pied, à bicyclette, en carriole ou en voiture,
quelqu'une de ces créatures — fleurs de la belle journée,
mais qui ne sont pas comme les fleurs des champs, car
chacune recèle quelque chose qui n'est pas dans une
autre et qui empêchera que nous puissions contenter
avec ses pareilles le désir qu'elle a fait naître en nous —
quelque fille de ferme poussant sa vache ou à demi
couchée sur une charrette, quelque fille de boutiquier
en promenade, quelque élégante demoiselle assise sur

le strapontin d'un landau, en face de ses parents. Certes
Bloch m'avait ouvert une ère nouvelle et avait changé
pour moi la valeur de la vie, le jour où il m'avait appris
que les rêves que j'avais promenés solitairement du côté
de Méséglise quand je souhaitais que passât une paysanne que je prendrais dans mes bras, n'étaient pas une
chimère qui ne correspondait à rien d'extérieur à moi,
mais que toutes les filles qu'on rencontrait, villageoises
ou demoiselles, étaient toutes prêtes à en exaucer de
pareils. Et dussé-je, maintenant que j'étais souffrant et
ne sortais pas seul, ne jamais pouvoir faire l'amour avec
elles, j'étais tout de même heureux comme un enfant né
dans une prison ou dans un hôpital et qui, ayant cru longtemps que l'organisme humain ne peut digérer que du
pain sec et des médicaments, a appris tout d'un coup que
les pêches, les abricots, le raisin, ne sont pas une simple
parure de la campagne, mais des aliments délicieux et
assimilables. Même si son geôlier ou son garde-malade
ne lui permettent pas de cueillir ces beaux fruits, le
monde cependant lui paraît meilleur et l'existence plus
clémente. Car un désir nous semble plus beau, nous nous
appuyons à lui avec plus de confiance quand nous savons
qu'en dehors de nous la réalité s'y conforme, même si
pour nous il n'est pas réalisable. Et nous pensons avec
plus de joie à une vie où — à condition que nous écartions
pour un instant de notre pensée le petit obstacle acci-
dentel et particulier qui nous empêche personnellement
de le faire, — nous pouvons nous imaginer l'assouvissant.
Pour les belles filles qui passaient, du jour où j'avais su
que leurs joues pouvaient être embrassées, j'étais devenu
curieux de leur âme. Et l'univers m'avait paru plus intéressant.

La voiture de Mme de Villeparisis allait vite. A peine
avais-je le temps de voir la fillette qui venait dans notre
direction ; et pourtant — comme la beauté des êtres n'est
pas comme celle des choses, et que nous sentons qu'elle

est celle d'une créature unique, consciente et volontaire
— dès que son individualité, âme vague, volonté inconnue
de moi, se peignait en une petite image prodigieusement
réduite, mais complète, au fond de son regard distrait,
aussitôt, mystérieuse réplique des pollens tout préparés
pour les pistils, je sentais saillir en moi l'embryon aussi
vague, aussi minuscule, du désir de ne pas laisser passer
cette fille sans que sa pensée prît conscience de ma personne, sans que j'empêchasse ses désirs d'aller à quelqu'un d'autre, sans que je vinsse me fixer dans sa rêverie
et saisir son cœur. Cependant notre voiture s'éloignait,
la belle fille était déjà derrière nous et, comme elle ne
possédait de moi aucune des notions qui constituent une
personne, ses yeux, qui m'avaient à peine vu, m'avaient
déjà oublié. Était-ce parce que je ne l'avais qu'entr'-
aperçue que je l'avais trouvée si belle ? Peut-être. D'abord,
l'impossibilité de s'arrêter auprès d'une femme, le risque
de ne pas la retrouver un autre jour lui donnent brusquement le même charme qu'à un pays la maladie ou la
pauvreté qui nous empêchent de le visiter, ou qu'aux
jours si ternes qui nous restaient à vivre, le combat où
nous succomberons sans doute. De sorte que, s'il n'y
avait pas l'habitude, la vie devrait paraître délicieuse à
des êtres qui seraient à chaque heure menacés de mourir,
— c'est-à-dire à tous les hommes. Puis, si l'imagination
est entraînée par le désir de ce que nous ne pouvons
posséder, son essor n'est pas limité par une réalité
complètement perçue dans ces rencontres où les charmes
de la passante sont généralement en relation directe avec
la rapidité du passage. Pour peu que la nuit tombe et que
la voiture aille vite, à la campagne, dans une ville, il n'y
a pas un torse féminin, mutilé comme un marbre antique
par la vitesse qui nous entraîne et le crépuscule qui le
noie, qui ne tire sur notre cœur, à chaque coin de route,
du fond de chaque boutique, les flèches de la Beauté,
de la Beauté dont on serait parfois tenté de se demander

si elle est en ce monde autre chose que la partie de complé-
ment qu'ajoute à une passante fragmentaire et fugitive
notre imagination surexcitée par le regret.

Si j'avais pu descendre, parler à la fille que nous croisions, peut-être eussé-je été désillusionné par quelque
défaut de sa peau que de la voiture je n'avais pas distingué. (Et alors, tout effort pour pénétrer dans sa vie
m'eût semblé soudain impossible. Car la beauté est une
suite d'hypothèses que rétrécit la laideur en barrant la
route que nous voyions déjà s'ouvrir sur l'inconnu.)
Peut-être un seul mot qu'elle eût dit, un sourire, m'eussent
fourni une clef, un chiffre inattendus, pour lire l'expression de sa figure et de sa démarche, qui seraient aussitôt
devenues banales. C'est possible, car je n'ai jamais
rencontré dans la vie de filles aussi désirables que les
jours où j'étais avec quelque grave personne que, malgré
les mille prétextes que j'inventais, je ne pouvais quitter :
quelques années après celle où j'allai pour la première fois
à Balbec, faisant à Paris une course en voiture avec un
ami de mon père et ayant aperçu une femme qui marchait
vite dans la nuit, je pensai qu'il était déraisonnable de
perdre pour une raison de convenances ma part de bonheur dans la seule vie qu'il y ait sans doute, et sautant à
terre sans m'excuser, je me mis à la recherche de l'inconnue, la perdis au carrefour de deux rues, la retrouvai
dans une troisième, et me trouvai enfin, tout essoufflé,
sous un réverbère, en face de la vieille Mme Verdurin
que j'évitais partout et qui, heureuse et surprise, s'écria :
« Oh! comme c'est aimable d'avoir couru pour me dire
bonjour! »

Cette année-là, à Balbec, au moment de ces rencontres,
j'assurais à ma grand'mère, à Mme de Villeparisis qu'à
cause d'un grand mal de tête, il valait mieux que je
rentrasse seul à pied. Elles refusaient de me laisser descendre. Et j'ajoutais la belle fille (bien plus difficile à
retrouver que ne l'est un monument, car elle était ano-

nyme et mobile) à la collection de toutes celles que je me
promettais de voir de près. Une pourtant se trouva
repasser sous mes yeux, dans des conditions telles que je
crus que je pourrais la connaître comme je voudrais.
C'était une laitière qui vint d'une ferme apporter un
supplément de crème à l'hôtel. Je pensai qu'elle m'avait
aussi reconnu et elle me regardait, en effet, avec une
attention qui n'était peut-être causée que par l'étonnement que lui causait la mienne. Or le lendemain, jour
où je m'étais reposé toute la matinée, quand Françoise
vint ouvrir les rideaux vers midi, elle me remit une lettre
qui avait été déposée pour moi à l'hôtel. Je ne connaissais
personne à Balbec. Je ne doutais pas que la lettre ne fût
de la laitière. Hélas, elle n'était que de Bergotte qui, de
passage, avait essayé de me voir, mais, ayant su que je
dormais, m'avait laissé un mot charmant pour lequel le
liftman avait fait une enveloppe que j'avais crue écrite
par la laitière. J'étais affreusement déçu, et l'idée qu'il
était plus difficile et plus flatteur d'avoir une lettre de
Bergotte, ne me consolait en rien qu'elle ne fût pas de la
laitière. Cette fille-là même, je ne la retrouvai pas plus
que celles que j'apercevais seulement de la voiture de
Mme de Villeparisis. La vue et la perte de toutes accrois-
saient l'état d'agitation où je vivais, et je trouvais quelque
sagesse aux philosophes qui nous recommandent de
borner nos désirs (si toutefois ils veulent parler du désir
des êtres, car c'est le seul qui puisse laisser de l'anxiété,
s'appliquant à de l'inconnu conscient. Supposer que la
philosophie veut parler du désir des richesses serait
trop absurde). Pourtant j'étais disposé à juger cette
sagesse incomplète, car je me disais que ces rencontres
me faisaient trouver encore plus beau un monde qui fait
ainsi croître sur toutes les routes campagnardes des fleurs
à la fois singulières et communes, trésors fugitifs de la
journée, aubaines de la promenade, dont des circonstances
contingentes qui ne se reproduiraient peut-être pas tou-

jours m'avaient seules empêché de profiter, et qui donnent un goût nouveau à la vie.

Mais peut-être, en espérant qu'un jour, plus libre, je pourrais trouver sur d'autres routes de semblables filles, je commençais déjà à fausser ce qu'a d'exclusivement individuel le désir de vivre auprès d'une femme qu'on a trouvée jolie et, du seul fait que j'admettais la possibilité de le faire naître artificiellement, j'en avais implicitement reconnu l'illusion.

Le jour que Mme de Villeparisis nous mena à Carqueville où était cette église couverte de lierre dont elle nous avait parlé et qui, bâtie sur un tertre, domine le village, la rivière qui le traverse et qui a conservé son petit pont du Moyen Age, ma grand'mère, pensant que je serais content d'être seul pour regarder le monument, proposa à son amie d'aller goûter chez le pâtissier, sur la place qu'on apercevait distinctement et qui sous sa patine dorée était comme une autre partie d'un objet tout entier ancien. Il fut convenu que j'irais les y retrouver. Dans le bloc de verdure devant lequel on me laissa, il fallait pour reconnaître une église faire un effort qui me fît serrer de plus près l'idée d'église ; en effet, comme il arrive aux élèves qui saisissent plus complètement le sens d'une phrase quand on les oblige par la version ou par le thème à la dévêtir des formes auxquelles ils sont accoutumés, cette idée d'église dont je n'avais guère besoin d'habitude devant des clochers qui se faisaient reconnaître d'eux-mêmes, j'étais obligé d'y faire perpétuellement appel pour ne pas oublier, ici, que le cintre de cette touffe de lierre était celui d'une verrière ogivale, là, que la saillie des feuilles était due au relief d'un chapiteau. Mais alors un peu de vent soufflait, faisait frémir le porche mobile que parcouraient des remous propagés et tremblants comme une clarté ; les feuilles déferlaient les unes contre les autres ; et, frissonnante, la façade végétale entraînait avec elle les piliers onduleux, caressés et fuyants.

Comme je quittais l'église, je vis devant le vieux pont
des filles du village qui, sans doute parce que c'était un
dimanche, se tenaient attifées, interpellant les garçons
qui passaient. Moins bien vêtue que les autres, mais
semblant les dominer par quelque ascendant — car
elle répondait à peine à ce qu'elles lui disaient — l'air
plus grave et plus volontaire, il y en avait une grande qui,
assise à demi sur le rebord du pont, laissant pendre ses
jambes, avait devant elle un petit pot plein de poissons
qu'elle venait probablement de pêcher. Elle avait un
teint bruni, des yeux doux, mais un regard dédaigneux
de ce qui l'entourait, un nez petit, d'une forme fine et
charmante. Mes regards se posaient sur sa peau, et mes
lèvres à la rigueur pouvaient croire qu'elles avaient suivi
mes regards. Mais ce n'est pas seulement son corps que
j'aurais voulu atteindre, c'était aussi la personne qui
vivait en lui et avec laquelle il n'est qu'une sorte d'attouchement, qui est d'attirer son attention, qu'une sorte de
pénétration, y éveiller une idée.

Et cet être intérieur de la belle pêcheuse semblait
m'être clos encore, je doutais si j'y étais entré, même
après que j'eus aperçu ma propre image se refléter furtivement dans le miroir de son regard, suivant un indice
de réfraction qui m'était aussi inconnu que si je me fusse
placé dans le champ visuel d'une biche. Mais de même
qu'il ne m'eût pas suffi que mes lèvres prissent du plaisir
sur les siennes mais leur en donnassent, de même j'aurais
voulu que l'idée de moi qui entrerait en cet être, qui s'y
accrocherait, n'amenât pas à moi seulement son attention,
mais son admiration, son désir, et le forçât à garder mon
souvenir jusqu'au jour où je pourrais le retrouver. Cependant, j'apercevais à quelques pas la place où devait
m'attendre la voiture de Mme de Villeparisis. Je n'avais
qu'un instant ; et déjà je sentais que les filles commençaient à rire de me voir ainsi arrêté. J'avais cinq francs
dans ma poche. Je les en sortis, et avant d'expliquer à la

belle fille la commission dont je la chargeais, pour avoir
plus de chance qu'elle m'écoutât je tins un instant la
pièce devant ses yeux :

— Puisque vous avez l'air d'être du pays, dis-je à la
pêcheuse, est-ce que vous auriez la bonté de faire une
petite course pour moi ? Il faudrait aller devant un pâtissier qui est, paraît-il, sur une place, mais je ne sais pas
où c'est, et où une voiture m'attend. Attendez !... pour ne
pas confondre vous demanderez si c'est la voiture de la
marquise de Villeparisis. Du reste vous verrez bien, elle
a deux chevaux.

C'était cela que je voulais qu'elle sût pour prendre une
grande idée de moi. Mais quand j'eus prononcé les mots
« marquise » et « deux chevaux », soudain j'éprouvai un
grand apaisement. Je sentis que la pêcheuse se souviendrait de moi et se dissiper, avec mon effroi de ne pouvoir
la retrouver, une partie de mon désir de la retrouver.
Il me semblait que je venais de toucher sa personne avec
des lèvres invisibles et que je lui avais plu. Et cette prise
de force de son esprit, cette possession immatérielle, lui
avait ôté de son mystère autant que fait la possession
physique...

Nous descendîmes sur Hudimesnil ; tout d'un coup
je fus rempli de ce bonheur profond que je n'avais pas
souvent ressenti depuis Combray, un bonheur analogue
à celui que m'avaient donné, entre autres, les clochers de
Martinville. Mais, cette fois, il resta incomplet. Je venais
d'apercevoir, en retrait de la route en dos d'âne que nous
suivions, trois arbres qui devaient servir d'entrée à une
allée couverte et formaient un dessin que je ne voyais
pas pour la première fois, je ne pouvais arriver à reconnaître le lieu dont ils étaient comme détachés, mais je
sentais qu'il m'avait été familier autrefois ; de sorte que,
mon esprit ayant trébuché entre quelque année lointaine
et le moment présent, les environs de Balbec vacillèrent
et je me demandai si toute cette promenade n'était pas

une fiction, Balbec, un endroit où je n'étais jamais allé
que par l'imagination, Mme de Villeparisis, un personnage
de roman et les trois vieux arbres, la réalité qu'on retrouve
en levant les yeux de dessus le livre qu'on était en train
de lire et qui vous décrivait un milieu dans lequel on avait
fini par se croire effectivement transporté.

Je regardais les trois arbres, je les voyais bien, mais
mon esprit sentait qu'ils recouvraient quelque chose sur
quoi il n'avait pas prise, comme sur ces objets placés
trop loin dont nos doigts, allongés au bout de notre
bras tendu, effleurent seulement par instant l'enveloppe
sans arriver à rien saisir. Alors on se repose un moment
pour jeter le bras en avant d'un élan plus fort et tâcher
d'atteindre plus loin. Mais pour que mon esprit pût
ainsi se rassembler, prendre son élan, il m'eût fallu être
seul. Que j'aurais voulu pouvoir m'écarter comme je
faisais dans les promenades du côté de Guermantes
quand je m'isolais de mes parents! Il me semblait même
que j'aurais dû le faire. Je reconnaissais ce genre de
plaisir qui requiert, il est vrai, un certain travail de la
pensée sur elle-même, mais à côté duquel les agréments
de la nonchalance qui vous fait renoncer à lui, semblent
bien médiocres. Ce plaisir, dont l'objet n'était que
pressenti, que j'avais à créer moi-même, je ne l'éprouvais
que de rares fois, mais à chacune d'elles il me semblait
que les choses qui s'étaient passées dans l'intervalle
n'avaient guère d'importance et qu'en m'attachant à
sa seule réalité je pourrais commencer enfin une vraie
vie. Je mis un instant ma main devant mes yeux pour
pouvoir les fermer sans que Mme de Villeparisis s'en
aperçût. Je restai sans penser à rien, puis de ma pensée
ramassée, ressaisie avec plus de force, je bondis plus
avant dans la direction des arbres, ou plutôt dans cette
direction intérieure au bout de laquelle je les voyais en
moi-même. Je sentis de nouveau derrière eux le même
objet connu mais vague et que je ne pus ramener à

23

moi. Cependant tous trois, au fur et à mesure que la
voiture avançait, je les voyais s'approcher. Où les avais-je
déjà regardés ? Il n'y avait aucun lieu autour de Combray
où une allée s'ouvrît ainsi. Le site qu'ils me rappelaient,
il n'y avait pas de place pour lui davantage dans la campagne allemande où j'étais allé, une année, avec ma grand'-
mère prendre les eaux. Fallait-il croire qu'ils venaient
d'années déjà si lointaines de ma vie que le paysage qui
les entourait avait été entièrement aboli dans ma mémoire
et que, comme ces pages qu'on est tout d'un coup ému
de retrouver dans un ouvrage qu'on s'imaginait n'avoir
jamais lu, ils surnageaient seuls du livre oublié de ma
première enfance ? N'appartenaient-ils au contraire qu'à
ces paysages du rêve, toujours les mêmes, du moins pour
moi en qui leur aspect étrange n'était que l'objectivation
dans mon sommeil de l'effort que je faisais pendant la
veille, soit pour atteindre le mystère dans un lieu derrière
l'apparence duquel je le pressentais, comme cela m'était
arrivé si souvent du côté de Guermantes, soit pour
essayer de le réintroduire dans un lieu que j'avais désiré
connaître et qui, du jour où je l'avais connu, m'avait
paru tout superficiel, comme Balbec ? N'étaient-ils
qu'une image toute nouvelle détachée d'un rêve de la
nuit précédente, mais déjà si effacée qu'elle me semblait
venir de beaucoup plus loin ? Ou bien ne les avais-je
jamais vus et cachaient-ils derrière eux, comme tels
arbres, telle touffe d'herbe que j'avais vus du côté de
Guermantes, un sens aussi obscur, aussi difficile à saisir
qu'un passé lointain, de sorte que, sollicité par eux
d'approfondir une pensée, je croyais avoir à reconnaître
un souvenir ? Ou encore ne cachaient-ils même pas de
pensée et était-ce une fatigue de ma vision qui me les
faisait voir doubles dans le temps comme on voit quelquefois double dans l'espace ? Je ne savais. Cependant ils
venaient vers moi ; peut-être apparition mythique, ronde
de sorcières ou de nornes qui me proposait ses oracles.

Je crus plutôt que c'étaient des fantômes du passé, de chers compagnons de mon enfance, des amis disparus qui invoquaient nos communs souvenirs. Comme des ombres ils semblaient me demander de les emmener avec moi, de les rendre à la vie. Dans leur gesticulation naïve et passionnée, je reconnaissais le regret impuissant d'un être aimé qui a perdu l'usage de la parole, sent qu'il ne pourra nous dire ce qu'il veut et que nous ne savons pas deviner. Bientôt, à un croisement de route, la voiture les abandonna. Elle m'entraînait loin de ce que je croyais seul vrai, de ce qui m'eût rendu vraiment heureux, elle ressemblait à ma vie.

Je vis les arbres s'éloigner en agitant leurs bras désespérés, semblant me dire : Ce que tu n'apprends pas de nous aujourd'hui, tu ne le sauras jamais. Si tu nous laisses retomber au fond de ce chemin d'où nous cherchions à nous hisser jusqu'à toi, toute une partie de toi-même que nous t'apportions tombera pour jamais au néant. En effet, si dans la suite je retrouvai le genre de plaisir et d'inquiétude que je venais de sentir encore une fois, et si un soir — trop tard, mais pour toujours — je m'attachai à lui, de ces arbres eux-mêmes, en revanche, je ne sus jamais ce qu'ils avaient voulu m'apporter ni où je les avais vus. Et quand, la voiture ayant bifurqué, je leur tournai le dos et cessai de les voir, tandis que Mme de Villeparisis me demandait pourquoi j'avais l'air rêveur, j'étais triste comme si je venais de perdre un ami, de mourir à moi-même, de retirer un mort ou de méconnaître un dieu.

Il fallait songer au retour. Mme de Villeparisis qui avait un certain sens de la nature, plus froid que celui de ma grand'mère, mais qui savait reconnaître, même en dehors des musées et des demeures aristocratiques, la beauté simple et majestueuse de certaines choses anciennes, disait au cocher de prendre la vieille route de Balbec, peu fréquentée, mais plantée de vieux ormes qui nous semblaient admirables.

Une fois que nous connûmes cette vieille route, pour changer, nous revînmes, à moins que nous ne l'eussions prise à l'aller, par une autre qui traversait les bois de Chantereine et de Canteloup. L'invisibilité des innombrables oiseaux qui s'y répondaient tout à côté de nous dans les arbres donnait la même impression de repos qu'on a les yeux fermés. Enchaîné à mon strapontin comme Prométhée sur son rocher, j'écoutais mes Océanides. Et quand, par hasard, j'apercevais l'un de ces oiseaux qui passait d'une feuille sous une autre, il y avait si peu de lien apparent entre lui et ces chants, que je ne croyais pas voir la cause de ceux-ci dans ce petit corps sautillant, étonné et sans regard.

Cette route était pareille à bien d'autres de ce genre qu'on rencontre en France, montant en pente assez raide, puis redescendant sur une grande longueur. Au moment même, je ne lui trouvais pas un grand charme, j'étais seulement content de rentrer. Mais elle devint pour moi dans la suite une cause de joies en restant dans ma mémoire comme une amorce où toutes les routes semblables sur lesquelles je passerais plus tard au cours d'une promenade ou d'un voyage s'embrancheraient aussitôt sans solution de continuité et pourraient, grâce à elle, communiquer immédiatement avec mon cœur. Car dès que la voiture ou l'automobile s'engagerait dans une de ces routes qui auraient l'air d'être la continuation de celle que j'avais parcourue avec Mme de Villeparisis, ce à quoi ma conscience actuelle se trouverait immédiatement appuyée comme à mon passé le plus récent, ce serait (toutes les années intermédiaires se trouvant abolies) les impressions que j'avais eues par ces fins d'après-midi-là, en promenade près de Balbec, quand les feuilles sentaient bon, que la brume s'élevait et qu'au delà du prochain village, on apercevait entre les arbres le coucher du soleil comme s'il avait été quelque localité suivante, forestière, distante et qu'on n'atteindra pas le soir même. Raccordées à celles que j'éprouvais maintenant dans un autre pays, sur une route semblable, s'entourant de toutes les sensations accessoires de libre respiration, de curiosité, d'indolence, d'appétit, de gaieté qui leur étaient communes, excluant toutes les autres, ces impressions se renforceraient, prendraient la consistance d'un type particulier de plaisir, et presque d'un cadre d'existence que j'avais d'ailleurs rarement l'occasion de retrouver, mais dans lequel le réveil des souvenirs mettait au milieu de la réalité matériellement perçue une part assez grande de réalité évoquée, songée, insaisissable, pour me donner, au milieu de ces régions où je passais, plus qu'un sentiment esthétique, un désir fugitif mais exalté, d'y vivre désormais pour toujours. Que de fois, pour avoir simplement senti une odeur de feuillée, être assis sur un strapontin en face de Mᵐᵉ de Villeparisis, croiser la princesse de Luxembourg qui lui envoyait des bonjours de sa voiture, rentrer dîner au Grand-Hôtel, ne m'est-il pas apparu comme un de ces bonheurs ineffables que ni le présent ni l'avenir ne peuvent nous rendre et qu'on ne goûte qu'une fois dans la vie !

Souvent le jour était tombé avant que nous fussions de retour. Timidement je citais à Mᵐᵉ de Villeparisis, en lui montrant la lune dans le ciel, quelque belle expression de Chateaubriand ou de Vigny ou de Victor Hugo : « Elle répandait ce vieux secret de mélancolie » ou « pleurant comme Diane au bord de ses fontaines » ou « L'ombre était nuptiale, auguste et solennelle. »

— Et vous trouvez cela beau ? me demandait-elle, « génial », comme vous dites ? Je vous dirai que je suis toujours étonnée de voir qu'on prend maintenant très au sérieux des choses que les amis de ces messieurs, tout en rendant pleine justice à leurs qualités, étaient les premiers à plaisanter. On ne prodiguait pas le nom de génie comme aujourd'hui, où si vous dites à un écrivain qu'il n'a que du talent il prend cela pour une injure.

Vous me citez une grande phrase de M. de Chateaubriand sur le clair de lune. Vous allez voir que j'ai mes
raisons pour y être réfractaire. M. de Chateaubriand
venait bien souvent chez mon père. Il était du reste
agréable quand on était seul, parce qu'alors il était simple
et amusant, mais, dès qu'il y avait du monde, il se mettait
à poser et devenait ridicule ; devant mon père, il prétendait avoir jeté sa démission à la face du roi et dirigé
le conclave, oubliant que mon père avait été chargé par
lui de supplier le roi de le reprendre, et l'avait entendu
faire sur l'élection du pape les pronostics les plus insensés.
Il fallait entendre sur ce fameux conclave M. de Blacas,
qui était un autre homme que M. de Chateaubriand.
Quant aux phrases de celui-ci sur le clair de lune, elles
étaient tout simplement devenues une charge à la maison.
Chaque fois qu'il faisait clair de lune autour du château,
s'il y avait quelque invité nouveau, on lui conseillait
d'emmener M. de Chateaubriand prendre l'air après le
dîner. Quand ils revenaient, mon père ne manquait pas
de prendre à part l'invité : « M. de Chateaubriand a été
bien éloquent ? — Oh ! oui. — Il vous a parlé du clair
de lune. — Oui, comment savez-vous ? — Attendez,
ne vous a-t-il pas dit, et il lui citait la phrase. — Oui,
mais par quel mystère ? — Et il vous a parlé même du
clair de lune dans la campagne romaine. — Mais vous
êtes sorcier. » Mon père n'était pas sorcier, mais M. de
Chateaubriand se contentait de servir toujours un même
morceau tout préparé.

Au nom de Vigny elle se mit à rire.

— Celui qui disait : « Je suis le comte Alfred de
Vigny. » On est comte ou on n'est pas comte, ça n'a
aucune espèce d'importance.

Et peut-être trouvait-elle que cela en avait tout de
même un peu, car elle ajoutait :

— D'abord je ne suis pas sûre qu'il le fût, et il était
en tous cas de très petite souche, ce monsieur qui a parlé

dans ses vers de son « cimier de gentilhomme ». Comme
c'est de bon goût et comme c'est intéressant pour le
lecteur! C'est comme Musset, simple bourgeois de Paris,
qui disait emphatiquement : « L'épervier d'or dont mon
casque est armé. » Jamais un vrai grand seigneur ne dit
de ces choses-là. Au moins Musset avait du talent comme
poète. Mais à part *Cinq-Mars*, je n'ai jamais rien pu lire
de M. de Vigny, l'ennui me fait tomber le livre des mains.
M. Molé, qui avait autant d'esprit et de tact que M. de
Vigny en avait peu, l'a arrangé de belle façon en le recevant à l'Académie. Comment, vous ne connaissez pas
son discours? C'est un chef-d'œuvre de malice et d'impertinence.

Elle reprochait à Balzac, qu'elle s'étonnait de voir
admiré par ses neveux, d'avoir prétendu peindre une
société « où il n'était pas reçu », et dont il a raconté mille
invraisemblances. Quant à Victor Hugo, elle nous disait
que M. de Bouillon, son père, qui avait des camarades
dans la jeunesse romantique, était entré grâce à eux à la
première d'*Hernani*, mais qu'il n'avait pu rester jusqu'au
bout, tant il avait trouvé ridicules les vers de cet écrivain
doué mais exagéré, et qui n'a reçu le titre de grand poète
qu'en vertu d'un marché fait, et comme récompense
de l'indulgence intéressée qu'il a professée pour les
dangereuses divagations des socialistes.

Nous apercevions déjà l'hôtel, ses lumières si hostiles
le premier soir, à l'arrivée, maintenant protectrices et
douces, annonciatrices du foyer. Et quand la voiture
arrivait près de la porte, le concierge, les grooms, le lift,
empressés, naïfs, vaguement inquiets de notre retard,
massés sur les degrés à nous attendre, étaient, devenus
familiers, de ces êtres qui changent tant de fois au cours
de notre vie, comme nous changeons nous-mêmes, mais
dans lesquels, au moment où ils sont pour un temps le
miroir de nos habitudes, nous trouvons de la douceur
à nous sentir fidèlement et amicalement reflétés. Nous

les préférons à des amis que nous n'avons pas vus depuis longtemps, car ils contiennent davantage de ce que nous sommes actuellement. Seul « le chasseur », exposé au soleil dans la journée, avait été rentré, pour ne pas supporter la rigueur du soir, et emmailloté de lainages, lesquels, joints à l'éplorement orangé de sa chevelure et à la fleur curieusement rose de ses joues, faisaient, au milieu du hall vitré, penser à une plante de serre qu'on protège contre le froid. Nous descendions de voiture, aidés par beaucoup plus de serviteurs qu'il n'était nécessaire, mais ils sentaient l'importance de la scène et se croyaient obligés d'y jouer un rôle. J'étais affamé. Aussi, souvent, pour ne pas retarder le moment de dîner, je ne remontais pas dans la chambre qui avait fini par devenir si réellement mienne que revoir les grands rideaux violets et les bibliothèques basses, c'était me retrouver seul avec ce moi-même dont les choses, comme les gens, m'offraient l'image, et nous attendions tous ensemble dans le hall que le maître d'hôtel vînt nous dire que nous étions servis. C'était encore l'occasion pour nous d'écouter Mme de Villeparisis.

— Nous abusons de vous, disait ma grand'mère.

— Mais comment, je suis ravie, cela m'enchante, répondait son amie avec un sourire câlin, en filant les sons, sur un ton mélodieux qui contrastait avec sa simplicité coutumière.

C'est qu'en effet dans ces moments-là elle n'était pas naturelle, elle se souvenait de son éducation, des façons aristocratiques avec lesquelles une grande dame doit montrer à des bourgeois qu'elle est heureuse de se trouver avec eux, qu'elle est sans morgue. Et le seul manque de véritable politesse qu'il y eût en elle était dans l'excès de ses politesses ; car on y reconnaissait ce pli professionnel d'une dame du faubourg Saint-Germain, laquelle, voyant toujours dans certains bourgeois les mécontents qu'elle est destinée à faire certains jours, profite avidement de toutes les occasions où il lui est possible, dans le livre de comptes de son amabilité avec eux, de prendre l'avance d'un solde créditeur, qui lui permettra prochainement d'inscrire à son débit le dîner ou le raout où elle ne les invitera pas. Ainsi, ayant agi jadis sur elle une fois pour toutes, et ignorant que maintenant les circonstances étaient autres, les personnes différentes, et qu'à Paris elle souhaiterait de nous voir chez elle souvent, le génie de sa caste poussait avec une ardeur fiévreuse Mme de Villeparisis, et comme si le temps qui lui était concédé pour être aimable était court, à multiplier avec nous, pendant que nous étions à Balbec, les envois de roses et de melons, les prêts de livres, les promenades en voiture et les effusions verbales. Et par là — tout autant que la splendeur aveuglante de la plage, que le flamboiement multicolore et les lueurs sous-océaniques des chambres, tout autant même que les leçons d'équitation par lesquelles des fils de commerçants étaient déifiés comme Alexandre de Macédoine — les amabilités quotidiennes de Mme de Villeparisis, et aussi la facilité momentanée, estivale, avec laquelle ma grand'mère les acceptait, sont restées dans mon souvenir comme caractéristiques de la vie de bains de mer.

— Donnez donc vos manteaux pour qu'on les remonte.

Ma grand'mère les passait au directeur, et à cause de ses gentillesses pour moi, j'étais désolé de ce manque d'égards dont il paraissait souffrir.

— Je crois que ce monsieur est froissé, disait la marquise. Il se croit probablement trop grand seigneur pour prendre vos châles. Je me rappelle le duc de Nemours, quand j'étais encore bien petite, entrant chez mon père qui habitait le dernier étage de l'hôtel Bouillon, avec un gros paquet sous le bras, des lettres et des journaux. Je crois voir le prince dans son habit bleu sous l'encadrement de notre porte qui avait de jolies boiseries, je crois que c'est Bagard qui faisait cela, vous savez ces fines baguettes si souples que l'ébéniste parfois leur faisait former des petites coques, et des fleurs, comme des rubans qui nouent un bouquet. « Tenez, Cyrus, dit-il à mon père, voilà ce que votre concierge m'a donné pour vous. Il m'a dit : « Puisque vous allez chez M. le comte, ce n'est pas la peine que je monte les étages, mais prenez garde de ne pas gâter la ficelle. » Maintenant que vous avez donné vos affaires, asseyez-vous, tenez, mettez-vous là, disait-elle à ma grand'mère en lui prenant la main.

— Oh! si cela vous est égal, pas dans ce fauteuil! Il est trop petit pour deux, mais trop grand pour moi seule, j'y serais mal.

— Vous me faites penser, car c'était tout à fait le même, à un fauteuil que j'ai eu longtemps, mais que j'ai fini par ne pas pouvoir garder, parce qu'il avait été donné à ma mère par la malheureuse duchesse de Praslin. Ma mère, qui était pourtant la personne la plus simple du monde, mais qui avait encore des idées qui viennent d'un autre temps et que déjà je ne comprenais pas très bien, n'avait pas d'abord voulu se laisser présenter à Mme de Praslin qui n'était que Mlle Sebastiani, tandis que celle-ci, parce qu'elle était duchesse, trouvait que ce n'était pas à elle à se faire présenter. Et par le fait, ajoutait Mme de Villeparisis oubliant qu'elle ne comprenait pas ce genre de nuances, n'eût-elle été que Mme de Choiseul que sa prétention aurait pu se soutenir. Les Choiseul sont tout ce qu'il y a de plus grand, ils sortent d'une sœur du roi Louis le Gros, ils étaient de vrais souverains en Bassigny. J'admets que nous l'emportons par les alliances et l'illustration, mais l'ancienneté est presque la même. Il était résulté de cette question de préséance des incidents comiques, comme un déjeuner qui fut servi en retard de plus d'une grande heure que mit l'une de ces dames à accepter de se laisser présenter. Elles étaient malgré cela devenues de grandes amies et elle avait donné à ma mère un fauteuil du genre de celui-ci et où,

comme vous venez de faire, chacun refusait de s'asseoir.
Un jour ma mère entend une voiture dans la cour de son
hôtel. Elle demande à un petit domestique qui c'est.
« C'est madame la duchesse de La Rochefoucauld,
madame la comtesse. — Ah! bien, je la recevrai. » Au
bout d'un quart d'heure, personne : « Hé bien, madame la
duchesse de La Rochefoucauld ? où est-elle donc ? —
Elle est dans l'escalier, a soufflé, Madame la comtesse »,
répond le petit domestique qui arrivait depuis peu de la
campagne où ma mère avait la bonne habitude de les prendre. Elle les avait souvent vus naître. C'est comme cela
qu'on a chez soi de braves gens. Et c'est le premier des
luxes. En effet, la duchesse de La Rochefoucauld montait
difficilement, étant énorme, si énorme que quand elle
entra, ma mère eut un instant d'inquiétude en se demandant où elle pourrait la placer. A ce moment le meuble
donné par Mme de Praslin frappa ses yeux : « Prenez donc
la peine de vous asseoir », dit ma mère en le lui avançant.
Et la duchesse le remplit jusqu'aux bords. Elle était,
malgré cette... importance, restée assez agréable. « Elle
fait encore un certain effet quand elle entre », disait un
de nos amis. « Elle en fait surtout quand elle sort »,
répondit ma mère qui avait le mot plus leste qu'il ne
serait de mise aujourd'hui. Chez Mme de La Rochefoucauld même, on ne se gênait pas pour plaisanter
devant elle, qui en riait la première, ses amples proportions. « Mais est-ce que vous êtes seul ? » demanda un
jour à M. de La Rochefoucauld ma mère qui venait faire
visite à la duchesse et qui, reçue à l'entrée par le mari,
n'avait pas aperçu sa femme qui était dans une baie du
fond. « Est-ce que madame de La Rochefoucauld n'est
pas là ? je ne la vois pas. — Comme vous êtes aimable ! »
répondit le duc qui avait un des jugements les plus faux
que j'aie jamais connus, mais ne manquait pas d'un
certain esprit.

Après le dîner, quand j'étais remonté avec ma grand'-

mère, je lui disais que les qualités qui nous charmaient chez Mme de Villeparisis, le tact, la finesse, la discrétion, l'effacement de soi-même n'étaient peut-être pas bien précieuses, puisque ceux qui les possédèrent au plus haut degré ne furent que des Molé et des Loménie et que, si leur absence peut rendre les relations quotidiennes désagréables, elle n'a pas empêché de devenir Chateaubriand, Vigny, Hugo, Balzac, des vaniteux qui n'avaient pas de jugement, qu'il était facile de railler, comme Bloch... Mais au nom de Bloch ma grand'mère se récriait. Et elle me vantait Mme de Villeparisis. Comme on dit que c'est l'intérêt de l'espèce qui guide en amour les préférences de chacun et, pour que l'enfant soit constitué de la façon la plus normale, fait rechercher les femmes maigres aux hommes gras et les grasses aux maigres, de même c'était obscurément les exigences de mon bonheur menacé par le nervosisme, par mon penchant maladif à la tristesse, à l'isolement, qui lui faisaient donner le premier rang aux qualités de pondération et de jugement, particulières non seulement à Mme de Villeparisis, mais à une société où je pourrais trouver une distraction, un apaisement, — une société pareille à celle où l'on vit fleurir l'esprit d'un Doudan, d'un M. de Rémusat, pour ne pas dire d'un Beausergent, d'un Joubert, d'une Sévigné, esprit qui met plus de bonheur, plus de dignité dans la vie que les raffinements opposés, lesquels ont conduit un Baudelaire, un Poe, un Verlaine, un Rimbaud, à des souffrances, à une déconsidération dont ma grand'mère ne voulait pas pour son petit-fils. Je l'interrompais pour l'embrasser et lui demandais si elle avait remarqué telle phrase que Mme de Villeparisis avait dite et dans laquelle se marquait la femme qui tenait plus à sa naissance qu'elle ne l'avouait. Ainsi soumettais-je à ma grand'mère mes impressions, car je ne savais jamais le degré d'estime dû à quelqu'un que quand elle me l'avait indiqué. Chaque soir je venais lui apporter les croquis que j'avais pris dans la journée d'après tous ces êtres inexistants qui n'étaient pas elle.

Une fois je lui dis : « Sans toi je ne pourrai pas vivre. — Mais il ne faut pas, me répondit-elle d'une voix troublée. Il faut nous faire un cœur plus dur que ça. Sans cela, que deviendrais-tu si je partais en voyage ? J'espère, au contraire, que tu serais très raisonnable et très heureux. — Je saurais être raisonnable si tu partais pour quelques jours, mais je compterais les heures. — Mais si je partais pour des mois... (à cette seule idée mon cœur se serrait), pour des années... pour...

Nous nous taisions tous les deux. Nous n'osions pas nous regarder. Pourtant je souffrais plus de son angoisse que de la mienne. Aussi je m'approchai de la fenêtre et distinctement je lui dis en détournant les yeux :

— Tu sais comme je suis un être d'habitudes. Les premiers jours où je viens d'être séparé des gens que j'aime le plus, je suis malheureux. Mais tout en les aimant toujours autant, je m'accoutume, ma vie devient calme, douce ; je supporterais d'être séparé d'eux, des mois, des années...

Je dus me taire et regarder tout à fait par la fenêtre. Ma grand'mère sortit un instant de la chambre. Mais le lendemain je me mis à parler de philosophie, sur le ton le plus indifférent, en m'arrangeant cependant pour que ma grand'mère fît attention à mes paroles, je dis que c'était curieux, qu'après les dernières découvertes de la science le matérialisme semblait ruiné, et que le plus probable était encore l'éternité des âmes et leur future réunion.

Mme de Villeparisis nous prévint que bientôt elle ne pourrait nous voir aussi souvent. Un jeune neveu qui préparait Saumur, actuellement en garnison dans le voisinage, à Doncières, devait venir passer auprès d'elle un congé de quelques semaines et elle lui donnerait beaucoup de son temps. Au cours de nos promenades,

elle nous avait vanté sa grande intelligence, surtout son
bon cœur ; déjà je me figurais qu'il allait se prendre de
sympathie pour moi, que je serais son ami préféré, et
quand, avant son arrivée, sa tante laissa entendre à ma
grand'mère qu'il était malheureusement tombé dans les
griffes d'une mauvaise femme dont il était fou et qui ne
le lâcherait pas, comme j'étais persuadé que ce genre
d'amour finissait fatalement par l'aliénation mentale,
le crime et le suicide, pensant au temps si court qui était
réservé à notre amitié, déjà si grande dans mon cœur
sans que je l'eusse encore vu, je pleurai sur elle et sur les
malheurs qui l'attendaient comme sur un être cher dont
on vient de nous apprendre qu'il est gravement atteint
et que ses jours sont comptés.

Une après-midi de grande chaleur, j'étais dans la salle à
manger de l'hôtel qu'on avait laissée à demi dans l'obscurité pour la protéger du soleil en tirant des rideaux qu'il
jaunissait et qui par leurs interstices laissaient clignoter
le bleu de la mer, quand, dans la travée centrale qui allait
de la plage à la route, je vis, grand, mince, le cou dégagé,
la tête haute et fièrement portée, passer un jeune homme
aux yeux pénétrants et dont la peau était aussi blonde et
les cheveux aussi dorés que s'ils avaient absorbé tous les
rayons du soleil. Vêtu d'une étoffe souple et blanchâtre
comme je n'aurais jamais cru qu'un homme eût osé en
porter, et dont la minceur n'évoquait pas moins que le
frais de la salle à manger, la chaleur et le beau temps du
dehors, il marchait vite. Ses yeux, de l'un desquels tombait à tout moment un monocle, étaient de la couleur de
la mer. Chacun le regarda curieusement passer, on savait
que ce jeune marquis de Saint-Loup-en-Bray était célèbre
pour son élégance. Tous les journaux avaient décrit le
costume dans lequel il avait récemment servi de témoin
au jeune duc d'Uzès, dans un duel. Il semblait que la
qualité si particulière de ses cheveux, de ses yeux, de sa
peau, de sa tournure, qui l'eussent distingué au milieu

d'une foule comme un filon précieux d'opale azurée et lumineuse, engainé dans une matière grossière, devait correspondre à une vie différente de celle des autres hommes. Et en conséquence, quand, avant la liaison dont Mme de Villeparisis se plaignait, les plus jolies femmes du grand monde se l'étaient disputé, sa présence, dans une plage par exemple, à côté de la beauté en renom à laquelle il faisait la cour, ne la mettait pas seulement tout à fait en vedette, mais attirait les regards autant sur lui que sur elle. A cause de son « chic », de son impertinence de jeune « lion », à cause de son extraordinaire beauté surtout, certains lui trouvaient même un air efféminé, mais sans le lui reprocher, car on savait combien il était viril et qu'il aimait passionnément les femmes. C'était ce neveu de Mme de Villeparisis duquel elle nous avait parlé. Je fus ravi de penser que j'allais le connaître pendant quelques semaines et sûr qu'il me donnerait toute son affection. Il traversa rapidement l'hôtel dans toute sa largeur, semblant poursuivre son monocle qui voltigeait devant lui comme un papillon. Il venait de la plage, et la mer qui remplissait jusqu'à mi-hauteur le vitrage du hall lui faisait un fond sur lequel il se détachait en pied, comme dans certains portraits où des peintres prétendent, sans tricher en rien sur l'observation la plus exacte de la vie actuelle, mais en choisissant pour leur modèle un cadre approprié, pelouse de polo, de golf, champ de courses, pont de yacht, donner un équivalent moderne de ces toiles où les primitifs faisaient apparaître la figure humaine au premier plan d'un paysage. Une voiture à deux chevaux l'attendait devant la porte ; et tandis que son monocle reprenait ses ébats sur la route ensoleillée, avec l'élégance et la maîtrise qu'un grand pianiste trouve le moyen de montrer dans le trait le plus simple où il ne semblait pas possible qu'il sût se montrer supérieur à un exécutant de deuxième ordre, le neveu de Mme de Villeparisis, prenant les guides que lui passa le cocher, s'assit à côté de lui et tout en décachetant une lettre que le directeur de l'hôtel lui remit, fit partir les bêtes.

Quelle déception j'éprouvai, les jours suivants, quand, chaque fois que je le rencontrai dehors ou dans l'hôtel — le col haut, équilibrant perpétuellement les mouvements de ses membres autour de son monocle fugitif et dansant qui semblait leur centre de gravité — je pus me rendre compte qu'il ne cherchait pas à se rapprocher de nous et vis qu'il ne nous saluait pas, quoiqu'il ne pût ignorer que nous étions les amis de sa tante! Et me rappelant l'amabilité que m'avaient témoignée Mme de Villeparisis et, avant elle, M. de Norpois, je pensais que peut-être ils n'étaient que des nobles pour rire et qu'un article secret des lois qui gouvernent l'aristocratie doit y permettre peut-être aux femmes et à certains diplomates de manquer, dans leurs rapports avec les roturiers, et pour une raison qui m'échappait, à la morgue que devait au contraire pratiquer impitoyablement un jeune marquis. Mon intelligence aurait pu me dire le contraire. Mais la caractéristique de l'âge ridicule que je traversais — âge nullement ingrat, très fécond — est qu'on n'y consulte pas l'intelligence et que les moindres attributs des êtres semblent faire partie indivisible de leur personnalité. Tout entouré de monstres et de dieux, on ne connaît guère le calme. Il n'y a presque pas un des gestes qu'on a faits alors, qu'on ne voudrait plus tard pouvoir abolir. Mais ce qu'on devrait regretter au contraire, c'est de ne plus posséder la spontanéité qui nous les faisait accomplir. Plus tard on voit les choses d'une façon plus pratique, en pleine conformité avec le reste de la société, mais l'adolescence est le seul temps où l'on ait appris quelque chose.

Cette insolence que je devinais chez M. de Saint-Loup, et tout ce qu'elle impliquait de dureté naturelle, se trouva vérifiée par son attitude chaque fois qu'il passait à côté de nous, le corps aussi inflexiblement élancé, la tête tou-

jours aussi haute, le regard impassible, ce n'est pas assez
dire, aussi implacable, dépouillé de ce vague respect
qu'on a pour les droits d'autres créatures, même si elles
ne connaissent pas votre tante, et qui faisait que je n'étais
pas tout à fait le même devant une vieille dame que
devant un bec de gaz. Ces manières glacées étaient aussi
loin des lettres charmantes que je l'imaginais encore, il
y a quelques jours, m'écrivant pour me dire sa sympathie,
qu'est loin de l'enthousiasme de la Chambre et du peuple
qu'il s'est représenté en train de soulever par un discours
inoubliable, la situation médiocre, obscure, de l'imagina-
tif qui, après avoir ainsi rêvassé tout seul, pour son
compte, à haute voix, se retrouve, les acclamations
imaginaires une fois apaisées, Gros-Jean comme devant.
Quand Mme de Villeparisis, sans doute pour tâcher d'effacer la mauvaise impression que nous avaient causée ces
dehors révélateurs d'une nature orgueilleuse et méchante, nous reparla de l'inépuisable bonté de son petit-
neveu (il était le fils d'une de ses nièces et était un peu plus
âgé que moi) j'admirai comme dans le monde, au mépris
de toute vérité, on prête des qualités de cœur à ceux qui
l'ont si sec, fussent-ils d'ailleurs aimables avec des gens
brillants qui font partie de leur milieu. Mme de Villeparisis ajouta elle-même, quoique indirectement, une
confirmation aux traits essentiels, déjà certains pour
moi, de la nature de son neveu, un jour où je les rencontrai tous deux dans un chemin si étroit qu'elle ne put
faire autrement que de me présenter à lui. Il sembla ne pas
entendre qu'on lui nommait quelqu'un, aucun muscle
de son visage ne bougea ; ses yeux, où ne brilla pas la
plus faible lueur de sympathie humaine, montrèrent
seulement dans l'insensibilité, dans l'inanité du regard,
une exagération à défaut de laquelle rien ne les eût diffé-
renciés de miroirs sans vie. Puis, fixant sur moi ces yeux
durs comme s'il eût voulu se renseigner sur moi, avant
de me rendre mon salut, par un brusque déclenchement

qui sembla plutôt dû à un réflexe musculaire qu'à un
acte de volonté, mettant entre lui et moi le plus grand
intervalle possible, allongea le bras dans toute sa longueur,
et me tendit la main, à distance. Je crus qu'il s'agissait
au moins d'un duel, quand le lendemain il me fit passer
sa carte. Mais il ne me parla que de littérature, déclara
après une longue causerie qu'il avait une envie extrême
de me voir plusieurs heures chaque jour. Il n'avait pas,
durant cette visite, fait preuve seulement d'un goût
très ardent pour les choses de l'esprit, il m'avait témoigné une sympathie qui allait fort peu avec le salut de la
veille. Quand je le lui eus vu refaire chaque fois qu'on
lui présentait quelqu'un, je compris que c'était une simple
habitude mondaine particulière à une certaine partie de
sa famille et à laquelle sa mère, qui tenait à ce qu'il
fût admirablement bien élevé, avait plié son corps ;
il faisait ces saluts-là sans y penser plus qu'à ses beaux
vêtements, à ses beaux cheveux ; c'était une chose dénuée
de la signification morale que je lui avais donnée d'abord,
une chose purement apprise, comme cette autre habitude
qu'il avait aussi de se faire présenter immédiatement
aux parents de quelqu'un qu'il connaissait, et qui était
devenue chez lui si instinctive que, me voyant le lendemain de notre rencontre, il fonça sur moi et, sans me dire
bonjour, me demanda de le nommer à ma grand'mère
qui était auprès de moi, avec la même rapidité fébrile que
si cette requête eût été due à quelque instinct défensif,
comme le geste de parer un coup ou de fermer les yeux
devant un jet d'eau bouillante, sans le préservatif duquel
il y eût eu péril à demeurer une seconde de plus.

Les premiers rites d'exorcisme une fois accomplis,
comme une fée hargneuse dépouille sa première apparence et se pare de grâces enchanteresses, je vis cet être
dédaigneux devenir le plus aimable, le plus prévenant
jeune homme que j'eusse jamais rencontré. « Bon, me
dis-je, je me suis déjà trompé sur lui, j'avais été victime

d'un mirage, mais je n'ai triomphé du premier que pour
tomber dans un second, car c'est un grand seigneur féru
de noblesse et cherchant à le dissimuler. » Or, toute la
charmante éducation, toute l'amabilité de Saint-Loup
devait, en effet, au bout de peu de temps, me laisser voir
un autre être, mais bien différent de celui que je soupçonnais.

Ce jeune homme qui avait l'air d'un aristocrate et d'un
sportsman dédaigneux n'avait d'estime et de curiosité
que pour les choses de l'esprit, surtout pour ces manifes-
tations modernistes de la littérature et de l'art qui semblaient si ridicules à sa tante ; il était imbu, d'autre part,
de ce qu'elle appelait les déclamations socialistes, rempli
du plus profond mépris pour sa caste, et passait des
heures à étudier Nietzsche et Proudhon. C'était un de ces
« intellectuels » prompts à l'admiration, qui s'enferment
dans un livre, soucieux seulement de haute pensée. Même,
chez Saint-Loup, l'expression de cette tendance très
abstraite et qui l'éloignait tant de mes préoccupations
habituelles, tout en me paraissant touchante m'ennuyait
un peu. Je peux dire que, quand je sus bien qui avait
été son père, les jours où je venais de lire des Mémoires
tout nourris d'anecdotes sur ce fameux comte de Marsantes en qui se résume l'élégance si spéciale d'une époque déjà lointaine, l'esprit empli de rêveries, désireux
d'avoir des précisions sur la vie qu'avait menée M. de
Marsantes, j'enrageais que Robert de Saint-Loup au
lieu de se contenter d'être le fils de son père, au lieu d'être
capable de me guider dans le roman démodé qu'avait été
l'existence de celui-ci, se fût élevé jusqu'à l'amour de
Nietzsche et de Proudhon. Son père n'eût pas partagé
mes regrets. Il était lui-même un homme intelligent,
excédant les bornes de sa vie d'homme du monde. Il
n'avait guère eu le temps de connaître son fils, mais avait
souhaité qu'il valût mieux que lui. Et je crois bien que,
contrairement au reste de la famille, il l'eût admiré, se

fût réjoui qu'il délaissât ce qui avait fait ses minces divertissements pour d'austères méditations et, sans en rien dire, dans sa modestié de grand seigneur spirituel, eût lu en cachette les auteurs favoris de son fils pour apprécier de combien Robert lui était supérieur.

Il y avait, du reste, cette chose assez triste, c'est que si M. de Marsantes, à l'esprit fort ouvert, eût apprécié un fils si différent de lui, Robert de Saint-Loup, parce qu'il était de ceux qui croient que le mérite est attaché à certaines formes d'art et de vie, avait un souvenir affectueux mais un peu méprisant d'un père qui s'était occupé toute sa vie de chasse et de course, avait bâillé à Wagner et raffolé d'Offenbach. Saint-Loup n'était pas assez intelligent pour comprendre que la valeur intellectuelle n'a rien à voir avec l'adhésion à une certaine formule esthétique, et il avait pour l' « intellectualité » de M. de Marsantes un peu le même genre de dédain qu'auraient pu avoir pour Boieldieu ou pour Labiche un fils Boieldieu ou un fils Labiche qui eussent été des adeptes de la littérature la plus symboliste et de la musique la plus compliquée. « J'ai très peu connu mon père, disait Robert. Il paraît que c'était un homme exquis. Son désastre a été la déplorable époque où il a vécu. Être né dans le faubourg Saint-Germain et avoir vécu à l'époque de *la Belle Hélène*, cela fait cataclysme dans une existence. Peut-être, petit bourgeois fanatique du " Ring ", eût-il donné tout autre chose. On me dit même qu'il aimait la littérature. Mais on ne peut pas savoir, puisque ce qu'il entendait par littérature ne se compose que d'œuvres périmées. » Et pour ce qui était de moi, si je trouvais Saint-Loup un peu sérieux, lui ne comprenait pas que je ne le fusse pas davantage. Ne jugeant chaque chose qu'au poids d'intelligence qu'elle contient, ne percevant pas les enchantements d'imagination que me donnaient certaines qu'il jugeait frivoles, il s'étonnait que moi — moi à qui il s'imaginait être tellement inférieur — je pusse m'y intéresser.

Dès les premiers jours, Saint-Loup fit la conquête de ma grand'mère, non seulement par la bonté incessante qu'il s'ingéniait à nous témoigner à tous deux, mais par le naturel qu'il y mettait comme en toutes choses. Or, le naturel — sans doute parce que, sous l'art de l'homme, il laisse sentir la nature — était la qualité que ma grand'mère préférait à toutes, tant dans les jardins où elle n'aimait pas qu'il y eût, comme dans celui de Combray, de plates-bandes trop régulières, qu'en cuisine où elle détestait ces « pièces montées » dans lesquelles on reconnaît à peine les aliments qui ont servi à les faire, ou dans l'interprétation pianistique qu'elle ne voulait pas trop fignolée, trop léchée, ayant même eu pour les notes accrochées, pour les fausses notes, de Rubinstein, une complaisance particulière. Ce naturel, elle le goûtait jusque dans les vêtements de Saint-Loup, d'une élégance souple sans rien de « gommeux » ni de « compassé », sans raideur et sans empois. Elle prisait davantage encore ce jeune homme riche dans la façon négligente et libre qu'il avait de vivre dans le luxe sans « sentir l'argent », sans airs importants ; elle retrouvait même le charme de ce naturel dans l'incapacité que Saint-Loup avait gardée — et qui généralement disparaît avec l'enfance, en même temps que certaines particularités physiologiques de cet âge — d'empêcher son visage de refléter une émotion. Quelque chose qu'il désirait par exemple et sur quoi il n'avait pas compté, ne fût-ce qu'un compliment, faisait se dégager en lui un plaisir si brusque, si brûlant, si volatil, si expansif, qu'il lui était impossible de le contenir et de le cacher ; une grimace de plaisir s'emparait irrésistiblement de son visage ; la peau trop fine de ses joues laissait transparaître une vive rougeur, ses yeux reflétaient la confusion et la joie ; et ma grand'mère était infiniment sensible à cette gracieuse apparence de franchise et d'innocence, laquelle d'ailleurs chez Saint-Loup, au moins à l'époque où je me liai avec lui, ne trompait pas. Mais j'ai connu un autre être, et il y en a beaucoup, chez lequel la sincérité physiologique de cet incarnat passager n'excluait nullement la duplicité morale ; bien souvent il prouve seulement la vivacité avec laquelle ressentent le plaisir, jusqu'à être désarmées devant lui et à être forcées de le confesser aux autres, des natures capables des plus viles fourberies. Mais où ma grand'-mère adorait surtout le naturel de Saint-Loup, c'était dans sa façon d'avouer sans aucun détour la sympathie qu'il avait pour moi, et pour l'expression de laquelle il avait de ces mots comme elle n'eût pas pu en trouver elle-même, disait-elle, de plus justes, et vraiment aimants, des mots qu'eussent contresignés « Sévigné et Beausergent » ; il ne se gênait pas pour plaisanter mes défauts — qu'il avait démêlés avec une finesse dont elle était amusée — mais comme elle-même aurait fait, avec tendresse, exaltant au contraire mes qualités avec une chaleur, un abandon qui ne connaissait pas les réserves et la froideur grâce auxquelles les jeunes gens de son âge croient généralement se donner de l'importance. Et il montrait à prévenir mes moindres malaises, à remettre des couvertures sur mes jambes si le temps fraîchissait sans que je m'en fusse aperçu, à s'arranger sans le dire à rester le soir avec moi plus tard, s'il me sentait triste ou mal disposé, une vigilance que, du point de vue de ma santé, pour laquelle plus d'endurcissement eût peut-être été préférable, ma grand'mère trouvait presque excessive, mais qui, comme preuve d'affection pour moi, la touchait profondément.

Il fut bien vite convenu entre lui et moi que nous étions devenus de grands amis pour toujours, et il disait « notre amitié » comme s'il eût parlé de quelque chose d'important et de délicieux qui eût existé en dehors de nous-mêmes et qu'il appela bientôt — en mettant à part son amour pour sa maîtresse — la meilleure joie de sa vie. Ces paroles me causaient une sorte de tristesse, et j'étais

embarrassé pour y répondre, car je n'éprouvais à me
trouver, à causer avec lui — et sans doute c'eût été de
même avec tout autre — rien de ce bonheur qu'il m'était
au contraire possible de ressentir quand j'étais sans
compagnon. Seul, quelquefois, je sentais affluer du fond
de moi quelqu'une de ces impressions qui me donnaient un
bien-être délicieux. Mais dès que j'étais avec quelqu'un,
dès que je parlais à un ami, mon esprit faisait volte-face,
c'était vers cet interlocuteur et non vers moi-même qu'il
dirigeait ses pensées, et quand elles suivaient ce sens
inverse, elles ne me procuraient aucun plaisir. Une fois
que j'avais quitté Saint-Loup, je mettais, à l'aide de mots,
une sorte d'ordre dans les minutes confuses que j'avais
passées avec lui ; je me disais que j'avais un bon ami,
qu'un bon ami est une chose rare, et je goûtais, à me sentir
entouré de biens difficiles à acquérir, ce qui était justement l'opposé du plaisir qui m'était naturel, l'opposé du
plaisir d'avoir extrait de moi-même et amené à la lumière
quelque chose qui y était caché dans la pénombre. Si
j'avais passé deux ou trois heures à causer avec Robert
de Saint-Loup et qu'il eût admiré ce que je lui avais dit,
j'éprouvais une sorte de remords, de regret, de fatigue
de ne pas être resté seul et prêt enfin à travailler. Mais
je me disais qu'on n'est pas intelligent que pour soi-même,
que les plus grands ont désiré d'être appréciés, que je ne
pouvais pas considérer comme perdues des heures où
j'avais bâti une haute idée de moi dans l'esprit de mon
ami, je me persuadais facilement que je devais en être
heureux et je souhaitais d'autant plus vivement que ce
bonheur ne me fût jamais enlevé, que je ne l'avais pas
ressenti. On craint plus que de tous les autres la disparition des biens restés en dehors de nous, parce que notre
cœur ne s'en est pas emparé. Je me sentais capable
d'exercer les vertus de l'amitié mieux que beaucoup
(parce que je ferais toujours passer le bien de mes amis
avant ces intérêts personnels auxquels d'autres sont

attachés et qui ne comptaient pas pour moi), mais non pas
de connaître la joie par un sentiment qui, au lieu d'accroître les différences qu'il y avait entre mon âme et celles
des autres — comme il y en a entre les âmes de chacun de
nous —, les effacerait. En revanche par moments ma
pensée démêlait en Saint-Loup un être plus général que
lui-même, le « noble », et qui comme un esprit intérieur
mouvait ses membres, ordonnait ses gestes et ses actions ;
alors, à ces moments-là, quoique près de lui, j'étais seul,
comme je l'eusse été devant un paysage dont j'aurais
compris l'harmonie. Il n'était plus qu'un objet que ma
rêverie cherchait à approfondir. A retrouver toujours
en lui cet être antérieur, séculaire, cet aristocrate que
Robert aspirait justement à ne pas être, j'éprouvais une
vive joie, mais d'intelligence, non d'amitié. Dans l'agilité
morale et physique qui donnait tant de grâce à son
amabilité, dans l'aisance avec laquelle il offrait sa voiture
à ma grand'mère et l'y faisait monter, dans son adresse à
sauter du siège quand il avait peur que j'eusse froid,
pour jeter son propre manteau sur mes épaules, je ne
sentais pas seulement la souplesse héréditaire des grands
chasseurs qu'avaient été depuis des générations les ancêtres de ce jeune homme qui ne prétendait qu'à l'intellectualité, leur dédain de la richesse qui, subsistant chez lui
à côté du goût qu'il avait d'elle rien que pour pouvoir
mieux fêter ses amis, lui faisait mettre si négligemment
son luxe à leurs pieds ; j'y sentais surtout la certitude ou
l'illusion qu'avaient eues ces grands seigneurs d'être
« plus que les autres », grâce à quoi ils n'avaient pu léguer
à Saint-Loup ce désir de montrer qu'on est « autant que
les autres », cette peur de paraître trop empressé qui lui
était en effet vraiment inconnue et qui enlaidit de tant
de raideur et de gaucherie la plus sincère amabilité
plébéienne. Quelquefois je me reprochais de prendre
ainsi plaisir à considérer mon ami comme une œuvre
d'art, c'est-à-dire à regarder le jeu de toutes les parties

de son être comme harmonieusement réglé par une idée générale à laquelle elles étaient suspendues mais qu'il ne connaissait pas et qui par conséquent n'ajoutait rien à ses qualité propres, à cette valeur personnelle d'intelligence et de moralité à quoi il attachait tant de prix.

Et pourtant elle était, dans une certaine mesure, leur condition. C'est parce qu'il était un gentilhomme que cette activité mentale, ces aspirations socialistes, qui lui faisaient rechercher de jeunes étudiants prétentieux et mal mis, avaient chez lui quelque chose de vraiment pur et désintéressé qu'elles n'avaient pas chez eux. Se croyant l'héritier d'une caste ignorante et égoïste, il cherchait sincèrement à ce qu'ils lui pardonnassent ces origines aristocratiques qui exerçaient sur eux, au contraire, une séduction et à cause desquelles ils le recherchaient, tout en simulant à son égard la froideur et même l'insolence. Il était ainsi amené à faire des avances à des gens dont mes parents, fidèles à la sociologie de Combray, eussent été stupéfaits qu'il ne se détournât pas. Un jour que nous étions assis sur le sable, Saint-Loup et moi, nous entendîmes d'une tente de toile contre laquelle nous étions, sortir des imprécations contre le fourmillement d'Israélites qui infestait Balbec. « On ne peut faire deux pas sans en rencontrer, disait la voix. Je ne suis pas par principe irréductiblement hostile à la nationalité juive, mais ici il y a pléthore. On n'entend que : " Dis donc, Apraham, chai fu Chakop. " On se croirait rue d'Aboukir. » L'homme qui tonnait ainsi contre Israël sortit enfin de la tente, nous levâmes les yeux sur cet antisémite. C'était mon camarade Bloch. Saint-Loup me demanda immédiatement de rappeler à celui-ci qu'ils s'étaient rencontrés au Concours général où Bloch avait eu le prix d'honneur, puis dans une Université populaire.

Tout au plus souriais-je parfois de retrouver chez Robert les leçons des jésuites dans la gêne que la peur de froisser faisait naître en lui, chaque fois que quelqu'un

de ses amis intellectuels commettait une erreur mondaine,
faisait une chose ridicule, à laquelle lui, Saint-Loup,
n'attachait aucune importance, mais dont il sentait que
l'autre aurait rougi si l'on s'en était aperçu. Et c'était
Robert qui rougissait comme si ç'avait été lui le coupable,
par exemple le jour où Bloch lui promettant d'aller le
voir à l'hôtel, ajouta :

— Comme je ne peux pas supporter d'attendre parmi
le faux chic de ces grands caravansérails, et que les tziganes me feraient trouver mal, dites au « laïft » de les
faire taire et de vous prévenir de suite.

Personnellement, je ne tenais pas beaucoup à ce que
Bloch vînt à l'hôtel. Il était à Balbec, non pas seul, malheureusement, mais avec ses sœurs qui y avaient elles-
mêmes beaucoup de parents et d'amis. Or, cette colonie
juive était plus pittoresque qu'agréable. Il en était de
Balbec comme de certains pays, la Russie ou la Rou-
manie, où les cours de géographie nous enseignent que
la population israélite n'y jouit point de la même faveur
et n'y est pas parvenue au même degré d'assimilation
qu'à Paris par exemple. Toujours ensemble, sans mélange
d'aucun autre élément, quand les cousines et les oncles
de Bloch, ou leurs coreligionnaires mâles ou femelles se
rendaient au Casino, les unes pour le « bal », les autres
bifurquant vers le baccara, ils formaient un cortège
homogène en soi et entièrement dissemblable des gens
qui les regardaient passer et les retrouvaient là tous les
ans sans jamais échanger un salut avec eux, que ce fût
la société des Cambremer, le clan du premier président,
ou des grands et petits bourgeois, ou même certains
simples grainetiers de Paris, dont les filles, belles, fières,
moqueuses et françaises comme les statues de Reims,
n'auraient pas voulu se mêler à cette horde de fillasses
mal élevées, poussant le souci des modes de « bains de
mer » jusqu'à toujours avoir l'air de revenir de pêcher la
crevette ou d'être en train de danser le tango. Quant aux

hommes, malgré l'éclat des smokings et des souliers vernis, l'exagération de leur type faisait penser à ces recherches dites « intelligentes » des peintres qui, ayant à illustrer les Évangiles ou les Mille et une Nuits, pensent au pays où la scène se passe et donnent à saint Pierre ou à Ali-Baba précisément la figure qu'avait le plus gros « ponte » de Balbec. Bloch me présenta ses sœurs, auxquelles il fermait le bec avec la dernière brusquerie et qui riaient aux éclats des moindres boutades de leur frère, leur admiration et leur idole. De sorte qu'il est probable que ce milieu devait renfermer comme tout autre, peut-être plus que tout autre, beaucoup d'agréments, de qualités et de vertus. Mais pour les éprouver, il eût fallu y pénétrer. Or, il ne plaisait pas, le sentait, voyait là la preuve d'un antisémitisme contre lequel il faisait front en une phalange compacte et close où personne d'ailleurs ne songeait à se frayer un chemin.

Pour ce qui est de « laïft », cela avait d'autant moins lieu de me surprendre que, quelques jours auparavant, Bloch m'ayant demandé pourquoi j'étais venu à Balbec (il lui semblait, au contraire, tout naturel que lui-même y fût) et si c'était « dans l'espoir de faire de belles connaissances », comme je lui avais dit que ce voyage répondait à un de mes plus anciens désirs, moins profond pourtant que celui d'aller à Venise, il avait répondu : « Oui, naturellement, pour boire des sorbets avec les belles madames, tout en faisant semblant de lire les *Stones of Venaïce* de Lord John Ruskin, sombre raseur et l'un des plus barbifiants bonshommes qui soient. » Bloch croyait donc évidemment qu'en Angleterre non seulement tous les individus du sexe mâle sont lords, mais encore que la lettre *i* s'y prononce toujours *aï*. Quant à Saint-Loup, il trouvait cette faute de prononciation d'autant moins grave qu'il y voyait surtout un manque de ces notions presque mondaines que mon nouvel ami méprisait autant qu'il les possédait. Mais la peur que Bloch, apprenant un jour

qu'on dit Venice et que Ruskin n'était pas lord, crût
rétrospectivement que Robert l'avait trouvé ridicule,
fit que ce dernier se sentit coupable comme s'il avait
manqué de l'indulgence dont il débordait et que, la
rougeur qui colorerait sans doute un jour le visage de
Bloch à la découverte de son erreur, il la sentit, par anti-
cipation et réversibilité, monter au sien. Car il pensait
bien que Bloch attachait plus d'importance que lui à
cette faute. Ce que Bloch prouva quelque temps après,
un jour qu'il m'entendit prononcer « lift », en interrompant : « Ah ! on dit lift. » Et, d'un ton sec et hautain :
« Cela n'a d'ailleurs aucune espèce d'importance. » Phrase
analogue à un réflexe, la même chez tous les hommes
qui ont de l'amour-propre, dans les plus graves circonstances aussi bien que dans les plus infimes ; dénonçant
alors, aussi bien que dans celle-ci, combien importante
paraît la chose en question à celui qui la déclare sans
importance ; phrase tragique parfois, qui, la première
de toutes, s'échappe, si navrante alors, des lèvres de tout
homme un peu fier à qui on vient d'enlever la dernière
espérance à laquelle il se raccrochait, en lui refusant un
service : « Ah ! bien, cela n'a aucune espèce d'importance,
je m'arrangerai autrement », l'autre arrangement vers
lequel il est sans aucune espèce d'importance d'être
rejeté étant quelquefois le suicide.

Puis Bloch me dit des choses fort gentilles. Il avait
certainement envie d'être très aimable avec moi. Pourtant, il me demanda : « Est-ce par goût de t'élever vers
la noblesse — une noblesse très à-côté du reste, mais tu
es demeuré naïf — que tu fréquentes de Saint-Loup-
en-Bray ? Tu dois être en train de traverser une jolie
crise de snobisme. Dis-moi, es-tu snob ? Oui, n'est-ce
pas ? » Ce n'est pas que son désir d'amabilité eût brusquement changé. Mais ce qu'on appelle en un français assez
incorrect « la mauvaise éducation » était son défaut, par
conséquent le défaut dont il ne s'apercevait pas, à plus

forte raison dont il ne crût pas que les autres pussent
être choqués.

Dans l'humanité, la fréquence des vertus identiques
pour tous n'est pas plus merveilleuse que la multiplicité
des défauts particuliers à chacun. Sans doute, ce n'est
pas le bon sens qui est « la chose du monde la plus répandue », c'est la bonté. Dans les coins les plus lointains,
les plus perdus, on s'émerveille de la voir fleurir d'elle-
même, comme dans un vallon écarté un coquelicot pareil
à ceux du reste du monde, lui qui ne les a jamais vus, et
n'a jamais connu que le vent qui fait frissonner parfois
son rouge chaperon solitaire. Même si cette bonté,
paralysée par l'intérêt, ne s'exerce pas, elle existe pourtant
et, chaque fois qu'aucun mobile égoïste ne l'empêche
de le faire, par exemple pendant la lecture d'un roman
ou d'un journal, elle s'épanouit, se tourne, même dans le
cœur de celui qui, assassin dans la vie, reste tendre comme
amateur de feuilletons, vers le faible, vers le juste et le
persécuté. Mais la variété des défauts n'est pas moins
admirable que la similitude des vertus. La personne la
plus parfaite a un certain défaut qui choque ou qui met
en rage. L'une est d'une belle intelligence, voit tout d'un
point de vue élevé, ne dit jamais de mal de personne,
mais oublie dans sa poche les lettres les plus importantes
qu'elle vous a demandé elle-même de lui confier, et vous
fait manquer ensuite un rendez-vous capital, sans vous
faire d'excuses, avec un sourire, parce qu'elle met sa
fierté à ne jamais savoir l'heure. Un autre a tant de finesse,
de douceur, de procédés délicats, qu'il ne vous dit jamais
de vous-même que les choses qui peuvent vous rendre
heureux, mais vous sentez qu'il en tait, qu'il en ense-
velit dans son cœur, où elles aigrissent, de toutes différentes, et le plaisir qu'il a à vous voir lui est si cher qu'il
vous ferait crever de fatigue plutôt que de vous quitter.
Un troisième a plus de sincérité, mais la pousse jusqu'à
tenir à ce que vous sachiez, quand vous vous êtes excusé

sur votre état de santé de ne pas être allé le voir, que vous
avez été vu vous rendant au théâtre et qu'on vous a
trouvé bonne mine, ou qu'il n'a pu profiter entièrement
de la démarche que vous avez faite pour lui, que d'ailleurs
déjà trois autres lui ont proposé de faire et dont il ne vous
est ainsi que légèrement obligé. Dans les deux circonstances, l'ami précédent aurait fait semblant d'ignorer
que vous étiez allé au théâtre et que d'autres personnes
eussent pu lui rendre le même service. Quant à ce dernier
ami, il éprouve le besoin de répéter ou de révéler à quelqu'un ce qui peut le plus vous contrarier, est ravi de sa
franchise et vous dit avec force : « Je suis comme cela. »
Tandis que d'autres vous agacent par leur curiosité
exagérée, ou leur incuriosité si absolue que vous pouvez
leur parler des événements les plus sensationnels sans
qu'ils sachent de quoi il s'agit ; que d'autres encore
restent des mois à vous répondre si votre lettre a trait
à un fait qui concerne vous et non eux, ou bien, s'ils vous
disent qu'ils vont venir vous demander quelque chose
et que vous n'osiez pas sortir de peur de les manquer,
ne viennent pas et vous laissent attendre des semaines,
parce que, n'ayant pas reçu de vous la réponse que leur
lettre ne demandait nullement, ils avaient cru vous avoir
fâché. Et certains, consultant leur désir et non le vôtre,
vous parlent sans vous laisser placer un mot s'ils sont
gais et ont envie de vous voir, quelque travail urgent
que vous ayez à faire ; mais, s'ils se sentent fatigués
par le temps, ou de mauvaise humeur, vous ne pouvez
pas tirer d'eux une parole, ils opposent à vos efforts une
inerte langueur et ne prennent pas plus la peine de
répondre, même par monosyllabes, à ce que vous dites
que s'ils ne vous avaient pas entendus. Chacun de nos
amis a tellement ses défauts que, pour continuer à
l'aimer, nous sommes obligés d'essayer de nous consoler
d'eux — en pensant à son talent, à sa bonté, à sa tendresse, — ou plutôt de ne pas en tenir compte en déployant

pour cela toute notre bonne volonté. Malheureusement notre complaisante obstination à ne pas voir le défaut de notre ami est surpassée par celle qu'il met à s'y adonner à cause de son aveuglement ou de celui qu'il prête aux autres. Car il ne le voit pas ou croit qu'on ne le voit pas. Comme le risque de déplaire vient surtout de la difficulté d'apprécier ce qui passe ou non inaperçu, on devrait au moins, par prudence, ne jamais parler de soi, parce que c'est un sujet où on peut être sûr que la vue des autres et la nôtre propre ne concordent jamais. Si on a autant de surprises qu'à visiter une maison d'apparence quelconque dont l'intérieur est rempli de trésors, de pinces-monseigneur ou de cadavres quand on découvre la vraie vie des autres, l'univers réel sous l'univers apparent, on n'en éprouve pas moins si, au lieu de l'image qu'on s'était faite de soi-même grâce à ce que chacun nous en disait, on apprend, par le langage qu'ils tiennent à notre égard en notre absence, quelle image entièrement différente ils portaient en eux de nous et de notre vie. De sorte que chaque fois que nous avons parlé de vous, nous pouvons être sûrs que nos inoffensives et prudentes paroles, écoutées avec une politesse apparente et une hypocrite approbation, ont donné lieu aux commentaires les plus exaspérés ou les plus joyeux, en tous cas les moins favorables. Le moins que nous risquions est d'agacer par la disproportion qu'il y a entre notre idée de nous-mêmes et nos paroles, disproportion qui rend généralement les propos des gens sur eux aussi risibles que ces chantonnements des faux amateurs de musique qui éprouvent le besoin de fredonner un air qu'ils aiment en compensant l'insuffisance de leur murmure inarticulé par une mimique énergique et un air d'admiration que ce qu'ils nous font entendre ne justifie pas. Et à la mauvaise habitude de parler de soi et de ses défauts il faut ajouter, comme faisant bloc avec elle, cette autre de dénoncer chez les autres des défauts précisément

analogues à ceux qu'on a. Or, c'est toujours de ces défauts-
là qu'on parle, comme si c'était une manière de parler de
soi, détournée, et qui joint au plaisir de s'absoudre celui
d'avouer. D'ailleurs il semble que notre attention, toujours attirée sur ce qui nous caractérise, le remarque
plus que toute autre chose chez les autres. Un myope
dit d'un autre : « Mais il peut à peine ouvrir les yeux » ;
un poitrinaire a des doutes sur l'intégrité pulmonaire
du plus solide ; un malpropre ne parle que des bains
que les autres ne prennent pas ; un malodorant prétend
qu'on sent mauvais ; un mari trompé voit partout des
maris trompés ; une femme légère, des femmes légères ;
le snob, des snobs. Et puis chaque vice, comme chaque
profession, exige et développe un savoir spécial qu'on
n'est pas fâché d'étaler. L'inverti dépiste les invertis,
le couturier invité dans le monde n'a pas encore causé
avec vous qu'il a déjà apprécié l'étoffe de votre vêtement
et que ses doigts brûlent d'en palper les qualités, et si
après quelques instants de conversation vous demandiez
sa vraie opinion sur vous à un odontalgiste, il vous dirait
le nombre de vos mauvaises dents. Rien ne lui paraît
plus important, et à vous qui avez remarqué les siennes,
plus ridicule. Et ce n'est pas seulement quand nous
parlons de nous que nous croyons les autres aveugles ;
nous agissons comme s'ils l'étaient. Pour chacun de nous,
un dieu spécial est là qui lui cache ou lui promet l'invisibilité de son défaut, de même qu'il ferme les yeux et
les narines aux gens qui ne se lavent pas, sur la raie de
crasse qu'ils portent aux oreilles et l'odeur de transpi-
ration qu'ils gardent aux creux des bras, et les persuade
qu'ils peuvent impunément promener l'une et l'autre
dans le monde qui ne s'apercevra de rien. Et ceux qui
portent ou donnent en présent de fausses perles s'imaginent qu'on les prendra pour des vraies.

Bloch était mal élevé, névropathe, snob et, appartenant à une famille peu estimée, supportait comme au

fond des mers les incalculables pressions que faisaient peser sur lui non seulement les chrétiens de la surface, mais les couches superposées des castes juives supérieures à la sienne, chacune accablant de son mépris celle qui lui était immédiatement inférieure. Percer jusqu'à l'air libre en s'élevant de famille juive en famille juive eût demandé à Bloch plusieurs milliers d'années. Il valait mieux chercher à se frayer une issue d'un autre côté.

Quand Bloch me parla de la crise de snobisme que je devais traverser et me demanda de lui avouer que j'étais snob, j'aurais pu lui répondre : « Si je l'étais, je ne te fréquenterais pas. » Je lui dis seulement qu'il était peu aimable. Alors il voulut s'excuser, mais selon le mode qui est justement celui de l'homme mal élevé, lequel est trop heureux, en revenant sur ses paroles, de trouver une occasion de les aggraver. «Pardonne-moi, me disait-il maintenant chaque fois qu'il me rencontrait, je t'ai chagriné, torturé, j'ai été méchant à plaisir. Et pourtant — l'homme en général et ton ami en particulier est un si singulier animal — tu ne peux imaginer, moi qui te taquine si cruellement, la tendresse que j'ai pour toi. Elle va souvent, quand je pense à toi, jusqu'aux larmes. » Et il fit entendre un sanglot.

Ce qui m'étonnait plus chez Bloch que ses mauvaises manières, c'était combien la qualité de sa conversation était inégale. Ce garçon si difficile, qui des écrivains les plus en vogue disait : « C'est un sombre idiot, c'est tout à fait un imbécile », par moments racontait avec une grande gaieté des anecdotes qui n'avaient rien de drôle et citait comme « quelqu'un de vraiment curieux » tel homme entièrement médiocre. Cette double balance pour juger de l'esprit, de la valeur, de l'intérêt des êtres, ne laissa pas de m'étonner jusqu'au jour où je connus M. Bloch père.

Je n'avais pas cru que nous serions jamais admis à le

25

connaître, car Bloch fils avait mal parlé de moi à Saint-
Loup et de Saint-Loup à moi. Il avait notamment dit
à Robert que j'étais (toujours) affreusement snob. « Si, si,
il est enchanté de connaître M. LLLLegrandin », dit-il.
Cette manière de détacher un mot était chez Bloch le
signe à la fois de l'ironie et de la littérature. Saint-Loup,
qui n'avait jamais entendu le nom de Legrandin, s'étonna :
« Mais qui est-ce ? — Oh ! c'est quelqu'un de *très bien* »,
répondit Bloch en riant et en mettant frileusement ses
mains dans les poches de son veston, persuadé qu'il
était en ce moment en train de contempler le pittoresque
aspect d'un extraordinaire gentilhomme provincial
auprès de quoi ceux de Barbey d'Aurevilly n'étaient rien.
Il se consolait de ne pas savoir peindre M. Legrandin,
en lui donnant plusieurs L et en savourant ce nom comme
un vin de derrière les fagots. Mais ces jouissances subjec-
tives restaient inconnues aux autres. S'il dit à Saint-Loup
du mal de moi, d'autre part il ne m'en dit pas moins de
Saint-Loup. Nous avions connu le détail de ces médi-
sances chacun dès le lendemain, non que nous nous les
fussions répétées l'un à l'autre, ce qui nous eût semblé
très coupable, mais paraissait si naturel et presque si
inévitable à Bloch que, dans son inquiétude et tenant
pour certain qu'il ne ferait qu'apprendre à l'un ou à
l'autre ce qu'ils allaient savoir, il préféra prendre les
devants et, emmenant Saint-Loup à part, lui avoua qu'il
avait dit du mal de lui, exprès, pour que cela lui fût
redit, lui jura « par le Kroniôn Zeus, gardien des ser-
ments », qu'il l'aimait, qu'il donnerait sa vie pour lui
et essuya une larme. Le même jour, il s'arrangea pour me
voir seul, me fit sa confession, déclara qu'il avait agi dans
mon intérêt parce qu'il croyait qu'un certain genre de
relations mondaines m'était néfaste et que je « valais
mieux que cela ». Puis, me prenant la main avec un attendrissement d'ivrogne, bien que son ivresse fût purement
nerveuse : « Crois-moi, dit-il, et que la noire Kèr me

saisisse à l'instant et me fasse franchir les portes d'Hadès,
odieux aux hommes, si hier en pensant à toi, à Combray,
à ma tendresse infinie pour toi, à telles après-midi en
classe que tu ne te rappelles même pas, je n'ai pas san-
gloté toute la nuit. Oui, toute la nuit, je te le jure, et hélas,
je le sais, car je connais les âmes, tu ne me croiras pas. »
Je ne le croyais pas, en effet, et à ces paroles que je sentais
inventées à l'instant même et au fur et à mesure qu'il
parlait, son serment « par la Kèr » n'ajoutait pas un
grand poids, le culte hellénique étant chez Bloch purement littéraire. D'ailleurs, dès qu'il commençait à
s'attendrir et désirait qu'on s'attendrît sur un fait faux,
il disait : « Je te le jure », plus encore pour la volupté
hystérique de mentir que dans l'intérêt de faire croire
qu'il disait la vérité. Je ne croyais pas ce qu'il me disait,
mais je ne lui en voulais pas, car je tenais de ma mère et
de ma grand'mère d'être incapable de rancune, même
contre de bien plus grands coupables, et de ne jamais
condamner personne.

Ce n'était du reste pas absolument un mauvais garçon
que Bloch, il pouvait avoir de grandes gentillesses. Et
depuis que la race de Combray, la race d'où sortaient
des êtres absolument intacts comme ma grand'mère et
ma mère, semble presque éteinte, comme je n'ai plus
guère le choix qu'entre d'honnêtes brutes, insensibles
et loyales et chez qui le simple son de la voix montre
bien vite qu'ils ne se soucient en rien de votre vie — et
une autre espèce d'hommes qui, tant qu'ils sont auprès
de vous, vous comprennent, vous chérissent, s'atten-
drissent jusqu'à pleurer, prennent leur revanche quelques heures plus tard en faisant une cruelle plaisanterie
sur vous, mais vous reviennent, toujours aussi compré-
hensifs, aussi charmants, aussi momentanément assi-
milés à vous-même, je crois que c'est cette dernière sorte
d'hommes dont je préfère, sinon la valeur morale, du
moins la société.

« Tu ne peux t'imaginer ma douleur quand je pense
à toi, reprit Bloch. Au fond, c'est un côté assez juif chez
moi », ajouta-t-il ironiquement en rétrécissant sa prunelle comme s'il s'agissait de doser au microscope une
quantité infinitésimale de « sang juif » et comme aurait
pu le dire (mais ne l'eût pas dit) un grand seigneur français qui parmi ses ancêtres tous chrétiens eût pourtant
compté Samuel Bernard ou plus anciennement encore
la Sainte Vierge de qui prétendent descendre, dit-on,
les Lévy, « qui reparaît. J'aime assez, ajouta-t-il, faire
ainsi dans mes sentiments la part, assez mince d'ailleurs,
qui peut tenir à mes origines juives. » Il prononça cette
phrase parce que cela lui paraissait à la fois spirituel et
brave de dire la vérité sur sa race, vérité que par la même
occasion il s'arrangeait à atténuer singulièrement, comme
les avares qui se décident à acquitter leurs dettes, mais
n'ont le courage d'en payer que la moitié. Le genre de
fraude qui consiste à avoir l'audace de proclamer la
vérité, mais en y mêlant pour une bonne part des mensonges qui la falsifient, est plus répandu qu'on ne pense,
et même chez ceux qui ne le pratiquent pas habituellement, certaines crises dans la vie, notamment celles où
une liaison amoureuse est en jeu, leur donnent l'occasion
de s'y livrer.

Toutes ces diatribes confidentielles de Bloch à Saint-
Loup contre moi, à moi contre Saint-Loup finirent par
une invitation à dîner. Je ne suis pas bien sûr qu'il ne
fît pas d'abord une tentative pour avoir Saint-Loup seul.
La vraisemblance rend cette tentative probable, le succès
ne la couronna pas, car ce fut à moi et à Saint-Loup que
Bloch dit un jour : « Cher maître, et vous, cavalier aimé
d'Arès, de Saint-Loup-en-Bray, dompteur de chevaux,
puisque je vous ai rencontrés sur le rivage d'Amphitrite,
résonnant d'écume, près des tentes des Menier aux nefs
rapides, voulez-vous tous deux venir dîner, un jour de
la semaine, chez mon illustre père au cœur irréprochable ? »

Il nous adressait cette invitation parce qu'il avait le désir de se lier plus étroitement avec Saint-Loup, qui le ferait, espérait-il, pénétrer dans des milieux aristocratiques. Formé par moi, pour moi, ce souhait eût paru à Bloch la marque du plus hideux snobisme, bien conforme à l'opinion qu'il avait de tout un côté de ma nature qu'il ne jugeait pas, jusqu'ici du moins, le principal ; mais le même souhait, de sa part, lui semblait la preuve d'une belle curiosité de son intelligence désireuse de certains dépaysements sociaux où il pouvait peut-être trouver quelque utilité littéraire. M. Bloch père, quand son fils lui avait dit qu'il amènerait dîner un de ses amis, dont il avait décliné sur un ton de satisfaction sarcastique le titre et le nom : « Le marquis de Saint-Loup-en-Bray », avait éprouvé une commotion violente. « Le marquis de Saint-Loup-en-Bray ! Ah ! bougre ! » s'était-il écrié, usant du juron qui était chez lui la marque la plus forte de la déférence sociale. Et il avait jeté sur son fils, capable de s'être fait de telles relations, un regard admiratif qui signifiait : « Il est vraiment étonnant. Ce prodige est-il mon enfant ? » et causa autant de plaisir à mon camarade que si cinquante francs avaient été ajoutés à sa pension mensuelle. Car Bloch était mal à l'aise chez lui et sentait que son père le traitait de dévoyé parce qu'il vivait dans l'admiration de Leconte de Lisle, Heredia et autres « bohèmes ». Mais des relations avec Saint-Loup-en-Bray dont le père avait été président du Canal de Suez ! (ah ! bougre !) c'était un résultat « indiscutable ». On regretta d'autant plus d'avoir laissé à Paris, par crainte de l'abîmer, le stéréoscope. Seul, M. Bloch, le père, avait l'art ou du moins le droit de s'en servir. Il ne le faisait du reste que rarement, à bon escient, les jours où il y avait gala et domestiques mâles en extra. De sorte que de ces séances de stéréoscope émanaient, pour ceux qui y assistaient, comme une distinction, une faveur de privilégiés et, pour le maître de maison qui les donnait, un prestige analogue à celui que le talent confère et qui n'aurait pas pu être plus grand si les vues avaient été prises par M. Bloch lui-même et l'appareil, de son invention. « Vous n'étiez pas invité hier chez Salomon ? disait-on dans la famille. — Non, je n'étais pas des élus ! Qu'est-ce qu'il y avait ? — Un grand tralala, le stéréoscope, toute la boutique. — Ah ! s'il y avait le stéréoscope, je regrette, car il paraît que Salomon est extraordinaire quand il le montre. »

— Que veux-tu, dit M. Bloch à son fils, il ne faut pas lui donner tout à la fois, comme cela il lui restera quelque chose à désirer.

Il avait bien pensé dans sa tendresse paternelle et pour émouvoir son fils, à faire venir l'instrument. Mais le « temps matériel » manquait, ou plutôt on avait cru qu'il manquerait ; mais nous dûmes faire remettre le dîner parce que Saint-Loup ne put se déplacer, attendant un oncle qui allait venir passer quarante-huit heures auprès de Mme de Villeparisis. Comme, très adonné aux exercices physiques, surtout aux longues marches, c'était en grande partie à pied, en couchant la nuit dans les fermes, que cet oncle devait faire la route depuis le château où il était en villégiature, le moment où il arriverait à Balbec était assez incertain. Et Saint-Loup, n'osant bouger, me chargea même d'aller porter à Incarville, où était le bureau télégraphique, la dépêche que mon ami envoyait quotidiennement à sa maîtresse. L'oncle qu'on attendait s'appelait Palamède, d'un prénom qu'il avait hérité des princes de Sicile, ses ancêtres. Et plus tard quand je retrouvai dans mes lectures historiques, appartenant à tel podestat ou tel prince de l'Église, ce prénom même, belle médaille de la Renaissance — d'aucuns disaient un véritable antique — toujours restée dans la famille, ayant glissé de descendant en descendant depuis le cabinet du Vatican jusqu'à l'oncle de mon ami, j'éprouvais le plaisir réservé à ceux qui, ne pouvant faute

d'argent constituer un médaillier, une pinacothèque,
recherchent les vieux noms (noms de localités, documen-
taires et pittoresques comme une carte ancienne, une vue
cavalière, une enseigne ou un coutumier, noms de bap-
tême où résonne et s'entend, dans les belles finales
françaises, le défaut de langue, l'intonation d'une vulgarité
ethnique, la prononciation vicieuse selon lesquels nos
ancêtres faisaient subir aux mots latins et saxons des
mutilations durables, devenues plus tard les augustes
législatrices des grammaires) et, en somme, grâce à ces
collections de sonorités anciennes, se donnent à eux-
mêmes des concerts, à la façon de ceux qui acquièrent
des violes de gambe et des violes d'amour pour jouer
de la musique d'autrefois sur des instruments anciens.
Saint-Loup me dit que, même dans la société aristocratique la plus fermée, son oncle Palamède se distinguait
encore comme particulièrement difficile d'accès, dédaigneux, entiché de sa noblesse, formant, avec la femme
de son frère et quelques autres personnes choisies, ce
qu'on appelait le cercle des Phénix. Là même il était si
redouté pour ses insolences qu'autrefois il était arrivé que
des gens du monde qui désiraient le connaître et s'étaient
adressés à son propre frère, avaient essuyé un refus.
« Non, ne me demandez pas de vous présenter à mon
frère Palamède. Ma femme, nous tous, nous nous y
attellerions que nous ne pourrions pas. Ou bien vous
risqueriez qu'il ne soit pas aimable et je ne le voudrais
pas. » Au Jockey, il avait avec quelques amis désigné
deux cents membres qu'ils ne se laisseraient jamais présenter. Et chez le comte de Paris il était connu sous le sobri-
quet du « Prince » à cause de son élégance et de sa fierté.

Saint-Loup me parla de la jeunesse, depuis longtemps
passée, de son oncle. Il amenait tous les jours des femmes
dans une garçonnière qu'il avait en commun avec deux
de ses amis, beaux comme lui, ce qui faisait qu'on les
appelait « les trois Grâces ».

— Un jour, un des hommes qui est aujourd'hui des plus en vue dans le faubourg Saint-Germain, comme eût dit Balzac, mais qui dans une première période assez fâcheuse montrait des goûts bizarres, avait demandé à mon oncle de venir dans cette garçonnière. Mais, à peine arrivé, ce ne fut pas aux femmes, mais à mon oncle Palamède, qu'il se mit à faire une déclaration. Mon oncle fit semblant de ne pas comprendre, emmena sous un prétexte ses deux amis, ils revinrent, prirent le coupable, le déshabillèrent, le frappèrent jusqu'au sang et, par un froid de dix degrés au-dessous de zéro, le jetèrent à coups de pieds dehors où il fut trouvé à demi mort, si bien que la justice fit une enquête à laquelle le malheureux eut toute la peine du monde à la faire renoncer. Mon oncle ne se livrerait plus aujourd'hui à une exécution aussi cruelle et tu n'imagines pas le nombre d'hommes du peuple, lui si hautain avec les gens du monde, qu'il prend en affection, qu'il protège, quitte à être payé d'ingratitude. Ce sera un domestique qui l'aura servi dans un hôtel et qu'il placera à Paris, ou un paysan à qui il fera apprendre un métier. C'est même le côté assez gentil qu'il y a chez lui, par contraste avec le côté mondain. » Saint-Loup appartenait, en effet, à ce genre de jeunes gens du monde situés à une altitude où on a pu faire pousser ces expressions : « Ce qu'il y a même d'assez gentil chez lui, son côté assez gentil », semences assez précieuses, produisant très vite une manière de concevoir les choses dans laquelle on se compte pour rien, et le « peuple » pour tout ; en somme tout le contraire de l'orgueil plébéien. « Il paraît qu'on ne peut se figurer comme il donnait le ton, comme il faisait la loi à toute la société dans sa jeunesse. Pour lui, en toute circonstance il faisait ce qui lui paraissait le plus agréable, le plus commode, mais aussitôt c'était imité par les snobs. S'il avait eu soif au théâtre et s'était fait apporter à boire dans le fond de sa loge, les petits salons qu'il y

avait derrière chacune se remplissaient, la semaine suivante, de rafraîchissements. Un été très pluvieux où il
avait un peu de rhumatisme, il s'était commandé un
pardessus d'une vigogne souple mais chaude qui ne sert
guère que pour faire des couvertures de voyage et dont
il avait respecté les raies bleues et orange. Les grands
tailleurs se virent commander aussitôt par leurs clients
des pardessus bleus et frangés, à longs poils. Si pour une
raison quelconque il désirait ôter tout caractère de solennité à un dîner dans un château où il passait une journée,
et pour marquer cette nuance n'avait pas apporté d'habit
et s'était mis à table avec le veston de l'après-midi, la
mode devenait de dîner à la campagne en veston. Que
pour manger un gâteau il se servît, au lieu de sa cuiller,
d'une fourchette ou d'un couvert de son invention
commandé par lui à un orfèvre, ou de ses doigts, il n'était
plus permis de faire autrement. Il avait eu envie de
réentendre certains quatuors de Beethoven (car avec
toutes ses idées saugrenues il est loin d'être bête et est
fort doué) et avait fait venir des artistes pour les jouer
chaque semaine, pour lui et quelques amis. La grande
élégance fut cette année-là de donner des réunions peu
nombreuses où on entendait de la musique de chambre.
Je crois d'ailleurs qu'il ne s'est pas ennuyé dans la vie.
Beau comme il a été, il a dû en avoir, des femmes! Je ne
pourrais pas vous dire d'ailleurs exactement lesquelles,
parce qu'il est très discret. Mais je sais qu'il a bien trompé
ma pauvre tante. Ce qui n'empêche pas qu'il était délicieux avec elle, qu'elle l'adorait, et qu'il l'a pleurée pendant des années. Quand il est à Paris, il va encore au
cimetière presque chaque jour. »
    Le lendemain matin du jour où Robert m'avait ainsi
parlé de son oncle tout en l'attendant, vainement du
reste, comme je passais seul devant le casino en rentrant
à l'hôtel, j'eus la sensation d'être regardé par quelqu'un
qui n'était pas loin de moi. Je tournai la tête et j'aperçus

un homme d'une quarantaine d'années, très grand et
assez gros, avec des moustaches très noires, et qui, tout
en frappant nerveusement son pantalon avec une badine,
fixait sur moi des yeux dilatés par l'attention. Par moments, ils étaient percés en tous sens par des regards
d'une extrême activité comme en ont seuls devant une
personne qu'ils ne connaissent pas des hommes à qui,
pour un motif quelconque, elle inspire des pensées qui
ne viendraient pas à tout autre — par exemple des fous
ou des espions. Il lança sur moi une suprême œillade à
la fois hardie, prudente, rapide et profonde, comme un
dernier coup que l'on tire au moment de prendre la fuite,
et après avoir regardé tout autour de lui, prenant soudain un air distrait et hautain, par un brusque revirement de toute sa personne il se tourna vers une affiche
dans la lecture de laquelle il s'absorba, en fredonnant
un air et en arrangeant la rose mousseuse qui pendait
à sa boutonnière. Il sortit de sa poche un calepin sur
lequel il eut l'air de prendre en note le titre du spectacle
annoncé, tira deux ou trois fois sa montre, abaissa sur
ses yeux un canotier de paille noire dont il prolongea
le rebord avec sa main mise en visière comme pour
voir si quelqu'un n'arrivait pas, fit le geste de mécontente-
tement par lequel on croit faire voir qu'on a assez d'attendre, mais qu'on ne fait jamais quand on attend réellement,
puis rejetant en arrière son chapeau et laissant voir une
brosse coupée ras qui admettait cependant de chaque
côté d'assez longues ailes de pigeon ondulées, il exhala
le souffle bruyant des personnes qui ont non pas trop
chaud, mais le désir de montrer qu'elles ont trop chaud.
J'eus l'idée d'un escroc d'hôtel qui, nous ayant peut-être
déjà remarqués les jours précédents, ma grand'mère et
moi, et préparant quelque mauvais coup, venait de
s'apercevoir que je l'avais surpris pendant qu'il m'épiait ;
pour me donner le change, peut-être cherchait-il seulement, par sa nouvelle attitude, à exprimer la distraction

et le détachement, mais c'était avec une exagération si agressive que son but semblait, au moins autant que de dissiper les soupçons que j'avais dû avoir, de venger une humiliation qu'à mon insu je lui eusse infligée, de me donner l'idée non pas tant qu'il ne m'avait pas vu, que celle que j'étais un objet de trop petite importance pour attirer son attention. Il cambrait sa taille d'un air de bravade, pinçait les lèvres, relevait ses moustaches et dans son regard ajustait quelque chose d'indifférent, de dur, de presque insultant. Si bien que la singularité de son expression me le faisait prendre tantôt pour un voleur et tantôt pour un aliéné. Pourtant sa mise extrêmement soignée était beaucoup plus grave et beaucoup plus simple que celles de tous les baigneurs que je voyais à Balbec, et rassurante pour mon veston si souvent humilié par la blancheur éclatante et banale de leurs costumes de plage. Mais ma grand'mère venait à ma rencontre, nous fîmes un tour ensemble, et je l'attendais, une heure après, devant l'hôtel où elle était rentrée un instant, quand je vis sortir Mme de Villeparisis avec Robert de Saint-Loup et l'inconnu qui m'avait regardé si fixement devant le casino. Avec la rapidité d'un éclair son regard me traversa ainsi qu'au moment où je l'avais aperçu, et revint, comme s'il ne m'avait pas vu, se ranger, un peu bas, devant ses yeux, émoussé, comme le regard neutre qui feint de ne rien voir au dehors et n'est capable de rien lire au dedans, le regard qui exprime seulement la satisfaction de sentir autour de soi les cils qu'il écarte de sa rondeur béate, le regard dévot et confit qu'ont certains hypocrites, le regard fat qu'ont certains sots. Je vis qu'il avait changé de costume. Celui qu'il portait était encore plus sombre ; et sans doute c'est que la véritable élégance est moins loin de la simplicité que la fausse ; mais il y avait autre chose : d'un peu près on sentait que si la couleur était presque entièrement absente de ces vêtements, ce n'était pas parce que celui qui l'en avait bannie y était indifférent, mais plutôt parce que, pour une raison quelconque, il se l'interdisait. Et la sobriété qu'ils laissaient paraître semblait de celles qui viennent de l'obéissance à un régime, plutôt que du manque de gourmandise. Un filet de vert sombre s'harmonisait, dans le tissu du pantalon, à la rayure des chaussettes avec un raffinement qui décelait la vivacité d'un goût maté partout ailleurs et à qui cette seule concession avait été faite par tolérance, tandis qu'une tache rouge sur la cravate était imperceptible comme une liberté qu'on n'ose prendre.

— Comment allez-vous ? Je vous présente mon neveu, le baron de Guermantes, me dit Mme de Ville-parisis, pendant que l'inconnu, sans me regarder, grommelant un vague : « Charmé » qu'il fit suivre de : « heue, heue, heue » pour donner à son amabilité quelque chose de forcé, et repliant le petit doigt, l'index et le pouce, me tendait le troisième doigt et l'annulaire, dépourvus de toute bague, que je serrai sous son gant de Suède ; puis sans avoir levé les yeux sur moi il se détourna vers Mme de Villeparisis.

— Mon Dieu, est-ce que je perds la tête ? dit celle-ci en riant, voilà que je t'appelle le baron de Guermantes. Je vous présente le baron de Charlus. Après tout, l'erreur n'est pas si grande, ajouta-t-elle, tu es bien un Guermantes tout de même.

Cependant ma grand'mère sortait, nous fîmes route ensemble. L'oncle de Saint-Loup ne m'honora non seulement pas d'une parole, mais même d'un regard. S'il dévisageait les inconnus (et pendant cette courte promenade il lança deux ou trois fois son terrible et profond regard en coup de sonde sur des gens insignifiants et de la plus modeste extraction qui passaient), en revanche, il ne regardait à aucun moment, si j'en jugeais par moi, les personnes qu'il connaissait, — comme un policier en mission secrète mais qui tient ses amis en dehors de sa surveillance professionnelle. Les laissant

causer ensemble, ma grand'mère, Mme de Villeparisis
et lui, je retins Saint-Loup en arrière :

— Dites-moi, ai-je bien entendu ? Mme de Villeparisis a dit à votre oncle qu'il était un Guermantes.

— Mais oui, naturellement, c'est Palamède de Guermantes.

— Mais des mêmes Guermantes qui ont un château
près de Combray et qui prétendent descendre de Gene-
viève de Brabant ?

— Mais absolument : mon oncle, qui est on ne peut
plus héraldique, vous répondrait que notre *cri*, notre cri
de guerre, qui devint ensuite Passavant, était d'abord
Combraysis, dit-il en riant pour ne pas avoir l'air de tirer
vanité de cette prérogative du cri qu'avaient seules le
maisons quasi-souveraines, les grands chefs des bandes.
Il est le frère du possesseur actuel du château.

Ainsi s'apparentait, et de tout près, aux Guermantes,
cette Mme de Villeparisis, restée si longtemps pour moi
la dame qui m'avait donné une boîte de chocolat tenue
par un canard, quand j'étais petit, plus éloignée alors du
côté de Guermantes que si elle avait été enfermée dans
le côté de Méséglise, moins brillante, moins haut située
par moi que l'opticien de Combray, et qui maintenant
subissait brusquement une de ces hausses fantastiques,
parallèles aux dépréciations non moins imprévues d'autres objets que nous possédons, lesquelles — les unes
comme les autres — introduisent dans notre adolescence
et dans les parties de notre vie où persiste un peu de
notre adolescence, des changements aussi nombreux
que les métamorphoses d'Ovide.

— Est-ce qu'il n'y a pas dans ce château tous les bustes
des anciens seigneurs de Guermantes ?

— Oui, c'est un beau spectacle, dit ironiquement Sain-
Loup. Entre nous, je trouve toutes ces choses-là un peu
falotes. Mais il y a à Guermantes, ce qui est un peu plus
intéressant ! un portrait bien touchant de ma tante par

Carrière. C'est beau comme du Whistler ou du Vélasquez, ajouta Saint-Loup qui dans son zèle de néophyte ne gardait pas toujours exactement l'échelle des grandeurs. Il y a aussi d'émouvantes peintures de Gustave Moreau. Ma tante est la nièce de votre amie Mme de Villeparisis, elle a été élevée par elle, et a épousé son cousin qui était neveu aussi de ma tante Villeparisis, le duc de Guermantes actuel.

— Et alors qu'est votre oncle ?

— Il porte le titre de baron de Charlus. Régulièrement, quand mon grand-oncle est mort, mon oncle Palamède aurait dû prendre le titre de prince des Laumes, qui était celui de son frère avant qu'il devînt duc de Guermantes, car dans cette famille-là ils changent de nom comme de chemise. Mais mon oncle a sur tout cela des idées particulières. Et comme il trouve qu'on abuse un peu des duchés italiens, grandesses espagnoles, etc., et bien qu'il eût le choix entre quatre ou cinq titres de prince, il a gardé celui du baron de Charlus, par protestation et avec une apparente simplicité où il y a beaucoup d'orgueil. « Aujourd'hui, dit-il, tout le monde est prince, il faut pourtant bien avoir quelque chose qui vous distingue ; je prendrai un titre de prince quand je voudrai voyager incognito. » Il n'y a pas selon lui de titre plus ancien que celui de baron de Charlus ; pour vous prouver qu'il est antérieur à celui des Montmorency, qui se disaient faussement les premiers barons de France, alors qu'ils l'étaient seulement de l'Ile-de-France où était leur fief, mon oncle vous donnera des explications pendant des heures, et avec plaisir parce que, quoiqu'il soit très fin, très doué, il trouve cela un sujet de conversation tout à fait vivant, dit Saint-Loup avec un sourire. Mais comme je ne suis pas comme lui, vous n'allez pas me faire parler généalogie, je ne sais rien de plus assommant, de plus périmé, vraiment l'existence est trop courte.

Je reconnaissais maintenant dans le regard dur qui

m'avait fait retourner tout à l'heure près du casino celui
que j'avais vu fixé sur moi à Tansonville au moment où
Mme Swann avait appelé Gilberte.

— Mais parmi les nombreuses maîtresses que vous me
disiez qu'avait eues votre oncle, M. de Charlus, est-ce
qu'il n'y avait pas Mme Swann ?

— Oh! pas du tout! C'est-à-dire qu'il est un grand
ami de Swann et l'a toujours beaucoup soutenu. Mais on
n'a jamais dit qu'il fût l'amant de sa femme. Vous
causeriez beaucoup d'étonnement dans le monde, si vous
aviez l'air de croire cela.

Je n'osai lui répondre qu'on en aurait éprouvé bien
plus à Combray, si j'avais eu l'air de ne pas le croire.

Ma grand'mère fut enchantée de M. de Charlus.
Sans doute, il attachait une extrême importance à
toutes les questions de naissance et de situation mondaine,
et ma grand'mère l'avait remarqué, mais sans rien de
cette sévérité où entrent d'habitude une secrète envie
et l'irritation de voir un autre se réjouir d'avantages
qu'on voudrait et qu'on ne peut posséder. Comme au
contraire ma grand'mère, contente de son sort et ne
regrettant nullement de ne pas vivre dans une société
plus brillante, ne se servait que de son intelligence pour
observer les travers de M. de Charlus, elle parlait de
l'oncle de Saint-Loup avec cette bienveillance détachée,
souriante, presque sympathique, par laquelle nous récom-
pensons l'objet de notre observation désintéressée du
plaisir qu'elle nous procure, et d'autant plus que cette fois
l'objet était un personnage dont elle trouvait que les prétentions, sinon légitimes, du moins pittoresques, le
faisaient assez vivement trancher sur les personnes qu'elle
avait généralement l'occasion de voir. Mais c'était surtout
en faveur de l'intelligence et de la sensibilité, qu'on devinait extrêmement vives chez M. de Charlus, au contraire
de tant de gens du monde dont se moquait Saint-Loup,
que ma grand'mère lui avait si aisément pardonné son

préjugé aristocratique. Celui-ci n'avait pourtant pas été
sacrifié par l'oncle, comme par le neveu, à des qualités
supérieures. M. de Charlus l'avait plutôt concilié avec
elles. Possédant, comme descendant des ducs de Nemours
et des princes de Lamballe, des archives, des meubles,
des tapisseries, des portraits faits pour ses aïeux par
Raphaël, par Vélasquez, par Boucher, pouvant dire
justement qu'il « visitait » un musée et une incomparable
bibliothèque rien qu'en parcourant ses souvenirs de
famille, il plaçait au contraire au rang d'où son neveu
l'avait fait déchoir tout l'héritage de l'aristocratie.
Peut-être aussi, moins idéologue que Saint-Loup, se
payant moins de mots, plus réaliste observateur des
hommes, ne voulait-il pas négliger un élément essentiel
de prestige à leurs yeux et qui, s'il donnait à son imagination des jouissances désintéressées, pouvait être souvent
pour son activité utilitaire un adjuvant puissamment
efficace. Le débat reste ouvert entre les hommes de cette
sorte et ceux qui obéissent à l'idéal intérieur qui les pousse
à se défaire de ces avantages pour chercher uniquement à
le réaliser, semblables en cela aux peintres, aux écrivains
qui renoncent leur virtuosité, aux peuples artistes qui se
modernisent, aux peuples guerriers prenant l'initiative
du désarmement universel, aux gouvernements absolus
qui se font démocratiques et abrogent de dures lois, bien
souvent sans que la réalité récompense leur noble effort ;
car les uns perdent leur talent, les autres leur prédomi-
nance séculaire ; le pacifisme multiplie quelquefois les
guerres et l'indulgence, la criminalité. Si les efforts de
sincérité et d'émancipation de Saint-Loup ne pouvaient
être trouvés que très nobles, à juger par le résultat extérieur, il était permis de se féliciter qu'ils eussent fait
défaut chez M. de Charlus, lequel avait fait transporter
chez lui une grande partie des admirables boiseries de
l'hôtel Guermantes au lieu de les échanger, comme son
neveu, contre un mobilier modern style, des Lebourg et

des Guillaumin. Il n'en était pas moins vrai que l'idéal de M. de Charlus était fort factice, et, si cette épithète peut être rapprochée du mot idéal, tout autant mondain qu'artistique. A quelques femmes de grande beauté et de rare culture dont les aïeules avaient été deux siècles plus tôt mêlées à toute la gloire et à toute l'élégance de l'ancien régime, il trouvait une distinction qui le faisait pouvoir se plaire seulement avec elles, et sans doute l'admiration qu'il leur avait vouée était sincère, mais de nombreuses réminiscences d'histoire et d'art évoquées par leurs noms y entraient pour une grande part, comme des souvenirs de l'antiquité sont une des raisons du plaisir qu'un lettré trouve à lire une ode d'Horace peut-être inférieure à des poèmes de nos jours qui laisseraient ce même lettré indifférent. Chacune de ces femmes à côté d'une jolie bourgeoise était pour lui ce que sont à une toile contemporaine représentant une route ou une noce, ces tableaux anciens dont on sait l'histoire, depuis le Pape ou le Roi qui les commandèrent, en passant par tels personnages auprès de qui leur présence, par don, achat, prise ou héritage, nous rappelle quelque événement ou tout au moins quelque alliance d'un intérêt historique, par conséquent des connaissances que nous avons acquises, leur donne une nouvelle utilité, augmente le sentiment de la richesse des possessions de notre mémoire ou de notre érudition. M. de Charlus se félicitait qu'un préjugé analogue au sien, en empêchant ces quelques grandes dames de frayer avec des femmes d'un sang moins pur, les offrît à son culte intactes dans leur noblesse inaltérée, comme telle façade du XVIIIe siècle soutenue par ses colonnes plates de marbre rose et à laquelle les temps nouveaux n'ont rien changé.

M. de Charlus célébrait la véritable *noblesse* d'esprit et de cœur de ces femmes, jouant ainsi sur le mot par une équivoque qui le trompait lui-même et où résidait le mensonge de cette conception bâtarde, de cet ambigu

d'aristocratie, de générosité et d'art, mais aussi sa séduction, dangereuse pour des êtres comme ma grand'mère
à qui le préjugé plus grossier mais plus innocent d'un
noble qui ne regarde qu'aux quartiers et ne se soucie pas
du reste, eût semblé trop ridicule, mais qui était sans
défense dès que quelque chose se présentait sous les dehors
d'une supériorité spirituelle, au point qu'elle trouvait les
princes enviables par-dessus tous les hommes parce
qu'ils purent avoir un La Bruyère, un Fénelon comme
précepteurs.

Devant le Grand-Hôtel, les trois Guermantes nous
quittèrent ; ils allaient déjeuner chez la princesse de
Luxembourg. Au moment où ma grand'mère disait au
revoir à Mᵐᵉ de Villeparisis et Saint-Loup à ma grand'-
mère, M. de Charlus, qui jusque-là ne m'avait pas adressé
la parole, fit quelques pas en arrière et arrivé à côté de
moi : « Je prendrai le thé ce soir après dîner dans l'appartement de ma tante Villeparisis, me dit-il. J'espère que
vous me ferez le plaisir de venir avec Madame votre
grand'mère. » Et il rejoignit la marquise.

Quoique ce fût dimanche, il n'y avait pas plus de fiacres
devant l'hôtel qu'au commencement de la saison. La
femme du notaire, en particulier, trouvait que c'était
faire bien des frais que de louer chaque fois une voiture
pour ne pas aller chez les Cambremer, et elle se contentait
de rester dans sa chambre.

— Est-ce que Mᵐᵉ Blandais est souffrante ? deman-
dait-on au notaire, on ne l'a pas vue aujourd'hui.

— Elle a un peu mal à la tête, la chaleur, cet orage. Il
lui suffit d'un rien ; mais je crois que vous la verrez ce
soir. Je lui ai conseillé de descendre. Cela ne peut lui
faire que du bien.

J'avais pensé qu'en nous invitant ainsi chez sa tante,
que je ne doutais pas qu'il eût prévenue, M. de Charlus
eût voulu réparer l'impolitesse qu'il m'avait témoignée
pendant la promenade du matin. Mais quand, arrivé

dans le salon de Mme de Villeparisis, je voulus saluer le
neveu de celle-ci, j'eus beau tourner autour de lui qui,
d'une voie aiguë, racontait une histoire assez malveil-
lante pour un de ses parents, je ne pus pas attraper son
regard ; je me décidai à lui dire bonjour, et assez fort,
pour l'avertir de ma présence, mais je compris qu'il
l'avait remarquée, car avant même qu'aucun mot ne fût
sorti de mes lèvres, au moment où je m'inclinais, je vis
ses deux doigts tendus pour que je les serrasse, sans qu'il
eût tourné les yeux ou interrompu la conversation. Il
m'avait évidemment vu, sans le laisser paraître, et je
m'aperçus alors que ses yeux, qui n'étaient jamais fixés
sur l'interlocuteur, se promenaient perpétuellement dans
toutes les directions, comme ceux de certains animaux
effrayés, ou ceux de ces marchands en plein air qui,
tandis qu'ils débitent leur boniment et exhibent leur
marchandise illicite, scrutent, sans pourtant tourner la
tête, les différents points de l'horizon par où pourrait
venir la police. Cependant j'étais un peu étonné de voir
que Mme de Villeparisis, heureuse de nous voir venir,
ne semblait pas s'y être attendue, je le fus plus encore
d'entendre M. de Charlus dire à ma grand'mère : « Ah!
c'est une très bonne idée que vous avez eue de venir,
c'est charmant, n'est-ce pas, ma tante? » Sans doute
avait-il remarqué la surprise de celle-ci à notre entrée
et pensait-il, en homme habitué à donner le ton, le « la »,
qu'il lui suffirait pour changer cette surprise en joie
d'indiquer qu'il en éprouvait lui-même, que c'était bien
le sentiment que notre venue devait exciter. En quoi il
calculait bien, car Mme de Villeparisis qui comptait
fort son neveu et savait combien il était difficile de lui
plaire, parut soudain avoir trouvé à ma grand'mère de
nouvelles qualités et ne cessa de lui faire fête. Mais je ne
pouvais comprendre que M. de Charlus eût oublié en
quelques heures l'invitation si brève, mais en apparence
si intentionnelle, si préméditée qu'il m'avait adressée le

matin même, et qu'il appelât « bonne idée » de ma grand'-
mère, une idée qui était toute de lui. Avec un scrupule
de précision que je gardai jusqu'à l'âge où je compris
que ce n'est pas en la lui demandant qu'on apprend la
vérité sur l'intention qu'un homme a eue et que le risque
d'un malentendu qui passera probablement inaperçu
est moindre que celui d'une naïve insistance : « Mais,
monsieur, lui dis-je, vous vous rappelez bien, n'est-ce
pas, que c'est vous qui m'avez demandé que nous vinssions ce soir ? » Aucun mouvement, aucun son ne trahit
que M. de Charlus eût entendu ma question. Ce que
voyant, je la répétai comme les diplomates ou ces jeunes
gens brouillés qui mettent une bonne volonté inlassable
et vaine à obtenir des éclaircissements que l'adversaire
est décidé à ne pas donner. M. de Charlus ne me répondit
pas davantage. Il me sembla voir flotter sur ses lèvres le
sourire de ceux qui de très haut jugent les caractères
et les éducations.

Puisqu'il refusait toute explication, j'essayai de m'en
donner une, et je n'arrivai qu'à hésiter entre plusieurs
dont aucune pouvait n'être la bonne. Peut-être ne se
rappelait-il pas, ou peut-être c'était moi qui avais mal
compris ce qu'il m'avait dit le matin... Plus probablement par orgueil, ne voulait-il pas paraître avoir cherché
à attirer des gens qu'il dédaignait, et préférait-il rejeter
sur eux l'initiative de leur venue. Mais alors, s'il nous
dédaignait, pourquoi avait-il tenu à ce que nous vinssions,
ou plutôt à ce que ma grand'mère vînt, car de nous deux
ce fut à elle seule qu'il adressa la parole pendant cette
soirée, et pas une seule fois à moi. Causant avec la plus
grande animation avec elle ainsi qu'avec Mme de Villeparisis, caché en quelque sorte derrière elles, comme
il eût été au fond d'une loge, il se contentait seulement, détournant par moments le regard investigateur
de ses yeux pénétrants, de l'attacher sur ma figure,
avec le même sérieux, le même air de préoccupation,

que si elle eût été un manuscrit difficile à déchiffrer.

Sans doute, s'il n'y avait pas eu ces yeux, le visage de
M. de Charlus était semblable à celui de beaucoup de
beaux hommes. Et quand Saint-Loup, en me parlant
d'autres Guermantes, me dit plus tard : « Dame, ils
n'ont pas cet air de race, de grand seigneur jusqu'au
bout des ongles, qu'a mon oncle Palamède », en confir-
mant que l'air de race et la distinction aristocratiques
n'étaient rien de mystérieux et de nouveau, mais consis-
taient en des éléments que j'avais reconnus sans difficulté
et sans éprouver d'impression particulière, je devais
sentir se dissiper une de mes illusions. Mais ce visage,
auquel une légère couche de poudre donnait un peu
l'aspect d'un visage de théâtre, M. de Charlus avait beau
en fermer hermétiquement l'expression, les yeux étaient
comme une lézarde, comme une meurtrière que seule il
n'avait pu boucher et par laquelle, selon le point où on
était placé par rapport à lui, on se sentait brusquement
croisé du reflet de quelque engin intérieur qui semblait
n'avoir rien de rassurant, même pour celui qui, sans en
être absolument maître, le portait en soi, à l'état d'équilibre instable et toujours sur le point d'éclater ; et l'expression circonspecte et incessamment inquiète de ces
yeux, avec toute la fatigue qui, autour d'eux, jusqu'à un
cerne descendu très bas, en résultait pour le visage, si
bien composé et arrangé qu'il fût, faisait penser à quelque
incognito, à quelque déguisement d'un homme puissant
en danger, ou seulement d'un individu dangereux, mais
tragique. J'aurais voulu deviner quel était ce secret que
ne portaient pas en eux les autres hommes et qui m'avait
déjà rendu si énigmatique le regard de M. de Charlus
quand je l'avais vu le matin près du casino. Mais avec
ce que je savais maintenant de sa parenté, je ne pouvais
plus croire ni que ce fût celui d'un voleur, ni, d'après
ce que j'entendais de sa conversation, que ce fût celui
d'un fou. S'il était si froid avec moi, alors qu'il était

tellement aimable avec ma grand'mère, cela ne tenait peut-être pas à une antipathie personnelle, car d'une manière générale, autant il était bienveillant pour les femmes, des défauts de qui il parlait sans se départir, habituellement, d'une grande indulgence, autant il avait à l'égard des hommes, et particulièrement des jeunes gens, une haine d'une violence qui rappelait celle de certains misogynes pour les femmes. De deux ou trois « gigolos » qui étaient de la famille ou de l'intimité de Saint-Loup et dont celui-ci cita par hasard le nom, M. de Charlus dit avec une expression presque féroce qui tranchait sur sa froideur habituelle : « Ce sont de petites canailles. » Je compris que ce qu'il reprochait surtout aux jeunes gens d'aujourd'hui, c'était d'être trop efféminés. « Ce sont de vraies femmes », disait-il avec mépris. Mais quelle vie n'eût semblé efféminée auprès de celle qu'il voulait que menât un homme, et qu'il ne trouvait jamais assez énergique et virile ? (Lui-même dans ses voyages à pied, après des heures de course, se jetait brûlant dans des rivières glacées.) Il n'admettait même pas qu'un homme portât une seule bague.

Mais ce parti pris de virilité ne l'empêchait pas d'avoir des qualités de sensibilité des plus fines. A Mme de Villeparisis qui le priait de décrire pour ma grand'mère un château où avait séjourné Mme de Sévigné, ajoutant qu'elle voyait un peu de littérature dans ce désespoir d'être séparée de cette ennuyeuse Mme de Grignan :

— Rien au contraire, répondit-il, ne me semble plus vrai. C'était du reste une époque où ces sentiments-là étaient bien compris. L'habitant du Monomotapa de La Fontaine, courant chez son ami qui lui est apparu un peu triste pendant son sommeil, le pigeon trouvant que le plus grand des maux est l'absence de l'autre pigeon, vous semblent peut-être, ma tante, aussi exagérés que Mme de Sévigné ne pouvant pas attendre le moment où elle sera seule avec sa fille. C'est si beau ce qu'elle dit quand elle la quitte : « Cette séparation me fait une douleur à l'âme, que je sens comme un mal du corps. Dans l'absence on est libéral des heures. On avance dans un temps auquel on aspire. »

Ma grand'mère était ravie d'entendre parler de ces Lettres exactement de la façon qu'elle eût fait. Elle s'étonnait qu'un homme pût les comprendre si bien. Elle trouvait à M. de Charlus des délicatesses, une sensibilité féminines. Nous nous dîmes plus tard, quand nous fûmes seuls et parlâmes tous les deux de lui, qu'il avait dû subir l'influence profonde d'une femme, sa mère, ou plus tard sa fille s'il avait des enfants. Moi je pensai : « Une maîtresse », en me reportant à l'influence que celle de Saint-Loup me semblait avoir eue sur lui et qui me permettait de me rendre compte à quel point les femmes avec lesquelles ils vivent affinent les hommes.

— Une fois près de sa fille, elle n'avait probablement rien à lui dire, répondit Mme de Villeparisis.

— Certainement si ; fût-ce de ce qu'elle appelait « choses si légères qu'il n'y a que vous et moi qui les remarquions ». Et en tous cas, elle était près d'elle. Et La Bruyère nous dit que c'est tout : « Être près des gens qu'on aime, leur parler, ne leur parler point, tout est égal. » Il a raison ; c'est le seul bonheur, ajouta M. de Charlus d'une voix mélancolique ; et ce bonheur-là, hélas, la vie est si mal arrangée qu'on le goûte bien rarement ; Mme de Sévigné a été en somme moins à plaindre que d'autres. Elle a passé une grande partie de sa vie auprès de ce qu'elle aimait.

— Tu oublies que ce n'était pas de l'amour, c'était de sa fille qu'il s'agissait.

— Mais l'important dans la vie n'est pas ce qu'on aime, reprit-il d'un ton compétent, péremptoire et presque tranchant, c'est d'aimer. Ce que ressentait Mme de Sévigné pour sa fille peut prétendre beaucoup plus juste-

ment ressembler à la passion que Racine a dépeinte dans
Andromaque ou dans *Phèdre*, que les banales relations
que le jeune Sévigné avait avec ses maîtresses. De même,
l'amour de tel mystique pour son Dieu. Les démarcations trop étroites que nous traçons autour de l'amour
viennent seulement de notre grande ignorance de la vie.

— Tu aimes beaucoup *Andromaque* et *Phèdre*?
demanda Saint-Loup à son oncle, sur un ton légèrement
dédaigneux.

— Il y a plus de vérité dans une tragédie de Racine
que dans tous les drames de monsieur Victor Hugo,
répondit M. de Charlus.

— C'est tout de même effrayant, le monde, me dit
Saint-Loup à l'oreille. Préférer Racine à Victor, c'est
quand même quelque chose d'énorme! Il était sincèrement attristé des paroles de son oncle, mais le plaisir
de dire « quand même » et surtout « énorme » le consolait.

Dans ces réflexions sur la tristesse qu'il y a à vivre
loin de ce qu'on aime (qui devaient amener ma grand'mère
à me dire que le neveu de Mme de Villeparisis comprenait autrement bien certaines œuvres que sa tante, et
surtout avait quelque chose qui le mettait bien au-dessus
de la plupart des gens de club), M. de Charlus ne laissait
pas seulement paraître une finesse de sentiment que
montrent en effet rarement les hommes ; sa voix elle-
même, pareille à certaines voix de contralto en qui on
n'a pas assez cultivé le médium et dont le chant semble
le duo alterné d'un jeune homme et d'une jeune femme,
se posait, au moment où il exprimait ces pensées si délicates, sur des notes hautes, prenait une douceur imprévue
et semblait contenir des chœurs de fiancées, de sœurs,
qui répandaient leur tendresse. Mais la nichée de jeunes
filles que M. de Charlus, avec son horreur de tout eff-
minement, aurait été si navré d'avoir l'air d'abriter ainsi
dans sa voix, ne s'y bornait pas à l'interprétation, à la
modulation des morceaux de sentiment. Souvent, tandis

que causait M. de Charlus, on entendait leur rire aigu et frais de pensionnaires ou de coquettes ajuster leur prochain avec des malices de bonnes langues et de fines mouches.

Il raconta qu'une demeure qui avait appartenu à sa famille, où Marie-Antoinette avait couché, dont le parc était de Lenôtre, appartenait maintenant aux riches financiers Israël, qui l'avaient achetée. « Israël, du moins c'est le nom que portent ces gens, qui me semble un terme générique, ethnique, plutôt qu'un nom propre. On ne sait pas, peut-être que ce genre de personnes ne portent pas de noms et sont seulement désignées par la collectivité à laquelle elles appartiennent. Cela ne fait rien! Avoir été la demeure des Guermantes et appartenir aux Israël!!! s'écria-t-il. Cela fait penser à cette chambre du château de Blois où le gardien qui le faisait visiter me dit : « C'est ici que Marie Stuart faisait sa prière ; et c'est là maintenant où ce que je mets mes balais. » Naturellement je ne veux rien savoir de cette demeure qui s'est déshonorée, pas plus que de ma cousine Clara de Chimay qui a quitté son mari. Mais je conserve la photographie de la première encore intacte, comme celle de la princesse quand ses grands yeux n'avaient de regards que pour mon cousin. La photographie acquiert un peu de la dignité qui lui manque, quand elle cesse d'être une reproduction du réel et nous montre des choses qui n'existent plus. Je pourrai vous en donner une, puisque ce genre d'architecture vous intéresse », dit-il à ma grand'mère. A ce moment, apercevant que le mouchoir brodé qu'il avait dans sa poche laissait dépasser des lisérés de couleur, il le rentra vivement avec la mine effarouchée d'une femme pudibonde mais point innocente dissimulant des appas que, par un excès de scrupule, elle juge indécents.

— Imaginez-vous, reprit-il, que ces gens ont commencé par détruire le parc de Lenôtre, ce qui est aussi cou-

pable que de lacérer un tableau de Poussin. Pour cela,
ces Israël devraient être en prison. Il est vrai, ajouta-t-il
en souriant après un moment de silence, qu'il y a sans
doute tant d'autres choses pour lesquelles ils devraient
y être! En tous cas, vous vous imaginez l'effet que produit devant ces architectures un jardin anglais.

— Mais la maison est du même style que le Petit
Trianon, dit Mme de Villeparisis, et Marie-Antoinette
y a bien fait faire un jardin anglais.

— Qui dépare tout de même la façade de Gabriel,
répondit M. de Charlus. Évidemment ce serait maintenant une sauvagerie que de détruire le Hameau. Mais
quel que soit l'esprit du jour, je doute tout de même qu'à
cet égard une fantaisie de Mme Israël ait le même prestige
que le souvenir de la Reine.

Cependant ma grand'mère m'avait fait signe de monter
me coucher, malgré l'insistance de Saint-Loup qui, à
ma grande honte, avait fait allusion devant M. de Charlus
à la tristesse que j'éprouvais souvent le soir avant de
m'endormir et que son oncle devait trouver quelque
chose de bien peu viril. Je tardai encore quelques instants,
puis m'en allai, et fus bien étonné quand un peu après,
ayant entendu frapper à la porte de ma chambre, et
ayant demandé qui était là, j'entendis la voix de M. de
Charlus qui disait d'un ton sec :

— C'est Charlus. Puis-je entrer, Monsieur ? Monsieur, reprit-il du même ton une fois qu'il eut refermé
la porte, mon neveu racontait tout à l'heure que vous
étiez un peu ennuyé avant de vous endormir, et d'autre
part que vous admiriez les livres de Bergotte. Comme
j'en ai dans ma malle un que vous ne connaissez probablement pas, je vous l'apporte pour vous aider à passer
ces moments où vous ne vous sentez pas heureux.

Je remerciai M. de Charlus avec émotion et lui dis
que j'avais au contraire eu peur que ce que Saint-Loup
lui avait dit de mon malaise à l'approche de la nuit,

m'eût fait paraître à ses yeux plus stupide encore que je n'étais.

— Mais non, répondit-il avec un accent plus doux. Vous n'avez peut-être pas de mérite personnel, je n'en sais rien, si peu d'êtres en ont ! Mais, pour un temps du moins, vous avez la jeunesse, et c'est toujours une séduction. D'ailleurs, Monsieur, la plus grande des sottises, c'est de trouver ridicules ou blâmables les sentiments qu'on n'éprouve pas. J'aime la nuit et vous me dites que vous la redoutez ; j'aime sentir les roses et j'ai un ami à qui leur odeur donne la fièvre. Croyez-vous que je pense pour cela qu'il vaut moins que moi ? Je m'efforce de tout comprendre et je me garde de rien condamner. En somme, ne vous plaignez pas trop, je ne dirai pas que ces tristesses ne sont pas pénibles, je sais ce qu'on peut souffrir pour des choses que les autres ne comprendraient pas. Mais du moins vous avez bien placé votre affection dans votre grand'mère. Vous la voyez beaucoup. Et puis c'est une tendresse permise, je veux dire une tendresse payée de retour. Il y en a tant dont on ne peut pas dire cela !

Il marchait de long en large dans la chambre, regardant un objet, en soulevant un autre. J'avais l'impression qu'il avait quelque chose à m'annoncer et ne trouvait pas en quels termes le faire.

— J'ai un autre volume de Bergotte ici, je vais vous le chercher, ajouta-t-il, et il sonna. Un groom vint au bout d'un moment. « Allez me chercher votre maître d'hôtel. Il n'y a que lui ici qui soit capable de faire une commission intelligemment, dit M. de Charlus avec hauteur. — Monsieur Aimé, Monsieur ? demanda le groom. — Je ne sais pas son nom, mais si, je me rappelle que je l'ai entendu appeler Aimé. Allez vite, je suis pressé. — Il va être tout de suite ici, Monsieur, je l'ai justement vu en bas », répondit le groom qui voulait avoir l'air au courant. Un certain temps se passa. Le

groom revint. « Monsieur, monsieur Aimé est couché.
Mais je peux faire la commission. — Non, vous n'avez
qu'à le faire lever. — Monsieur, je ne peux pas, il ne
couche pas là. — Alors, laissez-nous tranquilles. —
Mais, Monsieur, dis-je, le groom parti, vous êtes trop
bon, un seul volume de Bergotte me suffira. — C'est ce
qui me semble, après tout. » M. de Charlus marchait.
Quelques minutes se passèrent ainsi, puis, après quelques
instants d'hésitation et se reprenant à plusieurs fois, il
pivota sur lui-même et de sa voix redevenue cinglante,
il me jeta : « Bonsoir, Monsieur » et partit.

Après tous les sentiments élevés que je lui avais entendu
exprimer ce soir-là, le lendemain qui était le jour de son
départ, sur la plage, dans la matinée, au moment où
j'allais prendre mon bain, comme M. de Charlus s'était
approché de moi pour m'avertir que ma grand'mère
m'attendait aussitôt que je serais sorti de l'eau, je fus
bien étonné de l'entendre me dire, en me pinçant le cou,
avec une familiarité et un rire vulgaires :

— Mais on s'en fiche bien de sa vieille grand'mère
hein ? petite fripouille !

— Comment, Monsieur, je l'adore !…

— Monsieur, me dit-il en s'éloignant d'un pas, et
avec un air glacial, vous êtes encore jeune, vous devriez
en profiter pour apprendre deux choses : la première,
c'est de vous abstenir d'exprimer des sentiments trop
naturels pour n'être pas sous-entendus ; la seconde,
c'est de ne pas partir en guerre pour répondre aux choses
qu'on vous dit avant d'avoir pénétré leur signification.
Si vous aviez pris cette précaution, il y a un instant,
vous vous seriez évité d'avoir l'air de parler à tort et à
travers comme un sourd et d'ajouter par là un second
ridicule à celui d'avoir des ancres brodées sur votre
costume de bain. Je vous ai prêté un livre de Bergotte
dont j'ai besoin. Faites-le-moi rapporter dans une heure
par ce maître d'hôtel au prénom risible et mal porté, qui,

je suppose, n'est pas couché à cette heure-ci. Vous me faites apercevoir que je vous ai parlé trop tôt hier soir des séductions de la jeunesse, je vous aurais rendu meilleur service en vous signalant son étourderie, ses inconséquences et son incompréhension. J'espère, Monsieur, que cette petite douche ne vous sera pas moins salutaire que votre bain. Mais ne restez pas ainsi immobile, car vous pourriez prendre froid. Bonsoir, Monsieur.

Sans doute eut-il regret de ces paroles, car quelque temps après je reçus — dans une reliure de maroquin sur le plat de laquelle avait été encastrée une plaque de cuir incisé qui représentait en demi-relief une branche de myosotis — le livre qu'il m'avait prêté et que je lui avais fait remettre, non par Aimé qui se trouvait « de sortie », mais par le liftier.

Une fois M. de Charlus parti, nous pûmes enfin, Robert et moi, aller dîner chez Bloch. Or je compris pendant cette petite fête que les histoires trop facilement trouvées drôles par notre camarade étaient des histoires de M. Bloch père et que l'homme « tout à fait curieux » était toujours un de ses amis qu'il jugeait de cette façon. Il y a un certain nombre de gens qu'on admire dans son enfance, un père plus spirituel que le reste de la famille, un professeur qui bénéficie à nos yeux de la métaphysique qu'il nous révèle, un camarade plus avancé que nous (ce que Bloch avait été pour moi) qui méprise le Musset de *l'Espoir en Dieu* quand nous l'aimons encore, et, quand nous en serons venus au père Leconte ou à Claudel, ne s'extasiera plus que sur

> *A Saint-Blaise, à la Zuecca,*
> *Vous étiez, vous étiez bien aise...*

en y ajoutant :

> *Padoue est un fort bel endroi*
> *Où de très grands docteurs en ...*

> *Mais j'aime mieux la polenta...*
> *... Passe dans son domino noir*
> > *La Toppatelle.*

et de toutes les « Nuits » ne retient que :

> *Au Havre, devant l'Atlantique,*
> *A Venise, à l'affreux Lido,*
> *Où vient sur l'herbe d'un tombeau*
> *Mourir la pâle Adriatique.*

Or, de quelqu'un qu'on admire de confiance, on recueille, on cite avec admiration, des choses très inférieures à celles que, livré à son propre génie, on refuserait avec sévérité, de même qu'un écrivain utilise dans un roman, sous prétexte qu'ils sont vrais, des « mots », des personnages qui, dans l'ensemble vivant, font au contraire poids mort, partie médiocre. Les portraits de Saint-Simon, écrits par lui sans qu'il s'admire sans doute, sont admirables, les traits qu'il cite comme charmants, de gens d'esprit qu'il a connus, sont restés médiocres ou devenus incompréhensibles. Il eût dédaigné d'inventer ce qu'il rapporte comme si fin ou si coloré de Mme Cornuel ou de Louis XIV, fait qui du reste est à noter chez bien d'autres et comporte diverses interprétations dont il suffit en ce moment de retenir celle-ci : c'est que dans l'état d'esprit où l'on « observe », on est très au-dessous du niveau où l'on se trouve quand on crée.

Il y avait donc, enclavé en mon camarade Bloch, un père Bloch qui retardait de quarante ans sur son fils, débitait des anecdotes saugrenues et en riait autant, au fond de mon ami, que faisait le père Bloch extérieur et véritable, puisque au rire que ce dernier lâchait non sans répéter deux ou trois fois le dernier mot pour que son public goûtât bien l'histoire, s'ajoutait le rire bruyant par lequel le fils ne manquait pas à table de saluer les histoires de son père. C'est ainsi qu'après avoir dit les choses les plus intelligentes, Bloch jeune, manifestant l'apport qu'il avait reçu de sa famille, nous racontait pour la trentième fois quelques-uns des mots que le père Bloch sortait seulement (en même temps que sa redingote) les jours solennels où Bloch jeune amenait quelqu'un qu'il valait la peine d'éblouir : un de ses professeurs, un « copain » qui avait tous les prix, ou, ce soir-là, Saint-Loup et moi. Par exemple : « Un critique militaire très fort, qui avait savamment déduit avec preuves à l'appui pour quelles raisons infaillibles, dans la guerre russo-japonaise, les Japonais seraient battus et les Russes vainqueurs », ou bien : « C'est un homme éminent qui passe pour un grand financier dans les milieux politiques et pour un grand politique dans les milieux financiers. » Ces histoires étaient interchangeables avec une du baron de Rothschild et une de sir Rufus Israël, personnages mis en scène d'une manière équivoque qui pouvait donner à entendre que M. Bloch les avait personnellement connus.

J'y fus moi-même pris et, à la manière dont M. Bloch père parla de Bergotte, je crus aussi que c'était un de ses vieux amis. Or, tous les gens célèbres, M. Bloch ne les connaissait que « sans les connaître », pour les avoir vus de loin au théâtre, sur les boulevards. Il s'imaginait du reste que sa propre figure, son nom, sa personnalité ne leur étaient pas inconnus et qu'en l'apercevant, ils étaient souvent obligés de retenir une furtive envie de le saluer. Les gens du monde, parce qu'ils connaissent les gens de talent, d'original, qu'ils les reçoivent à dîner, ne les comprennent pas mieux pour cela. Mais quand on a un peu vécu dans le monde, la sottise de ses habitants vous fait trop souhaiter de vivre, trop supposer d'intelligence, dans les milieux obscurs où l'on ne connaît que « sans connaître ». J'allais m'en rendre compte en parlant de Bergotte.

M. Bloch n'était pas le seul qui eût des succès chez lui.

Mon camarade en avait davantage encore auprès de ses sœurs qu'il ne cessait d'interpeller sur un ton bougon, en enfonçant sa tête dans son assiette ; il les faisait ainsi rire aux larmes. Elles avaient d'ailleurs adopté la langue de leur frère qu'elles parlaient couramment, comme si elle eût été obligatoire et la seule dont pussent user des personnes intelligentes. Quand nous arrivâmes, l'aînée dit à une de ses cadettes : « Va prévenir notre père prudent et notre mère vénérable. — Chiennes, leur dit Bloch, je vous présente le cavalier Saint-Loup, aux javelots rapides, qui est venu pour quelques jours de Doncières aux demeures de pierre polie, féconde en chevaux. » Comme il était aussi vulgaire que lettré, le discours se terminait d'habitude par quelque plaisanterie moins homérique : « Voyons, fermez un peu plus vos peplos aux belles agrafes, qu'est-ce que c'est que ce chichi-là ? Après tout, c'est pas mon père! » Et les demoiselles Bloch s'écroulaient dans une tempête de rires. Je dis à leur frère combien de joies il m'avait données en me recommandant la lecture de Bergotte dont j'avais adoré les livres.

M. Bloch père qui ne connaissait Bergotte que de loin, et la vie de Bergotte que par les racontars du parterre, avait une manière tout aussi indirecte de prendre connaissance de ses œuvres, à l'aide de jugements d'apparence littéraire. Il vivait dans le monde des à peu près, où l'on salue dans le vide, où l'on juge dans le faux. L'inexactitude, l'incompétence, n'y diminuent pas l'assurance, au contraire. C'est le miracle bienfaisant de l'amour-propre que, peu de gens pouvant avoir les relations brillantes et les connaissances profondes, ceux auxquels elles font défaut se croient encore les mieux partagés parce que l'optique des gradins sociaux fait que tout rang semble le meilleur à celui qui l'occupe et qui voit moins favorisés que lui, mal lotis, à plaindre, les plus grands qu'il nomme et calomnie sans les connaître, juge et dédaigne sans les comprendre. Même dans les cas où la multiplication des faibles avantages personnels par l'amour-propre ne suffirait pas à assurer à chacun la dose de bonheur, supérieure à celle accordée aux autres, qui lui est nécessaire, l'envie est là pour combler la différence. Il est vrai que si l'envie s'exprime en phrases dédaigneuses, il faut traduire « : Je ne veux pas le connaître » par « je ne peux pas le connaître ». C'est le sens intellectuel. Mais le sens passionné est bien : « Je ne veux pas le connaître. » On sait que cela n'est pas vrai, mais on ne le dit pas cependant par simple artifice, on le dit parce qu'on éprouve ainsi, et cela suffit pour supprimer la distance, c'est-à-dire pour le bonheur.

L'égocentrisme permettant de la sorte à chaque humain de voir l'univers étagé au-dessous de lui qui est roi, M. Bloch se donnait le luxe d'en être un impitoyable quand le matin en prenant son chocolat, voyant la signature de Bergotte au bas d'un article dans le journal à peine entr'ouvert, il lui accordait dédaigneusement une audience écourtée, prononçait sa sentence, et s'octroyait le confortable plaisir de répéter entre chaque gorgée du breuvage bouillant : « Ce Bergotte est devenu illisible. Ce que cet animal-là peut être embêtant. C'est à se désabonner. Comme c'est emberlificoté ! quelle tartine ! » Et il reprenait une beurrée.

Cette importance illusoire de M. Bloch père était d'ailleurs étendue un peu au delà du cercle de sa propre perception. D'abord ses enfants le considéraient comme un homme supérieur. Les enfants ont toujours une tendance soit à déprécier, soit à exalter leurs parents, et pour un bon fils, son père est toujours le meilleur des pères en dehors même de toutes raisons objectives de l'admirer. Or celles-ci ne manquaient pas absolument pour M. Bloch, lequel était instruit, fin, affectueux pour les siens. Dans la famille la plus proche, on se plaisait d'autant plus avec lui que si, dans la « société », on juge

les gens, d'après un étalon d'ailleurs absurde et selon des
règles fausses mais fixes, par comparaison avec la totalité
des autres gens élégants, en revanche dans le morcelle-
ment de la vie bourgeoise, les dîners, les soirées de famille
tournent autour de personnes qu'on déclare agréables,
amusantes, et qui dans le monde ne tiendraient pas l'affiche deux soirs. Enfin, dans ce milieu où les grandeurs
factices de l'aristocratie n'existent pas, on les remplace
par des distinctions plus folles encore. C'est ainsi que
pour sa famille et jusqu'à un degré de parenté fort
éloigné, une prétendue ressemblance dans la façon de
porter la moustache et dans le haut du nez faisait qu'on
appelait M. Bloch un « faux duc d'Aumale ». (Dans le
monde des « chasseurs » de cercle, l'un qui porte sa casquette de travers et sa vareuse très serrée de manière à
se donner l'air, croit-il, d'un officier étranger, n'est-il
pas une manière de personnage pour ses camarades ?)

La ressemblance était des plus vagues, mais on eût dit
que ce fût un titre. On répétait : « Bloch ? lequel ? le duc
d'Aumale ? » Comme on dit : « La princesse Murat ?
laquelle ? la Reine (de Naples) ? » Un certain nombre
d'autres infimes indices achevaient de lui donner aux
yeux du cousinage une prétendue distinction. N'allant
pas jusqu'à avoir une voiture, M. Bloch louait à certains
jours une victoria découverte à deux chevaux de la
Compagnie et traversait le Bois de Boulogne, mollement
étendu de travers, deux doigts sur la tempe, deux autres
sous le menton, et si les gens qui ne le connaissaient pas
le trouvaient à cause de cela « faiseur d'embarras », on
était persuadé dans la famille que pour le chic, l'oncle
Salomon aurait pu en remontrer à Gramont-Caderousse.
Il était de ces personnes qui, quand elles meurent et à
cause d'une table commune avec le rédacteur en chef
de cette feuille dans un restaurant des boulevards, sont
qualifiées de « physionomie bien connue des Parisiens »,
par la Chronique mondaine du *Radical*. M. Bloch nous

dit, à Saint-Loup et à moi, que Bergotte savait si bien pourquoi lui, M. Bloch, ne le saluait pas, que dès qu'il l'apercevait au théâtre ou au cercle, il fuyait son regard. Saint-Loup rougit, car il réfléchit que ce cercle ne pouvait pas être le Jockey dont son père avait été président. D'autre part ce devait être un cercle relativement fermé, car M. Bloch avait dit que Bergotte n'y serait plus reçu aujourd'hui. Aussi est-ce en tremblant de « sous-estimer l'adversaire » que Saint-Loup demanda si ce cercle était le cercle de la rue Royale, lequel était jugé « déclassant » par la famille de Saint-Loup et où il savait qu'étaient reçus certains Israélites. « Non, répondit M. Bloch d'un air négligent, fier et honteux, c'est un petit cercle, mais beaucoup plus agréable, le Cercle des Ganaches. On y juge sévèrement la galerie. — Est-ce que sir Rufus Israël n'en est pas président ? » demanda Bloch fils à son père, pour lui fournir l'occasion d'un mensonge honorable et sans se douter que ce financier n'avait pas le même prestige aux yeux de Saint-Loup qu'aux siens. En réalité, il y avait au Cercle des Ganaches non point sir Rufus Israël, mais un de ses employés. Mais comme il était fort bien avec son patron, il avait à sa disposition des cartes du grand financier, et en donnait une à M. Bloch, quand celui-ci partait en voyage sur une ligne dont sir Rufus était administrateur, ce qui faisait dire au père Bloch : « Je vais passer au cercle demander une recommandation de sir Rufus. » Et la carte lui permettait d'éblouir les chefs de train. Les demoiselles Bloch furent plus intéressées par Bergotte et revenant à lui au lieu de poursuivre sur les « Ganaches », la cadette demanda à son frère du ton le plus sérieux du monde, car elle croyait qu'il n'existait pas au monde pour désigner les gens de talent d'autres expressions que celles qu'il employait : « Est-ce un coco vraiment étonnant, ce Bergotte ? Est-il de la catégorie des grands bonshommes, des cocos comme Villiers ou Catulle ? — Je l'ai rencontré à plusieurs générales, dit M. Nissim Bernard. Il est gauche, c'est une espèce de Schlemihl. » Cette allusion au conte de Chamisso n'avait rien de bien grave, mais l'épithète de Schlemihl faisait partie de ce dialecte mi-allemand, mi-juif dont l'emploi ravissait M. Bloch dans l'intimité, mais qu'il trouvait vulgaire et déplacé devant des étrangers. Aussi jeta-t-il un regard sévère sur son oncle. « Il a du talent, dit Bloch. — Ah! fit gravement sa sœur comme pour dire que dans ces conditions j'étais excusable. — Tous les écrivains ont du talent, dit avec mépris M. Bloch père. — Il paraît même, dit son fils en levant sa fourchette et en plissant ses yeux d'un air diaboliquement ironique, qu'il va se présenter à l'Aca-démie. — Allons donc! il n'a pas un bagage suffisant, répondit M. Bloch le père qui ne semblait pas avoir pour l'Académie le mépris de son fils et de ses filles. Il n'a pas le calibre nécessaire. — D'ailleurs l'Académie est un salon et Bergotte ne jouit d'aucune surface », déclara l'oncle à héritage de Mᵐᵉ Bloch, personnage inoffensif et doux dont le nom de Bernard eût peut-être à lui seul éveillé les dons de diagnostic de mon grand-père, mais eût paru insuffisamment en harmonie avec un visage qui sem-blait rapporté du palais de Darius et reconstitué par Mᵐᵉ Dieulafoy, si, choisi par quelque amateur désireux de donner un couronnement oriental à cette figure de Suse, le prénom de Nissim n'avait fait planer au-dessus d'elle les ailes de quelque taureau androcéphale de Khorsabad. Mais M. Bloch ne cessait d'insulter son oncle, soit qu'il fût excité par la bonhomie sans défense de son souffre-douleur, soit que, la villa étant payée par M. Nissim Bernard, le bénéficiaire voulût montrer qu'il gardait son indépendance et surtout qu'il ne cherchait pas par des cajoleries à s'assurer l'héritage à venir du richard* :

* Celui-ci était surtout froissé qu'on le traitât si gros-sièrement devant le maître d'hôtel. Il murmura une phrase

« Naturellement, quand il y a quelque bêtise prudhom-
mesque à dire, on peut être sûr que vous ne la
ratez pas. Vous seriez le premier à lui lécher les pieds
s'il était là », cria M. Bloch, tandis que M. Nissim Bernard attristé inclinait vers son assiette la barbe annelée
du roi Sargon. Mon camarade, depuis qu'il portait la
sienne qu'il avait aussi crépue et bleutée, ressemblait
beaucoup à son grand-oncle.

— Comment, vous êtes le fils du marquis de Marsantes ? mais je l'ai très bien connu, dit à Saint-Loup
M. Nissim Bernard. Je crus qu'il voulait dire « connu »
au sens où le père de Bloch disait qu'il connaissait Bergotte, c'est-à-dire de vue. Mais il ajouta : « Votre père
était un de mes bons amis. » Cependant Bloch était devenu
excessivement rouge, son père avait l'air profondément
contrarié, les demoiselles Bloch riaient en s'étouffant.
C'est que chez M. Nissim Bernard le goût de l'ostentation, contenu chez M. Bloch le père et chez ses enfants,
avait engendré l'habitude du mensonge perpétuel. Par

inintelligible où on distinguait seulement : « Quand les
Meschorès sont là. » Meschorès désigne dans la Bible
le serviteur de Dieu. Entre eux les Bloch s'en servaient
pour désigner les domestiques et en étaient toujours
égayés, parce que leur certitude de n'être compris ni des
chrétiens ni des domestiques eux-mêmes exaltait chez
N. Nissim Bernard et M. Bloch leur double particularisme
de « maîtres » et de « juifs ». Mais cette dernière cause de
satisfaction en devenait une de mécontentement quand
il y avait du monde. Alors M. Bloch entendant son oncle
dire « Meschorès » trouvait qu'il laissait trop paraître son
côté oriental, de même qu'une cocotte qui invite de ses
amies avec des gens comme il faut, est irritée si elles font
allusion à leur métier de cocotte ou emploient des mots
malsonnants. Aussi, bien loin que la prière de son oncle
produisît quelque effet sur M. Bloch, celui-ci, hors de
lui, ne put plus se contenir. Il ne perdit plus une occasion
d'invectiver le malheureux oncle.

exemple, en voyage, à l'hôtel, M. Nissim Bernard, comme aurait pu faire M. Bloch le père, se faisait apporter tous ses journaux par son valet de chambre dans la salle à manger, au milieu du déjeuner, quand tout le monde était réuni, pour qu'on vît bien qu'il voyageait avec un valet de chambre. Mais aux gens avec qui il se liait dans l'hôtel, l'oncle disait, ce que le neveu n'eût jamais fait, qu'il était sénateur. Il avait beau être certain qu'on apprendrait un jour que le titre était usurpé, il ne pouvait au moment même résister au besoin de se le donner. M. Bloch souffrait beaucoup des mensonges de son oncle et de tous les ennuis qu'ils lui causaient. « Ne faites pas attention, il est extrêmement blagueur, dit-il à mi-voix à Saint-Loup qui n'en fut que plus intéressé, étant très curieux de la psychologie des menteurs. — Plus menteur encore que l'Ithakèsien Odysseus qu'Athénê appelait pourtant le plus menteur des hommes, compléta notre camarade Bloch. — Ah! par exemple! s'écria M. Nissim Bernard, si je m'attendais à dîner avec le fils de mon ami! Mais j'ai à Paris chez moi, une photographie de votre père et combien de lettres de lui. Il m'appelait toujours « mon oncle », on n'a jamais su pourquoi. C'était un homme charmant, étincelant. Je me rappelle un dîner chez moi, à Nice, où il y avait Sardou, Labiche, Augier... — Molière, Racine, Corneille, continua ironiquement M. Bloch le père, dont le fils acheva l'énumération en ajoutant : Plaute, Ménandre, Kalidasa. » M. Nissim Bernard, blessé, arrêta brusquement son récit et, se privant ascétiquement d'un grand plaisir, resta muet jusqu'à la fin du dîner.

— Saint-Loup au casque d'airain, dit Bloch, reprenez un peu de ce canard aux cuisses lourdes de graisse sur lesquelles l'illustre sacrificateur des volailles a répandu de nombreuses libations de vin rouge.

D'habitude, après avoir sorti de derrière les fagots pour un camarade de marque les histoires sur sir Rufus

Israël et autres, M. Bloch sentant qu'il avait touché son
fils jusqu'à l'attendrissement, se retirait pour ne pas se
« galvauder » aux yeux du « potache ». Cependant, s'il
y avait une raison tout à fait capitale, comme quand son
fils par exemple fut reçu à l'agrégation, M. Bloch ajoutait
à la série habituelle des anecdotes cette réflexion ironique
qu'il réservait plutôt pour ses amis personnels et que
Bloch jeune fut extrêmement fier de voir débiter pour
ses amis à lui : « Le gouvernement a été impardonnable.
Il n'a pas consulté M. Coquelin! M. Coquelin a fait
savoir qu'il était mécontent. » (M. Bloch se piquait d'être
réactionnaire et méprisant pour les gens de théâtre.)

Mais les demoiselles Bloch et leur frère rougirent
jusqu'aux oreilles tant ils furent impressionnés quand
Bloch père, pour se montrer royal jusqu'au bout envers
les deux « labadens » de son fils, donna l'ordre d'apporter
du champagne et annonça négligemment que pour nous
« régaler », il avait fait prendre trois fauteuils pour la
représentation qu'une troupe d'opéra comique donnait
le soir même au Casino. Il regrettait de n'avoir pu avoir
de loge. Elles étaient toutes prises. D'ailleurs il les avait
souvent expérimentées, on était mieux à l'orchestre.
Seulement, si le défaut de son fils, c'est-à-dire ce que
son fils croyait invisible aux autres, était la grossièreté,
celui du père était l'avarice. Aussi, c'est dans une carafe
qu'il fit servir sous le nom de champagne un petit vin
mousseux et sous celui de fauteuils d'orchestre il avait
fait prendre des parterres qui coûtaient moitié moins,
miraculeusement persuadé par l'intervention divine
de son défaut que ni à table, ni au théâtre (où toutes les
loges étaient vides) on ne s'apercevrait de la différence.
Quand M. Bloch nous eut laissé tremper nos lèvres dans
des coupes plates que son fils décorait du nom de « cra-
tères aux flancs profondément creusés », il nous fit admirer un tableau qu'il aimait tant qu'il l'apportait avec lui
à Balbec. Il nous dit que c'était un Rubens. Saint-Loup

lui demanda naïvement s'il était signé. M. Bloch répondit
en rougissant qu'il avait fait couper la signature à cause
du cadre, ce qui n'avait pas d'importance, puisqu'il ne
voulait pas le vendre. Puis il nous congédia rapidement
pour se plonger dans le *Journal Officiel* dont les numéros
encombraient la maison et dont la lecture lui était rendue
nécessaire, nous dit-il, « par sa situation parlementaire »,
sur la nature exacte de laquelle il ne nous fournit pas de
lumières. « Je prends un foulard, nous dit Bloch, car
Zéphyros et Boréas se disputent à qui mieux mieux la
mer poissonneuse, et pour peu que nous nous attardions
après le spectacle, nous ne rentrerons qu'aux premières
lueurs d'Eôs aux doigts de pourpre. A propos, demanda-
t-il à Saint-Loup, quand nous fûmes dehors (et je trem-
blai car je compris bien vite que c'était de M. de Charlus
que Bloch parlait sur ce ton ironique), quel était cet
excellent fantoche en costume sombre que je vous ai vu
promener avant-hier matin sur la plage ?) — C'est mon
oncle », répondit Saint-Loup piqué. Malheureusement,
une « gaffe » était bien loin de paraître à Bloch chose à
éviter. Il se tordit de rire : « Tous mes compliments,
j'aurais dû le deviner, il a un excellent chic, et une
impayable bobine de gaga de la plus haute lignée. —
Vous vous trompez du tout au tout, il est très intelligent,
riposta Saint-Loup furieux. — Je le regrette, car alors
il est moins complet. J'aimerais du reste beaucoup le
connaître car je suis sûr que j'écrirais des machines
adéquates sur des bonshommes comme ça. Celui-là, à
voir passer, est crevant. Mais je négligerais le côté cari-
catural, au fond assez méprisable pour un artiste épris
de la beauté plastique des phrases, de la binette qui,
excusez-moi, m'a fait gondoler un bon moment, et je
mettrais en relief le côté aristocratique de votre oncle
qui en somme fait un effet bœuf et, la première rigolade
passée, frappe par un très grand style. Mais, dit-il, en
s'adressant cette fois à moi, il y a une chose, dans un tout

autre ordre d'idées, sur laquelle je veux t'interroger et,
chaque fois que nous sommes ensemble, quelque dieu,
bienheureux habitant de l'Olympe, me fait oublier tota-
lement de te demander ce renseignement qui eût pu
m'être déjà et me sera sûrement fort utile. Quelle est
donc cette belle personne avec laquelle je t'ai rencontré
au Jardin d'Acclimatation et qui était accompagnée d'un
monsieur que je crois connaître de vue et d'une jeune
fille à la longue chevelure ? » J'avais bien vu que
Mme Swann ne se rappelait pas le nom de Bloch, puisqu'elle m'en avait dit un autre et avait qualifié mon
camarade d'attaché à un ministère où je n'avais jamais
pensé depuis à m'informer s'il était entré. Mais comment
Bloch qui, à ce qu'elle m'avait dit alors, s'était fait présenter à elle pouvait-il ignorer son nom ? J'étais si étonné
que je restai un moment sans répondre. « En tous cas,
tous mes compliments, me dit-il, tu n'as pas dû t'embêter
avec elle. Je l'avais rencontrée quelques jours auparavant
dans le train de Ceinture. Elle voulut bien dénouer la
sienne en faveur de ton serviteur, je n'ai jamais passé de
si bons moments et nous allions prendre toutes dispositions pour nous revoir quand une personne qu'elle
connaissait eut le mauvais goût de monter à l'avant-
dernière station. » Le silence que je gardai ne parut pas
plaire à Bloch. « J'espérais, me dit-il, connaître grâce à
toi son adresse et aller goûter chez elle, plusieurs fois par
semaine, les plaisirs d'Éros, chers aux dieux, mais je
n'insiste pas puisque tu poses pour la discrétion à l'égard
d'une professionnelle qui s'est donnée à moi trois fois
de suite et de la manière la plus raffinée, entre Paris et
le Point-du-Jour. Je la retrouverai bien, un soir ou
l'autre. »

J'allai voir Bloch à la suite de ce dîner, il me rendit ma
visite, mais j'étais sorti et il fut aperçu, me demandant,
par Françoise, laquelle par hasard, bien qu'il fût venu à
Combray, ne l'avait jamais vu jusque-là. De sorte qu'elle

savait seulement qu'un « des Monsieur » que je connaissais était passé pour me voir, elle ignorait « à quel effet », vêtu d'une manière quelconque et qui ne lui avait pas fait grande impression. Or, j'avais beau savoir que certaines idées sociales de Françoise me resteraient toujours impénétrables, qui reposaient peut-être en partie sur des confusions entre des mots, des noms qu'elle avait pris une fois, et à jamais, les uns pour les autres, je ne pus m'empêcher, moi qui avais depuis longtemps renoncé à me poser des questions dans ces cas-là, de chercher, vainement d'ailleurs, ce que le nom de Bloch pouvait représenter d'immense pour Françoise. Car à peine lui eus-je dit que ce jeune homme qu'elle avait aperçu était M. Bloch, elle recula de quelques pas, tant furent grandes sa stupeur et sa déception. « Comment, c'est cela, M. Bloch ! » s'écria-t-elle d'un air atterré, comme si un personnage aussi prestigieux eût dû posséder une apparence qui « fît connaître » immédiatement qu'on se trouvait en présence d'un grand de la terre, et, à la façon de quelqu'un qui trouve qu'un personnage historique n'est pas à la hauteur de sa réputation, elle répétait, d'un ton impressionné et où on sentait pour l'avenir les germes d'un scepticisme universel : « Comment, c'est ça M. Bloch ! Ah ! vraiment on ne dirait pas à le voir. » Elle avait l'air de m'en garder rancune, comme si je lui eusse jamais « surfait » Bloch. Et pourtant elle eut la bonté d'ajouter : « Hé bien, tout M. Bloch qu'il est, Monsieur peut dire qu'il est aussi bien que lui. »

Elle eut bientôt, à l'égard de Saint-Loup qu'elle adorait, une désillusion d'un autre genre, et d'une moindre durée : elle apprit qu'il était républicain. Or, bien qu'en parlant par exemple de la reine de Portugal, elle dît avec cet irrespect qui dans le peuple est le respect suprême « Amélie, la sœur à Philippe », Françoise était royaliste. Mais surtout, un marquis, un marquis qui l'avait éblouie, et qui était pour la République, ne lui paraissait plus vrai.

Elle en marquait la même mauvaise humeur que si je lui eusse donné une boîte qu'elle eût crue d'or, de laquelle elle m'eût remercié avec effusion, et qu'ensuite un bijoutier lui eût révélée être en plaqué. Elle retira aussitôt son estime à Saint-Loup, mais bientôt après la lui rendit, ayant réfléchi qu'il ne pouvait pas, étant le marquis de Saint-Loup, être républicain, qu'il faisait seulement semblant, par intérêt, car avec le gouvernement qu'on avait, cela pouvait lui rapporter gros. De ce jour, sa froideur envers lui, son dépit contre moi cessèrent. Et quand elle parlait de Saint-Loup, elle disait : « C'est un hypocrite », avec un large et bon sourire qui faisait bien comprendre qu'elle le « considérait » de nouveau autant qu'au premier jour et qu'elle lui avait pardonné.

Or, la sincérité et le désintéressement de Saint-Loup étaient au contraire absolus et c'était cette grande pureté morale qui, ne pouvant se satisfaire entièrement dans un sentiment égoïste comme l'amour, ne rencontrant pas d'autre part en lui l'impossibilité qui existait par exemple en moi de trouver sa nourriture spirituelle autre part qu'en soi-même, le rendait vraiment capable, autant que moi incapable, d'amitié.

Françoise ne se trompait pas moins sur Saint-Loup quand elle disait qu'il avait l'air comme ça de ne pas dédaigner le peuple, mais que ce n'était pas vrai, et qu'il n'y avait qu'à le voir quand il était en colère après son cocher. Il était arrivé, en effet, quelquefois à Robert de le gronder avec une certaine rudesse, qui prouvait chez lui moins le sentiment de la différence que de l'égalité entre les classes. « Mais, me dit-il en réponse aux reproches que je lui faisais d'avoir traité un peu durement ce cocher, pourquoi affecterais-je de lui parler poliment ? N'est-il pas mon égal ? N'est-il pas aussi près de moi que mes oncles ou mes cousins ? Vous avez l'air de trouver que je devrais le traiter avec égards, comme un inférieur ! Vous parlez comme un aristocrate », ajouta-t-il avec dédain.

En effet, s'il y avait une classe contre laquelle il eût de la prévention et de la partialité, c'était l'aristocratie, et jusqu'à croire aussi difficilement à la supériorité d'un homme du monde, qu'il croyait facilement à celle d'un homme du peuple. Comme je lui parlais de la princesse de Luxembourg que j'avais rencontrée avec sa tante :

— Une carpe, me dit-il, comme toutes ses pareilles. C'est d'ailleurs un peu ma cousine.

Ayant un préjugé contre les gens qui le fréquentaient, il allait rarement dans le monde, et l'attitude méprisante ou hostile qu'il y prenait augmentait encore chez tous ses proches parents le chagrin de sa liaison avec une femme « de théâtre », liaison qu'ils accusaient de lui être fatale et notamment d'avoir développé chez lui cet esprit de dénigrement, ce mauvais esprit, de l'avoir « dévoyé », en attendant qu'il se « déclassât » complètement. Aussi, bien des hommes légers du faubourg Saint-Germain étaient-ils sans pitié quand ils parlaient de la maîtresse de Robert. « Les grues font leur métier, disait-on, elles valent autant que d'autres ; mais celle-là, non ! Nous ne lui pardonnerons pas ! Elle a fait trop de mal à quelqu'un que nous aimons. » Certes, il n'était pas le premier qui eût un fil à la patte. Mais les autres s'amusaient en hommes du monde, continuaient à penser en hommes du monde sur la politique, sur tout. Lui, sa famille le trouvait « aigri ». Elle ne se rendait pas compte que pour bien des jeunes gens du monde, lesquels sans cela resteraient incultes d'esprit, rudes dans leurs amitiés, sans douceur et sans goût, c'est bien souvent leur maîtresse qui est leur vrai maître, et les liaisons de ce genre, la seule école de morale où ils soient initiés à une culture supérieure, où ils apprennent le prix des connaissances désintéressées. Même dans le bas peuple (qui au point de vue de la grossièreté ressemble si souvent au grand monde), la femme, plus sensible, plus fine, plus oisive, a la curiosité de certaines délicatesses, respecte certaines beautés de sentiment et d'art que, ne les comprît-elle pas, elle place pourtant au-dessus de ce qui semblait le plus désirable à l'homme, l'argent, la situation. Or, qu'il s'agisse de la maîtresse d'un jeune clubman comme Saint-Loup ou d'un jeune ouvrier (les électriciens, par exemple, comptent aujourd'hui dans les rangs de la Chevalerie véritable), son amant a pour elle trop d'admiration et de respect pour ne pas les étendre à ce qu'elle-même respecte et admire ; et pour lui, l'échelle des valeurs s'en trouve renversée. A cause de son sexe même, elle est faible, elle a des troubles nerveux, inexplicables, qui chez un homme, et même chez une autre femme, chez une femme dont il est neveu ou cousin, auraient fait sourire ce jeune homme robuste. Mais il ne peut voir souffrir celle qu'il aime. Le jeune noble qui, comme Saint-Loup, a une maîtresse, prend l'habitude, quand il va dîner avec elle au cabaret, d'avoir dans sa poche le valérianate dont elle peut avoir besoin, d'enjoindre au garçon, avec force et sans ironie, de faire attention à fermer les portes sans bruit, à ne pas mettre de mousse humide sur la table, afin d'éviter à son amie ces malaises que pour sa part il n'a jamais ressentis, qui composent pour lui un monde occulte à la réalité duquel elle lui a appris à croire, malaises qu'il plaint maintenant sans avoir besoin pour cela de les connaître, qu'il plaindra même quand ce sera d'autres qu'elle qui les ressentiront. La maîtresse de Saint-Loup — comme les premiers moines du Moyen Age, à la chrétienté — lui avait enseigné la pitié envers les animaux, car elle en avait la passion, ne se déplaçant jamais sans son chien, ses serins ses perroquets ; Saint-Loup veillait sur eux avec des soins maternels et traitait de brutes les gens qui ne sont pas bons avec les bêtes. D'autre part, une actrice, ou soi-disant telle, comme celle qui vivait avec lui — qu'elle fût intelligente ou non, ce que j'ignorais — en lui faisant trouver ennuyeuse la société des femmes du monde et considérer comme une corvée

l'obligation d'aller dans une soirée, l'avait préservé du
snobisme et guéri de la frivolité. Si grâce à elle les relations
mondaines tenaient moins de place dans la vie de son
jeune amant, en revanche, tandis que, s'il avait été un
simple homme de salon, la vanité ou l'intérêt auraient
dirigé ses amitiés comme la rudesse les aurait empreintes,
sa maîtresse lui avait appris à y mettre de la noblesse et
du raffinement. Avec son instinct de femme et appréciant
plus chez les hommes certaines qualités de sensibilité
que son amant eût peut-être sans elle méconnues ou
plaisantées, elle avait toujours vite fait de distinguer
entre les autres celui des amis de Saint-Loup qui avait
pour lui une affection vraie, et de le préférer. Elle savait
le forcer à éprouver pour celui-là de la reconnaissance, à
la lui témoigner, à remarquer les choses qui lui faisaient
plaisir, celles qui lui faisaient de la peine. Et bientôt
Saint-Loup, sans plus avoir besoin qu'elle l'avertît,
commença à se soucier de tout cela, et, à Balbec où elle
n'était pas, pour moi qu'elle n'avait jamais vu dont il ne
lui avait même peut-être pas encore parlé dans ses lettres,
de lui-même il fermait la fenêtre d'une voiture où j'étais,
emportait les fleurs qui me faisaient mal et, quand il eut à
dire au revoir à la fois à plusieurs personnes, à son départ,
s'arrangea à les quitter un peu plus tôt afin de rester seul
et en dernier avec moi, de mettre cette différence entre
elles et moi, de me traiter autrement que les autres. Sa
maîtresse avait ouvert son esprit à l'invisible, elle avait
mis du sérieux dans sa vie, des délicatesses dans son cœur,
mais tout cela échappait à la famille en larmes qui répétait : « Cette gueuse le tuera, et en attendant elle le désho-
nore. » Il est vrai qu'il avait fini de tirer d'elle tout le bien
qu'elle pouvait lui faire ; et maintenant elle était cause
seulement qu'il souffrait sans cesse, car elle l'avait pris
en horreur et le torturait. Elle avait commencé, un beau
jour, à le trouver bête et ridicule, parce que les amis qu'elle
avait parmi de jeunes auteurs et acteurs lui avaient assuré

qu'il l'était, et elle répétait à son tour ce qu'ils avaient dit,
avec cette passion, cette absence de réserves qu'on montre chaque fois qu'on reçoit du dehors et qu'on adopte des
opinions ou des usages qu'on ignorait entièrement. Elle
professait volontiers, comme ces comédiens, qu'entre elle
et Saint-Loup le fossé était infranchissable, parce qu'ils
étaient d'une autre race, qu'elle était une intellectuelle et
que lui, quoi qu'il prétendît, était, de naissance, un ennemi de l'intelligence. Cette vue lui semblait profonde et
elle en cherchait la vérification dans les paroles les plus
insignifiantes, les moindres gestes de son amant. Mais
quand les mêmes amis l'eurent, en outre, convaincue
qu'elle détruisait dans une compagnie aussi peu faite
pour elle les grandes espérances qu'elle avait, disaient-ils,
données, que son amant finirait par déteindre sur elle,
qu'à vivre avec lui elle gâchait son avenir d'artiste, à
son mépris pour Saint-Loup s'ajouta la même haine
que s'il s'était obstiné à vouloir lui inoculer une maladie
mortelle. Elle le voyait le moins possible tout en reculant
encore le moment d'une rupture définitive, laquelle me
paraissait à moi bien peu vraisemblable. Saint-Loup
faisait pour elle de tels sacrifices que, à moins qu'elle fût
ravissante (mais il n'avait jamais voulu me montrer sa
photographie, me disant : « D'abord ce n'est pas une
beauté, et puis elle vient mal en photographie, ce sont
des instantanés que j'ai faits moi-même avec mon Kodak
et ils vous donneraient une fausse idée d'elle »), il semblait difficile qu'elle trouvât un second homme qui en
consentît de semblables. Je ne songeais pas qu'une certaine toquade de se faire un nom, même quand on n'a pas
de talent, que l'estime, rien que l'estime privée, de
personnes qui vous imposent, peuvent (ce n'était peut-
être du reste pas le cas pour la maîtresse de Saint-Loup)
être, même pour une petite cocotte, des motifs plus
déterminants que le plaisir de gagner de l'argent. Saint-
Loup qui, sans bien comprendre ce qui se passait dans

la pensée de sa maîtresse, ne la croyait pas complètement sincère, ni dans les reproches injustes ni dans les promesses d'amour éternel, avait pourtant à certains moments le sentiment qu'elle romprait quand elle le pourrait, et à cause de cela, mû sans doute par l'instinct de conservation de son amour plus clairvoyant peut-être que Saint-Loup n'était lui-même, usant d'ailleurs d'une habileté pratique qui se conciliait chez lui avec les plus grands et les plus aveugles élans du cœur, il s'était refusé à lui constituer un capital, avait emprunté un argent énorme pour qu'elle ne manquât de rien, mais ne le lui remettait qu'au jour le jour. Et sans doute, au cas où elle eût vraiment songé à le quitter, attendait-elle froidement d'avoir « fait sa pelote », ce qui avec les sommes données par Saint-Loup demanderait sans doute un temps fort court, mais tout de même concédé en supplément pour prolonger le bonheur de mon nouvel ami — ou son malheur.

Cette période dramatique de leur liaison — et qui était arrivée maintenant à son point le plus aigu, le plus cruel pour Saint-Loup, car elle lui avait défendu de rester à Paris où sa présence l'exaspérait et l'avait forcé de prendre son congé à Balbec, à côté de sa garnison — avait commencé un soir chez une tante de Saint-Loup, lequel avait obtenu d'elle que son amie viendrait pour de nombreux invités dire des fragments d'une pièce symboliste qu'elle avait jouée une fois sur une scène d'avant-garde et pour laquelle elle lui avait fait partager l'admiration qu'elle éprouvait elle-même.

Mais quand elle était apparue, un grand lys à la main, dans un costume copié de l' « Ancilla Domini » et qu'elle avait persuadé à Robert être une véritable « vision d'art », son entrée avait été accueillie dans cette assemblée d'hommes de cercle et de duchesses par des sourires que le ton monotone de la psalmodie, la bizarrerie de certains mots, leur fréquente répétition avaient changés en fous rires, d'abord étouffés, puis si irrésistibles que la pauvre récitante n'avait pu continuer. Le lendemain, la tante de Saint-Loup avait été unanimement blâmée d'avoir laissé paraître chez elle une artiste aussi grotesque. Un duc bien connu ne lui cacha pas qu'elle n'avait à s'en prendre qu'à elle-même si elle se faisait critiquer :

— Que diable aussi, on ne nous sort pas des numéros de cette force-là! Si encore cette femme avait du talent, mais elle n'en a et n'en aura jamais aucun. Sapristi! Paris n'est pas si bête qu'on veut bien le dire. La société n'est pas composée que d'imbéciles. Cette petite demoiselle a évidemment cru étonner Paris. Mais Paris est plus difficile à étonner que cela, et il y a tout de même des affaires qu'on ne nous fera pas avaler.

Quant à l'artiste, elle sortit en disant à Saint-Loup :

— Chez quelles dindes, chez quelles garces sans éducation, chez quels goujats m'as-tu fourvoyée? J'aime mieux te le dire, il n'y en avait pas un, des hommes présents, qui ne m'eût fait de l'œil, du pied, et c'est parce que j'ai repoussé leurs avances qu'ils ont cherché à se venger.

Paroles qui avaient changé l'antipathie de Robert pour les gens du monde en une horreur autrement profonde et douloureuse et que lui inspiraient particulièrement ceux qui la méritaient le moins, des parents dévoués qui, délégués par la famille, avaient cherché à persuader à l'amie de Saint-Loup de rompre avec lui, démarche qu'elle lui présentait comme inspirée par leur amour pour elle. Robert, quoiqu'il eût aussitôt cessé de les fréquenter, pensait, quand il était loin de son amie comme maintenant, qu'eux ou d'autres en profitaient pour revenir à la charge et avaient peut-être reçu ses faveurs. Et quand il parlait des viveurs qui trompent leurs amis, cherchent à corrompre les femmes, tâchent de les faire venir dans des maisons de passe, son visage respirait la souffrance et la haine.

— Je les tuerais avec moins de remords qu'un chien

qui est du moins une bête gentille, loyale et fidèle. En voilà qui méritent la guillotine, plus que des malheureux qui ont été conduits au crime par la misère et par la cruauté des riches.

Il passait la plus grande partie de son temps à envoyer à sa maîtresse des lettres et des dépêches. Chaque fois que, tout en l'empêchant de venir à Paris, elle trouvait, à distance, le moyen d'avoir une brouille avec lui, je l'apprenais de sa figure décomposée. Comme sa maîtresse ne lui disait jamais ce qu'elle avait à lui reprocher, soupçonnant que, peut-être, si elle ne le lui disait pas, c'est qu'elle ne le savait pas et qu'elle avait simplement assez de lui, il aurait pourtant voulu avoir des explications, il lui écrivait : « Dis-moi ce que j'ai fait de mal. Je suis prêt à reconnaître mes torts », le chagrin qu'il éprouvait ayant pour effet de le persuader qu'il avait mal agi.

Mais elle lui faisait attendre indéfiniment des réponses d'ailleurs dénuées de sens. Aussi c'est presque toujours le front soucieux et bien souvent les mains vides que je voyais Saint-Loup revenir de la poste où, seul de tout l'hôtel avec Françoise, il allait chercher ou porter lui-même ses lettres, lui par impatience d'amant, elle par méfiance de domestique. (Les dépêches le forçaient à faire beaucoup plus de chemin.)

Quand, quelques jours après le dîner chez les Bloch, ma grand'mère me dit d'un air joyeux que Saint-Loup venait de lui demander si avant qu'il quittât Balbec elle ne voulait pas qu'il la photographiât, et quand je vis qu'elle avait mis pour cela sa plus belle toilette et hésitait entre diverses coiffures, je me sentis un peu irrité de cet enfantillage qui m'étonnait tellement de sa part. J'en arrivais même à me demander si je ne m'étais pas trompé sur ma grand'mère, si je ne la plaçais pas trop haut, si elle était aussi détachée que j'avais toujours cru de ce qui concernait sa personne, si elle n'avait pas ce que je croyais lui être le plus étranger, de la coquetterie.

Malheureusement, ce mécontentement que me causaient le projet de séance photographique et surtout la
satisfaction que ma grand'mère paraissait en ressentir,
je le laissai suffisamment apercevoir pour que Françoise
le remarquât et s'empressât involontairement de l'accroître en me tenant un discours sentimental et attendri
auquel je ne voulus pas avoir l'air d'adhérer.

— Oh Monsieur, cette pauvre Madame qui sera si
heureuse qu'on tire son portait, et qu'elle va même mettre
le chapeau que sa vieille Françoise, elle lui a arrangé, il
faut la laisser faire, Monsieur.

Je me convainquis que je n'étais pas cruel de me moquer de la sensibilité de Françoise, en me rappelant
que ma mère et ma grand'mère, mes modèles en tout, le
faisaient souvent aussi. Mais ma grand'mère, s'apercevant que j'avais l'air ennuyé, me dit que si cette séance
de pose pouvait me contrarier elle y renoncerait. Je ne
le voulus pas, je l'assurai que je n'y voyais aucun inconvénient et la laissai se faire belle, mais crus faire preuve
de pénétration et de force en lui disant quelques paroles
ironiques et blessantes destinées à neutraliser le plaisir
qu'elle semblait trouver à être photographiée, de sorte
que, si je fus contraint de voir le magnifique chapeau de
ma grand'mère, je réussis du moins à faire disparaître de
son visage cette expression joyeuse qui aurait dû me
rendre heureux et qui, comme il arrive trop souvent tant
que sont encore en vie les êtres que nous aimons le
mieux, nous apparaît comme la manifestation exaspérante
d'un travers mesquin plutôt que comme la forme précieuse
du bonheur que nous voudrions tant leur procurer. Ma
mauvaise humeur venait surtout de ce que, cette semaine-
là, ma grand'mère avait paru me fuir et que je n'avais pu
l'avoir un instant à moi, pas plus le jour que le soir. Quand
je rentrais dans l'après-midi pour être un peu seul avec
elle, on me disait qu'elle n'était pas là ; ou bien elle s'enfermait avec Françoise pour de longs conciliabules qu'il

ne m'était pas permis de troubler. Et quand, ayant
passé la soirée dehors avec Saint-Loup, je songeais
pendant le trajet du retour au moment où j'allais pouvoir
retrouver et embrasser ma grand'mère, j'avais beau
attendre qu'elle frappât contre la cloison ces petits coups
qui me diraient d'entrer lui dire bonsoir, je n'entendais
rien ; je finissais par me coucher, lui en voulant un peu
de ce qu'elle me privât, avec une indifférence si nouvelle
de sa part, d'une joie sur laquelle j'avais tant compté, je
restais encore, le cœur palpitant comme dans mon enfance,
à écouter le mur qui restait muet, et je m'endormais dans
les larmes.

Ce jour-là, comme les précédents, Saint-Loup avait
été obligé d'aller à Doncières où, en attendant qu'il y
rentrât d'une manière définitive, on aurait toujours besoin
de lui maintenant jusqu'à la fin de l'après-midi. Je regrettais qu'il ne fût pas à Balbec. J'avais vu descendre de
voiture et entrer, les unes dans la salle de danse du Casino,
les autres chez le glacier, des jeunes femmes qui, de loin,
m'avaient paru ravissantes. J'étais dans une de ces périodes
de la jeunesse, dépourvues d'un amour particulier,
vacantes, où partout — comme un amoureux, la femme
dont il est épris — on désire, on cherche, on voit la
Beauté. Qu'un seul trait réel — le peu qu'on distingue
d'une femme vue de loin, ou de dos — nous permette de
projeter la Beauté devant nous, nous nous figurons l'avoir
reconnue, notre cœur bat, nous pressons le pas, et nous
resterons toujours à demi persuadés que c'était elle,
pourvu que la femme ait disparu : ce n'est que si nous
pouvons la rattraper que nous comprenons notre erreur.
    D'ailleurs, de plus en plus souffrant, j'étais tenté de
surfaire les plaisirs les plus simples à cause des difficultés
mêmes qu'il y avait pour moi à les atteindre. Des femmes
élégantes, je croyais en apercevoir partout, parce que
j'étais trop fatigué, si c'était sur la plage, trop timide,

si c'était au Casino ou dans une pâtisserie, pour les approcher nulle part. Pourtant, si je devais bientôt mourir, j'aurais aimé savoir comment étaient faites de près, en réalité, les plus jolies jeunes filles que la vie pût offrir, quand même c'eût été un autre que moi, ou même personne, qui dût profiter de cette offre (je ne me rendais pas compte en effet, qu'il y avait un désir de possession à l'origine de ma curiosité). J'aurais osé entrer dans la salle de bal, si Saint-Loup avait été avec moi. Seul, je restai simplement devant le Grand-Hôtel à attendre le moment d'aller retrouver ma grand'mère, quand, presque encore à l'extrémité de la digue où elles faisaient mouvoir une tache singulière, je vis s'avancer cinq ou six fillettes, aussi différentes, par l'aspect et par les façons, de toutes les personnes auxquelles on était accoutumé à Balbec, qu'aurait pu l'être, débarquée on ne sait d'où, une bande de mouettes qui exécute à pas comptés sur la plage — les retardataires rattrapant les autres en voletant — une promenade dont le but semble aussi obscur aux baigneurs qu'elles ne paraissent pas voir, que clairement déterminé pour leur esprit d'oiseaux.

Une de ces inconnues poussait devant elle, de la main, sa bicyclette ; deux autres tenaient des « clubs » de golf ; et leur accoutrement tranchait sur celui des autres jeunes filles de Balbec, parmi lesquelles quelques-unes, il est vrai, se livraient aux sports, mais sans adopter pour cela une tenue spéciale.

C'était l'heure où dames et messieurs venaient tous les jours faire leur tour de digue, exposés aux feux impitoyables du face-à-main que fixait sur eux, comme s'ils eussent été porteurs de quelque tare qu'elle tenait à inspecter dans ses moindres détails, la femme du premier président, fièrement assise devant le kiosque de musique, au milieu de cette rangée de chaises redoutée où eux-mêmes tout à l'heure, d'acteurs devenus critiques, viendraient s'installer pour juger à leur tour ceux qui défile-

raient devant eux. Tous ces gens qui longeaient la digue
en tanguant aussi fort que si elle avait été le pont d'un
bateau (car ils ne savaient pas lever une jambe sans du
même coup remuer le bras, tourner les yeux, remettre
d'aplomb leurs épaules, compenser par un mouvement
balancé du côté opposé le mouvement qu'ils venaient
de faire de l'autre côté, et congestionner leur face),
faisant semblant de ne pas voir, pour faire croire qu'ils
ne se souciaient pas d'elles, mais regardant à la dérobée,
pour ne pas risquer de les heurter, les personnes qui
marchaient à leurs côtés ou venaient en sens inverse,
butaient au contraire contre elles, s'accrochaient à elles,
parce qu'ils avaient été réciproquement de leur part
l'objet de la même attention secrète, cachée sous le même
dédain apparent ; l'amour — par conséquent la crainte —
de la foule étant un des plus puissants mobiles chez tous
les hommes, soit qu'ils cherchent à plaire aux autres ou à
les étonner, soit à leur montrer qu'ils les méprisent :
chez le solitaire la claustration même absolue et durant
jusqu'à la fin de la vie a souvent pour principe un amour
déréglé de la foule qui l'emporte tellement sur tout autre
sentiment que, ne pouvant obtenir, quand il sort, l'admiration de la concierge, des passants, du cocher arrêté,
il préfère n'être jamais vu d'eux, et pour cela renoncer à
toute activité qui rendrait nécessaire de sortir.

Au milieu de tous ces gens dont quelques-uns poursuivaient une pensée, mais en trahissaient alors la mobilité
par une saccade de gestes, une divagation de regards,
aussi peu harmonieuses que la circonspecte titubation
de leurs voisins, les fillettes que j'avais aperçues, avec la
maîtrise de gestes que donne un parfait assouplissement
de son propre corps et un mépris sincère du reste de
l'humanité, venaient droit devant elles, sans hésitation
ni raideur, exécutant exactement les mouvements qu'elles
voulaient, dans une pleine indépendance de chacun de
leurs membres par rapport aux autres, la plus grande

partie de leur corps gardant cette immobilité si remarquable chez les bonnes valseuses. Elles n'étaient plus
loin de moi. Quoique chacune fût d'un type absolument
différent des autres, elles avaient toutes de la beauté ; mais,
à vrai dire, je les voyais depuis si peu d'instants et sans
oser les regarder fixement que je n'avais encore indivi-
dualisé aucune d'elles. Sauf une, que son nez droit, sa
peau brune mettaient en contraste au milieu des autres
comme, dans quelque tableau de la Renaissance, un roi
Mage de type arabe, elles ne m'étaient connues, l'une
que par une paire d'yeux durs, butés et rieurs ; une autre
que par des joues où le rose avait cette teinte cuivrée qui
évoque l'idée de géranium ; et même ces traits, je n'avais
encore indissolublement attaché aucun d'entre eux à
l'une des jeunes filles plutôt qu'à l'autre ; et quand (selon
l'ordre dans lequel se déroulait cet ensemble, merveilleux
parce qu'y voisinaient les aspects les plus différents, que
toutes les gammes de couleurs y étaient rapprochées,
mais qui était confus comme une musique où je n'aurais
pas su isoler et reconnaître au moment de leur passage
les phrases, distinguées mais oubliées aussitôt après)
je voyais émerger un ovale blanc, des yeux noirs, des
yeux verts, je ne savais pas si c'était les mêmes qui m'a-
vaient déjà apporté du charme tout à l'heure, je ne pouvais pas les rapporter à telle jeune fille que j'eusse séparée
des autres et reconnue. Et cette absence, dans ma vision,
des démarcations que j'établirais bientôt entre elles,
propageait à travers leur groupe un flottement harmo-
nieux, la translation continue d'une beauté fluide, collec-
tive et mobile.

Ce n'était peut-être pas, dans la vie, le hasard seul qui,
pour réunir ces amies, les avait toutes choisies si belles ;
peut-être ces filles (dont l'attitude suffisait à révéler
la nature hardie, frivole et dure), extrêmement sensibles
à tout ridicule et à toute laideur, incapables de subir un
attrait d'ordre intellectuel ou moral, s'étaient-elles natu-

rellement trouvées, parmi les camarades de leur âge, éprouver de la répulsion pour toutes celles chez qui des dispositions pensives ou sensibles se trahissaient par de la timidité, de la gêne, de la gaucherie, par ce qu'elles devaient appeler « un genre antipathique », et les avaient-elles tenues à l'écart ; tandis qu'elles s'étaient liées au contraire avec d'autres vers qui les attirait un certain mélange de grâce, de souplesse et d'élégance physique, seule forme sous laquelle elles pussent se représenter la franchise d'un caractère séduisant et la promesse de bonnes heures à passer ensemble. Peut-être aussi la classe à laquelle elles appartenaient et que je n'aurais pu préciser, était-elle à ce point de son évolution où, soit grâce à l'enrichissement et au loisir, soit grâce aux habitudes nouvelles de sport, répandues même dans certains milieux populaires, et d'une culture physique à laquelle ne s'est pas encore ajoutée celle de l'intelligence, un milieu social pareil aux écoles de sculpture harmonieuses et fécondes qui ne recherchent pas encore l'expression tourmentée, produit naturellement, et en abondance, de beaux corps aux belles jambes, aux belles hanches, aux visages sains et reposés, avec un air d'agilité et de ruse. Et n'était-ce pas de nobles et calmes modèles de beauté humaine que je voyais là, devant la mer, comme des statues exposées au soleil sur un rivage de la Grèce ?

Telles que si, du sein de leur bande qui progressait le long de la digue comme une lumineuse comète, elles eussent jugé que la foule environnante était composée d'êtres d'une autre trace et dont la souffrance même n'eût pu éveiller en elles un sentiment de solidarité, elles ne paraissaient pas la voir, forçaient les personnes arrêtées à s'écarter ainsi que sur le passage d'une machine qui eût été lâchée et dont il ne fallait pas attendre qu'elle évitât les piétons, et se contentaient tout au plus, si quelque vieux monsieur dont elles n'admettaient pas l'existence et dont elles repoussaient le contact s'était enfui avec des mouvements craintifs ou furieux, mais précipités et risibles, de se regarder entre elles en riant. Elles n'avaient à l'égard de ce qui n'était pas de leur groupe aucune affectation de mépris, leur mépris sincère suffisait. Mais elles ne pouvaient voir un obstacle sans s'amuser à le franchir en prenant leur élan ou à pieds joints, parce qu'elles étaient toutes remplies, exubérantes de cette jeunesse qu'on a si grand besoin de dépenser que, même quand on est triste ou souffrant, obéissant plus aux nécessités de l'âge qu'à l'humeur de la journée, on ne laisse jamais passer une occasion de saut ou de glissade sans s'y livrer consciencieusement, interrompant, semant sa marche lente — comme Chopin la phrase la plus mélancolique — de gracieux détours où le caprice se mêle à la virtuosité. La femme d'un vieux banquier, après avoir hésité pour son mari entre diverses expositions, l'avait assis, sur un pliant, face à la digue, abrité du vent et du soleil par le kiosque des musiciens. Le voyant bien installé, elle venait de le quitter pour aller lui acheter un journal qu'elle lui lirait et qui le distrairait, petites absences pendant lesquelles elle le laissait seul et qu'elle ne prolongeait jamais au delà de cinq minutes, ce qui lui semblait déjà bien long, mais qu'elle renouvelait assez fréquemment pour que le vieil époux à qui elle prodiguait à la fois et dissimulait ses soins, eût l'impression qu'il était encore en état de vivre comme tout le monde et n'avait nul besoin de protection. La tribune des musiciens formait au-dessus de lui un tremplin naturel et tentant sur lequel sans une hésitation l'aînée de la petite bande se mit à courir ; et elle sauta par-dessus le vieillard épouvanté, dont la casquette marine fut effleurée par les pieds agiles, au grand amusement des autres jeunes filles, surtout de deux yeux verts dans une figure poupine qui exprimèrent pour cet acte une admiration et une gaieté où je crus discerner un peu de timidité, d'une timidité honteuse et fanfaronne, qui n'existait pas chez les autres. « C' pauvre vieux, i m' fait d' la peine, il a l'air à moitié crevé », dit l'une de ces filles d'une voix rogommeuse et avec un accent à demi ironique. Elles firent quelques pas encore, puis s'arrêtèrent un moment au milieu du chemin sans s'occuper d'arrêter la circulation des passants, en un agrégat de forme irrégulière, compact, insolite et piaillant, comme un conciliabule d'oiseaux qui s'assemblent au moment de s'envoler ; puis elles reprirent leur lente promenade le long de la digue, au-dessus de la mer.

Maintenant, leurs traits charmants n'étaient plus indistincts et mêlés. Je les avais répartis et agglomérés (à défaut du nom de chacune, que j'ignorais) autour de la grande qui avait sauté par-dessus le vieux banquier ; de la petite qui détachait sur l'horizon de la mer ses joues bouffies et roses, ses yeux verts ; de celle au teint bruni, au nez droit, qui tranchait au milieu des autres ; d'une autre, au visage blanc comme un œuf dans lequel un petit nez faisait un arc de cercle comme un bec de poussin, visage comme en ont certains très jeunes gens ; d'une autre encore, grande, couverte d'une pèlerine (qui lui donnait un aspect si pauvre et démentait tellement sa tournure élégante que l'explication qui se présentait à l'esprit était que cette jeune fille devait avoir des parents assez brillants et plaçant leur amour-propre assez au-dessus des baigneurs de Balbec et de l'élégance vestimentaire de leurs propres enfants pour qu'il leur fût absolument égal de la laisser se promener sur la digue dans une tenue que de petites gens eussent jugée trop modeste) ; d'une fille aux yeux brillants, rieurs, aux grosses joues mates, sous un « polo » noir, enfoncé sur sa tête, qui poussait une bicyclette avec un dandinement de hanches si dégingandé, en employant des termes d'argot si voyous et criés si fort, quand je passai auprès d'elle (parmi lesquels je distinguai cependant la phrase fâcheuse de « vivre sa vie ») qu'abandonnant l'hypothèse que la pèle-

rine de sa camarade m'avait fait échafauder, je conclus
plutôt que toutes ces filles appartenaient à la population
qui fréquente les vélodromes, et devaient être les très
jeunes maîtresses de coureurs cyclistes. En tout cas,
dans aucune de mes suppositions, ne figurait celle qu'elles
eussent pu être vertueuses. A première vue — dans la
manière dont elles se regardaient en riant, dans le regard
insistant de celle aux joues mates — j'avais compris qu'elle
ne l'étaient pas. D'ailleurs, ma grand'mère avait toujours
veillé sur moi avec une délicatesse trop timorée pour que
je ne crusse pas que l'ensemble des choses qu'on ne doit
pas faire est indivisible et que des jeunes filles qui man-
quent de respect à la vieillesse fussent tout d'un coup
arrêtées par des scrupules quand il s'agit de plaisirs plus
tentateurs que de sauter par-dessus un octogénaire.

Individualisées maintenant, pourtant la réplique que
se donnaient les uns aux autres leurs regards animés de
suffisance et d'esprit de camaraderie et dans lesquels se
rallumaient d'instant en instant tantôt l'intérêt, tantôt
l'insolente indifférence dont brillait chacune, selon qu'il
s'agissait de ses amies ou des passants, cette conscience
aussi de se connaître entre elles assez intimement pour
se promener toujours ensemble, en faisant « bande à
part », mettaient entre leurs corps indépendants et séparés,
tandis qu'ils s'avançaient lentement, une liaison invisible, mais harmonieuse comme une même ombre
chaude, une même atmosphère, faisant d'eux un tout
aussi homogène en ses parties qu'il était différent de
la foule au milieu de laquelle se déroulait lentement leur
cortège.

Un instant, tandis que je passais à côté de la brune
aux grosses joues qui poussait une bicyclette, je croisai
ses regards obliques et rieurs, dirigés du fond de ce
monde inhumain qui enfermait la vie de cette petite
tribu, inaccessible inconnu où l'idée de ce que j'étais
ne pouvait certainement ni parvenir ni trouver place.

Tout occupée à ce que disaient ses camarades, cette jeune fille coiffée d'un polo qui descendait très bas sur son front, m'avait-elle vu au moment où le rayon noir émané de ses yeux m'avait rencontré ? Si elle m'avait vu, qu'avais-je pu lui représenter ? Du sein de quel univers me distinguait-elle ? Il m'eût été aussi difficile de le dire que, lorsque certaines particularités nous apparaissent grâce au télescope, dans un astre voisin, il est malaisé de conclure d'elles que des humains y habitent, qu'ils nous voient, et quelles idées cette vue a pu éveiller en eux.

Si nous pensions que les yeux d'une telle fille ne sont qu'une brillante rondelle de mica, nous ne serions pas avides de connaître et d'unir à nous sa vie. Mais nous sentons que ce qui luit dans ce disque réfléchissant n'est pas dû uniquement à sa composition matérielle ; que ce sont, inconnues de nous, les noires ombres des idées que cet être se fait, relativement aux gens et aux lieux qu'il connaît — pelouses des hippodromes, sable des chemins où, pédalant à travers champs et bois, m'eût entraîné cette petite péri, plus séduisante pour moi que celle du paradis persan — les ombres aussi de la maison où elle va rentrer, des projets qu'elle forme ou qu'on a formés pour elle ; et surtout que c'est elle, avec ses désirs, ses sympathies, ses répulsions, son obscure et incessante volonté. Je savais que je ne posséderais pas cette jeune cycliste, si je ne possédais aussi ce qu'il y avait dans ses yeux. Et c'était par conséquent toute sa vie qui m'inspirait du désir ; désir douloureux, parce que je le sentais irréalisable, mais enivrant, parce que ce qui avait été jusque-là ma vie ayant brusquement cessé d'être ma vie totale, n'étant plus qu'une petite partie de l'espace étendu devant moi que je brûlais de couvrir, et qui était fait de la vie de ces jeunes filles, m'offrait ce prolongement, cette multiplication possible de soi-même, qui est le bonheur. Et, sans doute, qu'il n'y eût entre nous aucune habitude — comme aucune idée — communes, devait me rendre plus difficile de me lier avec elles et de leur plaire. Mais peut-être aussi c'était grâce à ces différences, à la conscience qu'il n'entrait pas, dans la composition de la nature et des actions de ces filles, un seul élément que je connusse ou possédasse, que venait en moi de succéder à la satiété, la soif — pareille à celle dont brûle une terre altérée — d'une vie que mon âme, parce qu'elle n'en avait jamais reçu jusqu'ici une seule goutte, absorberait d'autant plus avidement, à longs traits, dans uue plus parfaite imbibition.

J'avais tant regardé cette cycliste aux yeux brillants qu'elle parut s'en apercevoir et dit à la plus grande un mot que je n'entendis pas, mais qui fit rire celle-ci. A vrai dire, cette brune n'était pas celle qui me plaisait le plus, justement parce qu'elle était brune et que, depuis le jour où dans le petit raidillon de Tansonville, j'avais vu Gilberte, une jeune fille rousse à la peau dorée était restée pour moi l'idéal inaccessible. Mais Gilberte elle-même, ne l'avais-je pas aimée surtout parce qu'elle m'était apparue nimbée par cette auréole d'être l'amie de Bergotte, d'aller visiter avec lui les cathédrales ? Et de la même façon ne pouvais-je me réjouir d'avoir vu cette brune me regarder (ce qui me faisait espérer qu'il me serait plus facile d'entrer en relations avec elle d'abord), car elle me présenterait à l'impitoyable qui avait sauté par-dessus le vieillard, à la cruelle qui avait dit : « Il me fait de la peine, ce pauvre vieux », à toutes successivement, desquelles elle avait d'ailleurs le prestige d'être l'inséparable compagne. Et cependant la supposition que je pourrais un jour être l'ami de telle ou telle de ces jeunes filles, que ces yeux, dont les regards inconnus me frappaient parfois en jouant sur moi sans le savoir comme un effet de soleil sur un mur, pourraient jamais par une alchimie miraculeuse laisser transpénétrer entre leurs parcelles ineffables l'idée de mon existence, quelque

amitié pour ma personne, que moi-même je pourrais un
jour prendre place entre elles, dans la théorie qu'elles
déroulaient le long de la mer, — cette supposition me
paraissait enfermer en elle une contradiction, aussi
insoluble que si, devant quelque frise attique ou quelque
fresque figurant un cortège, j'avais cru possible, moi
spectateur, de prendre place, aimé d'elles, entre les
divines processionnaires.

Le bonheur de connaître ces jeunes filles était-il donc
irréalisable ? Certes, ce n'eût pas été le premier de ce
genre auquel j'eusse renoncé. Je n'avais qu'à me rappeler tant d'inconnues que, même à Balbec, la voiture
s'éloignant à toute vitesse m'avait fait à jamais abandonner. Et même le plaisir que me donnait la petite
bande, noble comme si elle était composée de vierges
helléniques, venait de ce qu'elle avait quelque chose de
la fuite des passantes sur la route. Cette fugacité des
êtres qui ne sont pas connus de nous, qui nous forcent
à démarrer de la vie habituelle où les femmes que nous
fréquentons finissent pas dévoiler leurs tares, nous met
dans cet état de poursuite où rien n'arrête plus l'imagination. Or dépouiller d'elle nos plaisirs, c'est les réduire
à eux-mêmes, à rien. Offertes chez une de ces entremet-
teuses que, par ailleurs, on a vu que je ne méprisais pas,
retirées de l'élément qui leur donnait tant de nuances
et de vague, ces jeunes filles m'eussent moins enchanté.
Il faut que l'imagination, éveillée par l'incertitude de
pouvoir atteindre son objet, crée un but qui nous cache
l'autre et, en substituant au plaisir sensuel l'idée de
pénétrer dans une vie, nous empêche de reconnaître ce
plaisir, d'éprouver son goût véritable, de le restreindre
à sa portée. Il faut qu'entre nous et le poisson qui, si
nous le voyions pour la première fois servi sur une table,
ne paraîtrait pas valoir les milles ruses et détours nécessaires pour nous emparer de lui, s'interpose, pendant
les après-midi de pêche, le remous à la surface duquel

viennent affleurer, sans que nous sachions bien ce que nous voulons en faire, le poli d'une chair, l'indécision d'une forme, dans la fluidité d'un transparent et mobile azur.

Ces jeunes filles bénéficiaient aussi de ce changement des proportions sociales, caractéristique de la vie de bains de mer. Tous les avantages qui dans notre milieu habituel nous prolongent, nous agrandissent, se trouvent là devenus invisibles, en fait supprimés ; en revanche, les êtres à qui on suppose indûment de tels avantages, ne s'avancent qu'amplifiés d'une étendue postiche. Elle rendait plus aisé que des inconnues, et ce jour-là ces jeunes filles, prissent à mes yeux une importance énorme, et impossible de leur faire connaître celle que je pouvais avoir.

Mais si la promenade de la petite bande avait pour elle de n'être qu'un extrait de la fuite innombrable de passantes, laquelle m'avait toujours troublé, cette fuite était ici ramenée à un mouvement tellement lent qu'il se rapprochait de l'immobilité. Or, précisément, que dans une phase aussi peu rapide, les visages, non plus emportés dans un tourbillon, mais calmes et distincts, me parussent encore beaux, cela m'empêchait de croire, comme je l'avais fait si souvent quand m'emportait la voiture de Mᵐᵉ de Villeparisis, que, de plus près, si je me fusse arrêté un instant, tels détails, une peau grêlée, un défaut dans les ailes du nez, un regard banal, la grimace du sourire, une vilaine taille, eussent remplacé dans le visage et dans le corps de la femme ceux que j'avais sans doute imaginés ; car il avait suffi d'une jolie ligne de corps, d'un teint frais entrevu, pour que de très bonne foi j'y eusse ajouté quelque ravissante épaule, quelque regard délicieux dont je portais toujours en moi le souvenir ou l'idée préconçue, ces déchiffrages rapides d'un être qu'on voit à la volée nous exposant ainsi aux mêmes erreurs que ces lectures trop rapides où, sur une seule syllabe et sans prendre le temps d'identifier les autres, on met à la place du mot qui est écrit, un tout différent que nous fournit notre mémoire. Il ne pouvait en être ainsi maintenant. J'avais bien regardé leurs visages ; chacun d'eux, je l'avais vu, non pas dans tous ses profils, et rarement de face, mais tout de même selon deux ou trois aspects assez différents pour que je pusse faire soit la rectification, soit la vérification et la « preuve » des différentes suppositions de lignes et de couleurs que hasarde la première vue, et pour voir subsister en eux, à travers les expressions successives, quelque chose d'inaltérablement matériel. Aussi, je pouvais me dire avec certitude que, ni à Paris, ni à Balbec, dans les hypothèses les plus favorables de ce qu'auraient pu être, même si j'avais pu rester à causer avec elles, les passantes qui avaient arrêté mes yeux, il n'y en avait jamais eu dont l'apparition, puis la disparition sans que je les eusse connues, m'eussent laissé plus de regrets que ne feraient celles-ci, m'eussent donné l'idée que leur amitié pût être une telle ivresse. Ni parmi les actrices, ou les paysannes, ou les demoiselles de pensionnat religieux, je n'avais rien vu d'aussi beau, imprégné d'autant d'inconnu, aussi inestimablement précieux, aussi vraisemblablement inaccessible. Elles étaient, du bonheur inconnu et possible de la vie, un exemplaire si délicieux et en si parfait état, que c'était presque pour des raisons intellectuelles que j'étais désespéré de ne pas pouvoir faire dans des conditions uniques, ne laissant aucune place à l'erreur possible, l'expérience de ce que nous offre de plus mystérieux la beauté qu'on désire, et qu'on se console de ne posséder jamais en demandant du plaisir — comme Swann avait toujours refusé de faire, avant Odette — à des femmes qu'on n'a pas désirées, si bien qu'on meurt sans avoir jamais su ce qu'était cet autre plaisir. Sans doute, il se pouvait qu'il ne fût pas en réalité un plaisir inconnu, que de près son mystère se dissipât, qu'il ne fût qu'une projection, qu'un mirage du désir. Mais, dans ce cas, je ne pourrais m'en prendre qu'à la nécessité d'une loi de la nature — qui, si elle s'appliquait à ces jeunes filles-ci, s'appliquerait à toutes — et non à la défectuosité de l'objet. Car il était celui que j'eusse choisi entre tous, me rendant bien compte, avec une satisfaction de botaniste, qu'il n'était pas possible de trouver réunies des espèces plus rares que celles de ces jeunes fleurs qui interrompaient en ce moment devant moi la ligne du flot de leur haie légère, pareille à un bosquet de roses de Pennsylvanie, ornement d'un jardin sur la falaise, entre lesquelles tient tout le trajet de l'océan parcouru par quelque steamer, si lent à glisser sur le trait horizontal et bleu qui va d'une tige à l'autre, qu'un papillon paresseux, attardé au fond de la corolle que la coque du navire a depuis longtemps dépassée, peut pour s'envoler en étant sûr d'arriver avant le vaisseau, attendre que rien qu'une seule parcelle azurée sépare encore la proue de celui-ci du premier pétale de la fleur vers laquelle il navigue.

Je rentrai parce que je devais aller dîner à Rivebelle avec Robert et que ma grand'mère exigeait qu'avant de partir je m'étendisse ces soirs-là pendant une heure sur mon lit, sieste que le médecin de Balbec m'ordonna bientôt d'étendre à tous les autres soirs.

D'ailleurs, il n'y avait même pas besoin pour rentrer de quitter la digue et de pénétrer dans l'hôtel par le hall, c'est-à-dire par derrière. En vertu d'une avance comparable à celle du samedi où à Combray on déjeunait une heure plus tôt, maintenant avec le plein de l'été les jours étaient devenus si longs que le soleil était encore haut dans le ciel, comme à une heure de goûter, quand on mettait le couvert pour le dîner au Grand-Hôtel de Balbec. Aussi les grandes fenêtres vitrées et à coulisses restaient-elles ouvertes de plain-pied avec la digue. Je n'avais qu'à enjamber un mince cadre de bois pour me

trouver dans la salle à manger que je quittais aussitôt
pour prendre l'ascenseur.

En passant devant le bureau j'adressai un sourire au
directeur, et sans l'ombre de dégoût, en recueillis un
dans sa figure que, depuis que j'étais à Balbec, mon
attention compréhensive injectait et transformait peu à
peu comme une préparation d'histoire naturelle. Ses
traits m'étaient devenus courants, chargés d'un sens
médiocre, mais intelligible comme une écriture qu'on
lit et ne ressemblaient plus en rien à ces caractères
bizarres, intolérables que son visage m'avait présentés
ce premier jour où j'avais vu devant moi un personnage
maintenant oublié ou, si je parvenais à l'évoquer, méconnaissable, difficile à identifier avec la personnalité insignifiante et polie dont il n'était que la caricature, hideuse
et sommaire. Sans la timidité ni la tristesse du soir de
mon arrivée, je sonnai le lift qui ne restait plus silencieux
pendant que je m'élevais à côté de lui dans l'ascenseur,
comme dans une cage thoracique mobile qui se fût dépla-
cée le long de la colonne montante, mais me répétait :
« Il y a plus autant de monde comme il y a un mois.
On va commencer à s'en aller, les jours baissent. » Il
disait cela, non que ce fût vrai, mais parce qu'ayant un
engagement pour une partie plus chaude de la côte, il
aurait voulu que nous partissions tous le plus tôt possible
afin que l'hôtel fermât et qu'il eût quelques jours à lui,
avant de « rentrer » dans sa nouvelle place. « Rentrer »
et « nouvelle » n'étaient du reste pas des expressions
contradictoires, car pour le lift « rentrer » était la forme
usuelle du verbe « entrer ». La seule chose qui m'étonnât
était qu'il condescendît à dire « place », car il appartenait à ce prolétariat moderne qui désire effacer dans le
langage la trace du régime de la domesticité. Du reste,
au bout d'un instant, il m'apprit que dans la « situation »
où il allait « rentrer », il aurait une plus jolie « tunique »
et un meilleur « traitement » ; les mots « livrée » et « gages »

lui paraissaient désuets et inconvenants. Et comme, par
une contradiction absurde, le vocabulaire a, malgré tout,
chez les « patrons », survécu à la conception de l'inégalité,
je comprenais toujours mal ce que me disait le lift. Ainsi
la seule chose qui m'intéressât était de savoir si ma grand'-
mère était à l'hôtel. Or, prévenant mes questions, le lift
me disait : « Cette dame vient de sortir de chez vous. »
J'y étais toujours pris, je croyais que c'était ma grand'-
mère. « Non, cette dame qui est je crois employée chez
vous. » Comme, dans l'ancien langage bourgeois qui
devrait bien être aboli, une cuisinière ne s'appelle pas une
employée, je pensais un instant : « Mais il se trompe,
nous ne possédons ni usine, ni employés. » Tout d'un
coup, je me rappelais que le nom d'employé est, comme
le port de la moustache pour les garçons de café, une
satisfaction d'amour-propre donnée aux domestiques
et que cette dame qui venait de sortir était Françoise
(probablement en visite à la caféterie ou en train de
regarder coudre la femme de chambre de la dame belge),
satisfaction qui ne suffisait pas encore au lift, car il
disait volontiers en s'apitoyant sur sa propre classe
« chez l'ouvrier » ou « chez le petit », se servant du même
singulier que Racine quand il dit : « le pauvre... ». Mais
d'habitude, car mon zèle et ma timidité du premier jour
étaient loin, je ne parlais plus au lift. C'était lui maintenant qui restait sans recevoir de réponses dans la courte
traversée dont il filait les nœuds à travers l'hôtel, évidé
comme un jouet et qui déployait autour de nous, étage par
étage, ses ramifications de couloirs dans les profondeurs
desquels la lumière se veloutait, se dégradait, amincissait les
portes de communication ou les degrés des escaliers intérieurs qu'elle convertissait en cet ambre doré, inconsistante et mystérieuse comme un crépuscule, où Rembrandt
découpe tantôt l'appui d'une fenêtre ou la manivelle d'un
puits. Et à chaque étage une lueur d'or reflétée sur le tapis
annonçait le coucher du soleil et la fenêtre des cabinets.

Je me demandais si les jeunes filles que je venais de voir habitaient Balbec et qui elles pouvaient être. Quand le désir est ainsi orienté vers une petite tribu humaine qu'il sélectionne, tout ce qui peut se rattacher à elle devient motif d'émotion, puis de rêverie. J'avais entendu une dame dire sur la digue : « C'est une amie de la petite Simonet » avec l'air de précision avantageuse de quelqu'un qui explique : « C'est le camarade inséparable du petit La Rochefoucauld. » Et aussitôt on avait senti sur la figure de la personne à qui on apprenait cela une curiosité de mieux regarder la personne favorisée qui était « amie de la petite Simonet ». Un privilège assurément qui ne paraissait pas donné à tout le monde. Car l'aristocratie est une chose relative. Et il y a des petits trous pas chers où le fils d'un marchand de meubles est prince des élégances et règne sur une cour comme un jeune prince de Galles. J'ai souvent cherché depuis à me rappeler comment avait résonné pour moi sur la plage ce nom de Simonet, encore incertain alors dans sa forme que j'avais mal distinguée, et aussi quant à sa signification, à la désignation par lui de telle personne ou peut-être de telle autre ; en somme, empreint de ce vague et de cette nouveauté si émouvants pour nous dans la suite, quand ce nom, dont les lettres sont à chaque seconde plus profondément gravées en nous par notre attention incessante, est devenu (ce qui ne devait arriver pour moi, à l'égard de la petite Simonet, que quelques années plus tard) le premier vocable que nous retrouvions (soit au moment du réveil, soit après un évanouissement), même avant la notion de l'heure qu'il est, du lieu où nous sommes, presque avant le mot « je », comme si l'être qu'il nomme était plus nous que nous-même, et si, après quelques moments d'inconscience, la trêve qui expire avant toute autre était celle pendant laquelle on ne pensait pas à lui. Je ne sais pourquoi je me dis dès le premier jour que le nom de Simonet devait être celui d'une des jeunes filles ; je ne cessai plus de me demander comment je pourrais connaître la famille Simonet ; et cela par des gens qu'elle jugeât supérieurs à elle-même, ce qui ne devait pas être difficile si ce n'étaient que de petites grues du peuple, pour qu'elle ne pût avoir une idée dédaigneuse de moi. Car on ne peut avoir de connaissance parfaite, on ne peut pratiquer l'absorption complète de qui vous dédaigne, tant qu'on n'a pas vaincu ce dédain. Or, chaque fois que l'image de femmes si différentes pénètre en nous, à moins que l'oubli ou la concurrence d'autres images ne l'élimine, nous n'avons de repos que nous n'ayons converti ces étrangères en quelque chose qui soit pareil à nous, notre âme étant à cet égard douée du même genre de réaction et d'activité que notre organisme physique, lequel ne peut tolérer l'immixtion dans son sein d'un corps étranger sans qu'il s'exerce aussitôt à digérer et assimiler l'intrus. La petite Simonet devait être la plus jolie de toutes — celle, d'ailleurs, qui, me semblait-il, aurait pu devenir ma maîtresse, car elle était la seule qui à deux ou trois reprises, détournant à demi la tête, avait paru prendre conscience de mon fixe regard. Je demandai au lift s'il ne connaissait pas à Balbec des Simonet. N'aimant pas à dire qu'il ignorait quelque chose il répondit qu'il lui semblait avoir entendu causer de ce nom-là. Arrivé au dernier étage, je le priai de me faire apporter les dernières listes d'étrangers.

Je sortis de l'ascenseur, mais au lieu d'aller vers ma chambre je m'engageai plus avant dans le couloir, car à cette heure-là le valet de chambre de l'étage, quoiqu'il craignît les courants d'air, avait ouvert le fenêtre du bout, laquelle regardait, au lieu de la mer, le côté de la colline et de la vallée, mais ne les laissait jamais voir, car ses vitres, d'un verre opaque, étaient le plus souvent fermées. Je m'arrêtai devant elle en une courte station et le temps de faire mes dévotions à la « vue » que pour une fois elle découvrait au delà de la colline à laquelle était adossé l'hôtel et qui ne contenait qu'une maison posée à quelque distance, mais à laquelle la perspective et la lumière du soir en lui conservant son volume donnaient une ciselure précieuse et un écrin de velours, comme à une de ces architectures en miniature, petit temple ou petite chapelle d'orfèvrerie et d'émaux qui servent de reliquaires et qu'on n'expose qu'à de rares jours à la vénération des fidèles. Mais cet instant d'adoration avait déjà trop duré, car le valet de chambre qui tenait d'une main un trousseau de clefs et de l'autre me saluait en touchant sa calotte de sacristain, mais sans la soulever à cause de l'air pur et frais du soir, venait refermer comme ceux d'une châsse les deux battants de la croisée et dérobait à mon adoration le monument réduit et la relique d'or.

J'entrai dans ma chambre. Au fur et à mesure que la saison s'avança, changea le tableau que j'y trouvais dans la fenêtre. D'abord il faisait grand jour, et sombre seulement s'il faisait mauvais temps ; alors, dans le verre glauque et qu'elle boursouflait de ses vagues rondes, la mer, sertie entre les montants de fer de ma croisée comme dans les plombs d'un vitrail, effilochait sur toute la profonde bordure rocheuse de la baie des triangles empennés d'une immobile écume linéamentée avec la délicatesse d'une plume ou d'un duvet dessinés par Pisanello, et fixés par cet émail blanc, inaltérable et crémeux qui figure une couche de neige dans les verreries de Gallé.

Bientôt les jours diminuèrent et au moment où j'entrais dans la chambre, le ciel violet, semblant stigmatisé par la figure raide, géométrique, passagère et fulgurante du soleil (pareille à la représentation de quelque signe miraculeux, de quelque apparition mystique), s'inclinait vers la mer sur la charnière de l'horizon comme un tableau religieux au-dessus du maître-autel, tandis que les parties différentes du couchant, exposées dans les glaces des bibliothèques basses en acajou qui couraient le long des

murs et que je rapportais par la pensée à la merveilleuse
peinture dont elles étaient détachées, semblaient comme
ces scènes différentes que quelque maître ancien exécuta
jadis pour une confrérie sur une châsse et dont on exhibe
à côté les uns des autres dans une salle de musée les
volets séparés que l'imagination seule du visiteur remet
à leur place sur les prédelles du retable.

Quelques semaines plus tard, quand je remontais, le
soleil était déjà couché. Pareille à celle que je voyais à
Combray au-dessus du Calvaire quand je rentrais de
promenade et m'apprêtais à descendre avant le dîner
à la cuisine, une bande de ciel rouge au-dessus de la mer,
compacte et coupante comme de la gelée de viande, puis
bientôt, sur la mer déjà froide et bleue comme le poisson
appelé mulet, le ciel du même rose qu'un de ces saumons
que nous nous ferions servir tout à l'heure à Rivebelle,
ravivaient le plaisir que j'allais avoir à me mettre en habit
pour partir dîner. Sur la mer, tout près du rivage,
essayaient de s'élever, les unes par-dessus les autres, à
étages de plus en plus larges, des vapeurs d'un noir de
suie mais aussi d'un poli, d'une consistance d'agate,
d'une pesanteur visible, si bien que les plus élevées
penchant au-dessus de la tige déformée et jusqu'en
dehors du centre de gravité de celles qui les avaient
soutenues jusqu'ici, semblaient sur le point d'entraîner
cet échafaudage déjà à demi-hauteur du ciel et de le
précipiter dans la mer. La vue d'un vaisseau qui s'éloignait comme un voyageur de nuit me donnait cette
même impression que j'avais eue en wagon, d'être affran-
chi des nécessités du sommeil et de la claustration dans
une chambre. D'ailleurs je ne me sentais pas emprisonné
dans celle où j'étais, puisque dans une heure j'allais la
quitter pour monter en voiture. Je me jetais sur mon lit ;
et, comme si j'avais été sur la couchette d'un des bateaux
que je voyais assez près de moi et que la nuit on s'étonnerait de voir se déplacer lentement dans l'obscurité,

comme des cygnes assombris et silencieux mais qui ne
dorment pas, j'étais de tous côtés entouré des images
de la mer.

Mais bien souvent ce n'était, en effet, que des images ;
j'oubliais que sous leur couleur se creusait le triste
vide de la plage, parcouru par le vent inquiet du soir
que j'avais si anxieusement ressenti à mon arrivée à
Balbec ; d'ailleurs, même dans ma chambre, tout occupé
des jeunes filles que j'avais vues passer, je n'étais plus
dans des dispositions assez calmes ni assez désintéressées
pour que pussent se produire en moi des impressions
vraiment profondes de beauté. L'attente du dîner à
Rivebelle rendait mon humeur plus frivole encore et
ma pensée, habitant à ces moments-là la surface de mon
corps que j'allais habiller pour tâcher de paraître le plus
plaisant possible aux regards féminins qui me dévisa-
geraient dans le restaurant illuminé, était incapable de
mettre de la profondeur derrière la couleur des choses.
Et si, sous ma fenêtre, le vol inlassable et doux des
martinets et des hirondelles n'avait pas monté comme un
jet d'eau, comme un feu d'artifice de vie, unissant l'intervalle de ses hautes fusées par la filée immobile et blanche
de longs sillages horizontaux, sans le miracle charmant
de ce phénomène naturel et local qui rattachait à la
réalité les paysages que j'avais devant les yeux, j'aurais
pu croire qu'ils n'étaient qu'un choix, chaque jour renouvelé, de peintures qu'on montrait arbitrairement dans
l'endroit où je me trouvais et sans qu'elles eussent de
rapport nécessaire avec lui. Une fois c'était une exposition d'estampes japonaises : à côté de la mince découpure
du soleil rouge et rond comme la lune, un nuage jaune
paraissait un lac contre lequel des glaives noirs se pro-
filaient ainsi que les arbres de sa rive, une barre d'un
rose tendre que je n'avais jamais revu depuis ma première
boîte de couleurs s'enflait comme un fleuve sur les deux
rives duquel des bateaux semblaient attendre à sec qu'on

vînt les tirer pour les mettre à flot. Et avec le regard dédaigneux, ennuyé et frivole d'un amateur ou d'une femme
parcourant, entre deux visites mondaines, une galerie,
je me disais : « C'est curieux, ce coucher de soleil, c'est
différent, mais enfin j'en ai déjà vu d'aussi délicats,
d'aussi étonnants que celui-ci. » J'avais plus de plaisir
les soirs où un navire absorbé et fluidifié par l'horizon
apparaissait tellement de la même couleur que lui, ainsi
que dans une toile impressionniste, qu'il semblait
aussi de la même matière, comme si on n'eût fait que
découper sa coque et les cordages en lesquels elle s'était
amincie et filigranée, dans le bleu vaporeux du ciel.
Parfois l'océan emplissait presque toute ma fenêtre,
surélevée qu'elle était par une bande de ciel bordée en
haut seulement d'une ligne qui était du même bleu que
celui de la mer, mais qu'à cause de cela je croyais être la
mer encore et ne devant sa couleur différente qu'à un
effet d'éclairage. Un autre jour, la mer n'était peinte que
dans la partie basse de la fenêtre dont tout le reste était
rempli de tant de nuages poussés les uns contre les autres
par bandes horizontales, que les carreaux avaient l'air,
par une préméditation ou une spécialité de l'artiste,
de présenter une « étude de nuages », cependant que
les différentes vitrines de la bibliothèque montrant des
nuages semblables mais dans une autre partie de l'horizon et diversement colorés par la lumière, paraissaient
offrir comme la répétition, chère à certains maîtres
contemporains, d'un seul et même effet, pris toujours à
des heures différentes, mais qui maintenant avec l'immobilité de l'art pouvaient être tous vus ensemble dans une
même pièce, exécutés au pastel et mis sous verre. Et
parfois, sur le ciel et la mer uniformément gris, un peu
de rose s'ajoutait avec un raffinement exquis, cependant
qu'un petit papillon qui s'était endormi au bas de la
fenêtre semblait apposer avec ses ailes, au bas de cette
« harmonie gris et rose » dans le goût de celles de Whistler,

la signature favorite du maître de Chelsea. Le rose même disparaissait, il n'y avait plus rien à regarder. Je me mettais debout un instant et, avant de m'étendre de nouveau, je fermais les grands rideaux. Au-dessus d'eux, je voyais de mon lit la raie de clarté qui y restait encore, s'assombrissant, s'amincissant progressivement, mais c'est sans m'attrister et sans lui donner de regret que je laissais ainsi mourir au haut des rideaux l'heure où d'habitude j'étais à table, car je savais que ce jour-ci était d'une autre sorte que les autres, plus long comme ceux du pôle que la nuit interrompt seulement quelques minutes ; je savais que de la chrysalide de ce crépuscule se préparait à sortir, par une radieuse métamorphose, la lumière éclatante du restaurant de Rivebelle. Je me disais : « Il est temps » ; je m'étirais sur le lit, je me levais, j'achevais ma toilette ; et je trouvais du charme à ces instants inutiles, allégés de tout fardeau matériel où, tandis qu'en bas les autres dînaient, je n'employais les forces accumulées pendant l'inactivité de cette fin de journée qu'à sécher mon corps, à passer un smoking, à attacher ma cravate, à faire tous ces gestes que guidait déjà le plaisir attendu de revoir telle femme que j'avais remarquée la dernière fois à Rivebelle, qui avait paru me regarder, n'était peut-être sortie un instant de table que dans l'espoir que je la suivrais ; c'est avec joie que j'ajoutais à moi tous ces appâts pour me donner entier et dispos à une vie nouvelle, libre, sans souci, où j'appuierais mes hésitations au calme de Saint-Loup et choisirais, entre les espèces de l'histoire naturelle et les provenances de tous les pays, celles qui, composant les plats inusités aussitôt commandés par mon ami, auraient tenté ma gourmandise ou mon imagination.

Et tout à la fin les jours vinrent où je ne pouvais plus rentrer de la digue par la salle à manger : ses vitres n'étaient plus ouvertes, car il faisait nuit dehors, et l'essaim des pauvres et des curieux attirés par le flam-

boiement qu'ils ne pouvaient atteindre pendait, en noires
grappes morfondues par la bise, aux parois lumineuses
et glissantes de la ruche de verre.

On frappa ; c'était Aimé qui avait tenu à m'apporter
lui-même les dernières listes d'étrangers.

Aimé, avant de se retirer, tint à me dire que Dreyfus
était mille fois coupable. « On saura tout, me dit-il, pas
cette année, mais l'année prochaine : c'est un monsieur
très lié dans l'état-major qui me l'a dit. » Je lui demandais
si on ne se déciderait pas à tout découvrir tout de suite
avant la fin de l'année. « Il a posé sa cigarette », continua
Aimé en mimant la scène et en secouant la tête et l'index
comme avait fait son client, voulant dire : il ne faut pas
être trop exigeant. « Pas cette année, Aimé, qu'il m'a dit
en me touchant l'épaule, ce n'est pas possible. Mais à
Pâques, oui ! » Et Aimé me frappa légèrement sur l'épaule
en me disant : « Vous voyez, je vous montre exactement
comme il a fait », soit qu'il fût flatté de cette familiarité
d'un grand personnage, soit pour que je pusse mieux
apprécier en pleine connaissance de cause la valeur de
l'argument et nos raisons d'espérer.

Ce ne fut pas sans un léger choc au cœur qu'à la
première page de la liste des étrangers, j'aperçus les mots :
« Simonet et famille. » J'avais en moi de vieilles rêveries
qui dataient de mon enfance et où toute la tendresse qui
était dans mon cœur mais qui, éprouvée par lui, ne s'en
distinguait pas, m'était apportée par un être aussi différent que possible de moi. Cet être, une fois de plus je le
fabriquais, en utilisant pour cela le nom de Simonet et le
souvenir de l'harmonie qui régnait entre les jeunes corps
que j'avais vus se déployer sur la plage en une proces-
sion sportive digne de l'antique et de Giotto. Je ne savais
pas laquelle de ces jeunes filles était Mlle Simonet, si
aucune d'elles s'appelait ainsi, mais je savais que j'étais
aimé de Mlle Simonet et que j'allais grâce à Saint-Loup
essayer de la connaître. Malheureusement n'ayant obtenu

qu'à cette condition une prolongation de congé, il était
obligé de retourner tous les jours à Doncières ; mais,
pour le faire manquer à ses obligations militaires, j'avais
cru pouvoir compter, plus encore que sur son amitié
pour moi, sur cette même curiosité de naturaliste humain
que si souvent — même sans avoir vu la personne dont on
parlait et rien qu'à entendre dire qu'il y avait une jolie
caissière chez un fruitier — j'avais eue de faire connaissance avec une nouvelle variété de la beauté féminine.
Or, cette curiosité, c'est à tort que j'avais espéré l'exciter
chez Saint-Loup en lui parlant de mes jeunes filles. Car
elle était pour longtemps paralysée en lui par l'amour qu'il
avait pour cette actrice dont il était l'amant. Et même
l'eût-il légèrement ressentie qu'il l'eût réprimée, à cause
d'une sorte de croyance superstitieuse que de sa propre
fidélité pouvait dépendre celle de sa maîtresse. Aussi
fût-ce sans qu'il m'eût promis de s'occuper activement
de mes jeunes filles que nous partîmes dîner à Rivebelle.

Les premiers temps, quand nous y arrivions, le soleil
venait de se coucher, mais il faisait encore clair ; dans le
jardin du restaurant dont les lumières n'étaient pas encore
allumées, la chaleur du jour tombait, se déposait, comme
au fond d'un vase le long des parois duquel la gelée
transparente et sombre de l'air semblait si consistante
qu'un grand rosier, appliqué au mur obscurci qu'il
veinait de rose, avait l'air de l'arborisation qu'on voit
au fond d'une pierre d'onyx. Bientôt, ce ne fut qu'à la
nuit que nous descendions de voiture, souvent même
que nous partions de Balbec si le temps était mauvais et
que nous eussions retardé le moment de faire atteler,
dans l'espoir d'une accalmie. Mais ces jours-là, c'est
sans tristesse que j'entendais le vent souffler, je savais
qu'il ne signifiait pas l'abandon de mes projets, la réclu-
sion dans une chambre, je savais que, dans la grande salle
à manger du restaurant où nous entrerions au son de la
musique des tziganes, les innombrables lampes triomphe-

raient aisément de l'obscurité et du froid en leur appliquant leurs larges cautères d'or, et je montais gaiement
à côté de Saint-Loup dans le coupé qui nous attendait
sous l'averse.

Depuis quelque temps, les paroles de Bergotte se
disant convaincu que, malgré ce que je prétendais,
j'étais fait pour goûter surtout les plaisirs de l'intelligence,
m'avaient rendu, au sujet de ce que je pourrais faire
plus tard, une espérance que décevait chaque jour l'ennui
que j'éprouvais à me mettre devant une table à commencer une étude critique ou un roman. « Après tout, me
disais-je, peut-être le plaisir qu'on a eu à l'écrire n'est-il
pas le critérium infaillible de la valeur d'une belle page ;
peut-être n'est-il qu'un état accessoire qui s'y surajoute
souvent, mais dont le défaut ne peut préjuger contre
elle. Peut-être certains chefs-d'œuvre ont-ils été composés
en bâillant. » Ma grand'mère apaisait mes doutes en me
disant que je travaillerais bien et avec joie si je me
portais bien. Et, notre médecin ayant trouvé plus prudent
de m'avertir des graves risques auxquels pouvait m'exposer mon état de santé, et m'ayant tracé toutes les précautions d'hygiène à suivre pour éviter un accident, je
subordonnais tous les plaisirs au but, que je jugeais
infiniment plus important qu'eux, de devenir assez fort
pour pouvoir réaliser l'œuvre que je portais peut-être
en moi, j'exerçais sur moi-même, depuis que j'étais à
Balbec, un contrôle minutieux et constant. On n'aurait
pu me faire toucher à la tasse de café qui m'eût privé
du sommeil de la nuit, nécessaire pour ne pas être fatigué
le lendemain. Mais quand nous arrivions à Rivebelle,
aussitôt, — à cause de l'excitation d'un plaisir nouveau,
et me trouvant dans cette zone différente où l'exceptionnel nous fait entrer après avoir coupé le fil, patiemment
tissé depuis tant de jours, qui nous conduisait vers la
sagesse — comme s'il ne devait plus jamais y avoir de
lendemain, ni de fins élevées à réaliser, disparaissait

ce mécanisme précis de prudente hygiène qui fonction-
nait pour les sauvegarder. Tandis qu'un valet de pied me
demandait mon paletot, Saint-Loup me disait :

— Vous n'aurez pas froid ? Vous feriez peut-être
mieux de le garder, il ne fait pas très chaud.

Je répondais : « Non, non », et peut-être je ne sentais
pas le froid, mais en tous cas je ne savais plus la peur
de tomber malade, la nécessité de ne pas mourir, l'importance de travailler. Je donnais mon paletot ; nous entrions dans la salle du restaurant aux sons de quelque
marche guerrière jouée par les tziganes, nous nous avan-
cions entre les rangées des tables servies comme dans un
facile chemin de gloire, et, sentant l'ardeur joyeuse
imprimée à notre corps par les rythmes de l'orchestre
qui nous décernait ses honneurs militaires et ce triomphe
immérité, nous la dissimulions sous une mine grave et
glacée, sous une démarche pleine de lassitude, pour ne
pas imiter ces gommeuses de café-concert qui, venant
chanter sur un air belliqueux un couplet grivois, entrent
en courant sur la scène avec la contenance martiale d'un
général vainqueur.

A partir de ce moment-là, j'étais un homme nouveau,
qui n'était plus le petit-fils de ma grand'mère et ne se
souviendrait d'elle qu'en sortant, mais le frère momentané des garçons qui allaient nous servir.

La dose de bière, à plus forte raison de champagne, qu'à
Balbec je n'aurais pas voulu atteindre en une semaine,
alors pourtant qu'à ma conscience calme et lucide la
saveur de ces breuvages représentait un plaisir clairement appréciable mais aisément sacrifié, je l'absorbais
en une heure en y ajoutant quelques gouttes de porto,
trop distrait pour pouvoir le goûter, et je donnais au
violoniste qui venait de jouer, les deux « louis » que j'avais
économisés depuis un mois un vue d'un achat que je ne
me rappelais pas. Quelques-uns des garçons qui servaient,
lâchés entre les tables, fuyaient à toute vitesse, ayant

sur leur paume tendue un plat que cela semblait être
le but de ce genre de courses de ne pas laisser choir. Et
de fait, les soufflés au chocolat arrivaient à destination
sans avoir été renversés, les pommes à l'anglaise, malgré
le galop qui avait dû les secouer, rangées comme au départ
autour de l'agneau de Pauillac. Je remarquai un de ces
servants, très grand, emplumé de superbes cheveux noirs,
la figure fardée d'un teint qui rappelait davantage certaines espèces d'oiseaux rares que l'espèce humaine et qui,
courant sans trêve et, eût-on dit, sans but, d'un bout à
l'autre de la salle, faisait penser à quelqu'un de ces « aras »
qui remplissent les grandes volières des jardins zoologi-
ques de leur ardent coloris et de leur incompréhensible
agitation. Bientôt le spectacle s'ordonna, à mes yeux du
moins, d'une façon plus noble et plus calme. Toute cette
activité vertigineuse se fixait en une calme harmonie. Je
regardais les tables rondes dont l'assemblée innombrable
emplissait le restaurant, comme autant de planètes, telles
que celles-ci sont figurées dans les tableaux allégoriques
d'autrefois. D'ailleurs, une force d'attraction irrésistible
s'exerçait entre ces astres divers et à chaque table les
dîneurs n'avaient d'yeux que pour les tables où ils
n'étaient pas, exception faite pour quelque riche amphitryon, lequel, ayant réussi à amener un écrivain célèbre,
s'évertuait à tirer de lui, grâce aux vertus de la table
tournante, des propos insignifiants dont les dames s'émer-
veillaient. L'harmonie de ces tables astrales n'empêchait
pas l'incessante révolution des servants innombrables,
lesquels, parce qu'au lieu d'être assis, comme les dîneurs,
ils étaient debout, évoluaient dans une zone supérieure.
Sans doute l'un courait porter des hors-d'œuvre, changer
le vin, ajouter des verres. Mais malgré ces raisons particulières, leur course perpétuelle entre les tables rondes
finissait par dégager la loi de sa circulation vertigineuse
et réglée. Assises derrière un massif de fleurs, deux horri-
bles caissières, occupées à des calculs sans fin, semblaient

deux magiciennes occupées à prévoir par des calculs astrologiques les bouleversements qui pouvaient parfois se produire dans cette voûte céleste conçue selon la science du Moyen Age.

Et je plaignais un peu tous les dîneurs, parce que je sentais que pour eux les tables rondes n'étaient pas des planètes et qu'ils n'avaient pas pratiqué dans les choses un sectionnement qui nous débarrasse de leur apparence coutumière et nous permet d'apercevoir des analogies. Ils pensaient qu'ils dînaient avec telle ou telle personne, que le repas coûterait à peu près tant, et qu'ils recommenceraient le lendemain. Et ils paraissaient absolument insensibles au déroulement d'un cortège de jeunes commis qui, probablement n'ayant pas à ce moment de besogne urgente, portaient processionnellement des pains dans des paniers. Quelques-uns, trop jeunes, abrutis par les taloches que leur donnaient en passant les maîtres d'hôtel, fixaient mélancoliquement leurs yeux sur un rêve lointain et n'étaient consolés que si quelque client de l'hôtel de Balbec où ils avaient jadis été employés, les reconnaissant, leur adressait la parole et leur disait personnellement d'emporter le champagne qui n'était pas buvable, ce qui les remplissait d'orgueil.

J'entendais le grondement de mes nerfs dans lesquels il y avait du bien-être, indépendant des objets extérieurs qui peuvent en donner et que le moindre déplacement que j'occasionnais à mon corps, à mon attention, suffisait à me faire éprouver, comme à un œil fermé une légère compression donne la sensation de la couleur. J'avais déjà bu beaucoup de porto, et si je demandais à en prendre encore, c'était moins en vue du bien-être que les verres nouveaux m'apporteraient que par l'effet du bien-être produit par les verres précédents. Je laissais la musique conduire elle-même mon plaisir sur chaque note où, docilement, il venait alors se poser. Si, pareil à ces industries chimiques grâce auxquelles sont débités en grandes

quantités des corps qui ne se rencontrent dans la nature
que d'une façon accidentelle et fort rarement, ce restaurant de Rivebelle réunissait en un même moment plus
de femmes au fond desquelles me sollicitaient des pers-
pectives de bonheur que le hasard des promenades ou
des voyages ne m'en eût fait rencontrer en une année,
d'autre part, cette musique que nous entendions — arran-
gements de valses, d'opérettes allemandes, de chansons
de cafés-concerts, toutes nouvelles pour moi — était
elle-même comme un lieu de plaisir aérien superposé à
l'autre et plus grisant que lui. Car chaque motif, particulier
comme une femme, ne réservait pas, comme elle eût fait,
pour quelque privilégié le secret de volupté qu'il recélait :
il me le proposait, me reluquait, venait à moi d'une
allure capricieuse ou canaille, m'accostait, me caressait,
comme si j'étais devenu tout d'un coup plus séduisant,
plus puissant ou plus riche ; je leur trouvais bien, à ces
airs, quelque chose de cruel ; c'est que tout sentiment
désintéressé de la beauté, tout reflet de l'intelligence leur
était inconnu ; pour eux le plaisir physique existe seul.
Et ils sont l'enfer le plus impitoyable, le plus dépourvu
d'issues pour le malheureux jaloux à qui ils présentent
ce plaisir — ce plaisir que la femme aimée goûte avec un
autre — comme la seule chose qui existe au monde pour
celle qui le remplit tout entier. Mais tandis que je répétais
à mi-voix les notes de cet air et lui rendais son baiser,
la volupté à lui spéciale qu'il me faisait éprouver me
devenait si chère que j'aurais quitté mes parents pour suivre le motif dans le monde singulier qu'il construisait
dans l'invisible, en lignes tour à tour pleines de langueur
et de vivacité. Quoiqu'un tel plaisir ne soit pas d'une sorte
qui donne plus de valeur à l'être auquel il s'ajoute, car il
n'est perçu que de lui seul, et quoique, chaque fois que
dans notre vie nous avons déplu à une femme qui nous
a aperçu, elle ignorât si à ce moment-là nous possédions
ou non cette félicité intérieure et subjective qui, par consé-

quent, n'eût rien changé au jugement qu'elle porta sur
nous, je me sentais plus puissant, presque irrésistible.
Il me semblait que mon amour n'était plus quelque
chose de déplaisant et dont on pouvait sourire, mais
avait précisément la beauté touchante, la séduction de
cette musique, semblable elle-même à un milieu sympathique où celle que j'aimais et moi nous nous serions
rencontrés, soudain devenus intimes.

Le restaurant n'était pas fréquenté seulement par des
demi-mondaines, mais aussi par des gens du monde le
plus élégant, qui y venaient goûter vers cinq heures ou
y donnaient de grands dîners. Les goûters avaient lieu
dans une longue galerie vitrée, étroite, en forme de couloir qui, allant du vestibule à la salle à manger, longeait
sur un côté le jardin, duquel elle n'était séparée (en exceptant quelques colonnes de pierre) que par le vitrage qu'on
ouvrait ici ou là. Il en résultait, outre de nombreux courants d'air, des coups de soleil brusques, intermittents,
un éclairage éblouissant et instable, empêchant presque
de distinguer les goûteuses, ce qui faisait que, quand
elles étaient là, empilées deux tables par deux tables
dans toute la longueur de l'étroit goulot, comme elles
chatoyaient à tous les mouvements qu'elles faisaient
pour boire leur thé ou se saluer entre elles, on aurait dit
un réservoir, une nasse où le pêcheur a entassé les écla-
tants poissons qu'il a pris, lesquels, à moitié hors de
l'eau et baignés de rayons, miroitent aux regards en leur
éclat changeant.

Quelques heures plus tard, pendant le dîner qui, lui,
était naturellement servi dans la salle à manger, on allu-
mait les lumières, bien qu'il fît encore clair dehors, de
sorte qu'on voyait devant soi, dans le jardin, à côté de
pavillons éclairés par le crépuscule et qui semblaient
les pâles spectres du soir, des charmilles dont la glauque
verdure était traversée par les derniers rayons et qui,
de la pièce éclairée par les lampes où on dînait, apparais-

saient au delà du vitrage — non plus, comme on aurait
dit des dames qui goûtaient à la fin de l'après-midi le
long du couloir bleuâtre et or, dans un filet étincelant et
humide — mais comme les végétations d'un pâle et vert
aquarium géant à la lumière surnaturelle. On se levait
de table ; et, si les convives, pendant le repas, tout en
passant leur temps à regarder, à reconnaître, à se faire
nommer les convives du dîner voisin, avaient été retenus
dans une cohésion parfaite autour de leur propre table,
la force attractive qui les faisait graviter autour de leur
amphitryon d'un soir perdait de sa puissance, au moment
où pour prendre le café ils se rendaient dans ce même
couloir qui avait servi aux goûters ; il arrivait souvent
qu'au moment du passage, tel dîner en marche abandon-
nât l'un ou plusieurs de ses corpuscules qui, ayant subi
trop fortement l'attraction du dîner rival, se détachaient
un instant du leur, où ils étaient remplacés par des
messieurs ou des dames qui étaient venus saluer des amis,
avant de rejoindre, en disant : « Il faut que je me sauve
retrouver M. X... dont je suis ce soir l'invité. » Et pendant un instant, on aurait dit de deux bouquets séparés
qui auraient interchangé quelques-unes de leurs fleurs.
Puis le couloir lui-même se vidait. Souvent, comme il
faisait, même après dîner, encore un peu jour, on n'allu-
mait pas ce long corridor et, côtoyé par les arbres qui se
penchaient au dehors de l'autre côté du vitrage, il avait
l'air d'une allée dans un jardin boisé et ténébreux. Parfois
dans l'ombre une dîneuse s'y attardait. En le traversant
pour sortir, j'y distinguai un soir, assise au milieu d'un
groupe inconnu, la belle princesse de Luxembourg. Je
me découvris sans m'arrêter. Elle me reconnut, inclina
la tête en souriant ; très au-dessus de ce salut, émanant
de ce mouvement même, s'élevèrent mélodieusement
quelques paroles à mon adresse, qui devaient être un
bonsoir un peu long, non pour que je m'arrêtasse, mais
seulement pour compléter le salut, pour en faire un salut

parlé. Mais les paroles restèrent si indistinctes et le son
que seul je perçus se prolongea si doucement et me
sembla si musical, que ce fut comme si, dans la ramure
assombrie des arbres, un rossignol se fût mis à chanter.

Si pàr hasard, pour finir la soirée avec telle bande
d'amis à lui que nous avions rencontrée, Saint-Loup
décidait de se rendre au Casino d'une plage voisine et,
partant avec eux, s'il me mettait seul dans une voiture,
je recommandais au cocher d'aller à toute vitesse, afin
que fussent moins longs les instants que je passerais
sans avoir l'aide de personne pour me dispenser de fournir moi-même à ma sensibilité — en faisant machine en
arrière et en sortant de la passivité où j'étais pris comme
dans un engrenage — ces modifications que depuis mon
arrivée à Rivebelle je recevais des autres. Le choc possible
avec une voiture venant en sens inverse dans ces sentiers
où il n'y avait de place que pour une seule et où il faisait
nuit noire, l'instabilité du sol souvent éboulé de la falaise,
la proximité de son versant à pic sur la mer, rien de tout
cela ne trouvait en moi le petit effort qui eût été nécessaire
pour amener la représentation et la crainte du danger
jusqu'à ma raison. C'est que, pas plus que ce n'est le
désir de devenir célèbre, mais l'habitude d'être laborieux,
qui nous permet de produire une œuvre, ce n'est l'allégresse du moment présent, mais les sages réflexions du
passé, qui nous aident à préserver le futur. Or, si déjà,
en arrivant à Rivebelle, j'avais jeté loin de moi ces bé-
quilles du raisonnement, du contrôle de soi-même qui
aident notre infirmité à suivre le droit chemin, et me
trouvais en proie à une sorte d'ataxie morale, l'alcool,
en tendant exceptionnellement mes nerfs, avait donné
aux minutes actuelles une qualité, un charme qui n'avaient
pas eu pour effet de me rendre plus apte ni même plus
résolu à les défendre ; car en me les faisant préférer
mille fois au reste de ma vie, mon exaltation les en isolait,
j'étais enfermé dans le présent, comme les héros, comme

les ivrognes ; momentanément éclipsé, mon passé ne
projetait plus devant moi cette ombre de lui-même que
nous appelons notre avenir ; plaçant le but de ma vie,
non plus dans la réalisation des rêves de ce passé, mais
dans la félicité de la minute présente, je ne voyais pas
plus loin qu'elle. De sorte que, par une contradiction
qui n'était qu'apparente, c'est au moment où j'éprouvais
un plaisir exceptionnel, où je sentais que ma vie pouvait
être heureuse, où elle aurait dû avoir à mes yeux plus
de prix, c'est à ce moment que, délivré des soucis qu'elle
avait pu m'inspirer jusque-là, je la livrais sans hésitation au hasard d'un accident. Je ne faisais, du reste,
en somme, que concentrer dans une soirée l'incurie qui
pour les autres hommes est diluée dans leur existence
entière où journellement ils affrontent sans nécessité le
risque d'un voyage en mer, d'une promenade en aéroplane ou en automobile, quand les attend à la maison
l'être que leur mort briserait ou quand est encore lié
à la fragilité de leur cerveau le livre dont la prochaine
mise au jour est la seule raison de leur vie. Et de même,
dans le restaurant de Rivebelle, les soirs où nous y restions,
si quelqu'un était venu dans l'intention de me tuer,
comme je ne voyais plus que dans un lointain sans réalité
ma grand'mère, ma vie à venir, mes livres à composer,
comme j'adhérais tout entier à l'odeur de la femme qui
était à la table voisine, à la politesse des maîtres d'hôtel,
au contour de la valse qu'on jouait, que j'étais collé à
la sensation présente, n'ayant pas plus d'extension
qu'elle ni d'autre but que de ne pas en être séparé, je
serais mort contre elle, je me serais laissé massacrer sans
offrir de défense, sans bouger, abeille engourdie par la
fumée du tabac, qui n'a plus le souci de préserver la provision de ses efforts accumulés et l'espoir de sa ruche.

Je dois du reste dire que cette insignifiance où tombaient les choses les plus graves par contraste avec la
violence de mon exaltation, finissait par comprendre

même Mlle Simonet et ses amies. L'entreprise de les
connaître me semblait maintenant facile mais indifférente, car ma sensation présente seule, grâce à son extraordinaire puissance, à la joie que provoquaient ses moindres modifications et même sa simple continuité, avait
de l'importance pour moi ; tout le reste, parents, travail,
plaisirs, jeunes filles de Balbec, ne pesait pas plus qu'un
flocon d'écume dans un grand vent qui ne le laisse pas
se poser, n'existait plus que relativement à cette puissance
intérieure : l'ivresse réalise pour quelques heures l'idéa-
lisme subjectif, le phénoménisme pur ; tout n'est plus
qu'apparences et n'existe plus qu'en fonction de notre
sublime nous-même. Ce n'est pas, du reste, qu'un amour
véritable, si nous en avons un, ne puisse subsister dans
un semblable état. Mais nous sentons si bien, comme
dans un milieu nouveau, que des pressions inconnues
ont changé les dimensions de ce sentiment que nous ne
pouvons pas le considérer pareillement. Ce même amour,
nous le retrouvons bien, mais déplacé, ne pesant plus
sur nous, satisfait de la sensation que lui accorde le présent et qui nous suffit, car de ce qui n'est pas actuel nous
ne nous soucions pas. Malheureusement le coefficient
qui change ainsi les valeurs ne les change que dans cette
heure d'ivresse. Les personnes qui n'avaient plus d'importance et sur lesquelles nous soufflions comme sur des
bulles de savon reprendront le lendemain leur densité ;
il faudra essayer de nouveau de se remettre aux travaux
qui ne signifiaient plus rien. Chose plus grave encore,
cette mathématique du lendemain, la même que celle
d'hier, et avec les problèmes de laquelle nous nous retrouverons inexorablement aux prises, c'est celle qui nous
régit même pendant ces heures-là, sauf pour nous-même.
S'il se trouve près de nous une femme vertueuse ou
hostile, cette chose si difficile la veille — à savoir que
nous arrivions à lui plaire — nous semble maintenant
un million de fois plus aisée, sans l'être devenue en rien,

car ce n'est qu'à nos propres yeux, à nos propres yeux intérieurs, que nous avons changé. Et elle est aussi mécontente, à l'instant même, que nous nous soyons permis une familiarité que nous le serons, le lendemain, d'avoir donné cent francs au chasseur, et pour la même raison, qui pour nous a été seulement retardée : l'absence d'ivresse.

Je ne connaissais aucune des femmes qui étaient à Rivebelle et qui, parce qu'elles faisaient partie de mon ivresse comme les reflets font partie du miroir, me paraissaient mille fois plus désirables que la de moins en moins existante Mlle Simonet. Une jeune blonde, seule, à l'air triste, sous son chapeau de paille piqué de fleurs des champs, me regarda un instant d'un air rêveur et me parut agréable. Puis ce fut le tour d'une autre, puis d'une troisième ; enfin d'une brune au teint éclatant. Presque toutes étaient connues, à défaut de moi, par Saint-Loup.

Avant qu'il eût fait la connaissance de sa maîtresse actuelle, il avait en effet tellement vécu dans le monde restreint de la noce que, de toutes les femmes qui dînaient ces soirs-là à Rivebelle et dont beaucoup s'y trouvaient par hasard, étant venues au bord de la mer, certaines pour retrouver leur amant, d'autres pour tâcher d'en trouver un, il n'y en avait guère qu'il ne connût pour avoir passé — lui-même ou tel de ses amis — au moins une nuit avec elles. Il ne les saluait pas si elles étaient avec un homme, et elles, tout en le regardant plus qu'un autre parce que l'indifférence qu'on lui savait pour toute femme qui n'était pas son actrice lui donnait aux yeux de celles-ci un prestige singulier, elles avaient l'air de ne pas le connaître. Et l'une chuchotait : « C'est le petit Saint-Loup. Il paraît qu'il aime toujours sa grue. C'est la grande amour. Quel joli garçon ! Moi je le trouve épatant ! Et quel chic ! Il y a tout de même des femmes qui ont une sacrée veine. Et un chic type en tout. Je l'ai bien connu quand j'étais avec d'Orléans. C'était les

deux inséparables. Il en faisait une noce à ce moment-là !
Mais ce n'est plus ça ; il ne lui fait pas de queues. Ah !
elle peut dire qu'elle en a une chance. Et je me demande
qu'est-ce qu'il peut lui trouver. Il faut qu'il soit tout de
même une fameuse truffe. Elle a des pieds comme des
bateaux, des moustaches à l'américaine et des dessous
sales ! Je crois qu'une petite ouvrière ne voudrait pas
de ses pantalons. Regardez-moi un peu quels yeux il a,
on se jetterait au feu pour un homme comme ça. Tiens,
tais-toi, il m'a reconnue, il rit, oh ! il me connaissait bien.
On n'a qu'à lui parler de moi. » Entre elles et lui je sur-
prenais un regard d'intelligence. J'aurais voulu qu'il me
présentât à ces femmes, pouvoir leur demander un
rendez-vous et qu'elles me l'accordassent, même si je
n'avais pas pu l'accepter. Car sans cela leur visage resterait éternellement dépourvu, dans ma mémoire, de cette
partie de lui-même — et comme si elle était cachée par
un voile — qui varie avec toutes les femmes, que nous
ne pouvons imaginer chez l'une quand nous ne l'y avons
pas vue, et qui apparaît seulement dans le regard qui
s'adresse à nous et qui acquiesce à notre désir et nous
promet qu'il sera satisfait. Et pourtant, même aussi
réduit, leur visage était pour moi bien plus que celui des
femmes que j'aurais su vertueuses et ne me semblait
pas comme le leur, plat, sans dessous, composé d'une
pièce unique et sans épaisseur. Sans doute, il n'était pas
pour moi ce qu'il devait être pour Saint-Loup qui par
la mémoire, sous l'indifférence, pour lui transparente,
des traits immobiles qui affectaient de ne pas le connaître
ou sous la banalité du même salut que l'on eût adressé
aussi bien à tout autre, se rappelait, voyait, entre des
cheveux défaits, une bouche pâmée et des yeux mi-clos,
tout un tableau silencieux comme ceux que les peintres,
pour tromper le gros des visiteurs, revêtent d'une toile
décente. Certes, pour moi au contraire, qui sentais que
rien de mon être n'avait pénétré en telle ou telle de ces

femmes et n'y serait emporté dans les routes inconnues qu'elle suivrait pendant sa vie, ces visages restaient fermés. Mais c'était déjà assez de savoir qu'ils s'ouvraient, pour qu'ils me semblassent d'un prix que je ne leur aurais pas trouvé s'ils n'avaient été que de belles médailles, au lieu de médaillons sous lesquels se cachaient des souvenirs d'amour. Quant à Robert, tenant à peine en place quand il était assis, dissimulant sous un sourire d'homme de cour l'avidité d'agir en homme de guerre, à le bien regarder, je me rendais compte combien l'ossature énergique de son visage triangulaire devait être la même que celle de ses ancêtres, plus faite pour un ardent archer que pour un lettré délicat. Sous la peau fine, la construction hardie, l'architecture féodale apparaissaient. Sa tête faisait penser à ces tours d'antique donjon dont les créneaux inutilisés restent visibles, mais qu'on a aménagées intérieurement en bibliothèque.

En rentrant à Balbec, de telle de ces inconnues à qui il m'avait présenté je me redisais sans m'arrêter une seconde et pourtant sans presque m'en apercevoir : « Quelle femme délicieuse ! » comme on chante un refrain. Certes, ces paroles étaient plutôt dictées par des dispositions nerveuses que par un jugement durable. Il n'en est pas moins vrai que si j'eusse eu mille francs sur moi et qu'il y eût encore des bijoutiers d'ouverts à cette heure-là, j'eusse acheté une bague à l'inconnue. Quand les heures de notre vie se déroulent ainsi que sur des plans trop différents, on se trouve donner trop de soi pour des personnes diverses qui le lendemain vous semblent sans intérêt. Mais on se sent responsable de ce qu'on leur a dit la veille et on veut y faire honneur.

Comme, ces soirs-là, je rentrais tard, je retrouvais avec plaisir dans ma chambre qui n'était plus hostile le lit où, le jour de mon arrivée, j'avais cru qu'il me serait toujours impossible de me reposer et où maintenant mes membres si las cherchaient un soutien ; de sorte que

successivement mes cuisses, mes hanches, mes épaules
tâchaient d'adhérer en tous leurs points aux draps qui
enveloppaient le matelas, comme si ma fatigue, pareille
à un sculpteur, avait voulu prendre un moulage total
d'un corps humain. Mais je ne pouvais m'endormir, je
sentais approcher le matin ; le calme, la bonne santé
n'étaient plus en moi. Dans ma détresse, il me semblait
que jamais je ne les retrouverais plus. Il m'eût fallu
dormir longtemps pour les rejoindre. Or, me fussé-je
assoupi, que de toutes façons je serais réveillé deux
heures après par le concert symphonique. Tout à coup
je m'endormais, je tombais dans ce sommeil lourd où
se dévoilent pour nous le retour à la jeunesse, la reprise
des années passées, des sentiments perdus, la désincar-
nation, la transmigration des âmes, l'évocation des morts,
les illusions de la folie, la régression vers les règnes les
plus élémentaires de la nature (car on dit que nous voyons
souvent des animaux en rêve, mais on oublie que presque
toujours nous y sommes nous-même un animal, privé
de cette raison qui projette sur les choses une clarté de
certitude ; nous n'y offrons au contraire au spectacle de
la vie qu'une vision douteuse et à chaque minute anéantie
par l'oubli, la réalité précédente s'évanouissant devant
celle qui lui succède, comme une projection de lanterne
magique devant la suivante quand on a changé le verre),
tous ces mystères que nous croyons ne pas connaître et
auxquels nous sommes en réalité initiés presque toutes
les nuits, ainsi qu'à l'autre grand mystère de l'anéantissement et de la résurrection. Rendue plus vagabonde
par la digestion difficile du dîner de Rivebelle, l'illu-
mination successive et errante de zones assombries de
mon passé faisait de moi un être dont le suprême bonheur eût été de rencontrer Legrandin avec lequel je
venais de causer en rêve.

Puis, même ma propre vie m'était entièrement cachée
par un décor nouveau, comme celui planté tout au bord

au plateau et devant lequel, pendant que, derrière, on procède aux changements de tableaux, des acteurs donnent un divertissement. Celui où je tenais alors mon rôle était dans le goût des contes orientaux, je n'y savais rien de mon passé ni de moi-même, à cause de cet extrême rapprochement d'un décor interposé ; je n'étais qu'un personnage qui recevais la bastonnade et subissais des châtiments variés pour une faute que je n'apercevais pas, mais qui était d'avoir bu trop de porto. Tout à coup je m'éveillais, je m'apercevais qu'à la faveur d'un long sommeil, je n'avais pas entendu le concert symphonique. C'était déjà l'après-midi ; je m'en assurais à ma montre, après quelques efforts pour me redresser, efforts infructueux d'abord et interrompus par des chutes sur l'oreiller, mais de ces chutes courtes qui suivent le sommeil comme les autres ivresses, que ce soit le vin qui les procure ou une convalescence ; du reste, avant même d'avoir regardé l'heure, j'étais certain que midi était passé. Hier soir, je n'étais plus qu'un être vidé, sans poids, et (comme il faut avoir été couché pour être capable de s'asseoir et avoir dormi pour l'être de se taire) je ne pouvais cesser de remuer ni de parler, je n'avais plus de consistance, de centre de gravité, j'étais lancé, il me semblait que j'aurais pu continuer ma morne course jusque dans la lune. Or, si en dormant mes yeux n'avaient pas vu l'heure, mon corps avait su la calculer, il avait mesuré le temps non pas sur un cadran superficiellement figuré, mais par la pesée progressive de toutes mes forces refaites que, comme une puissante horloge, il avait cran par cran laissé descendre de mon cerveau dans le reste de mon corps où elles entassaient maintenant jusqu'au-dessus de mes genoux l'abondance intacte de leurs provisions. S'il est vrai que la mer ait été autrefois notre milieu vital où il faille replonger notre sang pour retrouver nos forces, il en est de même de l'oubli, du néant mental ; on semble alors absent du temps pendant quelques heures ; mais les

forces qui se sont rangées pendant ce temps-là sans être
dépensées, le mesurent par leur quantité aussi exactement que les poids de l'horloge ou les croulants monti-
cules du sablier. On ne sort pas, d'ailleurs, plus aisément
d'un tel sommeil que de la veille prolongée, tant toutes
choses tendent à durer et, s'il est vrai que certains narco-
tiques font dormir, dormir longtemps est un narcotique
plus puissant encore, après lequel on a bien de la peine
à se réveiller. Pareil à un matelot qui voit bien le quai
où amarrer sa barque, secouée cependant encore par
les flots, j'avais bien l'idée de regarder l'heure et de me
lever, mais mon corps était à tout instant rejeté dans le
sommeil ; l'atterrissage était difficile, et avant de me
mettre debout pour atteindre ma montre et confronter
son heure avec celle qu'indiquait la richesse de matériaux dont disposaient mes jambes rompues, je retombais
encore deux ou trois fois sur mon oreiller.

Enfin je voyais clairement : « Deux heures de l'après-
midi ! », je sonnais, mais aussitôt je rentrais dans un sommeil qui cette fois devait être infiniment plus long si j'en
jugeais par le repos et la vision d'une immense nuit
dépassée, que je trouvais au réveil. Pourtant, comme
celui-ci était causé par l'entrée de Françoise, entrée
qu'avait elle-même motivée mon coup de sonnette, ce
nouveau sommeil, qui me paraissait avoir dû être plus
long que l'autre et avait amené en moi tant de bien-être
et d'oubli, n'avait duré qu'une demi-minute.

Ma grand'mère ouvrait la porte de ma chambre, je
lui posais mille questions sur la famille Legrandin.

Ce n'est pas assez de dire que j'avais rejoint le calme
et la santé, car c'était plus qu'une simple distance qui
les avait la veille séparés de moi, j'avais eu toute la nuit
à lutter contre un flot contraire, et puis je ne me retrouvais pas seulement auprès d'eux, ils étaient rentrés en
moi. A des points précis et encore un peu douloureux
de ma tête vide et qui serait un jour brisée, laissant mes

idées s'échapper à jamais, celles-ci avaient une fois encore repris leur place, et retrouvé cette existence dont hélas! jusqu'ici elles n'avaient pas su profiter.

Une fois de plus j'avais échappé à l'impossibilité de dormir, au déluge, au naufrage des crises nerveuses. Je ne craignais plus tout ce qui me menaçait la veille au soir quand j'étais démuni de repos. Une nouvelle vie s'ouvrait devant moi ; sans faire un seul mouvement, car j'étais encore brisé quoique déjà dispos, je goûtais ma fatigue avec allégresse ; elle avait isolé et rompu les os de mes jambes, de mes bras, que je sentais assemblés devant moi, prêts à se rejoindre, et que j'allais relever rien qu'en chantant comme l'architecte de la fable.

Tout à coup, je me rappelai la jeune blonde à l'air triste que j'avais vue à Rivebelle et qui m'avait regardé un instant. Pendant toute la soirée, bien d'autres m'avaient semblé agréables, maintenant elle venait seule de s'élever du fond de mon souvenir. Il me semblait qu'elle m'avait remarqué, je m'attendais à ce qu'un des garçons de Rivebelle vînt me dire un mot de sa part. Saint-Loup ne la connaissait pas et croyait qu'elle était comme il faut. Il serait bien difficile de la voir, de la voir sans cesse. Mais j'étais prêt à tout pour cela, je ne pensais plus qu'à elle. La philosophie parle souvent d'actes libres et d'actes nécessaires. Peut-être n'en est-il pas de plus complètement subi par nous que celui qui, en vertu d'une force ascensionnelle comprimée pendant l'action, fait, une fois notre pensée au repos, remonter ainsi un souvenir jusque-là nivelé avec les autres par la force oppressive de la distraction, et le fait s'élancer parce qu'à notre insu il contenait plus que les autres un charme dont nous ne nous apercevons que vingt-quatre heures après. Et peut-être n'y a-t-il pas non plus d'acte aussi libre, car il est encore dépourvu de l'habitude, de cette sorte de manie mentale qui, dans l'amour, favorise la renaissance exclusive de l'image d'une certaine personne.

Ce jour-là était justement le lendemain de celui où j'avais vu défiler devant la mer le beau cortège de jeunes filles. J'interrogeai à leur sujet plusieurs clients de l'hôtel qui venaient presque tous les ans à Balbec. Ils ne purent me renseigner. Plus tard une photographie m'expliqua pourquoi. Qui eût pu reconnaître maintenant en elles, à peine mais déjà sorties d'un âge où on change si complètement, telle masse amorphe et délicieuse, encore tout enfantine, de petites filles que, quelques années seulement auparavant, on pouvait voir assises en cercle sur le sable, autour d'une tente : sorte de blanche et vague constellation où l'on n'eût distingué deux yeux plus brillants que les autres, un malicieux visage, des cheveux blonds, que pour les reperdre et les confondre bien vite au sein de la nébuleuse indistincte et lactée ?

Sans doute, en ces années-là encore si peu éloignées, ce n'était pas, comme la veille dans leur première apparition devant moi, la vision du groupe, mais le groupe lui-même qui manquait de netteté. Alors, ces enfants trop jeunes étaient encore à ce degré élémentaire de formation où la personnalité n'a pas mis son sceau sur chaque visage. Comme ces organismes primitifs où l'individu n'existe guère par lui-même, est plutôt constitué par le polypier que par chacun des polypes qui le composent, elles restaient pressées les unes contre les autres. Parfois l'une faisait tomber sa voisine, et alors un fou rire, qui semblait la seule manifestation de leur vie personnelle, les agitait toutes à la fois, effaçant, confondant ces visages indécis et grimaçants dans la gelée d'une seule grappe scintillatrice et tremblante. Dans une photographie ancienne qu'elles devaient me donner un jour et que j'ai gardée, leur troupe enfantine offre déjà le même nombre de figurantes que, plus tard, leur cortège féminin ; on y sent qu'elles devaient déjà faire sur la plage une tache singulière qui forçait à les regarder, mais on ne peut les y reconnaître individuellement que

par le raisonnement, en laissant le champ libre à toutes
les transformations possibles pendant la jeunesse jusqu'à
la limite où ces formes reconstituées empiéteraient sur
une autre individualité qu'il faut identifier aussi et dont
le beau visage, à cause de la concomitance d'une grande
taille et de cheveux frisés, a chance d'avoir été jadis ce
ratatinement de grimace rabougrie présenté par la carte-
album ; et la distance parcourue en peu de temps par les
caractères physiques de chacune de ces jeunes filles
faisant d'eux un critérium fort vague, et d'autre part ce
qu'elles avaient de commun et comme de collectif étant
dès lors fort marqué, il arrivait parfois à leurs meilleures
amies de les prendre l'une pour l'autre sur cette photographie, si bien que le doute ne pouvait finalement être
tranché que par tel accessoire de toilette que l'une était
certaine d'avoir porté, à l'exclusion des autres. Depuis
ces jours si différents de celui où je venais de les voir sur
la digue, si différents et pourtant si proches, elles se
laissaient encore aller au rire comme je m'en étais rendu
compte la veille, mais à un rire qui n'était plus celui,
intermittent et presque automatique, de l'enfance,
détente spasmodique qui autrefois faisait à tous moments
faire un plongeon à ces têtes, comme les blocs de vairons
dans la Vivonne se dispersaient et disparaissaient pour
se reformer un instant après ; leurs physionomies maintenant étaient devenues maîtresses d'elles-mêmes, leurs
yeux étaient fixés sur le but qu'ils poursuivaient ; et il
avait fallu hier l'indécision et le tremblé de ma perception
première pour confondre indistinctement, comme l'a-
vaient fait l'hilarité ancienne et la vieille photographie,
les sporades aujourd'hui individualisées et désunies du
pâle madrépore.

Sans doute, bien des fois, au passage de jolies jeunes
filles, je m'étais fait la promesse de les revoir. D'habitude,
elles ne reparaissaient pas ; d'ailleurs la mémoire, qui
oublie vite leur existence, retrouverait difficilement leurs

traits ; nos yeux ne les reconnaîtraient peut-être pas, et
déjà nous avons vu passer de nouvelles jeunes filles, que
nous ne reverrons pas non plus. Mais d'autres fois, et
c'est ainsi que cela devait arriver pour la petite bande
insolente, le hasard les ramène avec insistance devant
nous. Il nous paraît alors beau, car nous discernons en
lui comme un commencement d'organisation, d'effort,
pour composer notre vie ; et il nous rend facile, inévitable,
et quelquefois — après des interruptions qui ont pu faire
espérer de cesser de nous souvenir — cruelle, la fidélité
à des images à la possession desquelles nous nous croirons
plus tard avoir été prédestinés, et que sans lui nous
aurions pu, tout au début, oublier, comme tant d'autres,
si aisément.

Bientôt le séjour de Saint-Loup toucha à sa fin. Je
n'avais pas revu ces jeunes filles sur la plage. Il restait
trop peu l'après-midi à Balbec pour pouvoir s'occuper
d'elles et tâcher de faire, à mon intention, leur connaissance. Le soir, il était plus libre et continuait à m'emmener souvent à Rivebelle. Il y a dans ces restaurants,
comme dans les jardins publics et les trains, des gens
enfermés dans une apparence ordinaire et dont le nom
nous étonne si, l'ayant par hasard demandé, nous décou-
vrons qu'ils sont non l'inoffensif premier venu que nous
supposions, mais rien de moins que le ministre ou le duc
dont nous avons si souvent entendu parler. Déjà, deux
ou trois fois, dans le restaurant de Rivebelle, nous avions,
Saint-Loup et moi, vu venir s'asseoir à une table, quand
tout le monde commençait à partir, un homme de grande
taille, très musclé, aux traits réguliers, à la barbe gri-
sonnante, mais de qui le regard songeur restait fixé
avec application dans le vide. Un soir que nous demandions au patron qui était ce dîneur obscur, isolé et retar-
dataire : « Comment, vous ne connaissiez pas le célèbre
peintre Elstir ? » nous dit-il. Swann avait une fois prononcé son nom devant moi, j'avais entièrement oublié à

quel propos ; mais l'omission d'un souvenir, comme celle
d'un membre de phrase dans une lecture, favorise parfois
non l'incertitude, mais l'éclosion d'une certitude préma-
turée. « C'est un ami de Swann, et un artiste très connu,
de grande valeur », dis-je à Saint-Loup. Aussitôt passa
sur lui et sur moi, comme un frisson, la pensée qu'Elstir
était un grand artiste, un homme célèbre, puis que, nous
confondant avec les autres dîneurs, il ne se doutait pas
de l'exaltation où nous jetait l'idée de son talent. Sans
doute, qu'il ignorât notre admiration et que nous connaissions Swann, ne nous eût pas été pénible si nous n'avions
pas été aux bains de mer. Mais, attardés à un âge où
l'enthousiasme ne peut rester silencieux et transportés
dans une vie où l'incognito semble étouffant, nous écri-
vîmes une lettre signée de nos noms, où nous dévoilions
à Elstir dans les deux dîneurs assis à quelques pas de lui
deux amateurs passionnés de son talent, deux amis de
son grand ami Swann, et où nous demandions à lui
présenter nos hommages. Un garçon se chargea de porter
cette missive à l'homme célèbre.

Célèbre, Elstir ne l'était peut-être pas encore à cette
époque tout à fait autant que le prétendait le patron de
l'établissement, et qu'il le fut d'ailleurs bien peu d'années
plus tard. Mais il avait été un des premiers à habiter ce
restaurant alors que ce n'était encore qu'une sorte de
ferme et à y amener une colonie d'artistes (qui avaient
du reste tous émigré ailleurs dès que la ferme, où l'on
mangeait en plein air sous un simple auvent, était devenue
un centre élégant ; Elstir lui-même ne revenait en ce
moment à Rivebelle qu'à cause d'une absence de sa
femme, avec laquelle il habitait non loin de là). Mais un
grand talent, même quand il n'est pas encore reconnu,
provoque nécessairement quelques phénomènes d'admiration, tels que le patron de la ferme avait été à même
d'en distinguer dans les questions de plus d'une Anglaise
de passage, avide de renseignements sur la vie que menait

Elstir, ou dans le nombre de lettres que celui-ci recevait
de l'étranger. Alors le patron avait remarqué davantage
qu'Elstir n'aimait pas être dérangé pendant qu'il travaillait, qu'il se relevait la nuit pour emmener un petit
modèle poser nu au bord de la mer quand il y avait clair
de lune, et il s'était dit que tant de fatigues n'étaient pas
perdues, ni l'admiration des touristes, injustifiée, quand
il avait dans un tableau d'Elstir reconnu une croix de bois
qui était plantée à l'entrée de Rivebelle. « C'est bien elle,
répétait-il avec stupéfaction. Il y a les quatre morceaux !
Ah ! aussi, il s'en donne une peine ! »

Et il ne savait pas si un petit « lever de soleil sur la
mer » qu'Elstir lui avait donné, ne valait pas une fortune.

Nous le vîmes lire notre lettre, la remettre dans sa
poche, continuer à dîner, commencer à demander ses
affaires, se lever pour partir, et nous étions tellement
sûrs de l'avoir choqué par notre démarche que nous
eussions souhaité maintenant (tout autant que nous
l'avions redouté) de partir sans avoir été remarqués par
lui. Nous ne pensions pas un seul instant à une chose qui
aurait dû pourtant nous sembler la plus importante, c'est
que notre enthousiasme pour Elstir, de la sincérité duquel
nous n'aurions pas permis qu'on doutât et dont nous
aurions pu, en effet, donner comme témoignage notre
respiration entrecoupée par l'attente, notre désir de faire
n'importe quoi de difficile ou d'héroïque pour le grand
homme, n'était pas, comme nous nous le figurions, de
l'admiration, puisque nous n'avions jamais rien vu d'Elstir ; notre sentiment pouvait avoir pour objet l'idée
creuse de « un grand artiste », non pas une œuvre qui
nous était inconnue. C'était tout au plus de l'admiration
à vide, le cadre nerveux, l'armature sentimentale d'une
admiration sans contenu, c'est-à-dire quelque chose
d'aussi indissolublement attaché à l'enfance que certains
organes qui n'existent plus chez l'homme adulte ; nous
étions encore des enfants. Elstir cependant allait arriver

à la porte, quand tout à coup il fit un crochet et vint à nous. J'étais transporté d'une délicieuse épouvante comme je n'aurais pu en éprouver quelques années plus tard, parce que, en même temps que l'âge diminue la capacité, l'habitude du monde ôte toute idée de provoquer d'aussi étranges occasions, de ressentir ce genre d'émotions.

Dans les quelques mots qu'Elstir vint nous dire en s'asseyant à notre table, il ne me répondit jamais, les diverses fois où je lui parlai de Swann. Je commençai à croire qu'il ne le connaissait pas. Il ne m'en demanda pas moins d'aller le voir à son atelier de Balbec, invitation qu'il n'adressa pas à Saint-Loup, et que me valurent, ce que n'aurait peut-être pas fait la recommandation de Swann si Elstir eût été lié avec lui (car la part des sentiments désintéressés est plus grande qu'on ne croit dans la vie des hommes), quelques paroles qui lui firent penser que j'aimais les arts. Il prodigua pour moi une amabilité qui était aussi supérieure à celle de Saint-Loup que celle-ci à l'affabilité d'un petit bourgeois. A côté de celle d'un grand artiste, l'amabilité d'un grand seigneur, si charmante soit-elle, a l'air d'un jeu d'acteur, d'une simulation. Saint-Loup cherchait à plaire, Elstir aimait à donner, à se donner. Tout ce qu'il possédait, idées, œuvres, et le reste qu'il comptait pour bien moins, il l'eût donné avec joie à quelqu'un qui l'eût compris. Mais faute d'une société supportable, il vivait dans un isolement, avec une sauvagerie, que les gens du monde appelaient de la pose et de la mauvaise éducation, les pouvoirs publics, un mauvais esprit, ses voisins, de la folie, sa famille, de l'égoïsme et de l'orgueil.

Et sans doute, les premiers temps, avait-il pensé, dans la solitude même, avec plaisir que, par le moyen de ses œuvres, il s'adressait à distance, il donnait une plus haute idée de lui, à ceux qui l'avaient méconnu ou froissé. Peut-être alors vécut-il seul, non par indifférence, mais par amour des autres, et, comme j'avais renoncé à Gilberte pour lui réapparaître un jour sous des couleurs plus aimables, destinait-il son œuvre à certains, comme un retour vers eux où, sans le revoir lui-même, on l'aimerait, on l'admirerait, on s'entretiendrait de lui ; un renoncement n'est pas toujours total dès le début, quand nous le décidons avec notre âme ancienne et avant que par réaction il n'ait agi sur nous, qu'il s'agisse du renoncement d'un malade, d'un moine, d'un artiste, d'un héros. Mais s'il avait voulu produire en vue de quelques personnes, en produisant il avait vécu pour lui-même, loin de la société à laquelle il était devenu indifférent ; la pratique de la solitude lui en avait donné l'amour, comme il arrive pour toute grande chose que nous avons crainte d'abord, parce que nous la savions incompatible avec de plus petites auxquelles nous tenions et dont elle nous prive moins qu'elle ne nous détache. Avant de la connaître, toute notre préoccupation est de savoir dans quelle mesure nous pourrons la concilier avec certains plaisirs qui cessent d'en être dès que nous l'avons connue.

Elstir ne resta pas longtemps à causer avec nous. Je me promettais d'aller à son atelier dans les deux ou trois jours suivants, mais le lendemain de cette soirée, comme j'avais accompagné ma grand'mère tout au bout de la digue vers les falaises de Canapville, en revenant, au coin d'une des petites rues qui débouchent, perpendiculairement, sur la plage, nous croisâmes une jeune fille qui, tête basse comme un animal qu'on fait rentrer malgré lui dans l'étable, et tenant des clubs de golf, marchait devant une personne autoritaire, vraisemblablement son « anglaise », ou celle d'une de ses amies, laquelle ressemblait au portrait de *Jeffries* par Hogarth, le teint rouge comme si sa boisson favorite avait été plutôt le gin que le thé, et prolongeant par le croc noir d'un reste de chique une moustache grise, mais bien fournie. La fillette qui la précédait ressemblait à celle de la petite

bande qui, sous un polo noir, avait dans un visage immobile et joufflu des yeux rieurs. Or, celle qui rentrait en
ce moment avait aussi un polo noir, mais elle me semblait
encore plus jolie que l'autre, la ligne de son nez était
plus droite, à la base l'aile en était plus large et plus
charnue. Puis l'autre m'était apparue comme une fière
jeune fille pâle, celle-ci comme une enfant domptée et
de teint rose. Pourtant, comme elle poussait une bicyclette pareille et comme elle portait les mêmes gants de
renne, je conclus que les différences tenaient peut-être
à la façon dont j'étais placé et aux circonstances, car il
était peu probable qu'il y eût à Balbec une seconde jeune
fille de visage malgré tout si semblable et qui dans son
accoutrement réunît les mêmes particularités. Elle jeta
dans ma direction un regard rapide ; les jours suivants,
quand je revis la petite bande sur la plage, et même plus
tard quand je connus toutes les jeunes filles qui la composaient, je n'eus jamais la certitude absolue qu'aucune
d'elles — même celle qui de toutes lui ressemblait le
plus, la jeune fille à la bicyclette — fût bien celle que
j'avais vue ce soir-là au bout de la plage, au coin de la
rue, jeune fille qui n'était guère, mais était tout de même
un peu différente de celle que j'avais remarquée dans le
cortège.

A partir de cet après-midi-là, moi qui, les jours précédents, avais surtout pensé à la grande, ce fut celle aux
clubs de golf, présumée être M¹¹ᵉ Simonet, qui recommença à me préoccuper. Au milieu des autres, elle s'arrêtait souvent, forçant ses amies qui semblaient la respecter
beaucoup, à interrompre aussi leur marche. C'est ainsi,
faisant halte, les yeux brillants sous son « polo », que
je la revois encore maintenant, silhouettée sur l'écran que
lui fait, au fond, la mer, et séparée de moi par un espace
transparent et azuré, le temps écoulé depuis lors, première image, toute mince dans mon souvenir, désirée,
poursuivie, puis oubliée, puis retrouvée, d'un visage que

j'ai souvent depuis projeté dans le passé pour pouvoir
me dire d'une jeune fille qui était dans ma chambre :
« C'est elle! »

Mais c'est peut-être encore celle au teint de géranium,
aux yeux verts, que j'aurais le plus désiré connaître.
Quelle que fût, d'ailleurs, tel jour donné, celle que je
préférais apercevoir, les autres, sans celle-là, suffisaient
à m'émouvoir ; mon désir, même se portant une fois
plutôt sur l'une, une fois plutôt sur l'autre, continuait
— comme, le premier jour, ma confuse vision — à les
réunir, à faire d'elles le petit monde à part animé d'une
vie commune qu'elles avaient sans doute, d'ailleurs, la
prétention de constituer ; en devenant l'ami de l'une
d'elles j'eusse pénétré — comme un païen raffiné ou un
chrétien scrupuleux chez les barbares — dans une société
rajeunissante où régnaient la santé, l'inconscience, la
volupté, la cruauté, l'inintellectualité et la joie.

Ma grand'mère, à qui j'avais raconté mon entrevue
avec Elstir et qui se réjouissait de tout le profit intellectuel que je pouvais tirer de son amitié, trouvait absurde
et peu gentil que je ne fusse pas encore allé lui faire une
visite. Mais je ne pensais qu'à la petite bande, et, incertain de l'heure où ces jeunes filles passeraient sur la
digue, je n'osais pas m'éloigner. Ma grand'mère s'étonnait aussi de mon élégance, car je m'étais soudain souvenu
de costumes que j'avais jusqu'ici laissés au fond de ma
malle. J'en mettais chaque jour un différent, et j'avais
même écrit à Paris pour me faire envoyer de nouveaux
chapeaux et de nouvelles cravates.

C'est un grand charme ajouté à la vie dans une station
balnéaire comme était Balbec, si le visage d'une jolie
fille, une marchande de coquillages, de gâteaux ou de
fleurs, peint en vives couleurs dans notre pensée, est
quotidiennement pour nous dès le matin le but de chacune de ces journées oisives et lumineuses qu'on passe
sur la plage. Elles sont alors, et par là, bien que désœu-

vrées, alertes comme des journées de travail, aiguillées,
aimantées, soulevées légèrement vers un instant prochain,
celui où tout en achetant des sablés, des roses, des ammo-
nites, on se délectera à voir, sur un visage féminin, les
couleurs étalées aussi purement que sur une fleur. Mais
au moins, ces petites marchandes, d'abord on peut leur
parler, ce qui évite d'avoir à construire avec l'imagination
les autres côtés que ceux que nous fournit la simple
perception visuelle, et à recréer leur vie, à s'exagérer
son charme, comme devant un portrait ; surtout, justement parce qu'on leur parle, on peut apprendre où, à
quelles heures on peut les retrouver. Or, il n'en était
nullement ainsi pour moi en ce qui concernait les jeunes
filles de la petite bande. Leurs habitudes m'étant inconnues, quand certains jours je ne les apercevais pas,
ignorant la cause de leur absence, je cherchais si celle-ci
était quelque chose de fixe, si on ne les voyait que tous les
deux jours, ou quand il faisait tel temps, ou s'il y avait
des jours où on ne les voyait jamais. Je me figurais
d'avance ami avec elles et leur disant : « Mais vous n'étiez
pas là tel jour ? — Ah ! oui, c'est parce que c'était un
samedi, le samedi nous ne venons jamais parce que... »
Encore si c'était aussi simple que de savoir que, le triste
samedi, il est inutile de s'acharner, qu'on pourrait par-
courir la plage en tous sens, s'asseoir à la devanture du
pâtissier, faire semblant de manger un éclair, entrer chez
le marchand de curiosités, attendre l'heure du bain, le
concert, l'arrivée de la marée, le coucher du soleil, la
nuit, sans voir la petite bande désirée. Mais le jour fatal
ne revenait peut-être pas une fois par semaine. Il ne
tombait peut-être pas forcément un samedi. Peut-être
certaines conditions atmosphériques influaient-elles sur
lui ou lui étaient-elles entièrement étrangères. Combien
d'observations patientes, mais non point sereines, il faut
recueillir sur les mouvements en apparence irréguliers
de ces mondes inconnus avant de pouvoir être sûr qu'on

ne s'est pas laissé abuser par des coïncidences, que nos prévisions ne seront pas trompées, avant de dégager les lois certaines, acquises au prix d'expériences cruelles, de cette astronomie passionnée! Me rappelant que je ne les avais pas vues le même jour qu'aujourd'hui, je me disais qu'elles ne viendraient pas, qu'il était inutile de rester sur la plage. Et justement je les apercevais. En revanche, un jour que, autant que j'avais pu supposer que des lois réglaient le retour de ces constellations, j'avais calculé devoir être un jour faste, elles ne venaient pas. Mais à cette première incertitude si je les verrais ou non le jour même, venait s'en ajouter une plus grave, si je les reverrais jamais, car j'ignorais en somme si elles ne devaient pas partir pour l'Amérique, ou rentrer à Paris. Cela suffisait pour me faire commencer à les aimer. On peut avoir du goût pour une personne. Mais pour déchaîner cette tristesse, ce sentiment de l'irréparable, ces angoisses qui préparent l'amour, il faut — et il est peut-être ainsi, plutôt que ne l'est une personne, l'objet même que cherche anxieusement à étreindre la passion — le risque d'une impossibilité. Ainsi agissaient déjà ces influences qui se répètent au cours d'amours successives (pouvant du reste se produire, mais alors plutôt dans l'existence des grandes villes, au sujet d'ouvrières dont on ne sait pas les jours de congé et qu'on s'effraye de ne pas avoir vues à la sortie de l'atelier), ou du moins qui se renouvelèrent au cours des miennes. Peut-être sont-elles inséparables de l'amour ; peut-être tout ce qui fut une particularité du premier vient-il s'ajouter aux suivants par souvenir, suggestion, habitude, et, à travers les périodes successives de notre vie, donner à ses aspects différents un caractère général.

Je prenais tous les prétextes pour aller sur la plage aux heures où j'espérais pouvoir les rencontrer. Les ayant aperçues une fois pendant notre déjeuner, je n'y arrivais plus qu'en retard, attendant indéfiniment sur la digue qu'elles y passassent ; restant le peu de temps que j'étais assis dans la salle à manger à interroger des yeux l'azur du vitrage ; me levant bien avant le dessert pour ne pas les manquer dans le cas où elles se fussent promenées à une autre heure, et m'irritant contre ma grand'mère, inconsciemment méchante, quand elle me faisait rester avec elle au delà de l'heure qui me semblait propice. Je tâchais de prolonger l'horizon en mettant ma chaise de travers ; si par hasard j'apercevais n'importe laquelle des jeunes filles, puisqu'elles participaient toutes à la même essence spéciale, c'était comme si j'avais vu projeté en face de moi dans une hallucination mobile et diabolique un peu du rêve ennemi et pourtant passionnément convoité qui, l'instant d'avant encore, n'existait, y stagnant d'ailleurs d'une façon permanente, que dans mon cerveau.

Je n'en aimais aucune, les aimant toutes. et pourtant leur rencontre possible était pour mes journées le seul élément délicieux, faisait seul naître en moi de ces espoirs où on briserait tous les obstacles, espoirs souvent suivis de rage, si je ne les avais pas vues. En ce moment, ces jeunes filles éclipsaient pour moi ma grand'mère ; un voyage m'eût tout de suite souri si ç'avait été pour aller dans un lieu où elles dussent se trouver. C'était à elles que ma pensée s'était agréablement suspendue quand je croyais penser à autre chose, ou à rien. Mais quand, même ne le sachant pas, je pensais à elles, plus inconsciemment encore, elles, c'était pour moi les ondulations montueuses et bleues de la mer, le profil d'un défilé devant la mer. C'était la mer que j'espérais retrouver, si j'allais dans quelque ville où elles seraient. L'amour le plus exclusif pour une personne est toujours l'amour d'autre chose.

Ma grand'mère me témoignait, parce que maintenant je m'intéressais extrêmement au golf et au tennis et laissais échapper l'occasion de regarder travailler et entendre discourir un artiste qu'elle savait des plus grands, un mépris qui me semblait procéder de vues un peu étroites. J'avais autrefois entrevu aux Champs-Élysées et je m'étais mieux rendu compte depuis, qu'en étant amoureux d'une femme nous projetons simplement en elle un état de notre âme ; que par conséquent l'important n'est pas la valeur de la femme, mais la profondeur de l'état ; et que les émotions qu'une jeune fille médiocre nous donne peuvent nous permettre de faire monter à notre conscience des parties plus intimes de nous-mêmes, plus personnelles, plus lointaines, plus essentielles, que ne ferait le plaisir que nous donne la conversation d'un homme supérieur ou même la contemplation admirative de ses œuvres.

Je dus finir par obéir à ma grand'mère avec d'autant plus d'ennui qu'Elstir habitait assez loin de la digue, dans une des avenues les plus nouvelles de Balbec. La chaleur du jour m'obligea à prendre le tramway qui passait par la rue de la Plage, et je m'efforçais, pour penser que j'étais dans l'antique royaume des Cimmériens, dans la patrie peut-être du roi Mark ou sur l'emplacement de la forêt de Brocéliande, de ne pas regarder le luxe de pacotille des constructions qui se développaient devant moi et entre lesquelles la villa d'Elstir était peut-être la plus somptueusement laide, louée malgré cela par lui, parce que de toutes celles qui existaient à Balbec, c'était la seule qui pouvait lui offrir un vaste atelier.

C'est aussi en détournant les yeux que je traversai le jardin qui avait une pelouse — en plus petit comme chez n'importe quel bourgeois dans la banlieue de Paris —, une petite statuette de galant jardinier, des boules de verre où l'on se regardait, des bordures de bégonias et une petite tonnelle sous laquelle des rocking-chairs étaient allongés devant une table de fer. Mais après tous ces abords empreints de laideur citadine, je ne fis plus attention aux moulures chocolat des plinthes quand je fus dans l'atelier ! je me sentis parfaitement heureux, car pour toutes les études qui étaient autour de moi, je sentais la possibilité de m'élever à une connaissance poétique, féconde en joies, de maintes formes que je n'avais pas isolées jusque-là du spectacle total de la réalité. Et l'atelier d'Elstir m'apparut comme le laboratoire d'une sorte de nouvelle création du monde, où, du chaos que sont toutes choses que nous voyons, il avait tiré, en les peignant sur divers rectangles de toile qui étaient posés dans tous les sens, ici une vague de la mer écrasant avec colère sur le sable son écume lilas, là un jeune homme en coutil blanc accoudé sur le pont d'un bateau. Le veston du jeune homme et la vague éclaboussante avaient pris une dignité nouvelle du fait qu'ils continuaient à être, encore que dépourvus de ce en quoi ils passaient pour consister, la vague ne pouvant plus mouiller, ni le veston habiller personne.

Au moment où j'entrai, le créateur était en train d'achever, avec le pinceau qu'il tenait dans sa main, la forme du soleil à son coucher.

Les stores étaient clos de presque tous les côtés, l'atelier était assez frais et, sauf à un endroit où le grand jour apposait au mur sa décoration éclatante et passagère, obscur ; seule était ouverte une petite fenêtre rectangulaire encadrée de chèvrefeuilles, qui après une bande de jardin, donnait sur une avenue ; de sorte que l'atmosphère de la plus grande partie de l'atelier était sombre, transparente et compacte dans sa masse, mais humide et brillante aux cassures où la sertissait la lumière, comme un bloc de cristal de roche dont une face déjà taillée et polie, çà et là, luit comme un miroir et s'irise. Tandis qu'Elstir, sur ma prière, continuait à peindre, je circulais dans ce clair-obscur, m'arrêtant devant un tableau, puis devant un autre.

Le plus grand nombre de ceux qui m'entouraient n'étaient pas ce que j'aurais le plus aimé voir de lui, les peintures appartenant à ses première et deuxième

manières, comme disait une revue d'Art anglaise qui traî-
nait sur la table du salon du Grand-Hôtel, la manière
mythologique et celle où il avait subi l'influence du
Japon, toutes deux admirablement représentées, disait-on,
dans la collection de Mme de Guermantes. Naturellement,
ce qu'il avait dans son atelier, ce n'était guère que des
marines prises ici, à Balbec. Mais j'y pouvais discerner
que le charme de chacune consistait en une sorte de métamorphose des choses représentées, analogue à celle
qu'en poésie on nomme métaphore, et que, si Dieu le
Père avait créé les choses en les nommant, c'est en leur
ôtant leur nom, ou en leur en donnant un autre, qu'Elstir
les recréait. Les noms qui désignent les choses répondent
toujours à une notion de l'intelligence, étrangère à nos
impressions véritables, et qui nous force à éliminer d'elles
tout ce qui ne se rapporte pas à cette notion.

Parfois à ma fenêtre, dans l'hôtel de Balbec, le matin
quand Françoise défaisait les couvertures qui cachaient
la lumière, le soir quand j'attendais le moment de partir
avec Saint-Loup, il m'était arrivé, grâce à un effet de soleil,
de prendre une partie plus sombre de la mer pour une
côte éloignée, ou de regarder avec joie une zone bleue et
fluide sans savoir si elle appartenait à la mer ou au ciel.
Bien vite mon intelligence rétablissait entre les éléments
la séparation que mon impression avait abolie. C'est ainsi
qu'il m'arrivait à Paris, dans ma chambre, d'entendre
une dispute, presque une émeute, jusqu'à ce que j'eusse
rapporté à sa cause, par exemple une voiture dont le
roulement approchait, ce bruit dont j'éliminais alors ces
vociférations aiguës et discordantes que mon oreille
avait réellement entendues, mais que mon intelligence
savait que des roues ne produisaient pas. Mais les rares
moments où l'on voit la nature telle qu'elle est, poétiquement, c'était de ceux-là qu'était faite l'œuvre d'Elstir.
Une de ses métaphores les plus fréquentes dans les
marines qu'il avait près de lui en ce moment était juste-

ment celle qui, comparant la terre à la mer, supprimait
entre elles toute démarcation. C'était cette comparaison,
tacitement et inlassablement répétée dans une même
toile, qui y introduisait cette multiforme et puissante
unité, cause, parfois non clairement aperçue par eux, de
l'enthousiasme qu'excitait chez certains amateurs la
peinture d'Elstir.

C'est par exemple à une métaphore de ce genre — dans
un tableau représentant le port de Carquethuit, tableau
qu'il avait terminé depuis peu de jours et que je regardai
longuement — qu'Elstir avait préparé l'esprit du spectateur en n'employant pour la petite ville que des termes
marins, et que des termes urbains pour la mer. Soit que
les maisons cachassent une partie du port, un bassin de
calfatage ou peut-être la mer même s'enfonçant en
golfe dans les terres, ainsi que cela arrivait constamment
dans ce pays de Balbec, de l'autre côté de la pointe avancée où était construite la ville, les toits étaient dépassés
(comme ils l'eussent été par des cheminées ou par des
clochers) par des mâts, lesquels avaient l'air de faire des
vaisseaux auxquels ils appartenaient, quelque chose de
citadin, de construit sur terre, impression qu'augmen-
taient d'autres bateaux, demeurés le long de la jetée, mais
en rangs si pressés que les hommes y causaient d'un bâti-
ment à l'autre sans qu'on pût distinguer leur séparation
et l'interstice de l'eau, et ainsi cette flottille de pêche avait
moins l'air d'appartenir à la mer que, par exemple, les
églises de Criquebec qui, au loin, entourées d'eau de
tous côtés parce qu'on les voyait sans la ville, dans un
poudroiement de soleil et de vagues, semblaient sortir
des eaux, soufflées en albâtre ou en écume et, enfermées
dans la ceinture d'un arc-en-ciel versicolore, former un
tableau irréel et mystique. Dans le premier plan de la
plage, le peintre avait su habituer les yeux à ne pas
reconnaître de frontière fixe, de démarcation absolue,
entre la terre et l'océan. Des hommes qui poussaient

des bateaux à la mer couraient aussi bien dans les flots
que sur le sable, lequel, mouillé, réfléchissait déjà les
coques comme s'il avait été de l'eau. La mer elle-même
ne montait pas régulièrement, mais suivait les accidents
de la grève, que la perspective déchiquetait encore
davantage, si bien qu'un navire en pleine mer, à demi
caché par les ouvrages avancés de l'arsenal, semblait
voguer au milieu de la ville ; des femmes qui ramassaient
des crevettes dans les rochers, avaient l'air, parce qu'elles
étaient entourées d'eau et à cause de la dépression qui,
après la barrière circulaire des roches, abaissait la plage
(des deux côtés les plus rapprochés des terres) au niveau
de la mer, d'être dans une grotte marine surplombée de
barques et de vagues, ouverte et protégée au milieu des
flots écartés miraculeusement. Si tout le tableau donnait
cette impression des ports où la mer entre dans la terre,
où la terre est déjà marine et la population, amphibie, la
force de l'élément marin éclatait partout ; et, près des
rochers, à l'entrée de la jetée, où la mer était agitée, on
sentait, aux efforts des matelots et à l'obliquité des
barques couchées à angle aigu devant la calme verticalité
de l'entrepôt, de l'église, des maisons de la ville, où les
uns rentraient, d'où les autres partaient pour la pêche,
qu'ils trottaient rudement sur l'eau comme sur un animal
fougueux et rapide dont les soubresauts, sans leur adresse,
les eussent jetés à terre. Une bande de promeneurs
sortait gaiement en une barque secouée comme une carriole ; un matelot joyeux, mais attentif aussi, la gouver-
nait comme avec des guides, menait la voile fougueuse,
chacun se tenait bien à sa place pour ne pas faire trop de
poids d'un côté et ne pas verser, et on courait ainsi par
les champs ensoleillés, dans les sites ombreux, dégringo-
lant les pentes. C'était une belle matinée malgré l'orage
qu'il avait fait. Et même on sentait encore les puissantes
actions qu'avait à neutraliser le bel équilibre des barques
immobiles, jouissant du soleil et de la fraîcheur, dans les

parties où la mer était si calme que les reflets avaient presque plus de solidité et de réalité que les coques vaporisées par un effet de soleil et que la perspective faisait s'enjamber les unes les autres. Ou plutôt on n'aurait pas dit d'autres parties de la mer. Car entre ces parties, il y avait autant de différence qu'entre l'une d'elles et l'église sortant des eaux, et les bateaux derrière la ville. L'intelligence faisait ensuite un même élément de ce qui était, ici noir dans un effet d'orage, plus loin tout d'une couleur avec le ciel et aussi verni que lui, et là si blanc de soleil, de brume et d'écume, si compact, si terrien, si circonvenu de maisons, qu'on pensait à quelque chaussée de pierres ou à un champ de neige, sur lequel on était effrayé de voir un navire s'élever en pente raide et à sec comme une voiture qui s'ébroue en sortant d'un gué, mais qu'au bout d'un moment, en y voyant sur l'étendue haute et inégale du plateau solide des bateaux titubants, on comprenait, identique en tous ces aspects divers, être encore la mer.

Bien qu'on dise avec raison qu'il n'y a pas de progrès, pas de découvertes en art, mais seulement dans les sciences, et que chaque artiste recommençant pour son compte un effort individuel ne peut y être aidé ni entravé par les efforts de tout autre, il faut pourtant reconnaître que, dans la mesure où l'art met en lumière certaines lois, une fois qu'une industrie les a vulgarisées, l'art antérieur perd rétrospectivement un peu de son originalité. Depuis les débuts d'Elstir, nous avons connu ce qu'on appelle « d'admirables » photographies de paysages et de villes. Si on cherche à préciser ce que les amateurs désignent dans ce cas par cette épithète, on verra qu'elle s'applique d'ordinaire à quelque image singulière d'une chose connue, image différente de celles que nous avons l'habitude de voir, singulière et pourtant vraie, et qui à cause de cela est pour nous doublement saisissante parce qu'elle nous étonne, nous fait sortir de nos habitudes,

et tout à la fois nous fait rentrer en nous-même en nous
rappelant une impression. Par exemple, telle de ces
photographies « magnifiques » illustrera une loi de la
perspective, nous montrera telle cathédrale que nous
avons l'habitude de voir au milieu de la ville, prise au
contraire d'un point choisi d'où elle aura l'air trente fois
plus haute que les maisons et faisant éperon au bord du
fleuve d'où elle est en réalité distante. Or, l'effort d'Elstir
de ne pas exposer les choses telles qu'il savait qu'elles
étaient, mais selon ces illusions optiques dont notre vision
première est faite, l'avait précisément amené à mettre en
lumière certaines de ces lois de perspective, plus frap-
pantes alors, car l'art était le premier à les dévoiler. Un
fleuve, à cause du tournant de son cours, un golfe, à cause
du rapprochement apparent des falaises, avaient l'air de
creuser au milieu de la plaine ou des montagnes un lac
absolument fermé de toutes parts. Dans un tableau pris de
Balbec par une torride journée d'été, un rentrant de la
mer semblait, enfermé dans des murailles de granit rose,
n'être pas la mer, laquelle commençait plus loin. La continuité de l'océan n'était suggérée que par des mouettes
qui, tournoyant sur ce qui semblait au spectateur de la
pierre, humaient au contraire l'humidité du flot. D'autres
lois se dégageaient de cette même toile comme, au pied
des immenses falaises, la grâce lilliputienne des voiles
blanches sur le miroir bleu où elles semblaient des papil-
lons endormis, et certains contrastes entre la profondeur
des ombres et la pâleur de la lumière. Ces jeux des ombres,
que la photographie a banalisés aussi, avaient intéressé
Elstir au point qu'il s'était complu autrefois à peindre de
véritables mirages, où un château coiffé d'une tour apparaissait comme un château complètement circulaire
prolongé d'une tour à son faîte, et en bas d'une tour
inverse, soit que la pureté extraordinaire d'un beau temps
donnât à l'ombre qui se reflétait dans l'eau la dureté et
l'éclat de la pierre, soit que les brumes du matin ren-

dissent la pierre aussi vaporeuse que l'ombre. De même, au delà de la mer, derrière une rangée de bois, une autre mer commençait, rosée par le coucher du soleil, et qui était le ciel. La lumière, inventant comme de nouveaux solides, poussait la coque du bateau qu'elle frappait, en retrait de celle qui était dans l'ombre, et disposait comme les degrés d'un escalier de cristal sur la surface matériellement plane, mais brisée par l'éclairage, de la mer au matin. Un fleuve qui passe sous les ponts d'une ville était pris d'un point de vue tel qu'il apparaissait entièrement disloqué, étalé ici en lac, aminci là en filet, rompu ailleurs par l'interposition d'une colline couronnée de bois où le citadin va le soir respirer la fraîcheur du soir ; et le rythme même de cette ville bouleversée n'était assuré que par la verticale inflexible des clochers qui ne montaient pas, mais plutôt, selon le fil à plomb de la pesanteur marquant la cadence comme dans une marche triomphale, semblaient tenir en suspens au-dessous d'eux toute la masse plus confuse des maisons étagées dans la brume, le long du fleuve écrasé et décousu. Et (comme les premières œuvres d'Elstir dataient de l'époque où on agrémentait les paysages par la présence d'un personnage) sur la falaise ou dans la montagne, le chemin, cette partie à demi humaine de la nature, subissait, comme le fleuve ou l'océan, les éclipses de la perspective. Et soit qu'une arête montagneuse, ou la brume d'une cascade, ou la mer empêchât de suivre la continuité de la route, visible pour le promeneur mais non pour nous, le petit personnage humain en habits démodés perdu dans ces solitudes semblait souvent arrêté devant un abîme, le sentier qu'il suivait finissait là, tandis que, trois cents mètres plus haut dans ces bois de sapins, c'est d'un œil attendri et d'un cœur rassuré que nous voyions reparaître la mince blancheur de son sable hospitalier au pas du voyageur, mais dont le versant de la montagne nous avait dérobé, contournant la cascade ou le golfe, les lacets intermédiaires.

L'effort qu'Elstir faisait pour se dépouiller en présence de la réalité de toutes les notions de son intelligence était d'autant plus admirable que cet homme qui avant de peindre se faisait ignorant, oubliait tout par probité (car ce qu'on sait n'est pas à soi), avait justement une intelligence exceptionnellement cultivée. Comme je lui avouais la déception que j'avais eue devant l'église de Balbec :

— Comment, me dit-il, vous avez été déçu par ce porche, mais c'est la plus belle Bible historiée que le peuple ait jamais pu lire. Cette Vierge et tous les bas-reliefs qui racontent sa vie, c'est l'expression la plus tendre, la plus inspirée, de ce long poème d'adoration et de louanges que le Moyen Age déroulera à la gloire de la Madone. Si vous saviez, à côté de l'exactitude la plus minutieuse à traduire le texte saint, quelles trouvailles de délicatesse a eues le vieux sculpteur, que de profondes pensées, quelle délicieuse poésie ! L'idée de ce grand voile dans lequel les Anges portent le corps de la Vierge, trop sacré pour qu'ils osent le toucher directement (je lui dis que le même sujet était traité à Saint-André-des-Champs ; il avait vu des photographies du porche de cette dernière église, mais me fit remarquer que l'empressement de ces petits paysans qui courent tous à la fois autour de la Vierge était autre chose que la gravité des deux grands anges presque italiens, si élancés, si doux) ; l'ange qui emporte l'âme de la Vierge pour la réunir à son corps ; dans la rencontre de la Vierge et d'Élisabeth, le geste de cette dernière qui touche le sein de Marie et s'émerveille de le sentir gonflé ; et le bras bandé de la sage-femme qui n'avait pas voulu croire, sans toucher, à l'Immaculée Conception ; et la ceinture jetée par la Vierge à saint Thomas pour lui donner la preuve de sa résurrection ; ce voile, aussi, que la Vierge arrache de son sein pour en voiler la nudité de son fils d'un côté de qui l'Église recueille le sang, la liqueur de

l'Eucharistie, tandis que, de l'autre, la Synagogue, dont
le règne est fini, a les yeux bandés, tient un spectre à
demi brisé et laisse échapper, avec sa couronne qui lui
tombe de la tête, les tables de l'ancienne Loi ; et l'époux
qui aidant, à l'heure du Jugement dernier, sa jeune femme
à sortir du tombeau lui appuie la main contre son propre
cœur pour la rassurer et lui prouver qu'il bat vraiment,
est-ce aussi assez chouette comme idée, assez trouvé ?
Et l'ange qui emporte le soleil et la lune devenus inutiles
puisqu'il est dit que la Lumière de la Croix sera sept fois
plus puissante que celle des astres ; et celui qui trempe
sa main dans l'eau du bain de Jésus pour voir si elle est
assez chaude ; et celui qui sort des nues pour poser sa
couronne sur le front de la Vierge ; et tous ceux qui,
penchés du haut du ciel entre les balustres de la Jéru-
salem céleste, lèvent les bras d'épouvante ou de joie à la
vue des supplices des méchants et du bonheur des élus !
Car c'est tous les cercles du ciel, tout un gigantesque
poème théologique et symbolique que vous avez là.
C'est fou, c'est divin, c'est mille fois supérieur à tout ce
que vous verrez en Italie, où d'ailleurs ce tympan a été
littéralement copié par des sculpteurs de bien moins de
génie. Parce que, vous comprenez, tout ça c'est une question de génie. Il n'y a pas eu d'époque où tout le monde
a du génie, tout ça c'est des blagues, ça serait plus fort
que l'âge d'or. Le type qui a sculpté cette façade-là,
croyez bien qu'il était aussi fort, qu'il avait des idées aussi
profondes que les gens de maintenant que vous admirez
le plus. Je vous montrerais cela, si nous y allions ensemble.
Il y a certaines paroles de l'office de l'Assomption qui
ont été traduites avec une subtilité qu'un Redon n'a pas
égalée.

Cette vaste vision céleste dont il me parlait, ce gigantesque poème théologique que je comprenais avoir été
écrit là, pourtant quand mes yeux pleins de désirs
s'étaient ouverts devant la façade, ce n'est pas eux que

j'avais vus. Je lui parlai de ces grandes statues de saints
qui montées sur ces échasses forment une sorte d'avenue.

— Elle part des fonds des âges pour aboutir à Jésus-
Christ, me dit-il. Ce sont d'un côté ses ancêtres selon
l'esprit, de l'autre, les Rois de Juda, ses ancêtres selon
la chair. Tous les siècles sont là. Et si vous aviez mieux
regardé ce qui vous a paru des échasses, vous auriez pu
nommer ceux qui étaient perchés. Car sous les pieds de
Moïse, vous auriez reconnu le veau d'or, sous les pieds
d'Abraham, le bélier, sous ceux de Joseph, le démon
conseillant la femme de Putiphar.

Je lui dis aussi que je m'étais attendu à trouver un
monument presque persan et que ç'avait sans doute été
là une des causes de mon mécompte. « Mais non, me
répondit-il, il y a beaucoup de vrai. Certaines parties
sont tout orientales ; un chapiteau reproduit si exactement un sujet persan que la persistance des traditions
orientales ne suffit pas à l'expliquer. Le sculpteur a dû
copier quelque coffret apporté par des navigateurs. Et
en effet, il devait me montrer plus tard la photographie
d'un chapiteau où je vis des dragons quasi-chinois qui se
dévoraient, mais à Balbec ce petit morceau de sculpture
avait passé pour moi inaperçu dans l'ensemble du monument qui ne ressemblait pas à ce que m'avaient montré
ces mots : « église presque persane ».

Les joies intellectuelles que je goûtais dans cet atelier
ne m'empêchaient nullement de sentir, quoiqu'ils nous
entourassent comme malgré nous, les tièdes glacis, la
pénombre étincelante de la pièce et, au bout de la petite
fenêtre encadrée de chèvrefeuilles, dans l'avenue toute
rustique, la résistante sécheresse de la terre brûlée de
soleil que voilait seulement la transparence de l'éloignement et de l'ombre des arbres. Peut-être l'inconscient
bien-être que me causait ce jour d'été venait-il agrandir,
comme un affluent, la joie que me causait la vue du « Port
de Carquethuit ».

J'avais cru Elstir modeste, mais je compris que je m'étais trompé, en voyant son visage se nuancer de tristesse quand dans une phrase de remerciement je prononçai le mot de gloire. Ceux qui croient leurs œuvres durables — et c'était le cas pour Elstir — prennent l'habitude de les situer dans une époque où eux-mêmes ne seront plus que poussière. Et ainsi, en les forçant à réfléchir au néant, l'idée de la gloire les attriste parce qu'elle est inséparable de l'idée de la mort. Je changeai de conversation pour dissiper ce nuage d'orgueilleuse mélancolie dont j'avais sans le vouloir chargé le front d'Elstir. « On m'avait conseillé, lui dis-je en pensant à la conversation que nous avions eue avec Legrandin à Combray et sur laquelle j'étais content d'avoir son avis, de ne pas aller en Bretagne, parce que c'était malsain pour un esprit déjà porté au rêve. — Mais non, me répondit-il, quand un esprit est porté au rêve, il ne faut pas l'en tenir écarté, le lui rationner. Tant que vous détournerez votre esprit de ses rêves, il ne les connaîtra pas ; vous serez le jouet de mille apparences parce que vous n'en aurez pas compris la nature. Si un peu de rêve est dangereux, ce qui en guérit, ce n'est pas moins de rêve, mais plus de rêve, mais tout le rêve. Il importe qu'on connaisse entièrement ses rêves pour n'en plus souffrir ; il y a une certaine séparation du rêve et de la vie qu'il est si souvent utile de faire que je me demande si on ne devrait pas à tout hasard la pratiquer préventivement comme certains chirurgiens prétendent qu'il faudrait, pour éviter la possibilité d'une appendicite future, enlever l'appendice chez tous les enfants. »

Elstir et moi étions allés jusqu'au fond de l'atelier, devant la fenêtre qui donnait derrière le jardin sur une étroite avenue de traverse, presque un petit chemin rustique. Nous étions venus là pour respirer l'air rafraîchi de l'après-midi plus avancé. Je me croyais bien loin des jeunes filles de la petite bande, et c'est en sacri-

fiant pour une fois l'espérance de les voir que j'avais fini
par obéir à la prière de ma grand'mère et aller voir Elstir.
Car où se trouve ce qu'on cherche, on ne le sait pas et on
fuit souvent pendant bien longtemps le lieu où, pour
d'autres raisons, chacun nous invite ; mais nous ne soup-
çonnons pas que nous y verrions justement l'être auquel
nous pensons. Je regardais vaguement ce chemin cam-
pagnard qui, extérieur à l'atelier, passait tout près de lui
mais n'appartenait pas à Elstir. Tout à coup y apparut,
le suivant à pas rapides, la jeune cycliste de la petite
bande avec, sur ses cheveux noirs, son polo abaissé vers
ses grosses joues, ses yeux gais et un peu insistants ;
et dans ce sentier fortuné miraculeusement rempli de
douces promesses, je la vis sous les arbres adresser à
Elstir un salut souriant d'amie, arc-en-ciel qui unit pour
moi notre monde terraqué à des régions que j'avais
jugées jusque-là inaccessibles. Elle s'approcha même
pour tendre la main au peintre, sans s'arrêter, et je vis
qu'elle avait un petit grain de beauté au menton. « Vous
connaissez cette jeune fille, Monsieur ? » dis-je à Elstir,
comprenant qu'il pourrait me présenter à elle, l'inviter
chez lui. Et cet atelier paisible avec son horizon rural
s'était rempli d'un surcroît délicieux, comme il arrive
d'une maison où un enfant se plaisait déjà et où il apprend
que, en plus, de par la générosité qu'ont les belles choses
et les nobles gens à accroître indéfiniment leurs dons, se
prépare pour lui un magnifique goûter. Elstir me dit
qu'elle s'appelait Albertine Simonet et me nomma aussi
ses autres amies que je lui décrivis avec assez d'exactitude pour qu'il n'eût guère d'hésitation. J'avais commis à
l'égard de leur situation sociale une erreur, mais pas dans
le même sens que d'habitude à Balbec. J'y prenais facilement pour des princes des fils de boutiquiers montant
à cheval. Cette fois, j'avais situé dans un milieu interlope
des filles d'une petite bourgeoisie fort riche, du monde
de l'industrie et des affaires. C'était celui qui, de prime

abord, m'intéressait le moins, n'ayant pour moi le
mystère ni du peuple, ni d'une société comme celle des
Guermantes. Et sans doute, si un prestige préalable,
qu'elles ne perdraient plus, ne leur avait été conféré,
devant mes yeux éblouis, par la vacuité éclatante de la
vie de plage, je ne serais peut-être pas arrivé à lutter
victorieusement contre l'idée qu'elles étaient les filles
de gros négociants. Je ne pus qu'admirer combien la
bourgeoisie française était un atelier merveilleux de la
sculpture la plus variée. Que de types imprévus, quelle
invention dans le caractère des visages, quelle décision,
quelle fraîcheur, quelle naïveté dans les traits! Les vieux
bourgeois avares d'où étaient issues ces Dianes et ces
nymphes me semblaient les plus grands des statuaires.
Avant que j'eusse eu le temps de m'apercevoir de la métamorphose sociale de ces jeunes filles, et tant ces découvertes d'une erreur, ces modifications de la notion qu'on
a d'une personne ont l'instantanéité d'une réaction chi-
mique, s'était déjà installée derrière le visage d'un genre
si voyou de ces jeunes filles que j'avais prises pour des
maîtresses de coureurs cyclistes, de champions de boxe,
l'idée qu'elles pouvaient très bien être liées avec la famille
de tel notaire que nous connaissions. Je ne savais guère
ce qu'était Albertine Simonet. Elle ignorait certes ce
qu'elle devait être un jour pour moi. Même le nom de
Simonet que j'avais déjà entendu sur la plage, si on m'avait
demandé de l'écrire je l'aurais orthographié avec deux *n*,
ne me doutant pas de l'importance que cette famille
attachait à n'en posséder qu'un seul. Au fur et à mesure
que l'on descend dans l'échelle sociale, le snobisme s'ac-
croche à des riens qui ne sont peut-être pas plus nuls que
les distinctions de l'aristocratie, mais qui, plus obscurs,
plus particuliers à chacun, surprennent davantage.
Peut-être y avait-il eu des Simonnet qui avaient fait de
mauvaises affaires, ou pis encore. Toujours est-il que les
Simonet s'étaient, paraît-il, toujours irrités comme d'une

calomnie quand on doublait leur *n*. Ils avaient, d'être
les seuls Simonet avec un *n* au lieu de deux, autant de
fierté peut-être que les Montmorency d'être les premiers barons de France. Je demandai à Elstir si ces
jeunes filles habitaient Balbec, il me répondit oui pour
certaines d'entre elles. La villa de l'une était précisément
située tout au bout de la plage, là où commencent les
falaises de Canapville. Comme cette jeune fille était une
grande amie d'Albertine Simonet, ce me fut une raison
de plus de croire que c'était bien cette dernière que j'avais
rencontrée, quand j'étais avec ma grand'mère. Certes
il y avait tant de ces petites rues perpendiculaires à la
plage où elles faisaient un angle pareil, que je n'aurais
pu spécifier exactement laquelle c'était. On voudrait
avoir un souvenir exact, mais au moment même la
vision a été trouble. Pourtant qu'Albertine et cette jeune
fille entrant chez son amie fussent une seule et même
personne, c'était pratiquement une certitude. Malgré
cela, tandis que les innombrables images que m'a pré-
sentées dans la suite la brune joueuse de golf, si différentes qu'elles soient les unes des autres, se superposent
(parce que je sais qu'elles lui appartiennent toutes)
et que, si je remonte le fil de mes souvenirs, je peux,
sous le couvert de cette identité et comme dans un chemin de communication intérieure, repasser par toutes
ces images sans sortir d'une même personne, en revanche,
si je veux remonter jusqu'à la jeune fille que je croisai
le jour où j'étais avec ma grand'mère, il me faut ressortir
à l'air libre. Je suis persuadé que c'est Albertine que je
retrouve, la même que celle qui s'arrêtait souvent, au
milieu de ses amies, dans sa promenade, dépassant
l'horizon de la mer ; mais toutes ces images restent séparées de cette autre parce que je ne peux pas lui conférer rétrospectivement une identité qu'elle n'avait pas
pour moi au moment où elle a frappé mes yeux ; quoi
que puisse m'assurer le calcul des probabilités, cette

jeune fille aux grosses joues qui me regarda si hardiment au coin de la petite rue et de la plage et par qui je crois que j'aurais pu être aimé, au sens strict du mot revoir, je ne l'ai jamais revue.

Mon hésitation entre les diverses jeunes filles de la petite bande, lesquelles gardaient toutes un peu du charme collectif qui m'avait d'abord troublé, s'ajouta-t-elle aussi à ces causes pour me laisser plus tard, même au temps de mon plus grand — de mon second — amour pour Albertine, une sorte de liberté intermittente, et bien brève, de ne l'aimer pas ? Pour avoir erré entre toutes ses amies avant de se porter définitivement sur elle, mon amour garda parfois entre lui et l'image d'Albertine un certain « jeu » qui lui permettait, comme un éclairage mal adapté, de se poser sur d'autres avant de revenir s'appliquer à elle ; le rapport entre le mal que je ressentais au cœur, et le souvenir d'Albertine ne me semblait pas nécessaire, j'aurais peut-être pu le coordonner avec l'image d'une autre personne. Ce qui permettait, l'éclair d'un instant, de faire évanouir la réalité, non pas seulement la réalité extérieure comme dans mon amour pour Gilberte (que j'avais reconnu pour un état intérieur où je tirais de moi seul la qualité particulière, le caractère spécial de l'être que j'aimais, tout ce qui le rendait indispensable à mon bonheur), mais même la réalité intérieure et purement subjective.

« Il n'y a pas de jour qu'une ou l'autre d'entre elles ne passe devant l'atelier et n'entre me faire un bout de visite, » me dit Elstir, me désespérant ainsi par la pensée que si j'avais été le voir aussitôt que ma grand'mère m'avait demandé de le faire, j'eusse probablement depuis longtemps déjà fait la connaissance d'Albertine.

Elle s'était éloignée ; de l'atelier on ne la voyait plus. Je pensai qu'elle était allée rejoindre ses amies sur la digue. Si j'avais pu m'y trouver avec Elstir, j'eusse fait leur connaissance. J'inventai mille prétextes pour qu'il

consentît à venir faire un tour de plage avec moi. Je
n'avais plus le même calme qu'avant l'apparition de la
jeune fille dans le cadre de la petite fenêtre si charmante
jusque-là sous ses chèvrefeuilles et maintenant bien
vide. Elstir me causa une joie mêlée de torture en me
disant qu'il ferait quelques pas avec moi, mais qu'il était
obligé de terminer d'abord le morceau qu'il était en
train de peindre. C'était des fleurs, mais pas de celles
dont j'eusse mieux aimé lui commander le portrait que
celui d'une personne, afin d'apprendre par la révélation
de son génie ce que j'avais si souvent cherché en vain
devant elles — aubépines, épines roses, bluets, fleurs de
pommiers. Elstir tout en peignant me parlait de botanique, mais je ne l'écoutais guère ; il ne se suffisait plus à
lui-même, il n'était plus que l'intermédiaire nécessaire
entre ces jeunes filles et moi ; le prestige que, quelques
instants encore auparavant, lui donnait pour moi son
talent, ne valait plus qu'en tant qu'il m'en conférait
un peu à moi-même aux yeux de la petite bande à qui
je serais présenté par lui.

J'allais et venais, impatient qu'il eût fini de travailler ;
je saisissais pour les regarder des études dont beaucoup,
tournées contre le mur, étaient empilées les unes sur les
autres. Je me trouvai ainsi mettre au jour une aquarelle
qui devait être d'un temps bien plus ancien de la vie
d'Elstir et me causa cette sorte particulière d'enchantement que dispensent des œuvres, non seulement d'une
exécution délicieuse, mais aussi d'un sujet si singulier
et si séduisant que c'est à lui que nous attribuons une
partie de leur charme, comme si, ce charme, le peintre
n'avait eu qu'à le découvrir, qu'à l'observer, matériellement réalisé déjà dans la nature et à le reproduire. Que
de tels objets puissent exister, beaux en dehors même
de l'interprétation du peintre, cela contente en nous un
matérialisme inné, combattu par la raison, et sert de
contrepoids aux abstractions de l'esthétique. C'était —

cette aquarelle — le portrait d'une jeune femme pas jolie,
mais d'un type curieux, que coiffait un serre-tête assez
semblable à un chapeau melon bordé d'un ruban de soie
cerise ; une de ses mains gantées de mitaines tenait une
cigarette allumée, tandis que l'autre élevait à la hauteur
du genou une sorte de grand chapeau de jardin, simple
écran de paille contre le soleil. A côté d'elle, un porte-
bouquet plein de roses sur une table. Souvent, et c'était
le cas ici, la singularité de ces œuvres tient surtout à ce
qu'elles ont été exécutées dans des conditions particulières dont nous ne nous rendons pas clairement compte
d'abord, par exemple si la toilette étrange d'un modèle
féminin est un déguisement de bal costumé, ou si au
contraire le manteau rouge d'un vieillard qui a l'air de
l'avoir revêtu pour se prêter à une fantaisie du peintre,
est sa robe de professeur ou de conseiller, ou son camail
de cardinal. Le caractère ambigu de l'être dont j'avais
le portrait sous les yeux tenait, sans que je le comprisse,
à ce que c'était une jeune actrice d'autrefois en demi-
travesti. Mais son melon, sous lequel ses cheveux étaient
bouffants, mais courts, son veston de velours sans revers
ouvrant sur un plastron blanc me firent hésiter sur la
date de la mode et le sexe du modèle, de façon que je ne
savais pas exactement ce que j'avais sous les yeux, sinon
le plus clair des morceaux de peinture. Et le plaisir qu'il
me donnait était troublé seulement par la peur qu'Elstir,
en s'attardant encore, me fît manquer les jeunes filles,
car le soleil était déjà oblique et bas dans la petite fenêtre.
Aucune chose dans cette aquarelle n'était simplement
constatée en fait et peinte à cause de son utilité dans la
scène, le costume parce qu'il fallait que la femme fût
habillée, le porte-bouquet pour les fleurs. Le verre
du porte-bouquet, aimé pour lui-même, avait l'air
d'enfermer l'eau où trempaient les tiges des œillets,
dans quelque chose d'aussi limpide, presque d'aussi
liquide qu'elle ; l'habillement de la femme l'entourait

d'une matière qui avait un charme indépendant, fraternel et, si les œuvres de l'industrie pouvaient rivaliser
de charme avec les merveilles de la nature, aussi délicate,
aussi savoureuse au toucher du regard, aussi fraîchement
peinte que la fourrure d'une chatte, les pétales d'un œillet,
les plumes d'une colombe. La blancheur du plastron,
d'une finesse de grésil et dont le frivole plissage avait
des clochettes comme celles du muguet, s'étoilait des
clairs reflets de la chambre, aigus eux-mêmes et finement
nuancés comme des bouquets de fleurs qui auraient
broché le linge. Et le velours du veston, brillant et nacré,
avait çà et là quelque chose de hérissé, de déchiqueté
et de velu qui faisait penser à l'ébouriffage des œillets
dans le vase. Mais surtout on sentait qu'Elstir, insoucieux
de ce que pouvait présenter d'immoral ce travesti
d'une jeune actrice, pour qui le talent avec lequel elle
jouerait son rôle avait sans doute moins d'importance
que l'attrait irritant qu'elle allait offrir aux sens blasés
ou dépravés de certains spectateurs, s'était au contraire
attaché à ces traits d'ambiguïté comme à un élément
esthétique qui valait d'être mis en relief et qu'il avait
tout fait pour souligner. Le long des lignes du visage,
le sexe avait l'air d'être sur le point d'avouer qu'il était
celui d'une fille un peu garçonnière, s'évanouissait, et
plus loin se retrouvait, suggérant plutôt l'idée d'un
jeune efféminé vicieux et songeur, puis fuyait encore,
restait insaisissable. Le caractère de tristesse rêveuse du
regard, par son contraste même avec les accessoires
appartenant au monde de la noce et du théâtre, n'était
pas ce qui était le moins troublant. On pensait du reste
qu'il devait être factice et que le jeune être qui semblait
s'offrir aux caresses dans ce provocant costume avait
probablement trouvé piquant d'y ajouter l'expression
romanesque d'un sentiment secret, d'un chagrin inavoué. Au bas du portrait était écrit : *Miss Sacripant*,
octobre 1872. Je ne pus contenir mon admiration.

« Oh! ce n'est rien, c'est une pochade de jeunesse, c'était
un costume pour une Revue des Variétés. Tout cela
est bien loin. — Et qu'est devenu le modèle ? » Un étonnement provoqué par mes paroles précéda sur la figure
d'Elstir l'air indifférent et distrait qu'au bout d'une
seconde il y étendit. « Tenez, passez-moi vite cette toile,
me dit-il, j'entends Mme Elstir qui arrive et bien que la
jeune personne en melon n'ait joué, je vous assure,
aucun rôle dans ma vie, il est inutile que ma femme ait
cette aquarelle sous les yeux. Je n'ai gardé cela que
comme un document amusant sur le théâtre de cette
époque. » Et avant de cacher l'aquarelle derrière lui,
Elstir qui peut-être ne l'avait pas vue depuis longtemps
y attacha un regard attentif. « Il faudra que je ne garde que
la tête, murmura-t-il, le bas est vraiment trop mal peint,
les mains sont d'un commençant. » J'étais désolé de
l'arrivée de Mme Elstir qui allait encore nous retarder.
Le rebord de la fenêtre fut bientôt rose. Notre sortie
serait en pure perte. Il n'y avait plus aucune chance
de voir les jeunes filles, par conséquent plus aucune
importance à ce que Mme Elstir nous quittât plus ou
moins vite. Elle ne resta, d'ailleurs, pas très longtemps.
Je la trouvai très ennuyeuse ; elle aurait pu être belle,
si elle avait eu vingt ans, conduisant un bœuf dans la
campagne romaine ; mais ses cheveux noirs blanchis-
saient ; et elle était commune sans être simple, parce
qu'elle croyait que la solennité des manières et la majesté de l'attitude étaient requises par sa beauté sculp-
turale à laquelle, d'ailleurs, l'âge avait enlevé toutes ses
séductions. Elle était mise avec la plus grande simplicité.
Et on était touché mais surpris d'entendre Elstir dire
à tout propos et avec une douceur respectueuse, comme
si rien que prononcer ces mots lui causait de l'attendrissement et de la vénération : « Ma belle Gabrielle ! » Plus
tard, quand je connus la peinture mythologique d'Elstir,
Mme Elstir prit pour moi aussi de la beauté. Je compris

qu'à un certain type idéal résumé en certaines lignes, en
certaines arabesques qui se retrouvaient sans cesse dans
son œuvre, à un certain canon, il avait attribué en fait
un caractère presque divin, puisque tout son temps,
tout l'effort de pensée dont il était capable, en un mot
toute sa vie, il l'avait consacrée à la tâche de distinguer
mieux ces lignes, de les reproduire plus fidèlement. Ce
qu'un tel idéal inspirait à Elstir, c'était vraiment un culte
si grave, si exigeant, qu'il ne lui permettait jamais d'être
content ; cet idéal, c'était la partie la plus intime de lui-
même : aussi n'avait-il pu le considérer avec détachement, en tirer des émotions, jusqu'au jour où il le
rencontra, réalisé au dehors, dans le corps d'une femme,
le corps de celle qui était par la suite devenue Mᵐᵉ Elstir
et chez qui il avait pu — comme cela ne nous est possible
que pour ce qui n'est pas nous-mêmes — le trouver méritoire, attendrissant, divin. Quel repos, d'ailleurs, de poser
ses lèvres sur ce Beau que jusqu'ici il fallait avec tant
de peine extraire de soi, et qui maintenant, mystérieu-
sement incarné, s'offrait à lui pour une suite de commu-
nions efficaces! Elstir à cette époque n'était plus dans la
première jeunesse où l'on n'attend que de la puissance
de la pensée la réalisation de son idéal. Il approchait de
l'âge où l'on compte sur les satisfactions du corps pour
stimuler la force de l'esprit, où la fatigue de celui-ci en
nous inclinant au matérialisme, et la diminution de l'activité, à la possibilité d'influences passivement reçues,
commencent à nous faire admettre qu'il y a peut-être
bien certains corps, certains métiers, certains rythmes
privilégiés, réalisant si naturellement notre idéal que,
même sans génie, rien qu'en copiant le mouvement
d'une épaule, la tension d'un cou, nous ferions un
chef-d'œuvre ; c'est l'âge où nous aimons à caresser la
Beauté du regard, hors de nous, près de nous, dans une
tapisserie, dans une belle esquisse de Titien découverte
chez un brocanteur, dans une maîtresse aussi belle que

l'esquisse de Titien. Quand j'eus compris cela, je ne pus plus voir sans plaisir Mme Elstir, et son corps perdit de sa lourdeur, car je le remplis d'une idée, l'idée qu'elle était une créature immatérielle, un portrait d'Elstir. Elle en était un pour moi et pour lui aussi sans doute. Les données de la vie ne comptent pas pour l'artiste, elles ne sont pour lui qu'une occasion de mettre à nu son génie. On sent bien, à voir les uns à côté des autres dix portraits de personnes différentes peintes par Elstir, que ce sont avant tout des Elstir. Seulement, après cette marée montante du génie qui recouvre la vie quand le cerveau se fatigue, peu à peu l'équilibre se rompt, et comme un fleuve qui reprend son cours après le contre-flux d'une grande marée, c'est la vie qui reprend le dessus. Or, pendant que durait la première période, l'artiste a peu à peu dégagé la loi, la formule de son don inconscient. Il sait quelles situations, s'il est romancier, quels paysages, s'il est peintre, lui fournissent la matière, indifférente en soi, mais nécessaire à ses recherches, comme serait un laboratoire ou un atelier. Il sait qu'il a fait ses chefs-d'œuvre avec des effets de lumière atténuée, avec des remords modifiant l'idée d'une faute, avec des femmes posées sous les arbres ou à demi plongées dans l'eau comme des statues. Un jour viendra où, par l'usure de son cerveau, il n'aura plus, devant ces matériaux dont se servait son génie, la force de faire l'effort intellectuel qui seul peut produire son œuvre, et continuera pourtant à les rechercher, heureux de se trouver près d'eux à cause du plaisir spirituel, amorce du travail, qu'ils éveillent en lui ; et, les entourant d'ailleurs d'une sorte de superstition comme s'ils étaient supérieurs à autre chose, si en eux résidait déjà une bonne part de l'œuvre d'art qu'ils porteraient en quelque sorte toute faite, il n'ira pas plus loin que la fréquentation, l'adoration des modèles. Il causera indéfiniment avec des criminels repentis, dont les remords, la régénération ont fait jadis l'objet de ses romans ; il achètera une maison de campagne dans un pays où la brume atténue la lumière ; il passera de longues heures à regarder des femmes se baigner ; il collectionnera les belles étoffes. Et ainsi la beauté de la vie, mot en quelque sorte dépourvu de signification, stade situé en deçà de l'art et auquel j'avais vu s'arrêter Swann, était celui où, par ralentissement du génie créateur, idolâtrie des formes qui l'avaient favorisé, désir du moindre effort, devait un jour rétrograder peu à peu un Elstir.

Il venait enfin de donner un dernier coup de pinceau à ses fleurs ; je perdis un instant à les regarder ; je n'avais pas de mérite à le faire, puisque je savais que les jeunes filles ne se trouveraient plus sur la plage ; mais j'aurais cru qu'elles y étaient encore et que ces minutes perdues me les faisaient manquer, que j'aurais regardé tout de même, car je me serais dit qu'Elstir s'intéressait plus à ses fleurs qu'à ma rencontre avec les jeunes filles. La nature de ma grand'mère, nature qui était juste l'opposé de mon total égoïsme, se reflétait pourtant dans la mienne. Dans une circonstance où quelqu'un qui m'était indifférent, pour qui j'avais toujours feint de l'affection ou du respect, ne risquait qu'un désagrément tandis que je courais un danger, je n'aurais pas pu faire autrement que de le plaindre de son ennui comme d'une chose considérable et de traiter mon danger comme un rien, parce qu'il me semblait que c'était avec ces proportions que les choses devaient lui apparaître. Pour dire les choses telles qu'elles sont, c'est même un peu plus que cela, et pas seulement ne pas déplorer le danger que je courais moi-même, mais aller au-devant de ce danger-là et, pour celui qui concernait les autres, tâcher au contraire, dussé-je avoir plus de chances d'être atteint moi-même, de le leur éviter. Cela tient à plusieurs raisons qui ne sont point à mon honneur. L'une est que si, tant que je ne faisais que raisonner, je croyais surtout tenir à la

vie, chaque fois qu'au cours de mon existence je me suis
trouvé obsédé par des soucis moraux ou seulement par
des inquiétudes nerveuses, quelquefois si puériles que je
n'oserais pas les rapporter, si une circonstance imprévue
survenait alors, amenant pour moi le risque d'être tué,
cette nouvelle préoccupation était si légère, relativement
aux autres, que je l'accueillais avec un sentiment de
détente qui allait jusqu'à l'allégresse. Je me trouve ainsi
avoir connu, quoique étant l'homme le moins brave du
monde, cette chose qui me semblait, quand je raisonnais,
si étrangère à ma nature, si inconcevable, l'ivresse du
danger. Mais même fussé-je, quand il y en a un, et
mortel, qui se présente, dans une période entièrement
calme et heureuse, je ne pourrais pas, si je suis avec une
autre personne, ne pas la mettre à l'abri et choisir pour
moi la place dangereuse. Quand un assez grand nombre
d'expériences m'eurent appris que j'agissais toujours
ainsi, et avec plaisir, je découvris et à ma grande honte,
que c'est que, contrairement à ce que j'avais toujours
cru et affirmé, j'étais très sensible à l'opinion des autres.
Cette sorte d'amour-propre inavoué n'a pourtant aucun
rapport avec la vanité ni avec l'orgueil. Car ce qui peut
contenter l'une ou l'autre ne me causerait aucun plaisir,
et je m'en suis toujours abstenu. Mais les gens devant
qui j'ai réussi à cacher le plus complètement les petits
avantages qui auraient pu leur donner une moins piètre
idée de moi, je n'ai jamais pu me refuser le plaisir de leur
montrer que je mets plus de soin à écarter la mort de leur
route que de la mienne. Comme mon mobile est alors
l'amour-propre et non la vertu, je trouve bien naturel
qu'en toute circonstance ils agissent autrement. Je suis
bien loin de les en blâmer, ce que je ferais peut-être si
j'avais été mû par l'idée d'un devoir qui me semblerait
dans ce cas être obligatoire pour eux aussi bien que pour
moi. Au contraire, je les trouve fort sages de préserver
leur vie, tout en ne pouvant m'empêcher de faire passer

au second plan la mienne, ce qui est particulièrement
absurde et coupable, depuis que j'ai cru reconnaître que
celle de beaucoup de gens devant qui je me place quand
éclate une bombe, est plus dénuée de prix. D'ailleurs,
le jour de cette visite à Elstir, les temps étaient encore
loin où je devais prendre conscience de cette différence
de valeur, et il ne s'agissait d'aucun danger, mais simplement, signe avant-coureur du pernicieux amour-propre,
de ne pas avoir l'air d'attacher au plaisir que je désirais
si ardemment plus d'importance qu'à la besogne d'aqua-
relliste qu'il n'avait pas achevée. Elle le fut enfin. Et,
une fois dehors, je m'aperçus que — tant les jours étaient
longs dans cette saison-là — il était moins tard que je ne
croyais ; nous allâmes sur la digue. Que de ruses j'em-
ployai pour faire demeurer Elstir à l'endroit où je croyais
que ces jeunes filles pouvaient encore passer ! Lui montrant les falaises qui s'élevaient à côté de nous, je ne
cessais de lui demander de me parler d'elles, afin de lui
faire oublier l'heure et de le faire rester. Il me semblait
que nous avions plus de chance de cerner la petite bande
en allant vers l'extrémité de la plage. « J'aurais voulu
voir d'un tout petit peu plus près avec vous ces falaises »,
dis-je à Elstir, ayant remarqué qu'une de ces jeunes filles
s'en allait souvent de ce côté. « Et pendant ce temps-là,
parlez-moi de Carquethuit. Ah ! que j'aimerais aller à
Carquethuit ! » ajoutai-je sans penser que le caractère si
nouveau qui se manifestait avec tant de puissance dans
le « Port de Carquethuit » d'Elstir tenait peut-être plus à
la vision du peintre qu'à un mérite spécial de cette plage.
« Depuis que j'ai vu ce tableau, c'est peut-être ce que
je désire le plus connaître avec la Pointe du Raz, qui
serait, d'ailleurs, d'ici, tout un voyage. — Et puis, même
si ce n'était pas plus près, je vous conseillerais peut-être
tout de même davantage Carquethuit, me répondit
Elstir. La Pointe du Raz est admirable, mais enfin c'est
toujours la grande falaise normande ou bretonne que vous

connaissez. Carquethuit, c'est tout autre chose avec ses roches sur une plage basse. Je ne connais rien en France d'analogue, cela me rappelle plutôt certains aspects de la Floride. C'est très curieux, et du reste extrêmement sauvage aussi. C'est entre Clitourps et Nehomme, et vous savez combien ces parages sont désolés ; la ligne des plages est ravissante. Ici, la ligne de la plage est quelconque ; mais là-bas, je ne peux vous dire quelle grâce elle a, quelle douceur. »

Le soir tombait ; il fallut revenir ; je ramenais Elstir vers sa villa, quand tout d'un coup, tel Méphistophélès surgissant devant Faust, apparurent au bout de l'avenue — comme une simple objectivation irréelle et diabolique du tempérament opposé au mien, de la vitalité quasi-barbare et cruelle dont était si dépourvue ma faiblesse, mon excès de sensibilité douloureuse et d'intellectualité — quelques taches de l'essence impossible à confondre avec rien d'autre, quelques sporades de la bande zoophytique des jeunes filles, lesquelles avaient l'air de ne pas me voir, mais sans aucun doute n'en étaient pas moins en train de porter sur moi un jugement ironique. Sentant qu'il était inévitable que la rencontre entre elles et nous se produisît, et qu'Elstir allait m'appeler, je tournai le dos comme un baigneur qui va recevoir la lame ; je m'arrêtai net et, laissant mon illustre compagnon poursuivre son chemin, je restai en arrière, penché, comme si j'étais subitement intéressé par elle, vers la vitrine du marchand d'antiquités devant lequel nous passions en ce moment ; je n'étais pas fâché d'avoir l'air de pouvoir penser à autre chose qu'à ces jeunes filles, et je savais déjà obscurément que, quand Elstir m'appellerait pour me présenter, j'aurais la sorte de regard interrogateur qui décèle non la surprise, mais le désir d'avoir l'air surpris — tant chacun est un mauvais acteur, ou le prochain, un bon physiognomoniste — que j'irais même jusqu'à indiquer ma poitrine avec mon doigt pour

demander : « C'est bien moi que vous appelez ? » et
accourir vite, la tête courbée par l'obéissance et la doci-
lité, le visage dissimulant froidement l'ennui d'être
arraché à la contemplation de vieilles faïences pour être
présenté à des personnes que je ne souhaitais pas de
connaître. Cependant je considérais la devanture en
attendant le moment où mon nom crié par Elstir
viendrait me frapper comme une balle attendue et inof-
fensive. La certitude de la présentation à ces jeunes filles
avait eu pour résultat, non seulement de me faire à leur
égard jouer, mais éprouver, l'indifférence. Désormais
inévitable, le plaisir de les connaître fut comprimé,
réduit, me parut plus petit que celui de causer avec
Saint-Loup, de dîner avec ma grand'mère, de faire dans
les environs des excursions que je regretterais d'être
probablement, par le fait de relations avec des personnes
qui devaient peu s'intéresser aux monuments historiques,
contraint de négliger. D'ailleurs, ce qui diminuait le
plaisir que j'allais avoir, ce n'était pas seulement l'immi-
nence, mais l'incohérence de sa réalisation. Des lois aussi
précises que celles de l'hydrostatique maintiennent la
superposition des images que nous formons dans un
ordre fixe que la proximité de l'événement bouleverse.
Elstir allait m'appeler. Ce n'était pas du tout de cette
façon que je m'étais souvent, sur la plage, dans ma chambre, figuré que je connaîtrais ces jeunes filles. Ce qui
allait avoir lieu, c'était un autre événement auquel je
n'étais pas préparé. Je n'y reconnaissais ni mon désir,
ni son objet ; je regrettais presque d'être sorti avec
Elstir. Mais, surtout, la contraction du plaisir que j'avais
auparavant cru avoir étant due à la certitude que rien ne
pouvait plus me l'enlever. Et il reprit, comme en vertu
d'une force élastique, toute sa hauteur, quand il cessa
de subir l'étreinte de cette certitude, au moment où,
m'étant décidé à tourner la tête, je vis Elstir, arrêté
quelques pas plus loin avec les jeunes filles, leur dire

au revoir. La figure de celle qui était le plus près de lui, grosse et éclairée par ses regards, avait l'air d'un gâteau où on eût réservé de la place pour un peu de ciel. Ses yeux, même fixes, donnaient l'impression de la mobilité, comme il arrive par ces jours de grand vent où l'air, quoique invisible, laisse percevoir la vitesse avec laquelle il passe sur le fond de l'azur. Un instant ses regards croisèrent les miens, comme ces ciels voyageurs des jours d'orage qui approchent d'une nuée moins rapide, la côtoient, la touchent, la dépassent. Mais ils ne se connaissent pas et s'en vont loin l'un de l'autre. Tels, nos regards furent un instant face à face, ignorant chacun ce que le continent céleste qui était devant lui contenait de promesses et de menaces pour l'avenir. Au moment seulement où son regard passa exactement sous le mien, sans ralentir sa marche, il se voila légèrement. Ainsi, par une nuit claire, la lune emportée par le vent passe sous un nuage et voile un instant son éclat, puis reparaît bien vite. Mais déjà Elstir avait quitté les jeunes filles sans m'avoir appelé. Elles prirent une rue de traverse, il vint vers moi. Tout était manqué.

J'ai dit qu'Albertine ne m'était pas apparue, ce jour-là, la même que les précédents, et que, chaque fois, elle devait me sembler différente. Mais je sentis à ce moment que certaines modifications dans l'aspect, l'importance, la grandeur d'un être peuvent tenir aussi à la variabilité de certains états interposés entre cet être et nous. L'un de ceux qui jouent à cet égard le rôle le plus considérable est la croyance (ce soir-là, la croyance, puis l'évanouissement de la croyance, que j'allais connaître Albertine, l'avait, à quelques secondes d'intervalle, rendue presque insignifiante, puis infiniment précieuse, à mes yeux ; quelques années plus tard, la croyance, puis la disparition de la croyance, qu'Albertine m'était fidèle, amena des changements analogues).

Certes, à Combray déjà j'avais vu diminuer ou grandir

selon les heures, selon que j'entrais dans l'un ou l'autre des deux grands modes qui se partageaient ma sensibilité, le chagrin de n'être pas près de ma mère, aussi imperceptible, tout l'après-midi, que la lumière de la lune tant que brille le soleil et, la nuit venue, régnant seul dans mon âme anxieuse à la place de souvenirs effacés et récents. Mais, ce jour-là, en voyant qu'Elstir quittait les jeunes filles sans m'avoir appelé, j'appris que les variations de l'importance qu'ont à nos yeux un plaisir ou un chagrin peuvent ne pas tenir seulement à cette alternance de deux états, mais au déplacement de croyances invisibles, lesquelles par exemple nous font paraître indifférente la mort parce qu'elles répandent sur celle-ci une lumière d'irréalité, et nous permettent ainsi d'attacher de l'importance à nous rendre à une soirée musicale qui perdrait de son charme si, à l'annonce que nous allons être guillotinés, la croyance qui baigne cette soirée se dissipait tout à coup ; ce rôle des croyances, il est vrai que quelque chose en moi le savait, c'était la volonté, mais elle le sait en vain si l'intelligence, la sensibilité continuent à l'ignorer ; celles-ci sont de bonne foi quand elles croient que nous avons envie de quitter une maîtresse à laquelle seule notre volonté sait que nous tenons. C'est qu'elles sont obscurcies par la croyance que nous la retrouverons dans un instant. Mais que cette croyance se dissipe, qu'elles apprennent tout d'un coup que cette maîtresse est partie pour toujours, alors l'intelligence et la sensibilité, ayant perdu leur mise au point, sont comme folles, le plaisir infime s'agrandit à l'infini.

Variation d'une croyance, néant de l'amour aussi, lequel, préexistant et mobile, s'arrête à l'image d'une femme simplement parce que cette femme sera presque impossible à atteindre. Dès lors on pense moins à la femme, qu'on se représente difficilement, qu'aux moyens de la connaître. Tout un processus d'angoisses se développe et suffit pour fixer notre amour sur elle, qui en est l'objet à peine connu de nous. L'amour devient immense, nous ne songeons pas combien la femme réelle y tient peu de place. Et si tout d'un coup, comme au moment où j'avais vu Elstir s'arrêter avec les jeunes filles, nous cessons d'être inquiets, d'avoir de l'angoisse, comme c'est elle qui est tout notre amour, il semble brusquement qu'il se soit évanoui au moment où nous tenons enfin la proie à la valeur de laquelle nous n'avons pas assez pensé. Que connaissais-je d'Albertine ? Un ou deux profils sur la mer, moins beaux assurément que ceux des femmes de Véronèse que j'aurais dû, si j'avais obéi à des raisons purement esthétiques, lui préférer. Or, est-ce à d'autres raisons que je pouvais obéir, puisque, l'anxiété tombée, je ne pouvais retrouver que ces profils muets, je ne possédais rien d'autre ? Depuis que j'avais vu Albertine, j'avais fait chaque jour à son sujet des milliers de réflexions, j'avais poursuivi, avec ce que j'appelais elle, tout un entretien intérieur où je la faisais questionner, répondre, penser, agir, et dans la série indéfinie d'Albertines imaginées qui se succédaient en moi heure par heure, l'Albertine réelle, aperçue sur la plage, ne figurait qu'en tête, comme la « créatrice » d'un rôle, l'étoile, ne paraît, dans une longue série de représentations, que dans les toutes premières. Cette Albertine-là n'était guère qu'une silhouette, tout ce qui s'y était superposé était de mon cru, tant dans l'amour les apports qui viennent de nous l'emportent — à ne se placer même qu'au point de vue de la quantité — sur ceux qui nous viennent de l'être aimé. Et cela est vrai des amours les plus effectifs. Il en est qui peuvent non seulement se former mais subsister autour de bien peu de chose — et même parmi ceux qui ont reçu leur exaucement charnel. Un ancien professeur de dessin de ma grand'mère avait eu d'une maîtresse obscure une fille. La mère mourut peu de temps après la naissance de l'enfant et le professeur de dessin en eut un chagrin tel qu'il

ne survécut pas longtemps. Dans les derniers mois de
sa vie, ma grand'mère et quelques dames de Combray,
qui n'avaient jamais voulu faire même allusion devant
leur professeur à cette femme, avec laquelle d'ailleurs il
n'avait pas officiellement vécu et n'avait eu que peu de
relations, songèrent à assurer le sort de la petite fille en
se cotisant pour lui faire une rente viagère. Ce fut ma
grand'mère qui le proposa, certaines amies se firent tirer
l'oreille : cette petite fille était-elle vraiment si intéressante, était-elle seulement la fille de celui qui s'en croyait
le père ? Avec des femmes comme était la mère, on n'est
jamais sûr. Enfin on se décida. La petite fille vint remercier. Elle était laide et d'une ressemblance avec le vieux
maître de dessin qui ôta tous les doutes ; comme ses
cheveux étaient tout ce qu'elle avait de bien, une dame
dit au père qui l'avait conduite : « Comme elle a de beaux
cheveux ! » Et pensant que maintenant, la femme coupable étant morte et le professeur à demi mort, une
allusion à ce passé qu'on avait toujours feint d'ignorer
n'avait plus de conséquence, ma grand'mère ajouta :
« Ça doit être de famille. Est-ce que sa mère avait ces
beaux cheveux-là ? — Je ne sais pas, répondit naïvement
le père. Je ne l'ai jamais vue qu'en chapeau. »

Il fallait rejoindre Elstir. Je m'aperçus dans une
glace. En plus du désastre de ne pas avoir été présenté,
je remarquai que ma cravate était tout de travers, mon
chapeau laissait voir mes cheveux longs, ce qui m'allait
mal ; mais c'était une chance tout de même qu'elles
m'eussent, même ainsi, rencontré avec Elstir et ne pussent pas m'oublier ; c'en était une autre que j'eusse ce
jour-là, sur le conseil de ma grand'mère, mis mon joli
gilet qu'il s'en était fallu de si peu que j'eusse remplacé
par un affreux, et pris ma plus belle canne ; car un événement que nous désirons ne se produisant jamais comme
nous avons pensé, à défaut des avantages sur lesquels
nous croyions pouvoir compter, d'autres, que nous n'espé-

rions pas, se sont présentés, le tout se compense ; et
nous redoutions tellement le pire que nous sommes finalement enclins à trouver que dans l'ensemble pris en
bloc, le hasard nous a, somme toute, plutôt favorisés.
« J'aurais été si content de les connaître, dis-je à Elstir
en arrivant près de lui. — Aussi pourquoi restez-vous à
des lieues ? » Ce furent les paroles qu'il prononça, non
qu'elles exprimassent sa pensée, puisque si son désir
avait été d'exaucer le mien, m'appeler lui eût été bien
facile, mais peut-être parce qu'il avait entendu des
phrases de ce genre, familier aux gens vulgaires pris en
faute, et parce que même les grands hommes sont, en
certaines choses, pareils aux gens vulgaires, prennent les
excuses journalières dans le même répertoire qu'eux,
comme le pain quotidien chez le même boulanger ; soit
que de telles paroles, qui doivent en quelque sorte être
lues à l'envers puisque leur lettre signifie le contraire
de la vérité, soient l'effet nécessaire, le graphique négatif
d'un réflexe. « Elles étaient pressées. » Je pensai que surtout elles l'avaient empêché d'appeler quelqu'un qui leur
était peu sympathique ; sans cela il n'y eût pas manqué,
après toutes les questions que je lui avais posées sur elles,
et l'intérêt qu'il avait bien vu que je leur portais.

— Je vous parlais de Carquethuit, me dit-il, avant
que je l'eusse quitté à sa porte. J'ai fait une petite
esquisse où on voit bien mieux la cernure de la plage.
Le tableau n'est pas trop mal, mais c'est autre chose.
Si vous le permettez, en souvenir de notre amitié, je
vous donnerai mon esquisse, ajouta-t-il, car les gens qui
vous refusent les choses qu'on désire vous en donnent
d'autres.

— J'aurais beaucoup aimé, si vous en possédiez, avoir
une photographie du petit portrait de Miss Sacripant.
Mais qu'est-ce que c'est que ce nom ? — C'est celui
d'un personnage que tint le modèle dans une stupide
petite opérette. — Mais vous savez que je ne la connais

nullement, Monsieur, vous avez l'air de croire le contraire. » Elstir se tut. « Ce n'est pourtant pas Mme Swann
avant son mariage », dis-je par une de ces brusques
rencontres fortuites de la vérité, qui sont somme toute
assez rares, mais qui suffisent après coup à donner un
certain fondement à la théorie des pressentiments si
on prend soin d'oublier toutes les erreurs qui l'infirme-
raient. Elstir ne me répondit pas. C'était bien un portrait
d'Odette de Crécy. Elle n'avait pas voulu le garder pour
beaucoup de raisons, dont quelques-unes sont trop évi-
dentes. Il y en avait d'autres. Le portrait était antérieur
au moment où Odette, disciplinant ses traits, avait fait
de son visage et de sa taille cette création dont, à travers
les années, ses coiffeurs, ses couturiers, elle-même —
dans sa façon de se tenir, de parler, de sourire, de poser
ses mains, ses regards, de penser — devaient respecter
les grandes lignes. Il fallait la dépravation d'un amant
rassasié pour que Swann préférât aux nombreuses photographies de l'Odette *ne varietur* qu'était sa ravissante
femme, la petite photographie qu'il avait dans sa chambre
et où, sous un chapeau de paille orné de pensées, on
voyait une maigre jeune femme assez laide, aux cheveux
bouffants, aux traits tirés.

Mais d'ailleurs le portrait eût-il été, non pas antérieur,
comme la photographie préférée de Swann, à la systé-
matisation des traits d'Odette en un type nouveau, majes-
tueux et charmant, mais postérieur, qu'il eût suffi de la
vision d'Elstir pour désorganiser ce type. Le génie artistique agit à la façon de ces températures extrêmement
élevées qui ont le pouvoir de dissocier les combinaisons
d'atomes et de grouper ceux-ci suivant un ordre absolument contraire, répondant à un autre type. Toute cette
harmonie factice que la femme a imposée à ses traits
et dont chaque jour avant de sortir elle surveille la persistance dans sa glace, chargeant l'inclinaison du chapeau, le lissage des cheveux, l'enjouement du regard,

d'en assurer la continuité, cette harmonie, le coup d'œil
du grand peintre la détruit en une seconde, et à sa place
il fait un regroupement des traits de la femme, de
manière à donner satisfaction à un certain idéal féminin
et pictural qu'il porte en lui. De même, il arrive souvent
qu'à partir d'un certain âge, l'œil d'un grand chercheur
trouve partout les éléments nécessaires à établir les rapports qui seuls l'intéressent. Comme ces ouvriers et ces
joueurs qui ne font pas d'embarras et se contentent de ce
qui leur tombe sous la main, ils pourraient dire de n'importe quoi : cela fera l'affaire. Ainsi une cousine de la
princesse de Luxembourg, beauté des plus altières, s'é-
tant éprise autrefois d'un art qui était nouveau à cette
époque, avait demandé au plus grand des peintres natu-
ralistes de faire son portrait. Aussitôt l'œil de l'artiste
avait trouvé ce qu'il cherchait partout. Et sur la toile
il y avait, à la place de la grande dame, un trottin, et
derrière lui un vaste décor incliné et violet qui faisait
penser à la place Pigalle. Mais même sans aller jusque-là,
non seulement le portrait d'une femme par un grand
artiste ne cherchera aucunement à donner satisfaction
à quelques-unes des exigences de la femme — comme
celles qui, par exemple, quand elle commence à vieillir,
la font se faire photographier dans des tenues presque
de fillette qui font valoir sa taille restée jeune et la font
paraître comme la sœur ou même la fille de sa fille, celle-ci
au besoin « fagotée » pour la circonstance, à côté d'elle
— il mettra au contraire en relief les désavantages qu'elle
cherche à cacher et qui, comme un teint fiévreux, voire
verdâtre, le tentent d'autant plus parce qu'ils ont du
« caractère » ; mais ils suffisent à désenchanter le spectateur vulgaire et réduisent pour lui en miettes l'idéal
dont la femme soutenait si fièrement l'armature et qui
la plaçait, dans sa forme unique, irréductible, si en dehors,
si au-dessus du reste de l'humanité. Maintenant déchue,
située hors de son propre type où elle trônait invulné-

rable, elle n'est plus qu'une femme quelconque, en la
supériorité de qui nous avons perdu toute foi. Ce type,
nous faisions tellement consister en lui, non seulement
la beauté d'une Odette, mais sa personnalité, son identité, que devant le portrait qui l'a dépouillée de lui,
nous sommes tentés de nous écrier non pas seulement :
« Comme c'est enlaidi! » mais : « Comme c'est peu ressemblant! » Nous avons peine à croire que ce soit elle.
Nous ne la reconnaissons pas. Et pourtant il y a là un
être que nous sentons bien que nous avons déjà vu. Mais
cet être-là, ce n'est pas Odette ; le visage de cet être, son
corps, son aspect, nous sont bien connus. Ils nous rap-
pellent, non pas la femme, qui ne se tenait jamais ainsi,
dont la pose habituelle ne dessine nullement une telle
étrange et provocante arabesque, mais d'autres femmes,
toutes celles qu'a peintes Elstir et que toujours, si différentes qu'elles puissent être, il a aimé à camper ainsi de
face, le pied cambré dépassant de la jupe, le large chapeau rond tenu à la main, répondant symétriquement,
à la hauteur du genou qu'il couvre, à cet autre disque vu
de face, le visage. Et enfin non seulement un portrait
génial disloque le type d'une femme tel que l'ont défini
sa coquetterie et sa conception égoïste de la beauté, mais,
s'il est ancien, il ne se contente pas de vieillir l'original
de la même manière que la photographie, en le montrant
dans des atours démodés. Dans le portrait, ce n'est pas
seulement la manière que la femme avait de s'habiller
qui date, c'est aussi la manière que l'artiste avait de
peindre. Cette manière, la première manière d'Elstir,
était l'extrait de naissance le plus accablant pour Odette,
parce qu'il faisait d'elle non pas seulement, comme ses
photographies d'alors, une cadette de cocottes connues,
mais parce qu'il faisait de son portrait le contemporain
d'un des nombreux portraits que Manet ou Whistler ont
peint d'après tant de modèles disparus qui appartiennent
déjà à l'oubli ou à l'histoire.

C'est dans ces pensées silencieusement ruminées à
côté d'Elstir, tandis que je le conduisais chez lui, que
m'entraînait la découverte que je venais de faire relativement à l'identité de son modèle, quand cette première
découverte m'en fit faire une seconde, plus troublante
encore pour moi, concernant l'identité de l'artiste. Il
avait fait le portrait d'Odette de Crécy. Serait-il possible
que cet homme de génie, ce sage, ce solitaire, ce philosophe à la conversation magnifique et qui dominait toutes
choses, fût le peintre ridicule et pervers adopté jadis par
les Verdurin ? Je lui demandai s'il les avait connus, si par
hasard ils ne le surnommaient pas alors M. Biche. Il me
répondit que si, sans embarras, comme s'il s'agissait d'une
partie déjà un peu ancienne de son existence et s'il ne se
doutait pas de la déception extraordinaire qu'il éveillait en
moi, mais, levant les yeux, il la lut sur mon visage. Le
sien eut une expression de mécontentement. Et comme
nous étions déjà presque arrivés chez lui, un homme
moins éminent par l'intelligence et par le cœur m'eût
peut-être simplement dit au revoir un peu sèchement et
après cela eût évité de me revoir. Mais ce ne fut pas ainsi
qu'Elstir agit avec moi ; en vrai maître — et c'était peut-
être au point de vue de la création pure son seul défaut
d'en être un, dans ce sens du mot maître, car un artiste
pour être tout à fait dans la vérité de la vie spirituelle doit
être seul, et ne pas prodiguer de son moi, même à des
disciples —, de toute circonstance, qu'elle fût relative à
lui ou à d'autres, il cherchait à extraire, pour le meilleur
enseignement des jeunes gens, la part de vérité qu'elle
contenait. Il préféra donc aux paroles qui auraient pu
venger son amour-propre, celles qui pouvaient m'ins-
truire. « Il n'y a pas d'homme si sage qu'il soit, me dit-il,
qui n'ait à telle époque de sa jeunesse prononcé des paroles, ou même mené une vie, dont le souvenir lui soit
désagréable et qu'il souhaiterait être aboli. Mais il ne doit
pas absolument le regretter, parce qu'il ne peut être assuré

d'être devenu un sage, dans la mesure où cela est possible, que s'il a passé par toutes les incarnations ridicules ou odieuses qui doivent précéder cette dernière incarnation-là. Je sais qu'il y a des jeunes gens, fils et petit-fils d'hommes distingués, à qui leurs précepteurs ont enseigné la noblesse de l'esprit et l'élégance morale dès le collège. Ils n'ont peut-être rien à retrancher de leur vie, ils pourraient publier et signer tout ce qu'ils ont dit, mais ce sont de pauvres esprits, descendants sans force de doctrinaires, et de qui la sagesse est négative et stérile. On ne reçoit pas la sagesse, il faut la découvrir soi-même après un trajet que personne ne peut faire pour nous, ne peut nous épargner, car elle est un point de vue sur les choses. Les vies que vous admirez, les attitudes que vous trouvez nobles n'ont pas été disposées par le père de famille ou par le précepteur, elles ont été précédées de débuts bien différents, ayant été influencées par ce qui régnait autour d'elles de mal ou de banalité. Elles représentent un combat et une victoire. Je comprends que l'image de ce que nous avons été dans une période première ne soit plus reconnaissable et soit en tous cas déplaisante. Elle ne doit pas être reniée pourtant, car elle est un témoignage que nous avons vraiment vécu, que c'est selon les lois de la vie et de l'esprit que nous avons, des éléments communs de la vie, de la vie des ateliers, des coteries artistiques s'il s'agit d'un peintre, extrait quelque chose qui les dépasse. » Nous étions arrivés devant sa porte. J'étais déçu de ne pas avoir connu ces jeunes filles. Mais enfin maintenant il y aurait une possibilité de les retrouver dans la vie ; elles avaient cessé de ne faire que passer à un horizon où j'avais pu croire que je ne les verrais plus jamais apparaître. Autour d'elles ne flottait plus comme ce grand remous qui nous séparait et qui n'était que la traduction du désir en perpétuelle activité, mobile, urgent, alimenté d'inquiétudes, qu'éveillaient en moi leur inaccessibilité, leur fuite peut-être pour toujours. Mon désir d'elles, je

pouvais maintenant le mettre au repos, le garder en
réserve, à côté de tant d'autres dont, une fois que je la
savais possible, j'ajournais la réalisation. Je quittai Elstir,
je me retrouvai seul. Alors tout d'un coup, malgré ma
déception, je vis dans mon esprit tous ces hasards que je
n'eusse pas soupçonné pouvoir se produire, qu'Elstir fût
justement lié avec ces jeunes filles, que celles qui le matin
encore étaient pour moi des figures dans un tableau ayant
pour fond la mer, m'eussent vu, m'eussent vu lié avec un
grand peintre, lequel savait maintenant mon désir de les
connaître et le seconderait sans doute. Tout cela avait
causé pour moi du plaisir, mais ce plaisir m'était resté
caché ; il était de ces visiteurs qui attendent, pour nous
faire savoir qu'ils sont là, que les autres nous aient quittés,
que nous soyons seuls. Alors nous les apercevons, nous
pouvons leur dire : je suis tout à vous, et les écouter.
Quelquefois entre le moment où ces plaisirs sont entrés
en nous et le moment où nous pouvons y rentrer nous-
mêmes, il s'est écoulé tant d'heures, nous avons vu tant
de gens dans l'intervalle que nous craignons qu'ils ne nous
aient pas attendus. Mais ils sont patients, ils ne se lassent
pas, et dès que tout le monde est parti, nous les trouvons
en face de nous. Quelquefois c'est nous alors qui sommes
si fatigués qu'il nous semble que nous n'aurons plus dans
notre pensée défaillante assez de force pour retenir ces
souvenirs, ces impressions pour qui notre moi fragile est
le seul lieu habitable, l'unique mode de réalisation. Et
nous le regretterions, car l'existence n'a guère d'intérêt
que dans les journées où la poussière des réalités est mêlée
de sable magique, où quelque vulgaire incident devient
un ressort romanesque. Tout un promontoire du monde
inaccessible surgit alors de l'éclairage du songe, et entre
dans notre vie, dans notre vie où comme le dormeur
éveillé nous voyons les personnes dont nous avions si
ardemment rêvé que nous avions cru que nous ne les
verrions jamais qu'en rêve.

L'apaisement apporté par la probabilité de connaître
maintenant ces jeunes filles quand je le voudrais me fut
d'autant plus précieux que je n'aurais pu continuer à les
guetter les jours suivants, lesquels furent pris par les
préparatifs du départ de Saint-Loup. Ma grand'mère
était désireuse de témoigner à mon ami sa reconnaissance
de tant de gentillesses qu'il avait eues pour elle et pour
moi. Je lui dis qu'il était grand admirateur de Proudhon
et je lui donnai l'idée de faire venir de nombreuses lettres
autographes de ce philosophe qu'elle avait achetées ;
Saint-Loup vint les voir à l'hôtel, le jour où elles arri-
vèrent qui était la veille de son départ. Il les lut avidement,
maniant chaque feuille avec respect, tâchant de retenir les
phrases, puis s'étant levé, s'excusait déjà auprès de ma
grand'mère d'être resté aussi longtemps, quand il l'entendit lui répondre :

— Mais non, emportez-les, c'est à vous, c'est pour
vous les donner que je les ai fait venir.

Il fut pris d'une joie dont il ne fut pas plus le maître
que d'un état physique qui se produit sans intervention
de la volonté, il devint écarlate comme un enfant qu'on
vient de punir, et ma grand'mère fut beaucoup plus
touchée de voir tous les efforts qu'il avait faits (sans y
réussir) pour contenir la joie qui le secouait, que par tous
les remerciements qu'il aurait pu proférer. Mais lui,
craignant d'avoir mal témoigné sa reconnaissance, me
priait encore de l'en excuser, le lendemain, penché à la
fenêtre du petit chemin de fer d'intérêt local qu'il prit
pour rejoindre sa garnison. Celle-ci était, en effet, très peu
éloignée. Il avait pensé s'y rendre, comme il faisait souvent
quand il devait revenir le soir et qu'il ne s'agissait pas
d'un départ définitif, en voiture. Mais il eût fallu cette
fois-ci qu'il mît ses nombreux bagages dans le train. Et il
trouva plus simple d'y monter aussi lui-même, suivant
en cela l'avis du directeur qui, consulté, répondit que,
voiture ou petit chemin de fer, « ce serait à peu près équi-

voque ». Il entendait signifier par là que ce serait équivalent (en somme, à peu près ce que Françoise eût exprimé
en disant que «cela reviendrait du pareil au même»). «Soit,
avait conclu Saint-Loup, je prendrai le petit tortillard. »
Je l'aurais pris aussi si je n'avais été fatigué et aurais
accompagné mon ami jusqu'à Doncières ; je lui promis
du moins, tout le temps que nous restâmes à la gare de
Balbec — c'est-à-dire que le chauffeur du petit train
passa à attendre des amis retardataires, sans lesquels il ne
voulait pas s'en aller, et aussi à prendre quelques rafraîchissements —, d'aller le voir plusieurs fois par semaine.
Comme Bloch était venu aussi à la gare — au grand ennui
de Saint-Loup —, ce dernier voyant que notre camarade
l'entendait me prier de venir déjeuner, dîner, habiter à
Doncières, finit par lui dire d'un ton extrêmement froid,
lequel était chargé de corriger l'amabilité forcée de l'invitation et d'empêcher Bloch de la prendre au sérieux : « Si
jamais vous passez par Doncières une après-midi où je
sois libre, vous pourrez me demander au quartier, mais
libre, je ne le suis à peu près jamais. » Peut-être aussi
Robert craignait-il que, seul, je ne vinsse pas et, pensant
que j'étais plus lié avec Bloch que je ne le disais, me met-
tait-il ainsi en mesure d'avoir un compagnon de route, un
entraîneur.

J'avais peur que ce ton, cette manière d'inviter quelqu'un en lui conseillant de ne pas venir, n'eût froissé
Bloch, et je trouvais que Saint-Loup eût mieux fait de ne
rien dire. Mais je m'étais trompé, car après le départ du
train, tant que nous fîmes route ensemble jusqu'au croisement des deux avenues où il fallait nous séparer, l'une
allant à l'hôtel, l'autre à la villa de Bloch, celui-ci ne cessa
de me demander quel jour nous irions à Doncières, car
après « toutes les amabilités que Saint-Loup lui avait
faites », il eût été « trop grossier de sa part » de ne pas se
rendre à son invitation. J'étais content qu'il n'eût pas
remarqué, ou fût assez peu mécontent pour désirer feindre

de ne pas avoir remarqué, sur quel ton moins que pressant, à peine poli, l'invitation avait été faite. J'aurais pourtant voulu pour Bloch qu'il s'évitât le ridicule d'aller tout de suite à Doncières. Mais je n'osais pas lui donner un conseil qui n'eût pu que lui déplaire en lui montrant que Saint-Loup avait été moins pressant que lui n'était empressé. Il l'était beaucoup trop, et bien que tous les défauts qu'il avait dans ce genre fussent compensés chez lui par de remarquables qualités que d'autres, plus réservés, n'auraient pas eues, il poussait l'indiscrétion à un point dont on était agacé. La semaine ne pouvait, à l'entendre, se passer sans que nous allions à Doncières (il disait « nous », car je crois qu'il comptait un peu sur ma présence pour excuser la sienne). Tout le long de la route, devant le gymnase perdu dans ses arbres, devant le terrain de tennis, devant la mairie, devant le marchand de coquillages, il m'arrêta, me suppliant de fixer un jour et, comme je ne le fis pas, me quitta fâché en me disant : « A ton aise, Messire. Moi en tous cas, je suis obligé d'y aller, puisqu'il m'a invité. »

Saint-Loup avait si peur d'avoir mal remercié ma grand'mère qu'il me chargeait encore de lui dire sa gratitude le surlendemain, dans une lettre que je reçus de lui de la ville où il était en garnison et qui semblait sur l'enveloppe où la poste en avait timbré le nom, accourir vite vers moi, me dire qu'entre ses murs, dans le quartier de cavalerie Louis XVI, il pensait à moi. Le papier était aux armes de Marsantes, dans lesquelles je distinguai un lion que surmontait une couronne fermée par un bonnet de pair de France.

« Après un trajet qui, me disait-il, s'est bien effectué, en lisant un livre acheté à la gare, qui est par Arvède Barine (c'est un auteur russe, je pense, cela m'a paru remarquablement écrit pour un étranger, mais donnez-moi votre appréciation, car vous devez connaître cela, vous, puits de science qui avez tout lu), me voici revenu au milieu de cette vie grossière, où hélas, je me sens bien exilé, n'y ayant pas ce que j'ai laissé à Balbec ; cette vie où je ne retrouve aucun souvenir d'affection, aucun charme d'intellectualité ; vie dont vous mépriseriez sans doute l'ambiance et qui n'est pourtant pas sans charme. Tout m'y semble avoir changé depuis que j'en étais parti, car dans l'intervalle, une des ères les plus importantes de ma vie, celle d'où notre amitié date, a commencé. J'espère qu'elle ne finira jamais. Je n'ai parlé d'elle, de vous, qu'à une seule personne, qu'à mon amie qui m'a fait la surprise de venir passer une heure auprès de moi. Elle aimerait beaucoup vous connaître et je crois que vous vous accorderiez, car elle est aussi extrêmement littéraire. En revanche, pour repenser à nos causeries, pour revivre ces heures que je n'oublierai jamais, je me suis isolé de mes camarades, excellents garçons, mais qui eussent été bien incapables de comprendre cela. Ce souvenir des instants passés avec vous, j'aurais presque mieux aimé, pour le premier jour, l'évoquer pour moi seul et sans vous écrire. Mais j'ai craint que vous, esprit subtil et cœur ultra-sensitif, ne vous mettiez martel en tête en ne recevant pas de lettre, si toutefois, vous avez daigné abaisser votre pensée sur le rude cavalier que vous aurez fort à faire pour dégrossir et rendre un peu subtil et plus digne de vous. »

Au fond cette lettre ressemblait beaucoup par sa tendresse à celles que, quand je ne connaissais pas encore Saint-Loup, je m'étais imaginé qu'il m'écrirait, dans ces songeries d'où la froideur de son premier accueil m'avait tiré en me mettant en présence d'une réalité glaciale qui ne devait pas être définitive. Une fois que je l'eus reçue, chaque fois qu'à l'heure du déjeuner on apportait le courrier, je reconnaissais tout de suite quand c'était de lui que venait une lettre, car elle avait toujours ce second visage qu'un être montre quand il est absent et sans les traits duquel (les caractères de l'écriture) il n'y a aucune raison pour que nous ne croyions pas saisir une âme indi-

viduelle aussi bien que dans la ligne du ne‾ ou les inflexions de la voix.

Je restais maintenant volontiers à table pendant qu'on
desservait et, si ce n'était pas un moment où les jeunes
filles de la petite bande pouvaient passer, ce n'était plus
uniquement du côté de la mer que je regardais. Depuis
que j'en avais vu dans des aquarelles d'Elstir, je cherchais
à retrouver dans la réalité, j'aimais comme quelque chose
de poétique, le geste interrompu des couteaux encore de
travers, la rondeur bombée d'une serviette défaite où le
soleil intercale un morceau de velours jaune, le verre à
demi vidé qui montre mieux ainsi le noble évasement de
ses formes et, au fond de son vitrage translucide et pareil
à une condensation du jour, un reste de vin sombre mais
scintillant de lumières, le déplacement des volumes, la
transmutation des liquides par l'éclairage, l'altération des
prunes qui passent du vert au bleu et du bleu à l'or dans
le compotier déjà à demi dépouillé, la promenade des
chaises vieillottes qui deux fois par jour viennent s'installer autour de la nappe, dressée sur la table ainsi que sur
un autel où sont célébrées les fêtes de la gourmandise, et
sur laquelle au fond des huîtres quelques gouttes d'eau
lustrale restent comme dans de petits bénitiers de pierre ;
j'essayais de trouver la beauté là où je ne m'étais jamais
figuré qu'elle fût, dans les choses les plus usuelles, dans la
vie profonde des « natures mortes ».

Quand, quelques jours après le départ de Saint-Loup,
j'eus réussi à ce qu'Elstir donnât une petite matinée où
je rencontrerais Albertine, le charme et l'élégance, tout
momentanés, qu'on me trouva au moment où je sortais
du Grand-Hôtel (et qui étaient dus à un repos prolongé,
à des frais de toilette spéciaux), je regrettai de ne pas
pouvoir les réserver (et aussi le crédit d'Elstir) pour la
conquête de quelque autre personne plus intéressante, je
regrettai de consommer tout cela pour le simple plaisir de
faire la connaissance d'Albertine. Mon intelligence jugeait

ce plaisir fort peu précieux, depuis qu'il était assuré. Mais
en moi, la volonté ne partagea pas un instant cette illusion,
la volonté qui est le serviteur persévérant et immuable
de nos personnalités successives ; cachée dans l'ombre,
dédaignée, inlassablement fidèle, travaillant sans cesse,
et sans se soucier des variations de notre moi, à ce qu'il ne
manque jamais du nécessaire. Pendant qu'au moment où
va se réaliser un voyage désiré, l'intelligence et la sensibilité commencent à se demander s'il vaut vraiment la peine
d'être entrepris, la volonté qui sait que ces maîtres oisifs
recommenceraient immédiatement à trouver merveilleux
ce voyage si celui-ci ne pouvait avoir lieu, la volonté les
laisse disserter devant la gare, multiplier les hésitations ;
mais elle s'occupe de prendre les billets et de nous mettre
en wagon pour l'heure du départ. Elle est aussi invariable
que l'intelligence et la sensibilité sont changeantes, mais,
comme elle est silencieuse, ne donne pas ses raisons, elle
semble presque inexistante ; c'est sa ferme détermination
que suivent les autres parties de notre moi, mais sans
l'apercevoir, tandis qu'elles distinguent nettement leurs
propres incertitudes. Ma sensibilité et mon intelligence
instituèrent donc une discussion sur la valeur du plaisir
qu'il y aurait à connaître Albertine, tandis que je regardais dans la glace de vains et fragiles agréments qu'elles
eussent voulu garder intacts pour une autre occasion.
Mais ma volonté ne laissa pas passer l'heure où il fallait
partir, et ce fut l'adresse d'Elstir qu'elle donna au cocher.
Mon intelligence et ma sensibilité eurent le loisir, puisque
le sort en était jeté, de trouver que c'était dommage. Si
ma volonté avait donné une autre adresse, elles eussent
été bien attrapées.

Quand j'arrivai chez Elstir, un peu plus tard, je crus
d'abord que Mlle Simonet n'était pas dans l'atelier. Il y
avait bien une jeune fille assise, en robe de soie, nu-tête,
mais de laquelle je ne connaissais pas la magnifique chevelure, ni le nez, ni ce teint, et où je ne retrouvais pas l'entité

que j'avais extraite d'une jeune cycliste se promenant,
coiffée d'un polo, le long de la mer. C'était pourtant
Albertine. Mais même quand je le sus, je ne m'occupai pas
d'elle. En entrant dans toute réunion mondaine, quand
on est jeune, on meurt à soi-même, on devient un homme
différent, tout salon étant un nouvel univers où, subissant
la loi d'une autre perspective morale, on darde son attention, comme si elles devaient nous importer à jamais, sur
des personnes, des danses, des parties de cartes, que l'on
aura oubliées le lendemain. Obligé de suivre, pour me
diriger vers une causerie avec Albertine, un chemin nullement tracé par moi et qui s'arrêtait d'abord devant
Elstir, passait par d'autres groupes d'invités à qui on me
nommait, puis le long du buffet, où m'étaient offertes, et
où je mangeais, des tartes aux fraises, cependant que
j'écoutais, immobile, une musique qu'on commençait
d'exécuter, je me trouvais donner à ces divers épisodes la
même importance qu'à ma présentation à Mlle Simonet,
présentation qui n'était plus que l'un d'entre eux et que
j'avais entièrement oubliée avoir été, quelques minutes
auparavant, le but unique de ma venue. D'ailleurs n'en
est-il pas ainsi, dans la vie active, de nos vrais bonheurs,
de nos grands malheurs ? Au milieu d'autres personnes,
nous recevons de celle que nous aimons la réponse favorable ou mortelle que nous attendions depuis une année.
Mais il faut continuer à causer, les idées s'ajoutent les
unes aux autres, développant une surface sous laquelle
c'est à peine si, de temps à autre, vient sourdement affleurer le souvenir, autrement profond mais fort étroit, que
le malheur est venu pour nous. Si, au lieu du malheur,
c'est le bonheur, il peut arriver que ce ne soit que plusieurs années après que nous nous rappelons que le plus
grand événement de notre vie sentimentale s'est produit, sans que nous eussions le temps de lui accorder
une longue attention, presque d'en prendre conscience,
dans une réunion mondaine par exemple, et où nous

ne nous étions rendus que dans l'attente de cet événement.

Au moment où Elstir me demanda de venir pour qu'il me présentât à Albertine, assise un peu plus loin, je finis d'abord de manger un éclair au café et demandai avec intérêt à un vieux monsieur dont je venais de faire la connaissance et auquel je crus pouvoir offrir la rose qu'il admirait à ma boutonnière, de me donner des détails sur certaines foires normandes. Ce n'est pas à dire que la présentation qui suivit ne me causa aucun plaisir et n'offrit pas à mes yeux une certaine gravité. Pour le plaisir, je ne le connus naturellement qu'un peu plus tard, quand, rentré à l'hôtel, resté seul, je fus redevenu moi-même. Il en est des plaisirs comme des photographies. Ce qu'on prend en présence de l'être aimé n'est qu'un cliché négatif, on le développe plus tard, une fois chez soi, quand on a retrouvé à sa disposition cette chambre noire intérieure dont l'entrée est « condamnée » tant qu'on voit du monde.

Si la connaissance du plaisir fut ainsi retardée pour moi de quelques heures, en revanche la gravité de cette présentation, je la ressentis tout de suite. Au moment de la présentation, nous avons beau nous sentir tout à coup gratifiés et porteurs d'un « bon », valable pour des plaisirs futurs, après lequel nous courions depuis des semaines, nous comprenons bien que son obtention met fin pour nous, non pas seulement à de pénibles recherches — ce qui ne pourrait que nous remplir de joie —, mais aussi à l'existence d'un certain être, celui que notre imagination avait dénaturé, que notre crainte anxieuse de ne jamais pouvoir être connus de lui avait grandi. Au moment où notre nom résonne dans la bouche du présentateur, surtout si celui-ci l'entoure comme fit Elstir de commentaires élogieux — ce moment sacramentel, analogue à celui où, dans une féerie, le génie ordonne à une personne d'en être soudain une autre —, celle que

nous avons désiré d'approcher s'évanouit : d'abord,
comment resterait-elle pareille à elle-même, puisque —
de par l'attention que l'inconnue est obligée de prêter
à notre nom et de marquer à notre personne — dans les
yeux hier situés à l'infini (et que nous croyions que les
nôtres, errants, mal réglés, désespérés, divergents, ne
parviendraient jamais à rencontrer) le regard conscient,
la pensée inconnaissable que nous cherchions, viennent
d'être miraculeusement et tout simplement remplacés
par notre propre image peinte comme au fond d'un
miroir qui souriait ? Si l'incarnation de nous-mêmes en
ce qui nous en semblait le plus différent, est ce qui
modifie le plus la personne à qui on vient de nous présenter, la forme de cette personne reste encore assez
vague ; et nous pouvons nous demander si elle sera dieu,
table ou cuvette. Mais, aussi agiles que ces ciroplastes
qui font un buste devant nous en cinq minutes, les quelques mots que l'inconnue va nous dire préciseront cette
forme et lui donneront quelque chose de définitif
qui exclura toutes les hypothèses auxquelles se livraient
la veille notre désir et notre imagination. Sans doute,
même avant de venir à cette matinée, Albertine n'était
plus tout à fait pour moi ce seul fantôme digne de hanter
notre vie que reste une passante dont nous ne savons
rien, que nous avons à peine discernée. Sa parenté avec
Mme Bontemps avait déjà restreint ces hypothèses
merveilleuses, en aveuglant une des voies par lesquelles
elles pouvaient se répandre. Au fur et à mesure que je
me rapprochais de la jeune fille et la connaissais davantage, cette connaissance se faisait par soustraction,
chaque partie d'imagination et de désir étant remplacée
par une notion qui valait infiniment moins, notion à
laquelle il est vrai que venait s'ajouter une sorte d'équivalent, dans le domaine de la vie, de ce que les Sociétés
financières donnent après le remboursement de l'action
primitive, et qu'elles appellent action de jouissance. Son

nom, ses parentés avaient été une première limite apportée à mes suppositions. Son amabilité, tandis que tout
près d'elle je retrouvais son petit grain de beauté sur la
joue au-dessous de l'œil, fut une autre borne ; enfin,
je fus étonné de l'entendre se servir de l'adverbe « parfaitement » au lieu de « tout à fait », en parlant de deux
personnes, disant de l'une « elle est parfaitement folle,
mais très gentille tout de même » et de l'autre « c'est un
monsieur parfaitement commun et parfaitement
ennuyeux ». Si peu plaisant que soit cet emploi de « parfaitement », il indique un degré de civilisation et de
culture auquel je n'aurais pu imaginer qu'atteignait la
bacchante à bicyclette, la muse orgiaque du golf. Il
n'empêche d'ailleurs qu'après cette première métamorphose, Albertine devait changer encore bien des fois
pour moi. Les qualités et les défauts qu'un être présente
disposés au premier plan de son visage se rangent selon
une formation tout autre si nous l'abordons par un côté
différent, comme dans une ville les monuments répandus
en ordre dispersé sur une seule ligne, d'un autre point
de vue s'échelonnent en profondeur et échangent leurs
grandeurs relatives. Pour commencer je trouvai Albertine l'air assez intimidée à la place d'implacable ; elle
me sembla plus comme il faut que mal élevée, à en juger
par les épithètes de « elle a un mauvais genre, elle a un
drôle de genre » qu'elle appliqua à toutes les jeunes filles
dont je lui parlai ; elle avait enfin comme point de mire
du visage une tempe assez enflammée et peu agréable
à voir, et non plus le regard singulier auquel j'avais
toujours repensé jusque-là. Mais ce n'était qu'une
seconde vue et il y en avait d'autres sans doute par lesquelles je devrais successivement passer. Ainsi ce n'est
qu'après avoir reconnu, non sans tâtonnements, les
erreurs d'optique du début qu'on pourrait arriver à la
connaissance exacte d'un être si cette connaissance était
possible. Mais elle ne l'est pas ; car tandis que se rectifie

la vision que nous avons de lui, lui-même, qui n'est pas
un objectif inerte, change pour son compte, nous pensons le rattraper, il se déplace, et, croyant le voir enfin
plus clairement, ce n'est que les images anciennes que
nous en avions prises que nous avons réussi à éclaircir,
mais qui ne le représentent plus.

Pourtant, quelques déceptions inévitables qu'elle
doive apporter, cette démarche vers ce qu'on n'a
qu'entrevu, ce qu'on a eu le loisir d'imaginer, cette
démarche est la seule qui soit saine pour les sens, qui y
entretienne l'appétit. De quel morne ennui est empreinte
la vie des gens qui, par paresse ou timidité, se rendent
directement en voiture chez des amis qu'ils ont connus
sans avoir d'abord rêvé d'eux, sans jamais oser sur le
parcours s'arrêter auprès de ce qu'ils désirent!

Je rentrai en pensant à cette matinée, en revoyant
l'éclair au café que j'avais fini de manger avant de me
laisser conduire par Elstir auprès d'Albertine, la rose
que j'avais donnée au vieux monsieur, tous ces détails
choisis à notre insu par les circonstances et qui composent pour nous, en un arrangement spécial et fortuit,
le tableau d'une première rencontre. Mais ce tableau,
j'eus l'impression de le voir d'un autre point de vue,
de très loin de moi-même, comprenant qu'il n'avait
pas existé que pour moi, quand quelques mois plus tard,
à mon grand étonnement, comme je parlais à Albertine
du premier jour où je l'avais connue, elle me rappela
l'éclair, la fleur que j'avais donnée, tout ce que je croyais,
je ne peux pas dire n'être important que pour moi,
mais n'avoir été aperçu que de moi et que je retrouvais
ainsi, transcrit en une version dont je ne soupçonnais
pas l'existence, dans la pensée d'Albertine. Dès ce premier jour, quand en rentrant je pus voir le souvenir que
je rapportais, je compris quel tour de muscade avait été
parfaitement exécuté et comment j'avais causé un moment avec une personne qui, grâce à l'habileté du presti-

digitateur, sans avoir rien de celle que j'avais suivie
si longtemps au bord de la mer, lui avait été substituée.
J'aurais du reste pu le deviner d'avance, puisque la
jeune fille de la plage avait été fabriquée par moi. Malgré cela, comme je l'avais, dans mes conversations avec
Elstir, identifiée à Albertine, je me sentais envers celle-
ci l'obligation morale de tenir les promesses d'amour
faites à l'Albertine imaginaire. On se fiance par procu-
ration, et on se croit obligé d'épouser ensuite la personne
interposée. D'ailleurs, si avait disparu, provisoirement
du moins, de ma vie une angoisse qu'avait suffi à apaiser
le souvenir des manières comme il faut, de cette expression « parfaitement commun » et de la tempe enflammée,
ce souvenir éveillait en moi un autre genre de désir qui,
bien que doux et nullement douloureux, semblable à
un sentiment fraternel, pouvait à la longue devenir aussi
dangereux en me faisant ressentir à tout moment le
besoin d'embrasser cette personne nouvelle dont les
bonnes façons et la timidité, la disponibilité inattendue,
arrêtaient la course inutile de mon imagination, mais
donnaient naissance à une gratitude attendrie. Et puis
comme la mémoire commence tout de suite à prendre des
clichés indépendants les uns des autres, supprime tout
lien, tout progrès, entre les scènes qui y sont figurées,
dans la collection de ceux qu'elle expose, le dernier ne
détruit pas forcément les précédents. En face de la
médiocre et touchante Albertine à qui j'avais parlé,
je voyais la mystérieuse Albertine en face de la mer.
C'était maintenant des souvenirs, c'est-à-dire des tableaux
dont l'un ne me semblait pas plus vrai que l'autre. Pour
en finir avec ce premier soir de présentation, en cherchant
à revoir ce petit grain de beauté sur la joue au-dessous
de l'œil, je me rappelai que de chez Elstir, quand Albertine était partie, j'avais vu ce grain de beauté sur le
menton. En somme, quand je la voyais, je remarquais
qu'elle avait un grain de beauté, mais ma mémoire

errante le promenait ensuite sur la figure d'Albertine
et le plaçait tantôt ici tantôt là.

J'avais beau être assez désappointé d'avoir trouvé en
Mlle Simonet une jeune fille trop peu différente de tout
ce que je connaissais, de même que ma déception devant
l'église de Balbec ne m'empêchait pas de désirer aller à
Quimperlé, à Pont-Aven et à Venise, je me disais que,
par Albertine du moins, si elle-même n'était pas ce que
j'avais espéré, je pourrais connaître ses amies de la petite bande.

Je crus d'abord que j'y échouerais. Comme elle devait
rester fort longtemps encore à Balbec et moi aussi,
j'avais trouvé que le mieux était de ne pas trop chercher
à la voir et d'attendre une occasion qui me fît la rencontrer. Mais cela arrivât-il tous les jours, il était fort à
craindre qu'elle se contentât de répondre de loin à mon
salut, lequel dans ce cas, répété quotidiennement pendant toute la saison, ne m'avancerait à rien.

Peu de temps après, un matin où il avait plu et où
il faisait presque froid, je fus abordé sur la digue par
une jeune fille portant un toquet et un manchon, si
différente de celle que j'avais vue à la réunion d'Elstir
que reconnaître en elle la même personne semblait pour
l'esprit une opération impossible ; le mien y réussit cependant, mais après une seconde de surprise qui, je
crois, n'échappa pas à Albertine. D'autre part, me
souvenant à ce moment-là des « bonnes façons » qui
m'avaient frappé, elle me fit éprouver l'étonnement
inverse par son ton rude et ses manières « petite bande ».
Au reste la tempe avait cessé d'être le centre optique et
rassurant du visage, soit que je fusse placé de l'autre
côté, soit que le toquet la recouvrît, soit que son inflam-
mation ne fût pas constante. « Quel temps ! me dit-elle,
au fond l'été sans fin de Balbec est une vaste blague.
Vous ne faites rien ici ? On ne vous voit jamais au golf,
aux bals du Casino ; vous ne montez pas à cheval non

plus. Comme vous devez vous raser ! Vous ne trouvez
pas qu'on se bêtifie à rester tout le temps sur la plage ?
Ah ! vous aimez à faire le lézard ? Vous avez du temps de
reste. Je vois que vous n'êtes pas comme moi, j'adore
tous les sports ! Vous n'étiez pas aux courses de la Sogne ?
Nous y sommes allés par le tram, et je comprends que
ça ne vous amuse pas de prendre un tacot pareil ! nous
avons mis deux heures ! J'aurais fait trois fois l'aller et
retour avec ma bécane. » Moi qui avais admiré Saint-
Loup quand il avait appelé tout naturellement le petit
chemin de fer d'intérêt local le « tortillard » à cause des
innombrables détours qu'il faisait, j'étais intimidé par
la facilité avec laquelle Albertine disait le « tram », le
« tacot ». Je sentais sa maîtrise dans un mode de désigna-
tions où j'avais peur qu'elle ne constatât et ne méprisât
mon infériorité. Encore la richesse de synonymes que
possédait la petite bande pour désigner ce chemin de fer
ne m'était-elle pas encore révélée. En parlant, Albertine
gardait la tête immobile, les narines serrées, ne faisait
remuer que le bout des lèvres. Il en résultait ainsi un
son traînard et nasal dans la composition duquel entraient peut-être des hérédités provinciales, une affectation juvénile de flegme britannique, les leçons d'une
institutrice étrangère et une hypertrophie congestive
de la muqueuse du nez. Cette émission, qui cédait
bien vite du reste quand elle connaissait plus les gens et
redevenait naturellement enfantine, aurait pu passer
pour désagréable. Mais elle était particulière et m'enchantait. Chaque fois que j'étais quelques jours sans la rencontrer, je m'exaltais en me répétant : « On ne vous voit
jamais au golf », avec le ton nasal sur lequel elle l'avait
dit, toute droite, sans bouger la tête. Et je pensais alors
qu'il n'existait pas de personne plus désirable.

Nous formions, ce matin-là, un de ces couples qui
piquent çà et là la digue de leur conjonction, de leur
arrêt, juste le temps d'échanger quelques paroles avant

de se désunir pour reprendre séparément chacun sa
promenade divergente. Je profitai de cette immobilité
pour regarder et savoir définitivement où était situé le
grain de beauté. Or, comme une phrase de Vinteuil
qui m'avait enchanté dans la Sonate et que ma mémoire
faisait errer de l'andante au finale jusqu'au jour où,
ayant la partition en main, je pus la trouver et l'immobiliser dans mon souvenir à sa place, dans le scherzo, de
même le grain de beauté que je m'étais rappelé tantôt
sur la joue, tantôt sur le menton, s'arrêta à jamais sur la
lèvre supérieure au-dessous du nez. C'est ainsi encore
que nous rencontrons avec étonnement des vers que nous
savons par cœur, dans une pièce où nous ne soupçon-
nions pas qu'ils se trouvassent.

A ce moment, comme pour que devant la mer se
multipliât en liberté, dans la variété de ses formes, tout
le riche ensemble décoratif qu'était le beau déroulement
des vierges, à la fois dorées et roses, cuites par le soleil
et par le vent, les amies d'Albertine, aux belles jambes,
à la taille souple, mais si différentes les unes des autres,
montrèrent leur groupe qui se développa, s'avança dans
notre direction, plus près de la mer, sur une ligne paral-
lèle. Je demandai à Albertine la permission de l'accompagner pendant quelques instants. Malheureusement elle
se contenta de leur faire bonjour de la main. « Mais vos
amies vont se plaindre si vous les laissez », lui dis-je,
espérant que nous nous promènerions ensemble.

Un jeune homme aux traits réguliers, qui tenait à la
main des raquettes, s'approcha de nous. C'était le joueur
de baccara dont les folies indignaient tant la femme du
premier président. D'un air froid, impassible, en lequel
il se figurait évidemment que consistait la distinction
suprême, il dit bonjour à Albertine. « Vous venez du
golf, Octave ? lui demanda-t-elle. Ça a-t-il bien marché ?
étiez-vous en forme ? — Oh ! ça me dégoûte, je suis dans
les choux, répondit-il. — Est-ce qu'Andrée y était ? —

Oui, elle a fait soixante-dix-sept. — Oh! mais c'est un
record. — J'avais fait quatre-vingt-deux hier. » Il était
le fils d'un très riche industriel qui devait jouer un rôle
assez important dans l'organisation de la prochaine
Exposition Universelle. Je fus frappé à quel point, chez
ce jeune homme et les autres très rares amis masculins
de ces jeunes filles, la connaissance de tout ce qui était
vêtements, manière de les porter, cigares, boissons anglaises, chevaux, — et qu'il possédait jusque dans ses
moindres détails avec une infaillibilité orgueilleuse qui
atteignait à la silencieuse modestie du savant — s'était
développée isolément sans être accompagnée de la
moindre culture intellectuelle. Il n'avait aucune hésitation sur l'opportunité du smoking ou du pyjama, mais
ne se doutait pas du cas où on peut ou non employer
tel mot, même des règles les plus simples du français.
Cette disparité entre les deux cultures devait être la
même chez son père, président du Syndicat des proprié-
taires de Balbec, car dans une lettre ouverte aux électeurs, qu'il venait de faire afficher sur tous les murs, il
disait : « J'ai voulu voir le maire pour lui en causer, il
n'a pas voulu écouter mes justes griefs. » Octave obtenait,
au Casino, des prix dans tous les concours de boston,
de tango, etc., ce qui lui ferait faire s'il le voulait un joli
mariage dans ce milieu des « bains de mer » où ce n'est
pas au figuré mais au propre que les jeunes filles épou-
sent leur « danseur ». Il alluma un cigare en disant à
Albertine : « Vous permettez », comme on demande l'autorisation de terminer tout en causant un travail pressé.
Car il ne pouvait jamais « rester sans rien faire », quoiqu'il
ne fît d'ailleurs jamais rien. Et comme l'inactivité complète finit par avoir les mêmes effets que le travail exagéré, aussi bien dans le domaine moral que dans la vie
du corps et des muscles, la constante nullité intellectuelle
qui habitait sous le front songeur d'Octave avait fini par
lui donner, malgré son air calme, d'inefficaces déman-

geaisons de penser qui la nuit l'empêchaient de dormir,
comme il aurait pu arriver à un métaphysicien surmené.

Pensant que si je connaissais leurs amis j'aurais plus
d'occasions de voir ces jeunes filles, j'avais été sur le
point de demander à lui être présenté. Je le dis à Albertine,
dès qu'il fut parti en répétant : « Je suis dans les choux. »
Je pensais lui inculquer ainsi l'idée de le faire la prochaine fois. « Mais voyons, s'écria-t-elle, je ne peux pas
vous présenter à un gigolo ! Ici ça pullule de gigolos. Mais
ils ne pourraient pas causer avec vous. Celui-ci joue très
bien au golf, un point c'est tout. Je m'y connais, il ne
serait pas du tout votre genre. — Vos amies vont se
plaindre si vous les laissez ainsi, lui dis-je, espérant qu'elle
allait me proposer d'aller avec elle les rejoindre. — Mais
non, elles n'ont aucun besoin de moi. » Nous croisâmes
Bloch qui m'adressa un sourire fin et insinuant, et,
embarrassé au sujet d'Albertine qu'il ne connaissait pas
ou du moins connaissait « sans la connaître », abaissa sa
tête vers son col d'un mouvement raide et rébarbatif.
« Comment s'appelle-t-il, cet ostrogoth-là ? me demanda Albertine. Je ne sais pas pourquoi il me salue
puisqu'il ne me connaît pas. Aussi je ne lui ai pas rendu
son salut. » Je n'eus pas le temps de répondre à Albertine,
car marchant droit sur nous : « Excuse-moi, dit-il, de
t'interrompre, mais je voulais t'avertir que je vais demain à Doncières. Je ne peux plus attendre sans impolitesse, et je me demande ce que de Saint-Loup-en-Bray
doit penser de moi. Je te préviens que je prends le train
de deux heures. A ta disposition. » Mais je ne pensais plus
qu'à revoir Albertine et à tâcher de connaître ses amies,
et Doncières, comme elles n'y allaient pas et me ferait
rentrer après l'heure où elles allaient sur la plage, me
paraissait au bout du monde. Je dis à Bloch que cela
m'était impossible. « Hé bien, j'irai seul. Selon les deux
ridicules alexandrins du sieur Arouet, je dirai à Saint-
Loup, pour charmer son cléricalisme :

Apprends que mon devoir ne dépend pas du sien;
Qu'il y manque, s'il veut; je dois faire le mien.

— Je reconnais qu'il est assez joli garçon, me dit
Albertine, mais ce qu'il me dégoûte ! »

Je n'avais jamais songé que Bloch pût être joli garçon ;
il l'était, en effet. Avec une tête un peu proéminente, un
nez très busqué, un air d'extrême finesse et d'être persuadé
de sa finesse, il avait un agréable visage. Mais il ne pouvait
pas plaire à Albertine. C'était peut-être du reste à cause
des mauvais côtés de celle-ci, de la dureté, de l'insensibilité de la petite bande, de sa grossièreté avec tout ce qui
n'était pas elle. D'ailleurs plus tard, quand je les présentai,
l'antipathie d'Albertine ne diminua pas. Bloch appartenait à un milieu où, entre la blague exercée contre le
monde et pourtant le respect suffisant des bonnes manières
que doit avoir un homme qui a « les mains propres », on a
fait une sorte de compromis spécial qui diffère des manières
du monde et est malgré tout une sorte, particulièrement
odieuse, de mondanité. Quand on le présentait, il s'inclinait à la fois avec un sourire de scepticisme et un respect
exagéré, et si c'était à un homme, disait : « Enchanté,
Monsieur », d'une voix qui se moquait des mots qu'elle
prononçait, mais avait conscience d'appartenir à quelqu'un qui n'était pas un mufle. Cette première seconde donnée à une coutume qu'il suivait et raillait à la fois (comme
il disait le premier janvier : « Je vous la souhaite bonne
et heureuse »), il prenait un air fin et rusé et « proférait des
choses subtiles » qui étaient souvent pleines de vérité,
mais « tapaient sur les nerfs » d'Albertine. Quand je lui
dis, ce premier jour, qu'il s'appelait Bloch, elle s'écria :
« Je l'aurais parié que c'était un youpin. C'est bien leur
genre de faire les punaises. » Du reste, Bloch devait dans
la suite irriter Albertine d'autre façon. Comme beaucoup
d'intellectuels, il ne pouvait pas dire simplement les choses
simples. Il trouvait pour chacune d'elles un qualificatif

précieux, puis généralisait. Cela ennuyait Albertine, laquelle n'aimait pas beaucoup qu'on s'occupât de ce qu'elle faisait, que, quand elle s'était foulé le pied et restait tranquille, Bloch dît : « Elle est sur sa chaise longue, mais par ubiquité ne cesse pas de fréquenter simultanément de vagues golfs et de quelconques tennis. » Ce n'était que de la « littérature », mais qui, à cause des difficultés qu'Albertine sentait que cela pouvait lui créer avec des gens chez qui elle avait refusé une invitation en disant qu'elle ne pouvait pas remuer, eût suffi pour lui faire prendre en grippe la figure, le son de voix, du garçon qui disait ces choses.

Nous nous quittâmes, Albertine et moi, en nous promettant de sortir une fois ensemble. J'avais causé avec elle sans plus savoir où tombaient mes paroles, ce qu'elles devenaient, que si j'eusse jeté des cailloux dans un abîme sans fond. Qu'elles soient remplies en général par la personne à qui nous les adressons d'un sens qu'elle tire de sa propre substance et qui est très différent de celui que nous avions mis dans ces mêmes paroles, c'est un fait que la vie courante nous révèle perpétuellement. Mais si, de plus, nous nous trouvons auprès d'une personne dont l'éducation (comme pour moi celle d'Albertine) nous est inconcevable, inconnus les penchants, les lectures, les principes, nous ne savons pas si nos paroles éveillent en elle quelque chose qui y ressemble plus que chez un animal à qui pourtant on aurait à faire comprendre certaines choses. De sorte qu'essayer de me lier avec Albertine m'apparaissait comme une mise en contact avec l'inconnu sinon avec l'impossible, comme un exercice aussi malaisé que dresser un cheval, aussi passionnant qu'élever des abeilles ou que cultiver des rosiers.

J'avais cru, il y avait quelques heures, qu'Albertine ne répondrait à mon salut que de loin. Nous venions de nous quitter en faisant le projet d'une excursion ensemble. Je me promis, quand je rencontrerais Albertine, d'être plus hardi avec elle, et je m'étais tracé d'avance le plan de tout ce que je lui dirais et même (maintenant que j'avais tout à fait l'impression qu'elle devait être légère) de tous les plaisirs que je lui demanderais. Mais l'esprit est influençable comme la plante, comme la cellule, comme les éléments chimiques, et le milieu qui le modifie si on l'y plonge, ce sont des circonstances, un cadre nouveau. Devenu différent par le fait de sa présence même, quand je me trouvai de nouveau avec Albertine, je lui dis tout autre chose que ce que j'avais projeté. Puis, me souvenant de la tempe enflammée, je me demandais si Albertine n'apprécierait pas davantage une gentillesse qu'elle saurait être désintéressée. Enfin j'étais embarrassé devant certains de ses regards, de ses sourires. Ils pouvaient signifier mœurs faciles, mais aussi gaîté un peu bête d'une jeune fille sémillante mais ayant un fond d'honnêteté. Une même expression, de figure comme de langage, pouvant comporter diverses acceptions, j'étais hésitant comme un élève devant les difficultés d'une version grecque.

Cette fois-là nous rencontrâmes presque tout de suite la grande, Andrée, celle qui avait sauté par-dessus le premier président ; Albertine dut me présenter. Son amie avait des yeux extraordinairement clairs, comme est dans un appartement à l'ombre l'entrée, par la porte ouverte, d'une chambre où donnent le soleil et le reflet verdâtre de la mer illuminée.

Cinq messieurs passèrent que je connaissais très bien de vue depuis que j'étais à Balbec. Je m'étais souvent demandé qui ils étaient. « Ce ne sont pas des gens très chics, me dit Albertine en ricanant d'un air de mépris. Le petit vieux, teint, qui a des gants jaunes, il en a une touche, hein, il dégotte bien, c'est le dentiste de Balbec, c'est un brave type ; le gros, c'est le maire, pas le tout petit gros, celui-là vous devez l'avoir vu, c'est le professeur de danse, il est assez moche aussi, il ne peut pas nous souffrir parce que nous faisons trop de bruit au Casino, que nous démo-

lissons ses chaises, que nous voulons danser sans tapis,
aussi il ne nous a jamais donné le prix, quoiqu'il n'y a que
nous qui sachions danser. Le dentiste est un brave homme,
je lui aurais fait bonjour pour faire rager le maître de
danse, mais je ne pouvais pas parce qu'il y a avec eux
M. de Sainte-Croix, le conseiller général, un homme d'une
très bonne famille qui s'est mis du côté des républicains,
pour de l'argent ; aucune personne propre ne le salue plus.
Il connaît mon oncle, à cause du gouvernement, mais le
reste de ma famille lui a tourné le dos. Le maigre avec un
imperméable, c'est le chef d'orchestre. Comment, vous ne
le connaissez pas ! Il joue divinement. Vous n'avez pas été
entendre *Cavalleria Rusticana* ? Ah ! je trouve ça idéal !
Il donne un concert ce soir, mais nous ne pouvons pas y
aller parce que ça a lieu dans la salle de la Mairie. Au
Casino, ça ne fait rien, mais dans la salle de la Mairie d'où
on a enlevé le Christ, la mère d'Andrée tomberait en apo-
plexie si nous y allions. Vous me direz que le mari de ma
tante est dans le gouvernement. Mais qu'est-ce que vous
voulez ? Ma tante est ma tante. Ce n'est pas pour cela
que je l'aime ! Elle n'a jamais eu qu'un désir, se débarrasser
de moi. La personne qui m'a vraiment servi de mère, et
qui a eu double mérite puisqu'elle ne m'est rien, c'est une
amie que j'aime du reste comme une mère. Je vous mon-
trerai sa photo. » Nous fûmes absorbés un instant par le
champion de golf et joueur de baccara, Octave. Je pensai
avoir découvert un lien entre nous, car j'appris dans la
conversation qu'il était un peu parent, et de plus assez
aimé, des Verdurin. Mais il parla avec dédain des fameux
mercredis, et ajouta que M. Verdurin ignorait l'usage du
smoking, ce qui rendait assez gênant de le rencontrer
dans certains « music-halls » où on aurait autant aimé ne
pas s'entendre crier : « Bonjour, galopin » par un monsieur
en veston et en cravate noire de notaire de village. Puis
Octave nous quitta, et bientôt après ce fut le tour d'Andrée, arrivée devant son chalet où elle entra sans que de

toute la promenade elle m'eût dit un seul mot. Je regrettai
d'autant plus son départ que, tandis que je faisais remarquer à Albertine combien son amie avait été froide avec
moi, et rapprochais en soi-même cette difficulté qu'Albertine semblait avoir à me lier avec ses amies, de l'hostilité
contre laquelle, pour exaucer mon souhait, paraissait
s'être le premier jour heurté Elstir, passèrent des jeunes
filles que je saluai, les demoiselles d'Ambresac, auxquelles
Albertine dit aussi bonjour.

Je pensai que ma situation vis-à-vis d'Albertine allait
en être améliorée. Elles étaient les filles d'une parente de
Mme de Villeparisis et qui connaissait aussi Mme de Luxembourg. M. et Mme d'Ambresac qui avaient une petite
villa à Balbec, et, excessivement riches, menaient une vie
des plus simples, étaient toujours habillés, le mari du
même veston, la femme d'une robe sombre. Tous deux
faisaient à ma grand'mère d'immenses saluts qui ne
menaient à rien. Les filles, très jolies, s'habillaient avec
plus d'élégance, mais une élégance de ville et non de
plage. Dans leurs robes longues, sous leurs grands chapeaux, elles avaient l'air d'appartenir à une autre humanité qu'Albertine. Celle-ci savait très bien qui elles étaient.
« Ah! vous connaissez les petites d'Ambresac? Hé bien,
vous connaissez des gens très chics. Du reste, ils sont très
simples, ajouta-t-elle comme si c'était contradictoire.
Elles sont très gentilles, mais tellement bien élevées qu'on
ne les laisse pas aller au Casino, surtout à cause de nous,
parce que nous avons trop mauvais genre. Elles vous
plaisent? Dame, ça dépend. C'est tout à fait les petites
oies blanches. Ça a peut-être son charme. Si vous aimez
les petites oies blanches, vous êtes servi à souhait. Il paraît
qu'elles peuvent plaire, puisqu'il y en a déjà une de fiancée
au marquis de Saint-Loup. Et cela fait beaucoup de peine
à la cadette qui était amoureuse de ce jeune homme. Moi,
rien que leur manière de parler du bout des lèvres m'é-
nerve. Et puis elles s'habillent d'une manière ridicule.

Elles vont jouer au golf en robes de soie. A leur âge elles
sont mises plus prétentieusement que des femmes âgées
qui savent s'habiller. Tenez, Mᵐᵉ Elstir, voilà une femme
élégante. » Je répondis qu'elle m'avait semblé vêtue avec
beaucoup de simplicité. Albertine se mit à rire. « Elle est
mise très simplement, en effet, mais elle s'habille à ravir et
pour arriver à ce que vous trouvez de la simplicité, elle
dépense un argent fou. » Les robes de Mᵐᵉ Elstir passaient inaperçues aux yeux de quelqu'un qui n'avait pas
le goût sûr et sobre des choses de la toilette. Il me faisait
défaut. Elstir le possédait au suprême degré, à ce que me
dit Albertine. Je ne m'en étais pas douté, ni que les choses
élégantes mais simples qui emplissaient son atelier étaient
des merveilles longtemps désirées par lui, qu'il avait
suivies de vente en vente, connaissant toute leur histoire,
jusqu'au jour où il avait gagné assez d'argent pour pouvoir les posséder. Mais là-dessus, Albertine, aussi ignorante que moi, ne pouvait rien m'apprendre. Tandis que
pour les toilettes, avertie par un instinct de coquette et
peut-être par un regret de jeune fille pauvre qui goûte
avec plus de désintéressement, de délicatesse, chez les
riches, ce dont elle ne pourra se parer elle-même, elle sut
me parler très bien des raffinements d'Elstir, si difficile
qu'il trouvait toute femme habillée mal et que, mettant
tout un monde dans une proportion, dans une nuance, il
faisait faire pour sa femme à des prix fous des ombrelles,
des chapeaux, des manteaux qu'il avait appris à Albertine
à trouver charmants et qu'une personne sans goût n'eût
pas plus remarqués que je n'avais fait. Du reste, Albertine
qui avait fait un peu de peinture sans avoir d'ailleurs, elle
l'avouait, aucune « disposition », éprouvait une grande
admiration pour Elstir et, grâce à ce qu'il lui avait dit et
montré, s'y connaissait en tableaux d'une façon qui contrastait fort avec son enthousiasme pour *Cavalleria Rusticana*.
C'est qu'en réalité, bien que cela ne se vît guère encore,
elle était très intelligente et dans les choses qu'elle disait

la bêtise n'était pas sienne, mais celle de son milieu et de
son âge. Elstir avait eu sur elle une influence heureuse,
mais partielle. Toutes les formes de l'intelligence n'étaient
pas arrivées chez Albertine au même degré de développement. Le goût de la peinture avait presque rattrapé
celui de la toilette et de toutes les formes de l'élégance,
mais n'avait pas été suivi par le goût de la musique qui
restait fort en arrière.

Albertine avait beau savoir qui étaient les Ambresac,
comme qui peut le plus ne peut pas forcément le moins,
je ne la trouvai pas, après que j'eusse salué ces jeunes
filles, plus disposée à me faire connaître ses amies. « Vous
êtes bien bon de leur donner de l'importance. Ne faites
pas attention à elles, ce n'est rien du tout. Qu'est-ce que
ces petites gosses peuvent compter pour un homme de
votre valeur ? Andrée au moins est remarquablement
intelligente. C'est une bonne petite fille, quoique parfaitement fantasque, mais les autres sont vraiment très
stupides. » Après avoir quitté Albertine, je ressentis tout
à coup beaucoup de chagrin que Saint-Loup m'eût caché
ses fiançailles, et fît quelque chose d'aussi mal que se
marier sans avoir rompu avec sa maîtresse. Peu de jours
après pourtant, je fus présenté à Andrée et, comme elle
parla assez longtemps, j'en profitai pour lui dire que je voudrais bien la voir le lendemain, mais elle me répondit que
c'était impossible, parce qu'elle avait trouvé sa mère assez
mal et ne voulait pas la laisser seule. Deux jours après, étant
allé voir Elstir, il me dit la sympathie très grande qu'Andrée avait pour moi ; comme je lui répondais : « Mais
c'est moi qui ai eu beaucoup de sympathie pour elle dès
le premier jour, je lui avais demandé à la revoir le lendemain, mais elle ne pouvait pas. — Oui, je sais, elle me l'a
raconté, me dit Elstir, elle l'a assez regretté, mais elle avait
accepté un pique-nique à dix lieues d'ici où elle devait
aller en break et elle ne pouvait plus se décommander. »
Bien que ce mensonge fût, Andrée me connaissant si peu,

fort insignifiant, je n'aurais pas dû continuer à fréquenter
une personne qui en était capable. Car ce que les gens ont
fait, ils le recommencent indéfiniment. Et qu'on aille voir
chaque année un ami qui les premières fois n'a pu venir à
votre rendez-vous, ou s'est enrhumé, on le retrouvera
avec un autre rhume qu'il aura pris, on le manquera à un
autre rendez-vous où il ne sera pas venu, pour une même
raison permanente à la place de laquelle il croit voir des
raisons variées, tirées des circonstances.

Un des matins qui suivirent celui où Andrée m'avait dit
qu'elle était obligée de rester auprès de sa mère, je faisais
quelques pas avec Albertine que j'avais aperçue, élevant
au bout d'un cordonnet un attribut bizarre qui la faisait
ressembler à l' « Idolâtrie » de Giotto ; il s'appelle d'ailleurs un « diabolo » et est tellement tombé en désuétude
que devant le portrait d'une jeune fille en tenant un, les
commentateurs de l'avenir pourront disserter comme
devant telle figure allégorique de l'Arena, sur ce qu'elle a
dans la main. Au bout d'un moment, leur amie à l'air
pauvre et dur, qui avait ricané le premier jour d'un air
si méchant : « Il me fait de la peine, ce pauvre vieux » en
parlant du vieux monsieur effleuré par les pieds légers
d'Andrée, vint dire à Albertine : « Bonjour, je vous dé-
range ? » Elle avait ôté son chapeau qui la gênait, et ses
cheveux comme une variété végétale ravissante et inconnue reposaient sur son front dans la minutieuse délicatesse
de leur foliation. Albertine, peut-être irritée de la voir
tête nue, ne répondit rien, garda un silence glacial malgré
lequel l'autre resta, tenue à distance de moi par Albertine
qui s'arrangeait à certains instants pour être seule avec
elle, à d'autres pour marcher avec moi, en la laissant
derrière. Je fus obligé pour qu'elle me présentât de le lui
demander devant l'autre. Alors au moment où Albertine
me nomma, sur la figure et dans les yeux bleus de cette
jeune fille à qui j'avais trouvé un air si cruel quand elle
avait dit : « Ce pauvre vieux, y m' fait d' la peine », je vis

passer et briller un sourire cordial, aimant, et elle me tendit la main. Ses cheveux étaient dorés, et ne l'étaient pas seuls ; car si ses joues étaient roses et ses yeux bleus, c'était comme le ciel encore empourpré du matin où partout pointe et brille l'or.

Prenant feu aussitôt, je me dis que c'était une enfant timide quand elle aimait et que c'était pour moi, par amour pour moi, qu'elle était restée avec nous malgré les rebuffades d'Albertine, et qu'elle avait dû être heureuse de pouvoir m'avouer enfin par ce regard souriant et bon qu'elle serait aussi douce avec moi que terrible aux autres. Sans doute m'avait-elle remarqué sur la plage même quand je ne la connaissais pas encore et pensa-t-elle à moi depuis ; peut-être était-ce pour se faire admirer de moi qu'elle s'était moquée du vieux monsieur et parce qu'elle ne parvenait pas à me connaître qu'elle avait eu les jours suivants l'air morose. De l'hôtel, je l'avais souvent aperçue le soir se promenant sur la plage. C'était probablement avec l'espoir de me rencontrer. Et maintenant, gênée par la présence d'Albertine seule autant qu'elle l'eût été par celle de toute la petite bande, elle ne s'attachait évidemment à nos pas, malgré l'attitude de plus en plus froide de son amie, que dans l'espoir de rester la dernière, de prendre rendez-vous avec moi pour un moment où elle trouverait moyen de s'échapper sans que sa famille et ses amies le sussent et me donner rendez-vous dans un lieu sûr avant la messe ou après le golf. Il était d'autant plus difficile de la voir qu'Andrée était mal avec elle et la détestait. « J'ai supporté longtemps sa terrible fausseté, me dit-elle, sa bassesse, les innombrables crasses qu'elle m'a faites. J'ai tout supporté à cause des autres. Mais le dernier trait a tout fait déborder. » Et elle me raconta un potin qu'avait fait cette jeune fille et qui, en effet, pouvait nuire à Andrée.

Mais les paroles à moi promises par le regard de Gisèle pour le moment où Albertine nous aurait laissés ensemble

ne purent m'être dites, parce qu'Albertine, obstinément
placée entre nous deux, ayant continué à répondre de
plus en plus brièvement, puis ayant cessé de répondre du
tout aux propos de son amie, celle-ci finit par abandonner
la place. Je reprochai à Albertine d'avoir été si désagréable. « Cela lui apprendra à être plus discrète. Ce n'est
pas une mauvaise fille, mais elle est barbante. Elle n'a pas
besoin de venir fourrer son nez partout. Pourquoi se
colle-t-elle à nous sans qu'on lui demande ? Il était moins
cinq que je l'envoie paître. D'ailleurs, je déteste qu'elle
ait ses cheveux comme ça, ça donne mauvais genre. » Je
regardais les joues d'Albertine pendant qu'elle me parlait
et je me demandais quel parfum, quel goût elles pouvaient
avoir : ce jour-là elle était non pas fraîche, mais lisse, d'un
rose uni, violacé, crémeux, comme certaines roses qui ont
un vernis de cire. J'étais passionné pour elles comme on
l'est parfois pour une espèce de fleurs. « Je ne l'avais pas
remarqué, lui répondis-je. — Vous l'avez pourtant assez
regardée, on aurait dit que vous vouliez faire son portrait,
me dit-elle sans être radoucie par le fait qu'en ce moment
ce fût elle-même que je regardais tant. Je ne crois pourtant
pas qu'elle vous plairait. Elle n'est pas flirt du tout. Vous
devez aimer les jeunes filles flirt, vous. En tous cas, elle
n'aura plus l'occasion d'être collante et de se faire semer,
parce qu'elle repart tantôt pour Paris. — Vos autres amies
s'en vont avec elle ? — Non, elle seulement, elle et Miss,
parce qu'elle a à repasser ses examens, elle va potasser, la
pauvre gosse. Ce n'est pas gai, je vous assure. Il peut
arriver qu'on tombe sur un bon sujet. Le hasard est si
grand. Ainsi une de nos amies a eu : « Racontez un accident
auquel vous avez assisté. » Ça, c'est une veine. Mais je
connais une jeune fille qui a eu à traiter (et à l'écrit encore) :
« D'Alceste ou de Philinte, qui préféreriez-vous avoir
comme ami ? » Ce que j'aurais séché là-dessus ! D'abord,
en dehors de tout, ce n'est pas une question à poser à des
jeunes filles. Les jeunes filles sont liées avec d'autres

jeunes filles et ne sont pas censées avoir pour amis des
messieurs. (Cette phrase, en me montrant que j'avais peu
de chance d'être admis dans la petite bande, me fit trem-
bler.) Mais en tous cas, même si la question était posée à
des jeunes gens, qu'est-ce que vous voulez qu'on puisse
trouver à dire là-dessus ? Plusieurs familles ont écrit au
Gaulois pour se plaindre de la difficulté de questions pareilles. Le plus fort est que dans un recueil des meilleurs
devoirs d'élèves couronnées, le sujet a été traité deux fois
d'une façon absolument opposée. Tout dépend de l'exa-
minateur. L'un voulait qu'on dise que Philinte était un
homme du monde flatteur et fourbe, l'autre qu'on ne
pouvait pas refuser son admiration à Alceste, mais qu'il
était par trop acariâtre et que, comme ami, il fallait lui
préférer Philinte. Comment voulez-vous que les malheureuses élèves s'y reconnaissent, quand les professeurs ne
sont pas d'accord entre eux ? Et encore ce n'est rien,
chaque année ça devient plus difficile. Gisèle ne pourrait
s'en tirer qu'avec un bon coup de piston. »

Je rentrai à l'hôtel, ma grand'mère n'y était pas, je
l'attendis longtemps ; enfin, quand elle rentra, je la suppliai de me laisser aller faire dans des conditions inespérées une excursion qui durerait peut-être quarante-huit
heures, je déjeunai avec elle, commandai une voiture et
me fis conduire à la gare. Gisèle ne serait pas étonnée de
m'y voir ; une fois que nous aurions changé à Doncières,
dans le train de Paris, il y avait un wagon-couloir où,
tandis que Miss sommeillerait, je pourrais emmener
Gisèle dans des coins obscurs, prendre rendez-vous avec
elle pour ma rentrée à Paris que je tâcherais de rapprocher
le plus possible. Selon la volonté qu'elle m'exprimerait
je l'accompagnerais jusqu'à Caen ou jusqu'à Évreux, et
reprendrais le train suivant. Tout de même, qu'eût-elle
pensé si elle avait su que j'avais hésité longtemps entre elle
et ses amies, que tout autant que d'elle j'avais voulu être
amoureux d'Albertine, de la jeune fille aux yeux clairs, et

de Rosemonde! J'en éprouvais des remords, maintenant
qu'un amour réciproque allait m'unir à Gisèle. J'aurais
pu du reste lui assurer très véridiquement qu'Albertine
ne me plaisait plus. Je l'avais vue ce matin s'éloigner en
me tournant presque le dos, pour parler à Gisèle. Sur sa
tête inclinée d'un air boudeur, ses cheveux qu'elle avait
derrière différents et plus noirs encore, luisaient comme
si elle venait de sortir de l'eau. J'avais pensé à une poule
mouillée, et ces cheveux m'avaient fait incarner en Albertine une autre âme que, jusque-là, la figure violette et le
regard mystérieux. Ces cheveux luisants derrière sa tête,
c'est tout ce que j'avais pu apercevoir d'elle pendant un
moment, et c'est cela seulement que je continuais à voir.
Notre mémoire ressemble à ces magasins qui, à leur devanture, exposent d'une certaine personne, une fois une
photographie, une fois une autre. Et d'habitude la plus
récente reste quelque temps seule en vue. Tandis que le
cocher pressait son cheval, j'écoutais les paroles de reconnaissance et de tendresse que Gisèle me disait, toutes
nées de son bon sourire, et de sa main tendue : c'est que
dans les périodes de ma vie où je n'étais pas amoureux et
où je désirais de l'être, je ne portais pas seulement en moi
un idéal physique de beauté qu'on a vu que je reconnaissais de loin dans chaque passante assez éloignée pour que
ses traits confus ne s'opposassent pas à cette identification,
mais encore le fantôme moral — toujours prêt à être
incarné — de la femme qui allait être éprise de moi, me
donner la réplique dans la comédie amoureuse que j'avais
tout écrite dans ma tête depuis mon enfance et que toute
jeune fille aimable me semblait avoir la même envie de
jouer, pourvu qu'elle eût aussi un peu le physique de
l'emploi. De cette pièce, quelle que fût la nouvelle « étoile »
que j'appelais à créer ou à reprendre le rôle, le scénario,
les péripéties, le texte même gardaient une forme *ne
varietur*.

Quelques jours plus tard, malgré le peu d'empresse-

ment qu'Albertine avait mis à nous présenter, je connaissais toute la petite bande du premier jour, restée au
complet à Balbec (sauf Gisèle, qu'à cause d'un arrêt
prolongé devant la barrière de la gare, et un changement
dans l'horaire, je n'avais pu rejoindre au train, parti
cinq minutes avant mon arrivée, et à laquelle d'ailleurs
je ne pensais plus) et en plus deux ou trois de leurs amies
qu'à ma demande elles me firent connaître. Et ainsi
l'espoir du plaisir que je trouverais avec une jeune fille
nouvelle venant d'une autre jeune fille par qui je l'avais
connue, la plus récente était alors comme une de ces
variétés de roses qu'on obtient grâce à une rose d'une
autre espèce. Et remontant de corolle en corolle dans cette
chaîne de fleurs, le plaisir d'en connaître une différente
me faisait retourner vers celle à qui je la devais, avec une
reconnaissance mêlée d'autant de désir que mon espoir
nouveau. Bientôt je passai toutes mes journées avec ces
jeunes filles.

Hélas! dans la fleur la plus fraîche on peut distinguer
les points imperceptibles qui pour l'esprit averti dessi-
nent déjà ce qui sera, par la dessiccation ou la fructification des chairs aujourd'hui en fleur, la forme immuable
et déjà prédestinée de la graine. On suit avec délices
un nez pareil à une vaguelette qui enfle délicieusement
une eau matinale et qui semble immobile, dessinable,
parce que la mer est tellement calme qu'on ne perçoit
pas la marée. Les visages humains ne semblent pas
changer au moment qu'on les regarde, parce que la
révolution qu'ils accomplissent est trop lente pour que
nous la percevions. Mais il suffisait de voir à côté de ces
jeunes filles leur mère ou leur tante, pour mesurer les
distances que, sous l'attraction interne d'un type généralement affreux, ces traits auraient traversées dans moins
de trente ans, jusqu'à l'heure du déclin des regards,
jusqu'à celle où le visage, passé tout entier au-dessous de
l'horizon, ne reçoit plus de lumière. Je savais que, aussi

profond, aussi inéluctable que le patriotisme juif ou
l'atavisme chrétien chez ceux qui se croient le plus libérés
de leur race, habitait sous la rose inflorescence d'Albertine, de Rosemonde, d'Andrée, inconnu à elles-mêmes,
tenu en réserve pour les circonstances, un gros nez, une
bouche proéminente, un embonpoint qui étonnerait
mais était en réalité dans la coulisse, prêt à entrer en
scène, imprévu, fatal, tout comme tel dreyfusisme, tel
cléricalisme, tel héroïsme national et féodal, soudaine-
ment issus, à l'appel des circonstances, d'une nature
antérieure à l'individu lui-même, par laquelle il pense,
vit, évolue, se fortifie ou meurt, sans qu'il puisse la distinguer des mobiles particuliers qu'il prend pour elle.
Même mentalement, nous dépendons des lois naturelles
beaucoup plus que nous ne croyons, et notre esprit
possède d'avance comme certain cryptogame, comme telle
graminée, les particularités que nous croyons choisir.
Mais nous ne saisissons que les idées secondes sans percevoir la cause première (race juive, famille française,
etc.) qui les produisait nécessairement et que nous mani-
festons au moment voulu. Et peut-être, alors que les
unes nous paraissent le résultat d'une délibération,
les autres d'une imprudence dans notre hygiène, tenons-
nous de notre famille, comme les papilionacées la forme
de leur graine, aussi bien les idées dont nous vivons que
la maladie dont nous mourrons.

Comme sur un plant où les fleurs mûrissent à des
époques différentes, je les avais vues, en de vieilles dames,
sur cette plage de Balbec, ces dures graines, ces mous
tubercules, que mes amies seraient un jour. Mais qu'im-
portait? en ce moment, c'était la saison des fleurs.
Aussi quand Mme de Villeparisis m'invitait à une promenade, je cherchais une excuse pour n'être pas libre.
Je ne fis de visites à Elstir que celles où mes nouvelles
amies m'accompagnèrent. Je ne pus même pas trouver
un après-midi pour aller à Doncières voir Saint-Loup,

comme je le lui avais promis. Les réunions mondaines, les conversations sérieuses, voire une amicale causerie, si elles avaient pris la place de mes sorties avec ces jeunes filles, m'eussent fait le même effet que si à l'heure du déjeuner on nous emmenait non pas manger, mais regarder un album. Les hommes, les jeunes gens, les femmes vieilles ou mûres avec qui nous croyons nous plaire, ne sont portés pour nous que sur une plane et inconsistante superficie, parce que nous ne prenons conscience d'eux que par la perception visuelle réduite à elle-même ; mais c'est comme déléguée des autres sens qu'elle se dirige vers les jeunes filles ; ils vont chercher l'une derrière l'autre les diverses qualités odorantes, tactiles, savoureuses, qu'ils goûtent ainsi même sans le secours des mains et des lèvres ; et, capables, grâce aux arts de transposition, au génie de synthèse où excelle le désir, de restituer sous la couleur des joues ou de la poitrine, l'attouchement, la dégustation, les contacts interdits, ils donnent à ces filles la même consistance mielleuse qu'ils font quand ils butinent dans une roseraie, ou dans une vigne dont ils mangent des yeux les grappes.

S'il pleuvait, bien que le mauvais temps n'effrayât pas Albertine qu'on voyait parfois, dans son caoutchouc, filer en bicyclette sous les averses, nous passions la journée dans le Casino où il m'eût paru ces jours-là impossible de ne pas aller. J'avais le plus grand mépris pour les demoiselles d'Ambresac qui n'y étaient jamais entrées. Et j'aidais volontiers mes amies à jouer de mauvais tours au professeur de danse. Nous subissions généralement quelques admonestations du tenancier ou des employés usurpant un pouvoir directorial, parce que mes amies, même Andrée qu'à cause de cela j'avais crue le premier jour une créature si dionysiaque et qui était au contraire frêle, intellectuelle et, cette année-là, fort souffrante, mais qui obéissait malgré cela moins à l'état de sa santé qu'au génie de cet âge qui emporte tout et confond dans

la gaîté les malades et les vigoureux, ne pouvaient pas
aller du vestibule à la salle des fêtes, sans prendre leur
élan, sauter par-dessus toutes les chaises, revenir sur une
glissade en gardant leur équilibre par un gracieux mouvement de bras, en chantant, mêlant tous les arts, dans
cette première jeunesse, à la façon de ces poètes des
anciens âges pour qui les genres ne sont pas encore
séparés et qui mêlent dans un poème épique les préceptes
agricoles aux enseignements théologiques.

Cette Andrée, qui m'avait paru la plus froide le premier jour, était infiniment plus délicate, plus affectueuse,
plus fine qu'Albertine à qui elle montrait une tendresse
caressante et douce de grande sœur. Elle venait au Casino
s'asseoir à côté de moi et savait — au contraire d'Albertine — refuser un tour de valse ou même, si j'étais
fatigué, renoncer à aller au Casino pour venir à l'hôtel.
Elle exprimait son amitié pour moi, pour Albertine,
avec des nuances qui prouvaient la plus délicieuse intelligence des choses du cœur, laquelle était peut-être due
en partie à son état maladif. Elle avait toujours un sourire
gai pour excuser l'enfantillage d'Albertine qui exprimait
avec une violence naïve la tentation irrésistible qu'offraient pour elle des parties de plaisir auxquelles elle ne
savait pas, comme Andrée, préférer résolument de causer
avec moi...

Quand l'heure d'aller à un goûter donné au golf
approchait, si nous étions tous ensemble à ce moment-là,
elle se préparait, puis venant à Andrée : « Hé bien,
Andrée, qu'est-ce que tu attends pour venir ? tu sais que
nous allons goûter au golf. — Non, je reste à causer avec
lui, répondait Andrée en me désignant. — Mais tu sais
que Mme Durieux t'a invitée, s'écriait Albertine, comme
si l'intention d'Andrée de rester avec moi ne pouvait
s'expliquer que par l'ignorance où elle devait être qu'elle
avait été invitée. — Voyons, ma petite, ne sois pas tellement idiote », répondait Andrée. Albertine n'insistait

pas, de peur qu'on lui proposât de rester aussi. Elle
secouait la tête : « Fais à ton idée, répondait-elle, comme
on dit à un malade qui par plaisir se tue à petit feu, moi
je me trotte, car je crois que ta montre retarde », et elle
prenait ses jambes à son cou. « Elle est charmante, mais
inouïe », disait Andrée en enveloppant son amie d'un
sourire qui la caressait et la jugeait à la fois. Si, en ce
goût du divertissement, Albertine avait quelque chose
de la Gilberte des premiers temps, c'est qu'une certaine
ressemblance existe, tout en évoluant, entre les femmes
que nous aimons successivement, ressemblance qui tient
à la fixité de notre tempérament parce que c'est lui qui
les choisit, éliminant toutes celles qui ne nous seraient
pas à la fois opposées et complémentaires, c'est-à-dire
propres à satisfaire nos sens et à faire souffrir notre cœur.
Elles sont, ces femmes, un produit de notre tempérament,
une image, une projection renversées, un « négatif » de
notre sensibilité. De sorte qu'un romancier pourrait,
au cours de la vie de son héros, peindre presque exactement semblables ses successives amours et donner par là
l'impression non de s'imiter lui-même mais de créer,
puisqu'il y a moins de force dans une innovation artificielle que dans une répétition destinée à suggérer une
vérité neuve. Encore devrait-il noter, dans le caractère
de l'amoureux, un indice de variation qui s'accuse au
fur et à mesure qu'on arrive dans de nouvelles régions,
sous d'autres latitudes de la vie. Et peut-être exprime-
rait-il encore une vérité de plus si, peignant pour ses
autres personnages des caractères, il s'abstenait d'en
donner aucun à la femme aimée. Nous connaissons le
caractère des indifférents, comment pourrions-nous
saisir celui d'un être qui se confond avec notre vie, que
bientôt nous ne séparons plus de nous-même, sur les
mobiles duquel nous ne cessons de faire d'anxieuses
hypothèses, perpétuellement remaniées ? S'élançant d'au
delà de l'intelligence, notre curiosité de la femme que

nous aimons dépasse dans sa course le caractère de cette
femme. Nous pourrions nous y arrêter que sans doute
nous ne le voudrions pas. L'objet de notre inquiète
investigation est plus essentiel que ces particularités de
caractère, pareilles à ces petits losanges d'épiderme dont
les combinaisons variées font l'originalité fleurie de la
chair. Notre radiation intuitive les traverse et les images
qu'elle nous rapporte ne sont point celles d'un visage
particulier, mais représentent la morne et douloureuse
universalité d'un squelette.

Comme Andrée était extrêmement riche, Albertine,
pauvre et orpheline, Andrée avec une grande générosité
la faisait profiter de son luxe. Quant à ses sentiments
pour Gisèle, ils n'étaient pas tout à fait ceux que j'avais
crus. On eut en effet bientôt des nouvelles de l'étudiante
et, quand Albertine montra la lettre qu'elle en avait
reçue, lettre destinée par Gisèle à donner des nouvelles
de son voyage et de son arrivée à la petite bande, en
s'excusant sur sa paresse de ne pas écrire encore aux
autres, je fus surpris d'entendre Andrée, que je croyais
brouillée à mort avec elle, dire : « Je lui écrirai demain,
parce que si j'attends sa lettre d'abord, je peux attendre
longtemps, elle est si négligente. » Et se tournant vers
moi elle ajouta : « Vous ne la trouveriez pas très remarquable évidemment, mais c'est une si brave fille, et puis
j'ai vraiment une grande affection pour elle. » Je conclus
que les brouilles d'Andrée ne duraient pas longtemps.

Sauf ces jours de pluie, comme nous devions aller en
bicyclette sur la falaise ou dans la campagne, une heure
d'avance je cherchais à me faire beau et gémissais si
Françoise n'avait pas bien préparé mes affaires. Or, même
à Paris, elle redressait fièrement et rageusement sa taille
que l'âge commençait à courber, pour peu qu'on la
trouvât en faute, elle humble, modeste et charmante
quand son amour-propre était flatté. Comme il était
le grand ressort de sa vie, la satisfaction et la bonne

humeur de Françoise étaient en proportion directe de la difficulté des choses qu'on lui demandait. Celles qu'elle avait à faire à Balbec étaient si aisées qu'elle montrait presque toujours un mécontentement qui était soudain centuplé et auquel s'alliait une ironique expression d'orgueil quand je me plaignais, au moment d'aller retrouver mes amies, que mon chapeau ne fût pas brossé, ou mes cravates en ordre. Elle qui pouvait se donner tant de peine sans trouver pour cela qu'elle eût rien fait, à la simple observation qu'un veston n'était pas à sa place, non seulement elle vantait avec quel soin elle l'avait « renfermé plutôt que non pas le laisser à la poussière », mais, prononçant un éloge en règle de ses travaux, déplorait que ce ne fussent guère des vacances qu'elle prenait à Balbec, qu'on ne trouverait pas une seconde personne comme elle pour mener une telle vie. « Je ne comprends pas comment qu'on peut laisser ses affaires comme ça et allez-y voir si une autre saurait se retrouver dans ce pêle et mêle. Le diable lui-même y perdrait son latin. » Ou bien elle se contentait de prendre un visage de reine, me lançant des regards enflammés, et gardait un silence rompu aussitôt qu'elle avait fermé la porte et s'était engagée dans le couloir ; il retentissait alors de propos que je devinais injurieux, mais qui restaient aussi indistincts que ceux des personnages qui débitent leurs premières paroles derrière le portant avant d'être entrés en scène. D'ailleurs, quand je me préparais ainsi à partir avec mes amies, même si rien ne manquait et si Françoise était de bonne humeur, elle se montrait tout de même insupportable. Car, se servant de plaisanteries que dans mon besoin de parler de ces jeunes filles je lui avais faites sur elles, elle prenait un air de me révéler ce que j'aurais mieux su qu'elle si cela avait été exact, mais ce qui ne l'était pas, car Françoise avait mal compris. Elle avait comme tout le monde son caractère propre, qui chez une personne ne ressemble jamais à une voie droite,

mais nous étonne de ses détours singuliers et inévitables
dont les autres ne s'aperçoivent pas et par où il nous est
pénible d'avoir à passer. Chaque fois que j'arrivais au
point : « Chapeau pas en place », « nom d'Andrée ou
d'Albertine », j'étais obligé par Françoise de m'engager
dans des chemins détournés et absurdes qui me retar-
daient beaucoup. Il en était de même quand je faisais
préparer des sandwiches au chester et à la salade et
acheter des tartes que je mangerais à l'heure du goûter,
sur la falaise, avec ces jeunes filles, et qu'elles auraient
bien pu payer à tour de rôle si elles n'avaient été aussi
intéressées, déclarait Françoise, au secours de qui venait
alors tout un atavisme de rapacité et de vulgarité provinciales, et pour laquelle on eût dit que l'âme divisée de la
défunte Eulalie s'était incarnée, plus gracieusement qu'en
saint Éloi, dans les corps charmants de mes amies de la
petite bande. J'entendais ces accusations avec la rage de
me sentir buter à un des endroits à partir desquels le
chemin rustique et familier qu'était le caractère de Françoise devenait impraticable, pas pour longtemps heureusement. Puis, le veston retrouvé et les sandwiches prêts,
j'allais chercher Albertine, Andrée, Rosemonde, d'autres
parfois, et, à pied ou en bicyclette, nous partions.

Autrefois j'eusse préféré que cette promenade eût
lieu par le mauvais temps. Alors je cherchais à retrouver
dans Balbec « le pays des Cimmériens », et de belles
journées étaient une chose qui n'aurait pas dû exister
là, une intrusion du vulgaire été des baigneurs dans cette
antique région voilée par les brumes. Mais maintenant,
tout ce que j'avais dédaigné, écarté de ma vue, non seulement les effets de soleil, mais même les régates, les
courses de chevaux, je l'eusse recherché avec passion
pour la même raison qu'autrefois je n'aurais voulu que
des mers tempétueuses, et qui était qu'elles se ratta-
chaient, les unes comme autrefois les autres, à une idée
esthétique. C'est qu'avec mes amies nous étions quelque-

fois allés voir Elstir, et les jours où les jeunes filles étaient
là, ce qu'il avait montré de préférence, c'était quelques
croquis d'après de jolies yachtswomen ou bien une esquisse
prise sur un hippodrome voisin de Balbec. J'avais d'a-
bord timidement avoué à Elstir que je n'avais pas voulu
aller aux réunions qui y avaient été données. « Vous avez
eu tort, me dit-il, c'est si joli et si curieux aussi. D'abord
cet être particulier, le jockey, sur lequel tant de regards
sont fixés, et qui devant le paddock est là morne, gri-
sâtre dans sa casaque éclatante, ne faisant qu'un avec le
cheval caracolant qu'il ressaisit, comme ce serait intéressant de dégager ses mouvements professionnels, de
montrer la tache brillante qu'il fait et que fait aussi la
robe des chevaux, sur le champ de courses! Quelle trans-
formation de toutes choses dans cette immensité lumineuse d'un champ de courses où on est surpris par tant
d'ombres, de reflets, qu'on ne voit que là! Ce que les
femmes peuvent y être jolies! La première réunion surtout était ravissante, et il y avait des femmes d'une extrême
élégance, dans une lumière humide, hollandaise, où l'on
sentait monter dans le soleil même le froid pénétrant de
l'eau. Jamais je n'ai vu les femmes arrivant en voiture,
ou leurs jumelles aux yeux, dans une pareille lumière
qui tient sans doute à l'humidité marine. Ah! que j'aurais
aimé la rendre ; je suis revenu de ces courses, fou, avec
un tel désir de travailler! » Puis il s'extasia plus encore
sur les réunions de yachting que sur les courses de chevaux, et je compris que des régates, que des meetings
sportifs où des femmes bien habillées baignent dans la
glauque lumière d'un hippodrome marin, pouvaient être,
pour un artiste moderne, un motif aussi intéressant
que les fêtes qu'ils aimaient tant à décrire, pour un
Véronèse ou un Carpaccio. « Votre comparaison est
d'autant plus exacte, me dit Elstir, qu'à cause de la ville
où ils peignaient, ces fêtes étaient pour une part nauti-
ques. Seulement, la beauté des embarcations de ce

temps-là résidait le plus souvent dans leur lourdeur, dans leur complication. Il y avait des joutes sur l'eau, comme ici, données généralement en l'honneur de quelque ambassade pareille à celle que Carpaccio a représentée dans *la Légende de sainte Ursule*. Les navires étaient massifs, construits comme des architectures, et semblaient presque amphibies comme de moindres Venises au milieu de l'autre, quand, amarrés à l'aide de ponts volants, recouverts de satin cramoisi et de tapis persans, ils portaient des femmes en brocart cerise ou en damas vert, tout près des balcons incrustés de marbres multicolores où d'autres femmes se penchaient pour regarder, dans leurs robes aux manches noires à crevés blancs serrés de perles ou ornés de guipures. On ne savait plus où finissait la terre, où commençait l'eau, qu'est-ce qui était encore le palais ou déjà le navire, la caravelle, la galéasse, le Bucentaure. » Albertine écoutait avec une attention passionnée ces détails de toilette, ces images de luxe que nous décrivait Elstir. « Oh ! je voudrais bien voir les guipures dont vous me parlez, c'est si joli le point de Venise, s'écriait-elle ; d'ailleurs j'aimerais tant aller à Venise ! — Vous pourrez peut-être bientôt, lui dit Elstir, contempler les étoffes merveilleuses qu'on portait là-bas. On ne les voyait plus que dans les tableaux des peintres vénitiens, ou alors très rarement dans les trésors des églises, parfois même il y en avait une qui passait dans une vente. Mais on dit qu'un artiste de Venise, Fortuny, a retrouvé le secret de leur fabrication et qu'avant quelques années les femmes pourront se promener, et surtout rester chez elles, dans des brocarts aussi magnifiques que ceux que Venise ornait, pour ses patriciennes, avec des dessins d'Orient. Mais je ne sais pas si j'aimerais beaucoup cela, si ce ne sera pas un peu trop costume anachronique pour des femmes d'aujourd'hui, même paradant aux régates, car pour en revenir à nos modernes bateaux de plaisance, c'est tout

le contraire que du temps de Venise, « Reine de l'Adria-
tique ». Le plus grand charme d'un yacht, de l'ameublement d'un yacht, des toilettes de yachting, est leur
simplicité de choses de la mer, et j'aime tant la mer! Je
vous avoue que je préfère les modes d'aujourd'hui aux
modes du temps de Véronèse et même de Carpaccio.
Ce qu'il y a de joli dans nos yachts — et dans les yachts
moyens surtout, je n'aime pas les énormes, trop navires,
c'est comme pour les chapeaux, il y a une mesure à
garder — c'est la chose unie, simple, claire, grise, qui
par les temps voilés, bleuâtres, prend un flou crémeux.
Il faut que la pièce où l'on se tient ait l'air d'un petit
café. Les toilettes des femmes sur un yacht, c'est la
même chose ; ce qui est gracieux, ce sont ces toilettes
légères, blanches et unies, en toile, en linon, en pékin,
en coutil, qui au soleil et sur le bleu de la mer font un
blanc aussi éclatant qu'une voile blanche. Il y a très peu
de femmes du reste qui s'habillent bien, quelques-unes
pourtant sont merveilleuses. Aux courses, Mlle Léa avait
un petit chapeau blanc et une petite ombrelle blanche,
c'était ravissant. Je ne sais pas ce que je donnerais pour
avoir cette petite ombrelle. » J'aurais tant voulu savoir en
quoi cette petite ombrelle différait des autres, et pour
d'autres raisons, de coquetterie féminine, Albertine l'aurait
voulu plus encore. Mais, comme Françoise qui disait pour
les soufflés : « C'est un tour de main », la différence était
dans la coupe. « C'était, disait Elstir, tout petit, tout rond,
comme un parasol chinois. » Je citai les ombrelles de certaines femmes, mais ce n'était pas cela du tout. Elstir trouvait toutes ces ombrelles affreuses. Homme d'un goût difficile et exquis, il faisait consister dans un rien qui était
tout, la différence entre ce que portaient les trois quarts
des femmes et qui lui faisait horreur et une jolie chose
qui le ravissait et, au contraire de ce qui m'arrivait à
moi pour qui tout luxe était stérilisant, exaltait son désir
de peindre « pour tâcher de faire des choses aussi jolies ».

— Tenez, voilà une petite qui a déjà compris comment
étaient le chapeau et l'ombrelle, me dit Elstir en me montrant Albertine, dont les yeux brillaient de convoitise.
— Comme j'aimerais être riche pour avoir un yacht!
dit-elle au peintre. Je vous demanderais des conseils
pour l'aménager. Quels beaux voyages je ferais! Et
comme ce serait joli d'aller aux régates de Cowes! Et
une automobile! Est-ce que vous trouvez que c'est joli,
les modes des femmes pour les automobiles? — Non,
répondait Elstir, mais cela le sera. D'ailleurs, il y a peu
de couturiers, un ou deux, Callot, quoique donnant un
peu trop dans la dentelle, Doucet, Cheruit, quelquefois
Paquin. Le reste sont des horreurs. — Mais alors, il y
a une différence immense entre une toilette de Callot
et celle d'un couturier quelconque? demandai-je à
Albertine. — Mais énorme, mon petit bonhomme, me
répondit-elle. Oh! pardon. Seulement, hélas! ce qui
coûte trois cents francs ailleurs coûte deux mille francs
chez eux. Mais cela ne se ressemble pas, cela a l'air pareil
pour les gens qui n'y connaissent rien. — Parfaitement,
répondit Elstir, sans aller pourtant jusqu'à dire que la
différence soit aussi profonde qu'entre une statue de la
cathédrale de Reims et de l'église Saint-Augustin.
Tenez, à propos de cathédrales, dit-il en s'adressant
spécialement à moi, parce que cela se référait à une
causerie à laquelle ces jeunes filles n'avaient pas pris
part et qui d'ailleurs ne les eût nullement intéressées, je
vous parlais l'autre jour de l'église de Balbec comme
d'une grande falaise, une grande levée des pierres du
pays, mais inversement, me dit-il en me montrant une
aquarelle, regardez ces falaises (c'est une esquisse prise
tout près d'ici, aux Creuniers), regardez comme ces
rochers puissamment et délicatement découpés font
penser à une cathédrale. En effet, on eût dit d'immenses
arceaux roses. Mais, peints par un jour torride, ils
semblaient réduits en poussière, volatilisés par la cha-

leur, laquelle avait à demi bu la mer, presque passée,
dans toute l'étendue de la toile, à l'état gazeux. Dans ce
jour où la lumière avait comme détruit la réalité, celle-ci
était concentrée dans des créatures sombres et transparentes qui par contraste donnaient une impression de
vie plus saisissante, plus proche : les ombres. Altérées
de fraîcheur, la plupart, désertant la large enflammé,
s'étaient réfugiées au pied des rochers, à l'abri du soleil;
d'autres nageant lentement sur les eaux comme des
dauphins s'attachaient aux flancs de barques en promenade dont elles élargissaient la coque, sur l'eau pâle,
de leur corps verni et bleu. C'était peut-être la soif de
fraîcheur communiquée par elles qui donnait le plus la
sensation de la chaleur de ce jour et qui me fit m'écrier
combien je regrettais de ne pas connaître les Creuniers.
Albertine et Andrée assurèrent que j'avais dû y aller cent
fois. En ce cas, c'était sans le savoir, ni me douter qu'un
jour leur vue pourrait m'inspirer une telle soif de beauté,
non pas précisément naturelle comme celle que j'avais
cherchée jusqu'ici dans les falaises de Balbec, mais plutôt architecturale. Surtout moi qui, parti pour voir le
royaume des tempêtes, ne trouvais jamais dans mes
promenades avec Mme de Villeparisis où souvent nous
ne l'apercevions que de loin, peint dans l'écartement des
arbres, l'océan assez réel, assez liquide, assez vivant,
donnant assez l'impression de lancer ses masses d'eau,
et qui n'aurais aimé le voir immobile que sous un linceul
hivernal de brume, je n'eusse guère pu croire que je
rêverais maintenant d'une mer qui n'était plus qu'une
vapeur blanchâtre ayant perdu la consistance et la
couleur. Mais cette mer, Elstir, comme ceux qui rê-
vaient dans ces barques engourdies par la chaleur, en
avait jusqu'à une telle profondeur goûté l'enchantement
qu'il avait su rapporter, fixer sur sa toile, l'imperceptible
reflux de l'eau, la pulsation d'une minute heureuse ;
et en voyant ce portrait magique, on ne pensait plus qu'à

courir le monde pour retrouver la journée enfuie, dans
sa grâce instantanée et dormante.

De sorte que si, avant ces visites chez Elstir, avant
d'avoir vu une marine de lui où une jeune femme, en
robe de barège ou de linon, dans un yacht arborant le
drapeau américain, mit le « double » spirituel d'une
robe de linon blanc et d'un drapeau dans mon imagination qui aussitôt couva un désir insatiable de voir sur-
le-champ des robes de linon blanc et des drapeaux près
de la mer, comme si cela ne m'était jamais arrivé jusque-
là, je m'étais toujours efforcé, devant la mer, d'expulser
du champ de ma vision, aussi bien que les baigneurs du
premier plan, les yachts aux voiles trop blanches comme
un costume de plage, tout ce qui m'empêchait de me
persuader que je contemplais le flot immémorial qui
déroulait déjà sa même vie mystérieuse avant l'apparition
de l'espèce humaine, et jusqu'aux jours radieux qui me
semblaient revêtir de l'aspect banal de l'universel été
cette côte de brumes et de tempêtes, y marquer un simple
temps d'arrêt, l'équivalent de ce qu'on appelle en musique une mesure pour rien, — maintenant c'était le mauvais temps qui me paraissait devenir quelque accident
funeste, ne pouvant plus trouver de place dans le monde
de la beauté : je désirais vivement aller retrouver dans la
réalité ce qui m'exaltait si fort et j'espérais que le temps
serait assez favorable pour voir du haut de la falaise les
mêmes ombres bleues que dans le tableau d'Elstir.

Le long de la route, je ne me faisais plus d'ailleurs
un écran de mes mains comme dans ces jours où, conce-
vant la nature comme animée d'une vie antérieure à
l'apparition de l'homme et en opposition avec tous ces
fastidieux perfectionnements de l'industrie qui m'avaient
fait jusqu'ici bâiller d'ennui dans les expositions uni-
verselles ou chez les modistes, j'essayais de ne voir de la
mer que la section où il n'y avait pas de bateau à vapeur,
de façon à me la représenter comme immémoriale, encore

contemporaine des âges où elle avait été séparée de la
terre, à tout le moins contemporaine des premiers siècles
de la Grèce, ce qui me permettait de me redire en toute
vérité les vers du « père Leconte » chers à Bloch :

> *Ils sont partis, les rois des nefs éperonnées,*
> *Emmenant sur la mer tempétueuse, hélas!*
> *Les hommes chevelus de l'héroïque Hellas.*

Je ne pouvais plus mépriser les modistes, puisque
Elstir m'avait dit que le geste délicat par lequel elles
donnent un dernier chiffonnement, une suprême caresse
aux nœuds ou aux plumes d'un chapeau terminé, l'in-
téresserait autant à rendre que celui des jockeys (ce qui
avait ravi Albertine). Mais il fallait attendre mon retour,
pour les modistes, à Paris, pour les courses et les régates,
à Balbec où on n'en donnerait plus avant l'année prochaine. Même un yacht emmenant des femmes en linon
blanc était introuvable.

Souvent nous rencontrions les sœurs de Bloch que
j'étais obligé de saluer depuis que j'avais dîné chez leur
père. Mes amies ne les connaissaient pas. « On ne me
permet pas de jouer avec des israélites », disait Albertine. La façon dont elle prononçait « issraélite » au lieu
d' « izraélite » aurait suffi à indiquer, même si on n'avait
pas entendu le commencement de la phrase, que ce
n'était pas de sentiments de sympathie envers le peuple
élu qu'étaient animées ces jeunes bourgeoises, de familles
dévotes, et qui devaient croire aisément que les juifs
égorgeaient les enfants chrétiens. « Du reste, elles ont
un sale genre, vos amies », me disait Andrée avec un
sourire qui signifiait qu'elle savait bien que ce n'était
pas mes amies. « Comme tout ce qui touche à la tribu »,
répondait Albertine sur le ton sentencieux d'une personne d'expérience. A vrai dire, les sœurs de Bloch, à la
fois trop habillées et à demi-nues, l'air languissant, hardi,
fastueux et souillon, ne produisaient pas une impression

excellente. Et une de leurs cousines qui n'avait que
quinze ans scandalisait le Casino par l'admiration qu'elle
affichait pour Mlle Léa, dont M. Bloch père prisait
très fort le talent d'actrice, mais que son goût ne passait
pas pour porter surtout du côté des messieurs.

Il y avait des jours où nous goûtions dans l'une des
fermes-restaurants du voisinage. Ce sont les fermes
dites des Écorres, Marie-Thérèse, de la Croix d'Herland,
de Bagatelle, de Californie, de Marie-Antoinette. C'est
cette dernière qu'avait adoptée la petite bande.

Mais quelquefois au lieu d'aller dans une ferme,
nous montions jusqu'au haut de la falaise, et une fois
arrivés et assis sur l'herbe, nous défaisions notre paquet
de sandwiches et de gâteaux. Mes amies préféraient
les sandwiches et s'étonnaient de me voir manger
seulement un gâteau au chocolat gothiquement historié de sucre ou une tarte à l'abricot. C'est qu'avec les
sandwiches au chester et à la salade, nourriture ignorante
et nouvelle, je n'avais rien à dire. Mais les gâteaux étaient
instruits, les tartes étaient bavardes. Il y avait dans les
premiers des fadeurs de crème et dans les secondes des
fraîcheurs de fruits qui en savaient long sur Combray,
sur Gilberte, non seulement la Gilberte de Combray,
mais celle de Paris aux goûters de qui je les avais retrouvés. Ils me rappelaient ces assiettes à petits fours, des
Mille et une Nuits, qui distrayaient tant de leurs « sujets » ma tante Léonie quand Françoise lui apportait,
un jour, *Aladin ou la Lampe merveilleuse*, un autre, *Ali-
Baba, le Dormeur éveillé* ou *Simbad le Marin embarquant
à Bassora avec toutes ses richesses*. J'aurais bien voulu
les revoir, mais ma grand'mère ne savait pas ce qu'elles
étaient devenues et croyait d'ailleurs que c'était de vulgaires assiettes achetées dans le pays. N'importe, dans
le gris et champenois Combray, leurs vignettes s'encas-
traient multicolores, comme dans la noire église les
vitraux aux mouvantes pierreries, comme dans le cré-

puscule de ma chambre les projections de la lanterne
magique, comme devant la vue de la gare et du chemin
de fer départemental les boutons d'or des Indes et
les lilas de Perse, comme la collection de vieux Chine
de ma grand'tante dans sa sombre demeure de vieille
dame de province.

Étendu sur la falaise, je ne voyais devant moi que des
prés, et, au-dessus d'eux, non pas les sept ciels de la
physique chrétienne, mais la superposition de deux
seulement, un plus foncé — la mer — et en haut un
plus pâle. Nous goûtions, et si j'avais emporté aussi
quelque petit souvenir qui pût plaire à l'une ou à l'autre
de mes amies, la joie remplissait avec une violence si
soudaine leur visage translucide en un instant devenu
rouge que leur bouche n'avait pas la force de la retenir et,
pour la laisser passer, éclatait de rire. Elles étaient assem-
blées autour de moi ; et entre les visages peu éloignés les
uns des autres, l'air qui les séparait traçait des sentiers
d'azur comme frayés par un jardinier qui a voulu mettre
un peu de jour pour pouvoir circuler lui-même au milieu
d'un bosquet de roses.

Nos provisions épuisées, nous jouions à des jeux qui
jusque-là m'eussent paru ennuyeux, quelquefois aussi
enfantins que « La Tour Prends Garde » ou « A qui rira
le premier », mais auxquels je n'aurais plus renoncé pour
un empire ; l'aurore de jeunesse dont s'empourprait
encore le visage de ces jeunes filles et hors de laquelle
je me trouvais déjà, à mon âge, illuminait tout devant
elles et, comme la fluide peinture de certains primitifs,
faisait se détacher les détails les plus insignifiants de leur
vie sur un fond d'or. Pour la plupart, les visages mêmes
de ces jeunes filles étaient confondus dans cette rougeur
confuse de l'aurore d'où les véritables traits n'avaient
pas encore jailli. On ne voyait qu'une couleur charmante
sous laquelle ce que devait être dans quelques années le
profil n'était pas discernable. Celui d'aujourd'hui n'avait

rien de définitif et pouvait n'être qu'une ressemblance momentanée avec quelque membre défunt de la famille auquel la nature avait fait cette politesse commémorative. Il vient si vite, le moment où l'on n'a plus rien à attendre, où le corps est figé dans une immobilité qui ne promet plus de surprises, où l'on perd toute espérance en voyant, comme aux arbres en plein été des feuilles déjà mortes, autour de visages encore jeunes des cheveux qui tombent ou blanchissent, il est si court, ce matin radieux, qu'on en vient à n'aimer que les très jeunes filles, celles chez qui la chair comme une pâte précieuse travaille encore. Elles ne sont qu'un flot de matière ductile pétrie à tout moment par l'impression passagère qui les domine. On dirait que chacune est tour à tour une petite statuette de la gaîté, du sérieux juvénile, de la câlinerie, de l'étonnement, modelée par une expression franche, complète, mais fugitive. Cette plasticité donne beaucoup de variété et de charme aux gentils égards que nous montre une jeune fille. Certes, ils sont indispensables aussi chez la femme, et celle à qui nous ne plaisons pas ou qui ne nous laisse pas voir que nous lui plaisons, prend à nos yeux quelque chose d'ennuyeusement uniforme. Mais ces gentillesses elles-mêmes, à partir d'un certain âge, n'amènent plus de molles fluctuations sur un visage que les luttes de l'existence ont durci, rendu à jamais militant ou extatique. L'un — par la force continue de l'obéissance qui soumet l'épouse à son époux — semble, plutôt que d'une femme, le visage d'un soldat ; l'autre, sculpté par les sacrifices qu'a consentis chaque jour la mère pour ses enfants, est d'un apôtre. Un autre encore est, après des années de traverses et d'orages, le visage d'un vieux loup de mer, chez une femme dont les vêtements seuls révèlent le sexe. Et certes, les attentions qu'une femme a pour nous peuvent encore, quand nous l'aimons, semer de charmes nouveaux les heures que nous passons auprès d'elle. Mais elle n'est pas successi-

vement pour nous une femme différente. Sa gaîté reste
extérieure à une figure inchangée. Mais l'adolescence
est antérieure à la solidification complète et de là vient
qu'on éprouve auprès des jeunes filles ce rafraîchissement que donne le spectacle des formes sans cesse
en train de changer, de jouer en une instable opposition
qui fait penser à cette perpétuelle recréation des éléments
primordiaux de la nature qu'on contemple devant la
mer.

Ce n'était pas seulement une matinée mondaine, une
promenade avec Mme de Villeparisis que j'eusse sacrifiées au « furet » où aux « devinettes » de mes amies. A
plusieurs reprises Robert de Saint-Loup me fit dire que
puisque je n'allais pas le voir à Doncières, il avait demandé une permission de vingt-quatre heures et la passerait à Balbec. Chaque fois je lui écrivis de n'en rien
faire, en invoquant l'excuse d'être obligé de m'absenter
justement ce jour-là pour aller remplir dans le voisinage
un devoir de famille avec ma grand'mère. Sans doute
me jugea-t-il mal en apprenant par sa tante en quoi
consistait le devoir de famille et quelles personnes tenaient en l'espèce le rôle de grand'mère. Et pourtant
je n'avais peut-être pas tort de sacrifier les plaisirs non
seulement de la mondanité, mais de l'amitié, à celui de
passer tout le jour dans ce jardin. Les êtres qui en ont la
possibilité — il est vrai que ce sont les artistes et j'étais
convaincu depuis longtemps que je ne le serais jamais —
ont aussi le devoir de vivre pour eux-mêmes ; or l'amitié
leur est une dispense de ce devoir, une abdication de soi.
La conversation même qui est le mode d'expression de
l'amitié est une divagation superficielle, qui ne nous
donne rien à acquérir. Nous pouvons causer pendant
toute une vie sans rien dire que répéter indéfiniment le
vide d'une minute, tandis que la marche de la pensée
dans le travail solitaire de la création artistique se fait
dans le sens de la profondeur, la seule direction qui ne

nous soit pas fermée, où nous puissions progresser, avec
plus de peine il est vrai, pour un résultat de vérité. Et
l'amitié n'est pas seulement dénuée de vertu comme
la conversation, elle est de plus funeste. Car l'impression
d'ennui que ne peuvent pas ne pas éprouver auprès de
leur ami, c'est-à-dire à rester à la surface de soi-même,
au lieu de poursuivre leur voyage de découvertes dans les
profondeurs, ceux d'entre nous dont la loi de développe-
pement est purement interne, cette impression d'ennui,
l'amitié nous persuade de la rectifier quand nous nous
retrouvons seuls, de nous rappeler avec émotion les
paroles que notre ami nous a dites, de les considérer
comme un précieux apport, alors que nous ne sommes pas
comme des bâtiments à qui on peut ajouter des pierres
du dehors, mais comme des arbres qui tirent de leur
propre sève le nœud suivant de leur tige, l'étage supérieur de leur frondaison. Je me mentais à moi-même,
j'interrompais la croissance dans le sens selon lequel je
pouvais en effet véritablement grandir et être heureux,
quand je me félicitais d'être aimé, admiré, par un être
aussi bon, aussi intelligent, aussi recherché que Saint-
Loup, quand j'adaptais mon intelligence, non à mes
propres obscures impressions que c'eût été mon devoir
de démêler, mais aux paroles de mon ami à qui en me les
redisant — en me les faisant redire par cet autre que soi-
même qui vit en nous et sur qui on est toujours si content de se décharger du fardeau de penser — je m'efforçais de trouver une beauté, bien différente de celle que
je poursuivais silencieusement quand j'étais vraiment
seul, mais qui donnerait plus de mérite à Robert, à moi-
même, à ma vie. Dans celle qu'un tel ami me faisait,
je m'apparaissais comme douillettement préservé de la
solitude, noblement désireux de me sacrifier moi-
même pour lui, en somme incapable de me réaliser.
Près de ces jeunes filles, au contraire, si le plaisir que je
goûtais était égoïste, du moins n'était-il pas basé sur le

mensonge qui cherche à nous faire croire que nous ne sommes pas irrémédiablement seuls et nous empêche de nous avouer que, quand nous causons, ce n'est plus nous qui parlons, que nous nous modelons alors à la ressemblance des autres et non d'un moi qui diffère d'eux. Les paroles qui s'échangeaient entre les jeunes filles de la petite bande et moi étaient peu intéressantes, rares d'ailleurs, coupées de ma part de longs silences. Cela ne m'empêchait pas de prendre à les écouter quand elles me parlaient autant de plaisir qu'à les regarder, à découvrir dans la voix de chacune d'elles un tableau vivement coloré. C'est avec délices que j'écoutais leur pépiement. Aimer aide à discerner, à différencier. Dans un bois l'amateur d'oiseaux distingue aussitôt ces gazouillis particuliers à chaque oiseau, que le vulgaire confond. L'amateur de jeunes filles sait que les voix humaines sont encore bien plus variées. Chacune possède plus de notes que le plus riche instrument. Et les combinaisons selon lesquelles elle les groupe sont aussi inépuisables que l'infinie variété des personnalités. Quand je causais avec une de mes amies, je m'apercevais que le tableau original, unique de son individualité, m'était ingénieusement dessiné, tyranniquement imposé, aussi bien par les inflexions de sa voix que par celles de son visage et que c'était deux spectacles qui traduisaient, chacun dans son plan, la même réalité singulière. Sans doute les lignes de la voix, comme celles du visage, n'étaient pas encore définitivement fixées ; la première muerait encore, comme le second changerait. Comme les enfants possèdent une glande dont la liqueur les aide à digérer le lait et qui n'existe plus chez les grandes personnes, il y avait dans le gazouillis de ces jeunes filles des notes que les femmes n'ont plus. Et de cet instrument plus varié, elles jouaient avec leurs lèvres, avec cette application, cette ardeur des petits anges musiciens de Bellini lesquelles sont aussi un apanage exclusif de la jeunesse. Plus tard ces jeunes filles perdraient cet accent de conviction enthousiaste qui donnait du charme aux choses les plus simples, soit qu'Albertine sur un ton d'autorité débitât des calembours que les plus jeunes écoutaient avec admiration jusqu'à ce que le fou rire se saisît d'elles avec la violence irrésistible d'un éternuement, soit qu'Andrée mît à parler de leurs travaux scolaires, plus enfantins encore que leurs jeux, une gravité essentiellement puérile : et leurs paroles détonnaient, pareilles à ces strophes des temps antiques où la poésie encore peu différenciée de la musique se déclamait sur des notes différentes. Malgré tout, la voix de ces jeunes filles accusait déjà nettement le parti pris que chacune de ces petites personnes avait sur la vie, parti pris si individuel que c'est user d'un mot bien trop général que de dire pour l'une : « elle prend tout en plaisantant » ; pour l'autre : « elle va d'affirmation en affirmation » ; pour la troisième : « elle s'arrête à une hésitation expectante ». Les traits de notre visage ne sont guère que des gestes devenus, par l'habitude, définitifs. La nature, comme la catastrophe de Pompéi, comme une métamorphose de nymphe, nous a immobilisés dans le mouvement accoutumé. De même, nos intonations contiennent notre philosophie de la vie, ce que la personne se dit à tout moment sur les choses. Sans doute ces traits n'étaient pas qu'à ces jeunes filles. Ils étaient à leurs parents. L'individu baigne dans quelque chose de plus général que lui. A ce compte, les parents ne fournissent pas que ce geste habituel que sont les traits du visage et de la voix, mais aussi certaines manières de parler, certaines phrases consacrées, qui presque aussi inconscientes qu'une intonation, presque aussi profondes, indiquent, comme elle, un point de vue sur la vie. Il est vrai que pour les jeunes filles, il y a certaines de ces expressions que leurs parents ne leur donnent pas avant un certain âge, généralement pas avant qu'elles soient des femmes. On les garde en réserve. Ainsi, par exemple, si on parlait des tableaux d'un ami d'Elstir, Andrée, qui avait encore les cheveux dans le dos, ne pouvait encore faire personnellement usage de l'expression dont usaient sa mère et sa sœur mariée : « Il paraît que *l'homme* est charmant. » Mais cela viendrait avec la permission d'aller au Palais-Royal. Et déjà depuis sa première communion, Albertine disait comme une amie de sa tante : « Je trouverais cela assez terrible. » On lui avait aussi donné en présent l'habitude de faire répéter ce qu'on lui disait pour avoir l'air de s'intéresser et de chercher à se former une opinion personnelle. Si on disait que la peinture d'un peintre était bien, ou sa maison jolie : « Ah! c'est bien, sa peinture ? Ah! c'est joli, sa maison ? » Enfin, plus générale encore que n'est le legs familial était la savoureuse matière imposée par la province originelle d'où elles tiraient leur voix et à même laquelle mordaient leurs intonations. Quand Andrée pinçait sèchement une note grave, elle ne pouvait faire que la corde périgourdine de son instrument vocal ne rendît un son chantant, fort en harmonie d'ailleurs avec la pureté méridionale de ses traits ; et aux perpétuelles gamineries de Rosemonde, la matière de son visage et de sa voix du Nord répondaient, quoi qu'elle en eût, avec l'accent de sa province. Entre cette province et le tempérament de la jeune fille qui dictait les inflexions, je percevais un beau dialogue. Dialogue, non pas discorde. Aucune ne saurait diviser la jeune fille et son pays natal. Elle, c'est lui encore. Du reste cette réaction des matériaux locaux sur le génie qui les utilise et à qui elle donne plus de verdeur ne rend pas l'œuvre moins individuelle, et que ce soit celle d'un architecte, d'un ébéniste, ou d'un musicien, elle ne reflète pas moins minutieusement les traits les plus subtils de la personnalité de l'artiste, parce qu'il a été forcé de travailler dans la pierre meulière de Senlis ou le grès rouge de Strasbourg, qu'il a respecté les nœuds particuliers au frêne, qu'il a tenu compte dans son écriture des ressources et des limites de la sonorité, des possibilités de la flûte ou de l'alto.

Je m'en rendais compte et pourtant nous causions si peu! Tandis qu'avec Mme de Villeparisis ou Saint-Loup, j'eusse démontré par mes paroles beaucoup plus de plaisir que je n'en eusse ressenti, car je les quittais avec fatigue, au contraire couché entre ces jeunes filles, la plénitude de ce que j'éprouvais l'emportait infiniment sur la pauvreté, la rareté de nos propos, et débordait de mon immobilité et de mon silence, en flots de bonheur dont le clapotis venait mourir au pied de ces jeunes roses.

Pour un convalescent qui se repose tout le jour dans un jardin fleuri ou dans un verger, une odeur de fleurs et de fruits n'imprègne pas plus profondément les mille riens dont se compose son farniente que pour moi cette couleur, cet arôme que mes regards allaient chercher sur ces jeunes filles et dont la douceur finissait par s'incorporer à moi. Ainsi les raisins se sucrent-ils au soleil. Et par leur lente continuité, ces jeux si simples avaient aussi amené en moi, comme chez ceux qui ne font autre chose que rester étendus au bord de la mer à respirer le sel, à se hâler, une détente, un sourire béat, un éblouissement vague qui avait gagné jusqu'à mes yeux.

Parfois une gentille attention de telle ou telle éveillait en moi d'amples vibrations qui éloignaient pour un temps le désir des autres. Ainsi un jour Albertine avait dit : « Qu'est-ce qui a un crayon ? » Andrée l'avait fourni, Rosemonde le papier, Albertine leur avait dit : « Mes petites bonnes femmes, je vous défends de regarder ce que j'écris. » Après s'être appliquée à bien tracer chaque lettre, le papier appuyé à ses genoux, elle me l'avait passé en me disant : « Faites attention qu'on ne voie pas. » Alors je l'avais déplié et j'avais lu ces mots qu'elle m'avait écrits : « Je vous aime bien. »

— Mais au lieu d'écrire des bêtises, cria-t-elle en se tournant d'un air impétueux et grave vers Andrée et Rosemonde, il faut que je vous montre la lettre que Gisèle m'a écrite ce matin. Je suis folle, je l'ai dans ma poche, et dire que cela peut nous être si utile! Gisèle avait cru devoir adresser à son amie, afin qu'elle la communiquât aux autres, la composition qu'elle avait faite pour son certificat d'études. Les craintes d'Albertine sur la difficulté des sujets proposés avaient encore été dépassées par les deux entre lesquels Gisèle avait eu à opter. L'un était : « Sophocle écrit des Enfers à Racine pour le consoler de l'insuccès d'*Athalie* » ; l'autre : « Vous supposerez qu'après la première représentation d'*Esther*, Mme de Sévigné écrit à Mme de La Fayette pour lui dire combien elle a regretté son absence. » Or Gisèle, par un excès de zèle qui avait dû toucher les examinateurs, avait choisi le premier, le plus difficile, de ces deux sujets, et l'avait traité si remarquablement qu'elle avait eu quatorze et avait été félicitée par le jury. Elle aurait obtenu la mention « très bien » si elle n'avait « séché » dans son examen d'espagnol. La composition dont Gisèle avait envoyé la copie à Albertine nous fut immédiatement lue par celle-ci, car, devant elle-même passer le même examen, elle désirait beaucoup avoir l'avis d'Andrée, beaucoup plus forte qu'elles toutes et qui pouvait donner de bons tuyaux. « Elle en a eu une veine, dit Albertine. C'est justement un sujet que lui avait fait piocher ici sa maîtresse de français. » La lettre de Sophocle à Racine, rédigée par Gisèle, commençait ainsi : « Mon cher ami, excusez-moi de vous écrire sans avoir « l'honneur d'être personnellement connu de vous, « mais votre nouvelle tragédie d'*Athalie* ne montre-t-elle « pas que vous avez parfaitement étudié mes modestes « ouvrages? Vous n'avez pas mis de vers que dans la « bouche des protagonistes, ou personnages principaux « du drame, mais vous en avez écrit, et de charmants,

« permettez-moi de vous le dire sans cajolerie, pour les
« chœurs qui ne faisaient pas trop mal, à ce qu'on dit,
« dans la tragédie grecque, mais qui sont en France une
« véritable nouveauté. De plus, votre talent, si délié,
« si fignolé, si charmeur, si fin, si délicat, a atteint à une
« énergie dont je vous félicite. Athalie, Joad, voilà des
« personnages que votre rival, Corneille, n'eût pas su
« mieux charpenter. Les caractères sont virils, l'intrigue
« est simple et forte. Voilà une tragédie dont l'amour
« n'est pas le ressort et je vous en fais mes compliments
« les plus sincères. Les préceptes les plus fameux ne
« sont pas toujours les plus vrais. Je vous citerai comme
« exemple :

> *De cette passion la sensible peinture*
> *Est pour aller au cœur la route la plus sûre.*

« Vous avez montré que le sentiment religieux dont
« débordent vos chœurs n'est pas moins capable d'atten-
« drir. Le grand public a pu être dérouté, mais les vrais
« connaisseurs vous rendent justice. J'ai tenu à vous
« envoyer toutes mes congratulations auxquelles je
« joins, mon cher confrère, l'expression de mes senti-
« ments les plus distingués. »

Les yeux d'Albertine n'avaient cessé d'étinceler
pendant qu'elle faisait cette lecture : « C'est à croire
qu'elle a copié cela, s'écria-t-elle quand elle eut fini.
Jamais je n'aurais cru Gisèle capable de pondre un devoir
pareil. Et ces vers qu'elle cite! Où a-t-elle pu aller chiper
ça ? » L'admiration d'Albertine, changeant il est vrai
d'objet, mais encore accrue, ne cessa pas, ainsi que l'application la plus soutenue, de lui faire « sortir les yeux de
la tête » tout le temps qu'Andrée, consultée comme plus
grande et comme plus calée, d'abord parla du devoir de
Gisèle avec une certaine ironie, puis, avec un air de légè-
reté qui dissimulait mal un sérieux véritable, refit à sa
façon la même lettre. « Ce n'est pas mal, dit-elle à Alber-

tine, mais si j'étais toi et qu'on me donne le même sujet,
ce qui peut arriver, car on le donne très souvent, je ne
ferais pas comme cela. Voilà comment je m'y prendrais.
D'abord, si j'avais été Gisèle, je ne me serais pas laissé
emballer et j'aurais commencé par écrire sur une feuille
à part mon plan. En première ligne, la position de la
question et l'exposition du sujet ; puis les idées générales à faire entrer dans le développement ; enfin, l'appréciation, le style, la conclusion. Comme cela, en s'inspi-
rant d'un sommaire, on sait où on va. Dès l'exposition
du sujet ou si tu aimes mieux, Titine, puisque c'est une
lettre, dès l'entrée en matière, Gisèle a gaffé. Écrivant
à un homme du XVIIᵉ siècle, Sophocle ne devait pas
écrire : mon cher ami. — Elle aurait dû, en effet, lui
faire dire : mon cher Racine, s'écria fougueusement
Albertine. Ç'aurait été bien mieux. — Non, répondit
Andrée sur un ton un peu persifleur, elle aurait dû
mettre : " Monsieur. " De même, pour finir elle aurait
dû trouver quelque chose comme : " Souffrez, Monsieur
(tout au plus, cher Monsieur), que je vous dise ici les
sentiments d'estime avec lesquels j'ai l'honneur d'être
votre serviteur. " D'autre part, Gisèle dit que les chœurs
sont dans *Athalie* une nouveauté. Elle oublie *Esther*,
et deux tragédies peu connues, mais qui ont été précisément analysées cette année par le Professeur, de sorte
que, rien qu'en les citant, comme c'est son dada, on est
sûre d'être reçue. Ce sont *les Juives* de Robert Garnier
et l'*Aman*, de Montchrestien. » Andrée cita ces deux titres
sans parvenir à cacher un sentiment de bienveillante
supériorité qui s'exprima dans un sourire, assez gracieux
d'ailleurs. Albertine n'y tint plus : « Andrée, tu es ren-
versante, s'écria-t-elle. Tu vas m'écrire ces deux titres-
là. Crois-tu ? quelle chance si je passais là-dessus, même
à l'oral, je les citerais aussitôt et je ferais un effet bœuf. »
Mais dans la suite, chaque fois qu'Albertine demanda à
Andrée de lui redire les noms des deux pièces pour qu'elle

les inscrivît, l'amie si savante prétendit les avoir oubliés et ne les lui rappela jamais. « Ensuite, reprit Andrée sur un ton d'imperceptible dédain à l'égard de camarades plus puériles, mais heureuse pourtant de se faire admirer et attachant à la manière dont elle aurait fait sa composition plus d'importance qu'elle ne voulait le laisser voir, Sophocle aux Enfers doit être bien informé. Il doit donc savoir que ce n'est pas devant le grand public, mais devant le Roi-Soleil et quelques courtisans privilégiés que fut représentée *Athalie*. Ce que Gisèle dit à ce propos de l'estime des connaisseurs n'est pas mal du tout, mais pourrait être complété. Sophocle, devenu immortel, peut très bien avoir le don de la prophétie et annoncer que selon Voltaire *Athalie* ne sera pas seulement « le chef-d'œuvre de Racine, mais celui de l'esprit humain ». Albertine buvait toutes ces paroles. Ses prunelles étaient en feu. Et c'est avec l'indignation la plus profonde qu'elle repoussa la proposition de Rosemonde de se mettre à jouer. « Enfin, dit Andrée du même ton détaché, désinvolte, un peu railleur et assez ardemment convaincu, si Gisèle avait posément noté d'abord les idées générales qu'elle avait à développer, elle aurait peut-être pensé à ce que j'aurais fait, moi, montrer la différence qu'il y a dans l'inspiration religieuse des chœurs de Sophocle et de ceux de Racine. J'aurais fait faire par Sophocle la remarque que si les chœurs de Racine sont empreints de sentiments religieux comme ceux de la tragédie grecque, pourtant il ne s'agit pas des mêmes dieux. Celui de Joad n'a rien à voir avec celui de Sophocle. Et cela amène tout naturellement, après la fin du développement, la conclusion : « Qu'importe que les croyances soient différentes ? » Sophocle se ferait un scrupule d'insister là-dessus. Il craindrait de blesser les convictions de Racine et, glissant à ce propos quelques mots sur ses maîtres de Port-Royal, il préfère féliciter son émule de l'élévation de son génie poétique. »

L'admiration et l'attention avaient donné si chaud à Albertine qu'elle suait à grosses gouttes. Andrée gardait le flegme souriant d'un dandy femelle. « Il ne serait pas mauvais non plus de citer quelques jugements de critiques célèbres », dit-elle avant qu'on se remît à jouer. « Oui, répondit Albertine, on m'a dit cela. Les plus recommandables en général, n'est-ce pas, sont les jugements de Sainte-Beuve et de Merlet ? — Tu ne te trompes pas absolument, répliqua Andrée qui se refusa d'ailleurs à lui écrire les deux autres noms malgré les supplications d'Albertine, Merlet et Sainte-Beuve ne font pas mal. Mais il faut surtout citer Deltour et Gascq-Desfossés. »

Pendant ce temps, je songeais à la petite feuille de bloc-notes que m'avait passée Albertine : « Je vous aime bien », et une heure plus tard, tout en descendant les chemins qui ramenaient, un peu trop à pic à mon gré, vers Balbec, je me disais que c'était avec elle que j'aurais mon roman.

L'état caractérisé par l'ensemble de signes auxquels nous reconnaissons d'habitude que nous sommes amoureux, tels les ordres que je donnais à l'hôtel de ne m'éveiller pour aucune visite, sauf si c'était celle de l'une ou l'autre de ces jeunes filles, ces battements de cœur en les attendant (quelle que fût celle qui dût venir) et, ces jours-là, ma rage si je n'avais pu trouver un coiffeur pour me raser et devais paraître enlaidi devant Albertine, Rosemonde ou Andrée, sans doute cet état, renaissant alternativement pour l'une ou l'autre, était aussi différent de ce que nous appelons amour que diffère de la vie humaine celle des zoophytes où l'existence, l'individualité, si l'on peut dire, est répartie entre différents organismes. Mais l'histoire naturelle nous apprend qu'une telle organisation animale est observable, et notre propre vie, pour peu qu'elle soit déjà un peu avancée, n'est pas moins affirmative sur la réalité d'états insoupçonnés de

nous autrefois et par lesquels nous devons passer, quitte
à les abandonner ensuite : tel pour moi cet état amoureux
divisé simultanément entre plusieurs jeunes filles. Divisé
ou plutôt indivis, car le plus souvent ce qui m'était
délicieux, différent du reste du monde, ce qui commençait à me devenir cher au point que l'espoir de le retrouver
le lendemain était la meilleure joie de ma vie, c'était
plutôt tout le groupe de ces jeunes filles, pris dans l'ensemble de ces après-midi sur la falaise, pendant ces
heures éventées, sur cette bande d'herbe où étaient posées
ces figures, si excitantes pour mon imagination, d'Albertine, de Rosemonde, d'Andrée ; et cela, sans que j'eusse
pu dire laquelle me rendait ces lieux si précieux, laquelle
j'avais le plus envie d'aimer. Au commencement d'un
amour comme à sa fin, nous ne sommes pas exclusivement attachés à l'objet de cet amour, mais plutôt le
désir d'aimer dont il va procéder (et plus tard le souvenir
qu'il laisse) erre voluptueusement dans une zone de
charmes interchangeables — charmes parfois simplement de nature, de gourmandise, d'habitation — assez
harmoniques entre eux pour qu'il ne se sente, auprès
d'aucun, dépaysé. D'ailleurs comme, devant elles, je
n'étais pas encore blasé par l'habitude, j'avais la faculté
de les voir, autant dire d'éprouver un étonnement profond chaque fois que je me retrouvais en leur présence.

Sans doute pour une part cet étonnement tient à ce
que l'être nous présente alors une nouvelle face de lui-
même ; mais, tant est grande la multiplicité de chacun,
la richesse des lignes de son visage et de son corps,
lignes desquelles si peu se retrouvent, aussitôt que
nous ne sommes plus auprès de la personne, dans la
simplicité arbitraire de notre souvenir, comme la mémoire
a choisi telle particularité qui nous a frappé, l'a isolée,
l'a exagérée, faisant d'une femme qui nous a paru grande
une étude où la longueur de sa taille est démesurée, ou
d'une femme qui nous a semblé rose et blonde une pure

« Harmonie en rose et or », au moment où de nouveau
cette femme est près de nous, toutes les autres qualités
oubliées qui font équilibre à celle-là nous assaillent,
dans leur complexité confuse, diminuant la hauteur,
noyant le rose, et substituant à ce que nous sommes
venus exclusivement chercher d'autres particularités
que nous nous rappelons avoir remarquées la première
fois et dont nous ne comprenons pas que nous ayons
pu si peu nous attendre à les revoir. Nous nous souvenions, nous allions au-devant, d'un paon et nous trouvons une pivoine. Et cet étonnement inévitable n'est
pas le seul ; car à côté de celui-là il y en a un autre, né
de la différence, non plus entre les stylisations du souvenir et la réalité, mais entre l'être que nous avons vu la
dernière fois et celui qui nous apparaît aujourd'hui sous
un autre angle, nous montrant un nouvel aspect. Le
visage humain est vraiment comme celui du Dieu d'une
théogonie orientale, toute une grappe de visages juxta-
posés dans des plans différents et qu'on ne voit pas à la
fois.

Mais pour une grande part, notre étonnement vient
surtout de ce que l'être nous présente aussi une même
face. Il nous faudrait un si grand effort pour recréer tout
ce qui nous a été fourni par ce qui n'est pas nous — fût-
ce le goût d'un fruit — qu'à peine l'impression reçue,
nous descendons insensiblement la pente du souvenir,
et, sans nous en rendre compte, en très peu de temps,
nous sommes très loin de ce que nous avons senti. De
sorte que chaque nouvelle entrevue est une espèce de
redressement qui nous ramène à ce que nous avions
bien vu. Nous ne nous en souvenions déjà plus, tant ce
qu'on appelle se rappeler un être, c'est en réalité l'oublier. Mais aussi longtemps que nous savons encore
voir, au moment où le trait oublié nous apparaît, nous le
reconnaissons, nous sommes obligés de rectifier la ligne
déviée, et ainsi la perpétuelle et féconde surprise qui

rendait si salutaires et assouplissants pour moi ces
rendez-vous quotidiens avec les belles jeunes filles du
bord de la mer, était faite, tout autant que de découvertes,
de réminiscence. En ajoutant à cela l'agitation éveillée
par ce qu'elles étaient pour moi, qui n'était jamais tout
à fait ce que j'avais cru et qui faisait que l'espérance de
la prochaine réunion n'était plus semblable à la précédente espérance, mais au souvenir encore vibrant du
dernier entretien, on comprendra que chaque promenade
donnait un violent coup de barre à mes pensées, et non
pas du tout dans le sens que, dans la solitude de ma chambre, j'avais pu tracer à tête reposée. Cette direction-là
était oubliée, abolie, quand je rentrais vibrant comme une
ruche des propos qui m'avaient troublé et qui retentis-
saient longtemps en moi. Chaque être est détruit
quand nous cessons de le voir ; puis son apparition suivante est une création nouvelle, différente de celle qui
l'a immédiatement précédée, sinon de toutes. Car le
minimum de variété qui puisse régner dans ces créations
est de deux. Nous souvenant d'un coup d'œil énergique,
d'un air hardi, c'est inévitablement la fois suivante par
un profil quasi languide, par une sorte de douceur rêveuse,
choses négligées par nous dans le précédent souvenir,
que nous serons, à la prochaine rencontre, étonnés,
c'est-à-dire presque uniquement frappés. Dans la con-
frontation de notre souvenir à la réalité nouvelle, c'est
cela qui marquera notre déception ou notre surprise,
nous apparaîtra comme la retouche de la réalité en nous
avertissant que nous nous étions mal rappelé. A son tour
l'aspect la dernière fois négligé du visage, et, à cause de
cela même, le plus saisissant cette fois-ci, le plus réel,
le plus rectificatif, deviendra matière à rêverie, à souvenirs. C'est un profil langoureux et rond, une expression
douce, rêveuse que nous désirerons revoir. Et alors, de
nouveau, la fois suivante, ce qu'il y a de volontaire dans
les yeux perçants, dans le nez pointu, dans les lèvres

serrées, viendra corriger l'écart entre notre désir et l'objet
auquel il a cru correspondre. Bien entendu, cette fidélité
aux impressions premières, et purement physiques,
retrouvées à chaque fois auprès de mes amies, ne concernait pas que les traits de leur visage, puisqu'on a vu que
j'étais aussi sensible à leur voix, plus troublante peut-être
(car elle n'offre pas seulement les mêmes surfaces singulières et sensuelles que lui, elle fait partie de l'abîme
inaccessible qui donne le vertige des baisers sans espoir),
leur voix pareille au son unique d'un petit instrument
où chacune se mettait tout entière et qui n'était qu'à elle.
Tracée par une inflexion, telle ligne profonde d'une de
ces voix m'étonnait quand je la reconnaissais après l'avoir
oubliée. Si bien que les rectifications qu'à chaque rencontre nouvelle j'étais obligé de faire, pour le retour à la
parfaite justesse, étaient aussi bien d'un accordeur ou
d'un maître de chant que d'un dessinateur.

Quant à l'harmonieuse cohésion où se neutralisaient
depuis quelque temps, par la résistance que chacun
apportait à l'expansion des autres, les diverses ondes
sentimentales propagées en moi par ces jeunes filles,
elle fut rompue en faveur d'Albertine, une après-midi
que nous jouions au furet. C'était dans un petit bois sur
la falaise. Placé entre deux jeunes filles étrangères à la
petite bande et que celle-ci avait emmenées parce que
nous devions être ce jour-là fort nombreux, je regardais
avec envie le voisin d'Albertine, un jeune homme, en
me disant que si j'avais eu sa place, j'aurais pu toucher
les mains de mon amie pendant ces minutes inespérées
qui ne reviendraient peut-être pas et eussent pu me
conduire très loin. Déjà à lui seul et même sans les conséquences qu'il eût entraînées sans doute, le contact des
mains d'Albertine m'eût été délicieux. Non que je n'eusse
jamais vu de plus belles mains que les siennes. Même
dans le groupe de ses amies, celles d'Andrée, maigres et
bien plus fines, avaient comme une vie particulière,

docile au commandement de la jeune fille, mais indépendante, et elles s'allongeaient souvent devant elle comme
de nobles lévriers, avec des paresses, de longs rêves, de
brusques étirements d'une phalange, à cause desquels
Elstir avait fait plusieurs études de ces mains. Et dans
l'une où on voyait Andrée les chauffer devant le feu,
elles avaient sous l'éclairage la diaphanéité dorée de deux
feuilles d'automne. Mais, plus grasses, les mains d'Albertine cédaient un instant, puis résistaient à la pression
de la main qui les serrait, donnant une sensation toute
particulière. La pression de la main d'Albertine avait
une douceur sensuelle qui était comme en harmonie
avec la coloration rose, légèrement mauve, de sa peau.
Cette pression semblait vous faire pénétrer dans la
jeune fille, dans la profondeur de ses sens, comme la
sonorité de son rire, indécent à la façon d'un roucoule-
ment ou de certains cris. Elle était de ces femmes à qui
c'est un si grand plaisir de serrer la main qu'on est
reconnaissant à la civilisation d'avoir fait du shake-
hand un acte permis entre jeunes gens et jeunes filles
qui s'abordent. Si les habitudes arbitraires de la politesse
avaient remplacé la poignée de mains par un autre
geste, j'eusse tous les jours regardé les mains intangibles
d'Albertine avec une curiosité de connaître leur contact
aussi ardente qu'était celle de savoir la saveur de ses
joues. Mais dans le plaisir de tenir longtemps ses mains
entre les miennes, si j'avais été son voisin au furet, je
n'envisageais pas que ce plaisir même : que d'aveux, de
déclarations tus jusqu'ici par timidité j'aurais pu confier
à certaines pressions de mains ; de son côté, comme il
lui eût été facile, en répondant par d'autres pressions,
de me montrer qu'elle acceptait ; quelle complicité,
quel commencement de volupté ! Mon amour pouvait
faire plus de progrès en quelques minutes passées ainsi
à côté d'elle qu'il n'avait fait depuis que je la connaissais.
Sentant qu'elles dureraient peu, étaient bientôt à leur

fin, car on ne continuerait sans doute pas longtemps ce petit jeu, et qu'une fois qu'il serait fini, ce serait trop tard, je ne tenais pas en place. Je me laissai exprès prendre la bague et une fois au milieu, quand elle passa je fis semblant de ne pas m'en apercevoir et la suivis des yeux attendant le moment où elle arriverait dans les mains du voisin d'Albertine, laquelle riant de toutes ses forces, et dans l'animation et la joie du jeu, était toute rose. « Nous sommes justement dans le bois joli », me dit Andrée en me désignant les arbres qui nous entouraient, avec un sourire du regard qui n'était que pour moi et semblait passer par-dessus les joueurs, comme si nous deux étions seuls assez intelligents pour nous dédoubler et faire à propos du jeu une remarque d'un caractère poétique. Elle poussa même la délicatesse d'esprit jusqu'à chanter sans en avoir envie : « Il a passé par ici, le furet du Bois, Mesdames, il a passé par ici le furet du Bois joli », comme les personnes qui ne peuvent aller à Trianon sans y donner une fête Louis XVI ou qui trouvent piquant de faire chanter un air dans le cadre pour lequel il fut écrit. J'eusse sans doute été au contraire attristé de ne pas trouver du charme à cette réalisation, si j'avais eu le loisir d'y penser. Mais mon esprit était bien ailleurs. Joueurs et joueuses commençaient à s'étonner de ma stupidité et que je ne prisse pas la bague. Je regardais Albertine si belle, si indifférente, si gaie, qui, sans le prévoir, allait devenir ma voisine quand enfin j'arrêterais la bague dans les mains qu'il faudrait, grâce à un manège qu'elle ne soupçonnait pas et dont sans cela elle se fût irritée. Dans la fièvre du jeu, les longs cheveux d'Albertine s'étaient à demi défaits et, en mèches bouclées, tombaient sur ses joues dont ils faisaient encore mieux ressortir, par leur brune sécheresse, la rose carnation. « Vous avez les tresses de Laura Dianti, d'Éléonore de Guyenne, et de sa descendante si aimée de Chateaubriand. Vous devriez

porter toujours les cheveux un peu tombants »,
lui dis-je à l'oreille pour me rapprocher d'elle.
Tout d'un coup la bague passa au voisin d'Albertine.
Aussitôt je m'élançai, lui ouvris brutalement les mains,
saisis la bague ; il fut obligé d'aller à ma place au milieu
du cercle, et je pris la sienne à côté d'Albertine. Peu de
minutes auparavant, j'enviais ce jeune homme quand je
voyais ses mains, en glissant sur la ficelle, rencontrer à
tout moment celles d'Albertine. Maintenant que mon
tour était venu, trop timide pour rechercher, trop ému
pour goûter ce contact, je ne sentais plus rien que le
battement rapide et douloureux de mon cœur. A un
moment, Albertine pencha vers moi d'un air d'intelligence sa figure pleine et rose, faisant ainsi semblant d'a-
voir la bague, afin de tromper le furet et de l'empêcher
de regarder du côté où celle-ci était en train de passer.
Je compris tout de suite que c'était à cette ruse que s'appliquaient les sous-entendus du regard d'Albertine,
mais je fus troublé en voyant ainsi passer dans ses yeux
l'image, purement simulée pour les besoins du jeu, d'un
secret, d'une entente qui n'existaient pas entre elle et
moi, mais qui dès lors me semblèrent possibles et m'eussent été divinement doux. Comme cette pensée m'exaltait, je sentis une légère pression de la main d'Albertine
contre la mienne, et son doigt caressant qui se glissait
sous mon doigt, et je vis qu'elle m'adressait en même
temps un clin d'œil qu'elle cherchait à rendre imperceptible. D'un seul coup, une foule d'espoirs jusque-là
invisibles à moi-même cristallisèrent : « Elle profite du
jeu pour me faire sentir qu'elle m'aime bien », pensai-je
au comble d'une joie d'où je retombai aussitôt quand
j'entendis Albertine me dire avec rage : « Mais prenez-la
donc, voilà une heure que je vous la passe. » Étourdi de
chagrin, je lâchai la ficelle, le furet aperçut la bague, se
jeta sur elle, je dus me remettre au milieu, désespéré,
regardant la ronde effrénée qui continuait autour de moi,

interpellé par les moqueries de toutes les joueuses, obligé, pour y répondre, de rire quand j'en avais si peu envie, tandis qu'Albertine ne cessait de dire : « On ne joue pas quand on ne veut pas faire attention et pour faire perdre les autres. On ne l'invitera plus les jours où on jouera, Andrée, ou bien moi je ne viendrai pas. » Andrée, supérieure au jeu et qui chantait son « Bois joli », que par esprit d'imitation reprenait sans conviction Rosemonde, voulut faire diversion aux reproches d'Albertine en me disant : « Nous sommes à deux pas de ces Creuniers que vous vouliez tant voir. Tenez, je vais vous mener jusque-là par un joli petit chemin pendant que ces folles font les enfants de huit ans. » Comme Andrée était extrêmement gentille avec moi, en route je lui dis d'Albertine tout ce qui me semblait propre à me faire aimer de celle-ci. Elle me répondit qu'elle aussi l'aimait beaucoup, la trouvait charmante ; pourtant mes compliments à l'adresse de son amie n'avaient pas l'air de lui faire plaisir. Tout d'un coup, dans le petit chemin creux, je m'arrêtai touché au cœur par un doux souvenir d'enfance : je venais de reconnaître, aux feuilles découpées et brillantes qui s'avançaient sur le seuil, un buisson d'aubépines défleuries, hélas, depuis la fin du printemps. Autour de moi flottait une atmosphère d'anciens mois de Marie, d'après-midi du dimanche, de croyances, d'erreurs oubliées. J'aurais voulu la saisir. Je m'arrêtai une seconde et Andrée, avec une divination charmante, me laissa causer un instant avec les feuilles de l'arbuste. Je leur demandai des nouvelles des fleurs, ces fleurs de l'aubépine pareilles à de gaies jeunes filles étourdies, coquettes et pieuses. « Ces demoiselles sont parties depuis déjà longtemps », me disaient les feuilles. Et peut-être pensaient-elles que pour le grand ami d'elles que je prétendais être, je ne semblais guère renseigné sur leurs habitudes. Un grand ami, mais qui ne les avait pas revues depuis tant d'années, malgré ses promesses. Et pourtant,

comme Gilberte avait été mon premier amour pour une
jeune fille, elles avaient été mon premier amour pour une
fleur. « Oui, je sais, elles s'en vont vers la mi-juin, répondis-je, mais cela me fait plaisir de voir l'endroit qu'elles
habitaient ici. Elles sont venues me voir à Combray dans
ma chambre, amenées par ma mère quand j'étais malade.
Et nous nous retrouvions le samedi soir au mois de Marie.
Elles peuvent y aller ici ? — Oh! naturellement! Du reste
on tient beaucoup à avoir ces demoiselles à l'église de
Saint-Denis-du-Désert, qui est la paroisse la plus voisine. — Alors, maintenant, pour les voir ? — Oh! pas
avant le mois de mai de l'année prochaine. — Mais je
peux être sûr qu'elles seront là ? — Régulièrement tous
les ans. — Seulement je ne sais pas si je retrouverai bien
la place. — Que si! ces demoiselles sont si gaies, elles ne
s'interrompent de rire que pour chanter des cantiques,
de sorte qu'il n'y a pas d'erreur possible et que du bout
du sentier vous reconnaîtrez leur parfum. »

Je rejoignis Andrée et je recommençai à lui faire des
éloges d'Albertine. Il me semblait impossible qu'elle ne
les lui répétât pas, étant donnée l'insistance que j'y mis.
Et pourtant je n'ai jamais appris qu'Albertine les eût sus.
Andrée avait pourtant bien plus qu'elle l'intelligence des
choses du cœur, le raffinement dans la gentillesse ; trouver
le regard, le mot, l'action qui pouvaient le plus ingénieusement faire plaisir, taire une réflexion qui risquait de
peiner, faire le sacrifice (et en ayant l'air que ce ne fût pas
un sacrifice) d'une heure de jeu, voire d'une matinée,
d'une garden-party, pour rester auprès d'un ami ou d'une
amie triste et lui montrer ainsi qu'elle préférait sa simple
société à ces plaisirs frivoles, telles étaient ses délicatesses
coutumières. Mais quand on la connaissait un peu plus,
on aurait dit qu'il en était d'elle comme de ces héroïques
poltrons qui ne veulent pas avoir peur, et de qui la bra-
voure est particulièrement méritoire ; on aurait dit qu'au
fond de sa nature, il n'y avait rien de cette bonté qu'elle

manifestait à tout moment par distinction morale, par
sensibilité, par noble volonté de se montrer bonne amie.
A écouter les charmantes choses qu'elle me disait d'une
affection possible entre Albertine et moi, il semblait
qu'elle eût dû travailler de toutes ses forces à la réaliser.
Or, par hasard peut-être, du moindre des riens dont elle
avait la disposition et qui eussent pu m'unir à Albertine,
elle ne fit jamais usage, et je ne jurerais pas que mon effort
pour être aimé d'Albertine n'ait, sinon provoqué de la
part de son amie des manèges secrets destinés à le contrarier, mais éveillé en elle une colère, bien cachée d'ailleurs,
et contre laquelle par délicatesse elle luttait peut-être
elle-même. De mille raffinements de bonté qu'avait
Andrée, Albertine eût été incapable, et cependant je
n'étais pas certain de la bonté profonde de la première
comme je le fus plus tard de celle de la seconde. Se montrant toujours tendrement indulgente à l'exubérante
frivolité d'Albertine, Andrée avait avec elle des paroles,
des sourires qui étaient d'une amie, bien plus elle agissait
en amie. Je l'ai vue, jour par jour, pour faire profiter de son
luxe, pour rendre heureuse cette amie pauvre, prendre,
sans y avoir aucun intérêt, plus de peine qu'un courtisan
qui veut capter la faveur du souverain. Elle était charmante de douceur, de mots tristes et délicieux, quand on
plaignait devant elle la pauvreté d'Albertine, et se donnait
mille fois plus de peine pour elle qu'elle n'eût fait pour
une amie riche. Mais si quelqu'un avançait qu'Albertine
n'était peut-être pas aussi pauvre qu'on disait, un nuage
à peine discernable voilait le front et les yeux d'Andrée ;
elle semblait de mauvaise humeur. Et si on allait jusqu'à
dire qu'après tout elle serait peut-être moins difficile à
marier qu'on ne pensait, elle vous contredisait avec force
et répétait presque rageusement : « Hélas si, elle sera
immariable ! Je le sais bien, cela me fait assez de peine ! »
Même, en ce qui me concernait, elle était la seule de ces
jeunes filles qui jamais ne m'eût répété quelque chose de

peu agréable qu'on avait pu dire de moi ; bien plus, si
c'était moi-même qui le racontais, elle faisait semblant
de ne pas le croire ou en donnait une explication qui
rendît le propos inoffensif ; c'est l'ensemble de ces qualités qui s'appelle le tact. Il est l'apanage des gens qui, si
nous allons sur le terrain, nous félicitent et ajoutent qu'il
n'y avait pas lieu de le faire, pour augmenter encore à nos
yeux le courage dont nous avons fait preuve, sans y avoir
été contraint. Ils sont l'opposé des gens qui dans la même
circonstance disent : « Cela a dû bien vous ennuyer de
vous battre, mais d'un autre côté vous ne pouviez pas
avaler un tel affront, vous ne pouviez faire autrement. »
Mais comme en tout il y a du pour et du contre, si le
plaisir ou du moins l'indifférence de nos amis à nous
répéter quelque chose d'offensant qu'on a dit sur nous
prouve qu'ils ne se mettent guère dans notre peau au
moment où ils nous parlent, et y enfoncent l'épingle et le
couteau comme dans de la baudruche, l'art de nous cacher
toujours ce qui peut nous être désagréable dans ce qu'ils
ont entendu dire de nos actions ou de l'opinion qu'elles
leur ont à eux-mêmes inspirée, peut prouver chez l'autre
catégorie d'amis, chez les amis pleins de tact, une forte
dose de dissimulation. Elle est sans inconvénient si, en
effet, ils ne peuvent penser du mal et si celui qu'on dit les
fait seulement souffrir comme il nous ferait souffrir nous-
même. Je pensais que tel était le cas pour Andrée, sans en
être cependant absolument sûr.

Nous étions sortis du petit bois et avions suivi un lacis
de chemins assez peu fréquentés où Andrée se retrouvait
fort bien. « Tenez, me dit-elle tout à coup, voici vos fameux
Creuniers, et encore vous avez de la chance, juste par le
temps, dans la lumière, où Elstir les a peints. » Mais
j'étais encore trop triste d'être tombé pendant le jeu du
furet d'un tel faîte d'espérances. Aussi ne fut-ce pas avec
le plaisir que j'aurais sans doute éprouvé sans cela que je
pus distinguer tout d'un coup à mes pieds, tapies entre les

roches où elles se protégeaient contre la chaleur, les Déesses marines qu'Elstir avait guettées et surprises, sous un sombre glacis aussi beau qu'eût été celui d'un Léonard, les merveilleuses Ombres abritées et furtives, agiles et silencieuses, prêtes, au premier remous de lumière, à se glisser sous la pierre, à se cacher dans un trou et promptes, la menace du rayon passée, à revenir auprès de la roche ou de l'algue dont, sous le soleil émietteur des falaises et de l'Océan décoloré, elles semblent veiller l'assoupissement, gardiennes immobiles et légères, laissant paraître à fleur d'eau leur corps gluant et le regard attentif de leurs yeux foncés.

Nous allâmes retrouver les autres jeunes filles pour rentrer. Je savais maintenant que j'aimais Albertine ; mais hélas! je ne me souciais pas de le lui apprendre. C'est que, depuis le temps des jeux aux Champs-Élysées, ma conception de l'amour était devenue différente, si les êtres auxquels s'attachait successivement mon amour demeuraient presque identiques. D'une part, l'aveu, la déclaration de ma tendresse à celle que j'aimais ne me semblait plus une des scènes capitales et nécessaires de l'amour ; ni celui-ci, une réalité extérieure mais seulement un plaisir subjectif. Et ce plaisir, je sentais qu'Albertine ferait d'autant plus volontiers ce qu'il fallait pour l'entretenir qu'elle ignorerait que je l'éprouvais.

Pendant tout ce retour, l'image d'Albertine noyée dans la lumière qui émanait des autres jeunes filles ne fut pas seule à exister pour moi. Mais comme la lune, qui n'est qu'un petit nuage blanc d'une forme plus caractérisée et plus fixe pendant le jour, prend toute sa puissance dès que celui-ci s'est éteint, ainsi, quand je fus rentré à l'hôtel, ce fut la seule image d'Albertine qui s'éleva de mon cœur et se mit à briller. Ma chambre me semblait tout d'un coup nouvelle. Certes, il y avait bien longtemps qu'elle n'était plus la chambre ennemie du premier soir. Nous modifions inlassablement notre demeure autour de nous ;

et, au fur et à mesure que l'habitude nous dispense de
sentir, nous supprimons les éléments nocifs de couleur,
de dimension et d'odeur qui objectivaient notre malaise.
Ce n'était plus davantage la chambre, assez puissante
encore sur ma sensibilité, non certes pour me faire souffrir,
mais pour me donner de la joie, la cuve des beaux jours,
semblable à une piscine à mi-hauteur de laquelle ils faisaient miroiter un azur mouillé de lumière, que recouvrait
un moment, impalpable et blanche comme une émanation
de la chaleur, une voile reflétée et fuyante; ni la chambre
purement esthétique des soirs picturaux; c'était la
chambre où j'étais depuis tant de jours que je ne la voyais
plus. Or voici que je venais de recommencer à ouvrir les
yeux sur elle, mais, cette fois-ci, de ce point de vue égoïste
qui est celui de l'amour. Je songeais que la belle glace
oblique, les élégantes bibliothèques vitrées donneraient
à Albertine si elle venait me voir une bonne idée de moi.
A la place d'un lieu de transition où je passais un instant
avant de m'évader vers la plage ou vers Rivebelle, ma
chambre me redevenait réelle et chère, se renouvelait,
car j'en regardais et en appréciais chaque meuble avec les
yeux d'Albertine.

Quelques jours après la partie de furet, comme, nous
étant laissé entraîner trop loin dans une promenade, nous
avions été fort heureux de trouver à Maineville deux
petits « tonneaux » à deux places qui nous permettraient
de revenir pour l'heure du dîner, la vivacité déjà grande
de mon amour pour Albertine eut pour effet que ce fut
successivement à Rosemonde et à Andrée que je proposai
de monter avec moi, et pas une fois à Albertine; ensuite
que, tout en invitant de préférence Andrée ou Rosemonde,
j'amenai tout le monde, par des considérations secondaires
d'heure, de chemin et de manteaux, à décider, comme
contre mon gré, que le plus pratique était que je prisse
avec moi Albertine, à la compagnie de laquelle je feignis
de me résigner tant bien que mal. Malheureusement

l'amour tendant à l'assimilation complète d'un être, comme aucun n'est comestible par la seule conversation, Albertine eut beau être aussi gentille que possible pendant ce retour, quand je l'eus déposée chez elle, elle me laissa heureux, mais plus affamé d'elle encore que je n'étais au départ, et ne comptant les moments que nous venions de passer ensemble que comme un prélude, sans grande importance par lui-même, à ceux qui suivraient. Il avait pourtant ce premier charme qu'on ne retrouve pas. Je n'avais encore rien demandé à Albertine. Elle pouvait imaginer ce que je désirais, mais, n'en étant pas sûre, supposer que je ne tendais qu'à des relations sans but précis auxquelles mon amie devait trouver ce vague délicieux, riche de surprises attendues, qui est le romanesque.

Dans la semaine qui suivit je ne cherchai guère à voir Albertine. Je faisais semblant de préférer Andrée. L'amour commence, on voudrait rester pour celle qu'on aime l'inconnu qu'elle peut aimer, mais on a besoin d'elle, on a besoin de toucher moins son corps que son attention, son cœur. On glisse dans une lettre une méchanceté qui forcera l'indifférente à vous demander une gentillesse, et l'amour, suivant une technique infaillible, resserre pour nous d'un mouvement alterné l'engrenage dans lequel on ne peut plus ni ne pas aimer, ni être aimé. Je donnais à Andrée les heures où les autres allaient à quelque matinée que je savais qu'Andrée me sacrifierait par plaisir, et qu'elle m'eût sacrifiées même avec ennui, par élégance morale, pour ne pas donner aux autres ni à elle-même l'idée qu'elle attachait du prix à un plaisir relativement mondain. Je m'arrangeais ainsi à l'avoir chaque soir toute à moi, pensant non pas rendre Albertine jalouse, mais accroître à ses yeux mon prestige, ou du moins ne pas le perdre en apprenant à Albertine que c'était elle et non Andrée que j'aimais. Je ne le disais pas non plus à Andrée de peur qu'elle le lui répétât. Quand je parlais d'Albertine avec Andrée, j'affectais une froideur dont

Andrée fut peut-être moins dupe que moi, de sa crédulité
apparente. Elle faisait semblant de croire à mon indifférence pour Albertine, de désirer l'union la plus complète
possible entre Albertine et moi. Il est probable qu'au
contraire elle ne croyait pas à la première ni ne souhaitait
la seconde. Pendant que je lui disais me soucier assez peu
de son amie, je ne pensais qu'à une chose, tâcher d'entrer
en relations avec Mme Bontemps, qui était pour quelques
jours près de Balbec et chez qui Albertine devait bientôt
aller passer trois jours. Naturellement, je ne laissais pas
voir ce désir à Andrée et, quand je lui parlais de la famille
d'Albertine, c'était de l'air le plus inattentif. Les réponses
explicites d'Andrée ne paraissaient pas mettre en doute
ma sincérité. Pourquoi donc lui échappa-t-il un de ces
jours-là de me dire : « J'ai *justement* vu la tante à Albertine ? » Certes elle ne m'avait pas dit : « J'ai bien démêlé
sous vos paroles, jetées comme par hasard, que vous ne
pensiez qu'à vous lier avec la tante d'Albertine. » Mais
c'est bien à la présence, dans l'esprit d'Andrée, d'une
telle idée qu'elle trouvait plus poli de me cacher, que
semblait se rattacher le mot « justement ». Il était de la
famille de certains regards, de certains gestes, qui, bien
que n'ayant pas une forme logique, rationnelle, directement élaborée pour l'intelligence de celui qui écoute, lui
parvienne cependant avec leur signification véritable, de
même que la parole humaine, changée en électricité dans
le téléphone, se refait parole pour être entendue. Afin
d'effacer de l'esprit d'Andrée l'idée que je m'intéressais à
Mme Bontemps, je ne parlai plus d'elle avec distraction
seulement, mais avec malveillance ; je dis avoir rencontré
autrefois cette espèce de folle et que j'espérais bien que
cela ne m'arriverait plus. Or je cherchais au contraire de
toute façon à la rencontrer.

Je tâchai d'obtenir d'Elstir, mais sans dire à personne
que je l'en avais sollicité, qu'il lui parlât de moi et me
réunît avec elle. Il me promit de me la faire connaître,

s'étonnant toutefois que je le souhaitasse, car il la jugeait une femme méprisable, intrigante et aussi inintéressante qu'intéressée. Pensant que, si je voyais M.me Bontemps, Andrée le saurait tôt ou tard, je crus qu'il valait mieux l'avertir. « Les choses qu'on cherche le plus à fuir sont celles qu'on arrive à ne pouvoir éviter, lui dis-je. Rien au monde ne peut m'ennuyer autant que de retrouver M.me Bontemps, et pourtant je n'y échapperai pas, Elstir doit m'inviter avec elle. — Je n'en ai jamais douté un seul instant », s'écria Andrée d'un ton amer, pendant que son regard grandi et altéré par le mécontentement se rattachait à je ne sais quoi d'invisible. Ces paroles d'Andrée ne constituaient pas l'exposé le plus ordonné d'une pensée qui peut se résumer ainsi : « Je sais bien que vous aimez Albertine et que vous faites des pieds et des mains pour vous rapprocher de sa famille. » Mais elles étaient les débris informes et reconstituables de cette pensée que j'avais fait exploser, en la heurtant, malgré Andrée. De même que le « justement », ces paroles n'avaient de signification qu'au second degré. C'est dire qu'elles étaient de celles qui (et non pas les affirmations directes) nous inspirent de l'estime ou de la méfiance à l'égard de quelqu'un, nous brouillent avec lui.

Puisque Andrée ne m'avait pas cru quand je lui disais que la famille d'Albertine m'était indifférente, c'est qu'elle pensait que j'aimais Albertine. Et probablement n'en était-elle pas heureuse.

Elle était généralement en tiers dans mes rendez-vous avec son amie. Cependant il y avait des jours où je devais voir Albertine seule, jours que j'attendais dans la fièvre, qui passaient sans rien m'apporter de décisif, sans avoir été ce jour capital dont je confiais immédiatement le rôle au jour suivant, qui ne le tiendrait pas davantage ; ainsi s'écroulaient l'un après l'autre, comme des vagues, ces sommets asssitôt remplacés par d'autres.

Environ un mois après le jour où nous avions joué au

furet on me dit qu'Albertine devait partir le lendemain
matin pour aller passer quarante-huit heures chez
Mme Bontemps et, obligée de prendre le train de bonne
heure, viendrait coucher la veille au Grand-Hôtel, d'où
avec l'omnibus elle pourrait, sans déranger les amies chez
qui elle habitait, prendre le premier train. J'en parlai à
Andrée. « Je ne le crois pas du tout, me répondit Andrée
d'un air mécontent. D'ailleurs cela ne vous avancerait à
rien, car je suis bien certaine qu'Albertine ne voudra pas
vous voir, si elle vient seule à l'hôtel. Ce ne serait pas
protocolaire, ajouta-t-elle en usant d'un adjectif qu'elle
aimait beaucoup, depuis peu, dans le sens de " ce qui se
fait ". Je vous dis cela parce que je connais les idées d'Albertine. Moi, qu'est-ce que vous voulez que cela me fasse,
que vous la voyiez ou non ? Cela m'est bien égal. »

Nous fûmes rejoints par Octave qui ne fit pas de difficulté pour dire à Andrée le nombre de points qu'il avait
faits la veille au golf, puis par Albertine qui se promenait
en manœuvrant son diabolo comme une religieuse son
chapelet. Grâce à ce jeu elle pouvait rester des heures
seule sans s'ennuyer. Aussitôt qu'elle nous eut rejoints,
m'apparut la pointe mutine de son nez, que j'avais omise
en pensant à elle ces derniers jours ; sous ses cheveux
noirs, la verticalité de son front s'opposa, et ce n'était pas
la première fois, à l'image indécise que j'en avais gardée,
tandis que par sa blancheur il mordait fortement dans
mes regards ; sortant de la poussière du souvenir, Albertine se reconstruisait devant moi.

Le golf donne l'habitude des plaisirs solitaires. Celui
que procure le diabolo l'est assurément. Pourtant après
nous avoir rejoints, Albertine continua à y jouer, tout en
causant avec nous, comme une dame à qui des amies sont
venues faire une visite ne s'arrête pas pour cela de travailler à son crochet.

— Il paraît que Mme de Villeparisis, dit-elle à Octave,
a fait une réclamation auprès de votre père (et j'entendis

derrière ce mot « il paraît » une de ces notes qui étaient propres à Albertine ; chaque fois que je constatais que je les avais oubliées, je me rappelais en même temps avoir entr'aperçu déjà derrière elles la mine décidée et française d'Albertine. J'aurais pu être aveugle et connaître aussi bien certaines de ses qualités alertes et un peu provinciales dans ces notes-là que dans la pointe de son nez. Les unes et l'autre se valaient et auraient pu se suppléer, et sa voix était comme celle que réalisera, dit-on, le photo-téléphone de l'avenir : dans le son se découpait nettement l'image visuelle). Elle n'a du reste pas écrit seulement à votre père, mais en même temps au maire de Balbec pour qu'on ne joue plus au diabolo sur la digue, on lui a envoyé une balle dans la figure.

— Oui, j'ai entendu parler de cette réclamation. C'est ridicule. Il n'y a déjà pas tant de distractions ici.

Andrée ne se mêla pas à la conversation, elle ne connaissait pas, non plus d'ailleurs qu'Albertine ni Octave, Mme de Villeparisis. « Je ne sais pas pourquoi cette dame a fait toute une histoire, dit pourtant Andrée, la vieille Mme de Cambremer a reçu une balle aussi et elle ne s'est pas plainte. — Je vais vous expliquer la différence, répondit gravement Octave en frottant une allumette, c'est qu'à mon avis, Mme de Cambremer est une femme du monde et Mme de Villeparisis est une arriviste. Est-ce que vous irez au golf cet après-midi ? » et il nous quitta, ainsi qu'Andrée. Je restai seul avec Albertine. « Voyez-vous, me dit-elle, j'arrange maintenant mes cheveux comme vous les aimez, regardez ma mèche. Tout le monde se moque de cela et personne ne sait pour qui je le fais. Ma tante va se moquer de moi aussi. Je ne lui dirai pas non plus la raison. » Je voyais de côté les joues d'Albertine qui souvent paraissaient pâles, mais, ainsi, étaient arrosées d'un sang clair qui les illuminait, leur donnait ce brillant qu'ont certaines matinées d'hiver où les pierres partiellement ensoleillées semblent être du granit rose et déga-

gent de la joie. Celle que me donnait en ce moment la
vue des joues d'Albertine était aussi vive, mais conduisait
à un autre désir qui n'était pas celui de la promenade,
mais du baiser. Je lui demandai si les projets qu'on lui
prêtait étaient vrais : « Oui, me dit-elle, je passe cette
nuit-là à votre hôtel, et même, comme je suis un peu
enrhumée, je me coucherai avant le dîner. Vous pourrez
venir assister à mon dîner à côté de mon lit et après nous
jouerons à ce que vous voudrez. J'aurais été contente que
vous veniez à la gare demain matin, mais j'ai peur que
cela ne paraisse drôle, je ne dis pas à Andrée qui est intelligente, mais aux autres qui y seront ; ça ferait des histoires, si on le repétait à ma tante ; mais nous pourrions
passer cette soirée ensemble. Cela, ma tante n'en saura
rien. Je vais dire au revoir à Andrée. Alors, à tout à l'heure.
Venez tôt, pour que nous ayons de bonnes heures à nous »,
ajouta-t-elle en souriant. A ces mots, je remontai plus
loin qu'aux temps où j'aimais Gilberte, à ceux où l'amour
me semblait une entité non pas seulement extérieure,
mais réalisable. Tandis que la Gilberte que je voyais aux
Champs-Élysées était une autre que celle que je retrouvais
en moi dès que j'étais seul, tout d'un coup dans l'Albertine réelle, celle que je voyais tous les jours, que je croyais
pleine de préjugés bourgeois et si franche avec sa tante,
venait de s'incarner l'Albertine imaginaire, celle par qui,
quand je ne la connaissais pas encore, je m'étais cru furtivement regardé sur la digue, celle qui avait eu l'air de
rentrer à contre-cœur pendant qu'elle me voyait m'éloigner.

J'allai dîner avec ma grand'mère, je sentais en moi
un secret qu'elle ne connaissait pas. De même, pour
Albertine, demain ses amies seraient avec elle sans savoir ce qu'il y avait de nouveau entre nous, et quand elle
embrasserait sa nièce sur le front, Mme Bontemps ignorerait que j'étais entre elles deux, dans cet arrangement
de cheveux qui avait pour but, caché à tous, de me

plaire, à moi, à moi qui avais jusque-là tant envié
Mme Bontemps, parce qu'apparentée aux mêmes personnes que sa nièce, elle avait les mêmes deuils à porter,
les mêmes visites de famille à faire ; or, je me trouvais
être pour Albertine plus que n'était sa tante elle-même.
Auprès de sa tante, c'est à moi qu'elle penserait. Qu'al-
lait-il se passer tout à l'heure, je ne le savais pas trop.
En tous cas, le Grand-Hôtel, la soirée, ne me semblaient
plus vides ; ils contenaient mon bonheur. Je sonnai le
lift pour monter à la chambre qu'Albertine avait prise,
du côté de la vallée. Les moindres mouvements, comme
m'asseoir sur la banquette de l'ascenseur, m'étaient
doux, parce qu'ils étaient en relation immédiate avec
mon cœur ; je ne voyais dans les cordes à l'aide desquelles l'appareil s'élevait, dans les quelques marches
qui me restaient à monter, que les rouages, que les degrés
matérialisés de ma joie. Je n'avais plus que deux ou trois
pas à faire dans le couloir avant d'arriver à cette chambre
où était renfermée la substance précieuse de ce corps
rose — cette chambre qui, même s'il devait s'y dérouler
des actes délicieux, garderait cette permanence, cet air
d'être, pour un passant non informé, semblable à toutes
les autres, qui font des choses les témoins obstinément
muets, les scrupuleux confidents, les inviolables dépo-
sitaires du plaisir. Ces quelques pas du palier à la chambre d'Albertine, ces quelques pas que personne ne
pouvait plus arrêter, je les fis avec délices, avec prudence, comme plongé dans un élément nouveau, comme
si en avançant j'avais lentement déplacé du bonheur,
et en même temps avec un sentiment inconnu de toute-
puissance, et d'entrer enfin dans un héritage qui m'eût
de tout temps appartenu. Puis tout à coup, je pensai
que j'avais tort d'avoir des doutes, elle m'avait dit de
venir quand elle serait couchée. C'était clair, je trépi-
gnais de joie, je renversai à demi Françoise qui était sur
mon chemin, je courais, les yeux étincelants, vers la

chambre de mon amie. Je trouvai Albertine dans son lit.
Dégageant son cou, sa chemise blanche changeait les
proportions de son visage qui, congestionné par le lit,
ou le rhume, ou le dîner, semblait plus rose ; je pensai
aux couleurs que j'avais eues quelques heures auparavant
à côté de moi, sur la digue, et desquelles j'allais enfin
savoir le goût ; sa joue était traversée de haut en bas par
une de ses longues tresses noires et bouclées que pour
me plaire elle avait défaites entièrement. Elle me regardait en souriant. A côté d'elle, dans la fenêtre, la vallée
était éclairée par le clair de lune. La vue du cou nu d'Albertine, de ces joues trop roses, m'avait jeté dans une
telle ivresse (c'est-à-dire avait tellement mis pour moi
la réalité du monde non plus dans la nature, mais dans
le torrent des sensations que j'avais peine à contenir) que
cette vue avait rompu l'équilibre entre la vie immense,
indestructible qui roulait dans mon être, et la vie de
l'univers, si chétive en comparaison. La mer, que j'apercevais à côté de la vallée dans la fenêtre, les seins bombés
des premières falaises de Maineville, le ciel où la lune
n'était pas encore montée au zénith, tout cela semblait
plus léger à porter que des plumes pour les globes de
mes prunelles qu'entre mes paupières je sentais dilatés,
résistants, prêts à soulever bien d'autres fardeaux, toutes
les montagnes du monde, sur leur surface délicate. Leur
orbe ne se trouvait plus suffisamment rempli par
la sphère même de l'horizon. Et tout ce que la nature
eût pu m'apporter de vie m'eût semblé bien mince, les
souffles de la mer m'eussent paru bien courts pour l'immense aspiration qui soulevait ma poitrine. Je me pen-
chai vers Albertine pour l'embrasser. La mort eût dû
me frapper en ce moment que cela m'eût paru indifférent ou plutôt impossible, car la vie n'était pas hors de
moi, elle était en moi ; j'aurais souri de pitié si un philosophe eût émis l'idée qu'un jour, même éloigné, j'aurais
à mourir, que les forces éternelles de la nature me sur-

vivraient, les forces de cette nature sous les pieds divins
de qui je n'étais qu'un grain de poussière ; qu'après moi
il y aurait encore ces falaises arrondies et bombées, cette
mer, ce clair de lune, ce ciel! Comment cela eût-il été
possible, comment le monde eût-il pu durer plus que moi,
puisque je n'étais pas perdu en lui, puisque c'était lui
qui était enclos en moi, en moi qu'il était bien loin de
remplir, en moi où, en sentant la place d'y entasser
tant d'autres trésors, je jetais dédaigneusement dans un
coin ciel, mer et falaises ? « Finissez ou je sonne », s'écria
Albertine voyant que je me jetais sur elle pour l'embrasser.
Mais je me disais que ce n'était pas pour ne rien faire
qu'une jeune fille fait venir un jeune homme en cachette,
en s'arrangeant pour que sa tante ne le sache pas, que
d'ailleurs l'audace réussit à ceux qui savent profiter
des occasions ; dans l'état d'exaltation où j'étais, le
visage rond d'Albertine, éclairé d'un feu intérieur
comme par une veilleuse, prenait pour moi un tel relief
qu'imitant la rotation d'une sphère ardente, il me semblait tourner, telles ces figures de Michel-Ange qu'emporte
un immobile et vertigineux tourbillon. J'allais savoir
l'odeur, le goût, qu'avait ce fruit rose inconnu. J'entendis
un son précipité, prolongé et criard. Albertine avait
sonné de toutes ses forces.

J'avais cru que l'amour que j'avais pour Albertine
n'était pas fondé sur l'espoir de la possession physique.
Pourtant quand il m'eut paru résulter de l'expérience
de ce soir-là que cette possession était impossible et
qu'après n'avoir pas douté, le premier jour, sur la plage,
qu'Albertine ne fût dévergondée, puis être passé par des
suppositions intermédiaires, il me sembla acquis d'une
manière définitive qu'elle était absolument vertueuse ;
quand, à son retour de chez sa tante, huit jours plus tard,
elle me dit avec froideur : « Je vous pardonne, je regrette
même de vous avoir fait de la peine, mais ne recommen-

cez jamais », au contraire de ce qui s'était produit quand
Bloch m'avait dit qu'on pouvait avoir toutes les femmes,
et comme si, au lieu d'une jeune fille réelle, j'avais connu
une poupée de cire, il arriva que peu à peu se détacha
d'elle mon désir de pénétrer dans sa vie, de la suivre
dans les pays où elle avait passé son enfance, d'être initié
par elle à une vie de sport ; ma curiosité intellectuelle
de ce qu'elle pensait sur tel ou tel sujet ne survécut pas à
la croyance que je pourrais l'embrasser. Mes rêves l'aban-
donnèrent dès qu'ils cessèrent d'être alimentés par
l'espoir d'une possession dont je les avais crus indépendants. Dès lors, ils se retrouvèrent libres de se reporter —
selon le charme que je lui avais trouvé un certain jour,
surtout selon la possibilité et les chances que j'entrevoyais
d'être aimé par elle — sur telle ou telle des amies d'Albertine, et d'abord sur Andrée. Pourtant, si Albertine
n'avait pas existé, peut-être n'aurais-je pas eu le plaisir
que je commençai à prendre de plus en plus, les jours
qui suivirent, à la gentillesse que me témoignait Andrée.
Albertine ne raconta à personne l'échec que j'avais essuyé
auprès d'elle. Elle était une de ces jolies filles qui, dès
leur extrême jeunesse, pour leur beauté, mais surtout
pour un agrément, un charme qui restent assez mystérieux et qui ont leur source peut-être dans des résrves
de vitalité où de moins favorisés par la nature viennent
se désaltérer, toujours — dans leur famille, au milieu
de leurs amies, dans le monde — ont plu davantage
que de plus belles, de plus riches ; elle était de ces êtres
à qui, avant l'âge de l'amour et bien plus encore quand il
est venu, on demande plus qu'eux ne demandent et
même qu'ils ne peuvent donner. Dès son enfance, Albertine avait toujours eu en admiration devant elle
quatre ou cinq petites camarades, parmi lesquelles se
trouvait Andrée qui lui était si supérieure et le savait
(et peut-être cette attraction qu'Albertine exerçait bien
involontairement avait-elle été à l'origine, avait-elle

servi à la fondation, de la petite bande). Cette attraction
s'exerçait même assez loin, dans des milieux relativement
plus brillants où, s'il y avait une pavane à danser, on
demandait Albertine plutôt qu'une jeune fille mieux née.
La conséquence était que, n'ayant pas un sou de dot,
vivant, assez mal d'ailleurs, à la charge de M. Bontemps
qu'on disait véreux et qui souhaitait se débarrasser d'elle,
elle était pourtant invitée non seulement à dîner, mais à
demeure, chez des personnes qui aux yeux de Saint-
Loup n'eussent eu aucune élégance, mais qui, pour la
mère de Rosemonde ou pour la mère d'Andrée, femmes
très riches mais qui ne connaissaient pas ces personnes,
représentaient quelque chose d'énorme. Ainsi Albertine
passait, tous les ans, quelques semaines dans la famille
d'un régent de la Banque de France, président du Conseil d'administration d'une grande Compagnie de chemins
de fer. La femme de ce financier recevait des personnages importants et n'avait jamais dit son « jour » à la
mère d'Andrée, laquelle trouvait cette dame impolie,
mais n'en était pas moins prodigieusement intéressée
par tout ce qui se passait chez elle. Aussi exhortait-elle
tous les ans Andrée à inviter Albertine dans leur villa,
parce que, disait-elle, c'était une bonne œuvre d'offrir
un séjour à la mer à une fille qui n'avait pas elle-même
les moyens de voyager et dont la tante ne s'occupait
guère ; la mère d'Andrée n'était probablement pas mue
par l'espoir que le régent de la Banque et sa femme,
apprenant qu'Albertine était choyée par elle et sa fille,
concevraient d'elles deux une bonne opinion ; à plus
forte raison n'espérait-elle pas qu'Albertine, pourtant
si bonne et adroite, saurait la faire inviter, ou tout au
moins faire inviter Andrée aux garden-parties du
financier. Mais chaque soir à dîner, tout en prenant un
air dédaigneux et indifférent, elle était enchantée d'entendre Albertine lui raconter ce qui s'était passé au
château pendant qu'elle y était, les gens qui y avaient

été reçus et qu'elle connaissait presque tous de vue ou de
nom. Même la pensée qu'elle ne les connaissait que de
cette façon, c'est-à-dire ne les connaissait pas (elle appelait cela connaître les gens « de tout temps ») donnait à
la mère d'Andrée une pointe de mélancolie tandis qu'elle
posait à Albertine des questions sur eux d'un air hautain et distrait, du bout des lèvres, et eût pu la laisser
incertaine et inquiète sur l'importance de sa propre
situation, si elle ne s'était rassurée elle-même et replacée
dans la « réalité de la vie » en disant au maître d'hôtel :
« Vous direz au chef que ses petits pois ne sont pas assez
fondants. » Elle retrouvait alors sa sérénité. Et elle était
bien décidée à ce qu'Andrée n'épousât qu'un homme,
d'excellente famille naturellement, mais assez riche
pour qu'elle pût avoir elle aussi un chef et deux cochers.
C'était cela, le positif, la vérité effective d'une situation.
Mais qu'Albertine eût dîné au château du régent de la
Banque avec telle ou telle dame, que cette dame l'eût
même invitée pour l'hiver suivant, cela n'en donnait pas
moins à la jeune fille, pour la mère d'Andrée, une sorte
de considération particulière qui s'alliait très bien à la
pitié et même au mépris excités par son infortune,
mépris augmenté par le fait que M. Bontemps eût trahi
son drapeau et se fût — même vaguement panamiste,
disait-on — rallié au gouvernement. Ce qui n'empêchait pas, d'ailleurs, la mère d'Andrée, par amour de la
vérité, de foudroyer de son dédain les gens qui avaient
l'air de croire qu'Albertine était d'une basse extraction.
« Comment, c'est tout ce qu'il y a de mieux, ce sont
des Simonet, avec un seul *n*. » Certes, à cause du milieu
où tout cela évoluait, où l'argent joue un tel rôle, et où
l'élégance vous fait inviter mais non épouser, aucun
mariage « potable » ne semblait pouvoir être pour Albertine la conséquence utile de la considération si distinguée
dont elle jouissait et qu'on n'eût pas trouvée compensa-
trice de sa pauvreté. Mais, même à eux seuls et n'appor-

tant pas l'espoir d'une conséquence matrimoniale, ces
« succès » excitaient l'envie de certaines mères méchantes,
furieuses de voir Albertine être reçue comme « l'enfant
de la maison » par la femme du régent de la Banque,
même par la mère d'Andrée, qu'elles connaissaient à
peine. Aussi disaient-elles à des amis communs d'elles
et de ces deux dames que celles-ci seraient indignées si
elles savaient la vérité, c'est-à-dire qu'Albertine racontait chez l'une (et « vice versa ») tout ce que l'intimité où
on l'admettait imprudemment lui permettait de découvrir
chez l'autre, mille petits secrets qu'il eût été infiniment
désagréable à l'intéressée de voir dévoilés. Ces femmes
envieuses disaient cela pour que cela fût répété et pour
brouiller Albertine avec ses protectrices. Mais ces commissions, comme il arrive souvent, n'avaient aucun succès.
On sentait trop la méchanceté qui les dictait et cela ne
faisait que faire mépriser un peu plus celles qui en avaient
pris l'initiative. La mère d'Andrée était trop fixée sur le
compte d'Albertine pour changer d'opinion à son égard.
Elle la considérait comme une « malheureuse », mais
d'une nature excellente et qui ne savait qu'inventer pour
faire plaisir.

Si cette sorte de vogue qu'avait obtenue Albertine
ne paraissait devoir comporter aucun résultat pratique,
elle avait imprimé à l'amie d'Andrée le caractère distinc-
tif des êtres qui, toujours recherchés, n'ont jamais besoin
de s'offrir (caractère qui se retrouve aussi, pour des raisons analogues, à une autre extrémité de la société,
chez des femmes d'une grande élégance) et qui est de ne
pas faire montre des succès qu'ils ont, de les cacher plutôt. Elle ne disait jamais de quelqu'un : « Il a envie de me
voir », parlait de tous avec une grande bienveillance et
comme si ce fût elle qui eût couru après, recherché les
autres. Si on parlait d'un jeune homme qui, quelques
minutes auparavant, venait de lui faire en tête à tête
les plus sanglants reproches parce qu'elle lui avait refusé

un rendez-vous, bien loin de s'en vanter publiquement
ou de lui en vouloir à lui, elle faisait son éloge : « C'est
un si gentil garçon! » Elle était même ennuyée de tellement plaire, parce que cela l'obligeait à faire de la peine,
tandis que, par nature, elle aimait à faire plaisir. Elle
aimait même à faire plaisir au point d'en être arrivée
à pratiquer un mensonge spécial à certaines personnes
utilitaires, à certains hommes arrivés. Existant d'ailleurs
à l'état embryonnaire chez un nombre énorme de personnes, ce genre d'insincérité consiste à ne pas savoir
se contenter, pour un seul acte, de faire, grâce à lui,
plaisir à une seule personne. Par exemple, si la tante
d'Albertine désirait que sa nièce l'accompagnât à une
matinée peu amusante, Albertine en s'y rendant aurait
pu trouver suffisant d'en tirer le profit moral d'avoir
fait plaisir à sa tante. Mais, accueillie gentiment par les
maîtres de maison, elle aimait mieux leur dire qu'elle
désirait depuis si longtemps les voir qu'elle avait choisi
cette occasion et sollicité la permission de sa tante. Cela
ne suffisait pas encore : à cette matinée se trouvait une
des amies d'Albertine qui avait un gros chagrin. Albertine
lui disait : « Je n'ai pas voulu te laisser seule, j'ai pensé
que ça te ferait du bien de m'avoir près de toi. Si tu veux
que nous laissions la matinée, que nous allions ailleurs,
je ferai ce que tu voudras, je désire avant tout te voir
moins triste » (ce qui était vrai aussi, du reste). Parfois
il arrivait pourtant que le but fictif détruisait le but réel.
Ainsi Albertine, ayant un service à demander pour une
de ses amies, allait pour cela voir une certaine dame.
Mais, arrivée chez cette dame bonne et sympathique,
la jeune fille, obéissant à son insu au principe de l'utili-
sation multiple d'une seule action, trouvait plus affectueux d'avoir l'air d'être venue seulement à cause du
plaisir qu'elle avait senti qu'elle éprouverait à revoir
cette dame. Celle-ci était infiniment touchée qu'Albertine eût accompli un long trajet par pure amitié. En voyant

la dame presque émue, Albertine l'aimait encore davantage. Seulement il arrivait ceci : elle éprouvait si vivement le plaisir d'amitié pour lequel elle avait prétendu mensongèrement être venue, qu'elle craignait de faire douter la dame de sentiments en réalité sincères, si elle lui demandait le service pour l'amie. La dame croirait qu'Albertine était venue pour cela, ce qui était vrai, mais elle conclurait qu'Albertine n'avait pas de plaisir désintéressé à la voir, ce qui était faux. De sorte qu'Albertine repartait sans avoir demandé le service, comme les hommes qui ont été si bons avec une femme, dans l'espoir d'obtenir ses faveurs, qu'ils ne font pas leur déclaration pour garder à cette bonté un caractère de noblesse. Dans d'autres cas, on ne peut pas dire que le véritable but fût sacrifié au but accessoire et imaginé après coup, mais le premier était tellement opposé au second que si la personne qu'Albertine attendrissait en lui déclarant l'un, avait appris l'autre, son plaisir se serait aussitôt changé en la peine la plus profonde. La suite du récit fera, beaucoup plus loin, mieux comprendre ce genre de contradictions. Disons, par un exemple emprunté à un ordre de faits tout différents, qu'elles sont très fréquentes dans les situations les plus diverses que présente la vie. Un mari a installé sa maîtresse dans la ville où il est en garnison. Sa femme restée à Paris, et à demi au courant de la vérité, se désole, écrit à son mari des lettres de jalousie. Or, la maîtresse est obligée de venir passer un jour à Paris. Le mari ne peut résister à ses prières de l'accompagner et obtient une permission de vingt-quatre heures. Mais, comme il est bon et souffre de faire de la peine à sa femme, il arrive chez celle-ci et lui dit, en versant quelques larmes sincères, qu'affolé par ses lettres il a trouvé le moyen de s'échapper pour venir la consoler et l'embrasser. Il a trouvé ainsi le moyen de donner par un seul voyage une preuve d'amour à la fois à sa maîtresse et à sa femme. Mais si cette dernière apprenait pour quelle raison il est venu à Paris, sa joie se changerait sans doute en douleur, à moins que voir l'ingrat ne la rendît malgré tout plus heureuse qu'il ne la fait souffrir par ses mensonges. Parmi les hommes qui m'ont paru pratiquer avec le plus de suite le système des fins multiples, se trouve M. de Norpois. Il acceptait quelquefois de s'entremettre entre deux amis brouillés, et cela faisait qu'on l'appelait le plus obligeant des hommes. Mais il ne lui suffisait pas d'avoir l'air de rendre service à celui qui était venu le solliciter, il présentait à l'autre la démarche qu'il faisait auprès de lui comme entreprise non à la requête du premier, mais dans l'intérêt du second, ce qu'il persuadait facilement à un interlocuteur suggestionné d'avance par l'idée qu'il avait devant lui « le plus serviable des hommes ». De cette façon, jouant sur les deux tableaux, faisant ce qu'on appelle en termes de coulisse de la contre-partie, il ne laissait jamais courir aucun risque à son influence, et les services qu'il rendait ne constituaient pas une aliénation, mais une fructification d'une partie de son crédit. D'autre part, chaque service, semblant doublement rendu, augmentait d'autant plus sa réputation d'ami serviable, et encore d'ami serviable avec efficacité, qui ne donne pas des coups d'épée dans l'eau, dont toutes les démarches portent, ce que démontrait la reconnaissance des deux intéressés. Cette duplicité dans l'obligeance était, et avec des démentis comme en toute créature humaine, une partie importante du caractère de M. de Norpois. Et souvent au ministère, il se servit de mon père, lequel était assez naïf, en lui faisant croire qu'il le servait.

Plaisant plus qu'elle ne voulait et n'ayant pas besoin de claironner ses succès, Albertine garda le silence sur la scène qu'elle avait eue avec moi auprès de son lit, et qu'une laide aurait voulu faire connaître à l'univers. D'ailleurs son attitude dans cette scène, je ne parvenais

pas à me l'expliquer. Pour ce qui concerne l'hypothèse
d'une vertu absolue (hypothèse à laquelle j'avais d'abord
attribué la violence avec laquelle Albertine avait refusé
de se laisser embrasser et prendre par moi et qui n'était
du reste nullement indispensable à ma conception de la
bonté, de l'honnêteté foncière de mon amie), je ne laissai
pas de la remanier à plusieurs reprises. Cette hypothèse
était tellement le contraire de celle que j'avais bâtie le
premier jour où j'avais vu Albertine! Puis, tant d'actes
différents, tous de gentillesse pour moi (une gentillesse
caressante, parfois inquiète, alarmée, jalouse de ma prédilection pour Andrée) baignaient de tous côtés le geste
de rudesse par lequel, pour m'échapper, elle avait tiré
sur la sonnette. Pourquoi donc m'avait-elle demandé de
venir passer la soirée près de son lit? Pourquoi parlait-
elle tout le temps le langage de la tendresse? Sur quoi
repose le désir de voir un ami, de craindre qu'il vous
préfère votre amie, de chercher à lui faire plaisir, de lui
dire romanesquement que les autres ne sauront pas qu'il
a passé la soirée auprès de vous, si vous lui refusez un
plaisir aussi simple et si ce n'est pas un plaisir pour vous?
Je ne pouvais croire tout de même que la vertu d'Albertine allât jusque-là, et j'en arrivais à me demander s'il
n'y avait pas eu à sa violence une raison de coquetterie,
par exemple une odeur désagréable qu'elle aurait cru
avoir sur elle et par laquelle elle eût craint de me déplaire,
ou de pusillanimité, si par exemple elle croyait, dans son
ignorance des réalités de l'amour, que mon état de faiblesse nerveuse pouvait avoir quelque chose de conta-
gieux par le baiser.

Elle fut certainement désolée de n'avoir pu me faire
plaisir et me donna un petit crayon d'or, par cette vertueuse perversité des gens qui, attendris par votre gentillesse et ne souscrivant pas à vous accorder ce qu'elle
réclame, veulent cependant faire en votre faveur autre
chose : le critique dont l'article flatterait le romancier

l'invite, à la place, à dîner, la duchesse n'emmène pas
le snob avec elle au théâtre, mais lui envoie sa loge pour
un soir où elle ne l'occupera pas. Tant ceux qui font le
moins et pourraient ne rien faire sont poussés par le
scrupule à faire quelque chose! Je dis à Albertine qu'en
me donnant ce crayon, elle me faisait un grand plaisir,
moins grand pourtant que celui que j'aurais eu si, le
soir où elle était venue coucher à l'hôtel, elle m'avait
permis de l'embrasser. « Cela m'aurait rendu si heureux!
qu'est-ce que cela pouvait vous faire ? je suis étonné que
vous me l'ayez refusé. — Ce qui m'étonne, me répondit-
elle, c'est que vous trouviez cela étonnant. Je me demande
quelles jeunes filles vous avez pu connaître pour que ma
conduite vous ait surpris. — Je suis désolé de vous avoir
fâchée, mais, même maintenant, je ne peux pas vous dire
que je trouve que j'ai eu tort. Mon avis est que ce sont
des choses qui n'ont aucune importance, et je ne comprends pas qu'une jeune fille, qui peut si facilement faire
plaisir, n'y consente pas. Entendons-nous, ajoutai-je
pour donner une demi-satisfaction à ses idées morales,
en me rappelant comment elle et ses amies avaient
flétri l'amie de l'actrice Léa, je ne veux pas dire qu'une
jeune fille puisse tout faire et qu'il n'y ait rien d'immoral.
Ainsi, tenez, ces relations dont vous parliez l'autre jour
à propos d'une petite qui habite Balbec et qui existe-
raient entre elle et une actrice, je trouve cela ignoble,
tellement ignoble que je pense que ce sont des ennemis
de la jeune fille qui auront inventé cela et que ce n'est
pas vrai. Cela me semble improbable, impossible. Mais
se laisser embrasser et même plus, par un ami, puisque
vous dites que je suis votre ami... — Vous l'êtes, mais
j'en ai eu d'autres avant vous, j'ai connu des jeunes gens
qui, je vous assure, avaient pour moi tout autant d'amitié. Hé bien, il n'y en a pas un qui aurait osé une chose
pareille. Ils savaient la paire de calottes qu'ils auraient
reçue. D'ailleurs, ils n'y songeaient même pas, on s

serrait la main bien franchement, bien amicalement,
en bons camarades ; jamais on n'aurait parlé de s'embrasser et on n'en était pas moins amis pour cela. Allez, si
vous tenez à mon amitié, vous pouvez être content, car
il faut que je vous aime joliment pour vous pardonner.
Mais je suis sûre que vous vous fichez bien de moi.
Avouez que c'est Andrée qui vous plaît. Au fond, vous
avez raison, elle est beaucoup plus gentille que moi, et
elle, elle est ravissante! Ah! les hommes! » Malgré ma
déception récente, ces paroles si franches, en me donnant
une grande estime pour Albertine, me causaient une
impression très douce. Et peut-être cette impression
eut-elle plus tard pour moi de grandes et fâcheuses
conséquences, car ce fut par elle que commença à se
former ce sentiment presque familial, ce noyau moral qui
devait toujours subsister au milieu de mon amour pour
Albertine. Un tel sentiment peut être la cause des plus
grandes peines. Car pour souffrir vraiment par une
femme, il faut avoir cru complètement en elle. Pour le
moment, cet embryon d'estime morale, d'amitié, restait
au milieu de mon âme comme une pierre d'attente. Il
n'eût rien pu, à lui seul, contre mon bonheur s'il fût
demeuré ainsi sans s'accroître, dans une inertie qu'il
devait garder l'année suivante et à plus forte raison pendant ces dernières semaines de mon premier séjour à
Balbec. Il était en moi comme un de ces hôtes qu'il serait
malgré tout plus prudent qu'on expulsât, mais qu'on laisse
à leur place sans les inquiéter, tant les rendent provisoirement inoffensifs leur faiblesse et leur isolement au
milieu d'une âme étrangère.

Mes rêves se retrouvaient libres maintenant de se
reporter sur telle ou telle des amies d'Albertine et d'abord
sur Andrée, dont les gentillesses m'eussent peut-être
moins touché si je n'avais été certain qu'elles seraient
connues d'Albertine. Certes la préférence que depuis
longtemps j'avais feinte pour Andrée m'avait fourni

— en habitudes de causeries, de déclarations de ten-
dresses — comme la matière d'un amour tout prêt pour
elle, auquel il n'avait jusqu'ici manqué qu'un sentiment
sincère qui s'y ajoutât et que maintenant mon cœur
redevenu libre aurait pu fournir. Mais pour que j'aimasse
vraiment Andrée, elle était trop intellectuelle, trop nerveuse, trop maladive, trop semblable à moi. Si Albertine
me semblait maintenant vide, Andrée était remplie de
quelque chose que je connaissais trop. J'avais cru, le
premier jour, voir sur la plage une maîtresse de coureur,
enivrée de l'amour des sports, et Andrée me disait que,
si elle s'était mise à en faire, c'était sur l'ordre de son
médecin pour soigner sa neurasthénie et ses troubles de
nutrition, mais que ses meilleures heures étaient celles
où elle traduisait un roman de George Eliot. Ma déception, suite d'une erreur initiale sur ce qu'était Andrée,
n'eut, en fait, aucune importance pour moi. Mais l'erreur était du genre de celles qui, si elles permettent à
l'amour de naître et ne sont reconnues pour des erreurs
que lorsqu'il n'est plus modifiable, deviennent une cause
de souffrances. Ces erreurs — qui peuvent être différentes de celles que je commis pour Andrée, et même
inverses — tiennent souvent, dans le cas d'Andrée en
particulier, à ce qu'on prend suffisamment l'aspect, les
façons de ce qu'on n'est pas mais qu'on voudrait être,
pour faire illusion au premier abord. A l'apparence
extérieure, l'affectation, l'imitation, le désir d'être
admiré, soit des bons, soit des méchants, ajoutent les
faux semblants des paroles, des gestes. Il y a des cynismes,
des cruautés qui ne résistent pas plus à l'épreuve que
certaines bontés, certaines générosités. De même qu'on
découvre souvent un avare vaniteux dans un homme
connu pour ses charités, sa forfanterie de vice nous fait
supposer une Messaline dans une honnête fille pleine de
préjugés. J'avais cru trouver en Andrée une créature
saine et primitive, alors qu'elle n'était qu'un être cher-

chant la santé, comme étaient peut-être beaucoup de ceux
en qui elle avait cru la trouver et qui n'en avait pas plus
la réalité qu'un gros arthritique à figure rouge et en veste
de flanelle blanche n'est forcément un Hercule. Or, il
est telles circonstances où il n'est pas indifférent pour le
bonheur que la personne qu'on a aimée pour ce qu'elle
paraissait avoir de sain, ne fût en réalité qu'un de ces
malades qui ne reçoivent leur santé que d'autres, comme
les planètes empruntent leur lumière, comme certains
corps ne font que laisser passer l'électricité.

N'importe, Andrée, comme Rosemonde et Gisèle,
même plus qu'elles, était tout de même une amie d'Albertine, partageant sa vie, imitant ses façons au point que le
premier jour je ne les avais pas distinguées d'abord l'une
de l'autre. Entre ces jeunes filles, tiges de roses dont le
principal charme était de se détacher sur la mer, régnait
la même indivision qu'au temps où je ne les connaissais
pas et où l'apparition de n'importe laquelle me causait
tant d'émotion en m'annonçant que la petite bande
n'était pas loin. Maintenant encore la vue de l'une me
donnait un plaisir où entrait, dans une proportion que je
n'aurais pas su dire, celui de voir les autres la suivre de
près, ou venir la retrouver un peu plus tard, et, même si
elles ne venaient pas ce jour-là, de parler d'elles et de
savoir qu'il leur serait dit que j'étais allé sur la plage.

Ce n'était plus simplement l'attrait des premiers jours,
c'était une véritable velléité d'aimer qui hésitait entre
toutes, tant chacune était naturellement le substitut de
l'autre. Ma plus grande tristesse n'aurait pas été d'être
abandonné par celle de ces jeunes filles que je préférais,
mais j'aurais aussitôt préféré, parce que j'aurais fixé sur
elle la somme de tristesse et de rêve qui flottait indistinctement entre toutes, celle qui m'eût abandonné. Encore
dans ce cas est-ce toutes ses amies, aux yeux desquelles
j'eusse bientôt perdu tout prestige, que j'eusse, en celle-
là, inconsciemment regrettées, leur ayant voué cette

sorte d'amour collectif qu'ont l'homme politique ou l'acteur pour le public dont ils ne se consolent pas d'être délaissés après en avoir eu toutes les faveurs. Même celles que je n'avais pu obtenir d'Albertine, je les espérais tout d'un coup de telle ou telle qui m'avait quitté le soir en me disant un mot, en me jetant un regard ambigus, grâce auxquels c'était vers celle-là que, pour une journée, se tournait mon désir.

Il errait entre elles d'autant plus voluptueusement que sur ces visages mobiles, une fixation relative des traits était suffisamment commencée pour qu'on en pût distinguer, dût-elle changer encore, la malléable et flottante effigie. Aux différences qu'il y avait entre eux, étaient bien loin de correspondre sans doute des différences égales dans la longueur et la largeur des traits, lesquels, de l'une à l'autre de ces jeunes filles, et si dissemblables qu'elles parussent, eussent peut-être été presque superposables. Mais notre connaissance des visages n'est pas mathématique. D'abord, elle ne commence pas par mesurer les parties, elle a pour point de départ une expression, un ensemble. Chez Andrée par exemple, la finesse des yeux doux semblait rejoindre le nez étroit, aussi mince qu'une simple courbe qui aurait été tracée pour que pût se poursuivre sur une seule ligne l'intention de délicatesse divisée antérieurement dans le double sourire des regards jumeaux. Une ligne aussi fine était creusée dans ses cheveux, souple et profonde comme celle dont le vent sillonne le sable. Et là elle devait être héréditaire, car les cheveux tout blancs de la mère d'Andrée étaient fouettés de la même manière, formant ici un renflement, là une dépression, comme la neige qui se soulève ou s'abîme selon les inégalités de terrain. Certes, comparé à la fine délinéation de celui d'Andrée, le nez de Rosemonde semblait offrir de larges surfaces comme une haute tour assise sur une base puissante. Que l'expression suffise à faire croire à d'énormes différences entre ce que

sépare un infiniment petit, — qu'un infiniment petit
puisse à lui seul créer une expression absolument particulière, une individualité, — ce n'était pas que l'infiniment petit de la ligne et l'originalité de l'expression qui
faisaient apparaître ces visages comme irréductibles les
uns aux autres. Entre ceux de mes amies la coloration
mettait une séparation plus profonde encore, non pas
tant par la beauté variée des tons qu'elle leur fournissait, si opposés que je prenais devant Rosemonde
— inondée d'un rose soufré sur lequel réagissait encore
la lumière verdâtre des yeux — et devant Andrée — dont
les joues blanches recevaient tant d'austère distinction
de ses cheveux noirs — le même genre de plaisir que si
j'avais regardé tour à tour un géranium au bord de la mer
ensoleillée et un camélia dans la nuit ; mais surtout parce
que les différences infiniment petites des lignes se trouvaient démesurément grandies, les rapports des surfaces
entièrement changés par cet élément nouveau de la
couleur, lequel, tout aussi bien que le dispensateur des
teintes, est un grand générateur ou tout au moins modifi-
cateur des dimensions. De sorte que des visages, peut-
être construits de façon peu dissemblable, selon qu'ils
étaient éclairés, par les feux d'une rousse chevelure,
d'un teint rose, par la lumière blanche, d'une mate
pâleur, s'étiraient ou s'élargissaient, devenaient une autre
chose, comme ces accessoires des ballets russes, consistant parfois, s'ils sont vus en plein jour, en une simple
rondelle de papier, et que le génie d'un Bakst, selon
l'éclairage incarnadin ou lunaire où il plonge le décor,
fait s'y incruster durement comme une turquoise à la
façade d'un palais, ou s'y épanouir avec mollesse, rose
de bengale au milieu d'un jardin. Ainsi en prenant connaissance des visages, nous les mesurons bien, mais en
peintres, non en arpenteurs.

Il en était d'Albertine comme de ses amies. Certains
jours, mince, le teint gris, l'air maussade, une transpa-

rence violette descendant obliquement au fond de ses
yeux comme il arrive quelquefois pour la mer, elle semblait éprouver une tristesse d'exilée. D'autres jours, sa
figure plus lisse engluait les désirs à sa surface vernie et
les empêchait d'aller au delà ; à moins que je ne la visse
tout à coup de côté, car ses joues mates comme une blanche cire à la surface étaient roses par transparence,
ce qui donnait tellement envie de les embrasser, d'atteindre ce teint différent qui se dérobait. D'autres fois, le
bonheur baignait ces joues d'une clarté si mobile que la
peau, devenue fluide et vague, laissait passer comme des
regards sous-jacents qui la faisaient paraître d'une autre
couleur, mais non d'une autre manière, que les yeux ;
quelquefois, sans y penser, quand on regardait sa figure
ponctuée de petits points bruns et où flottaient seulement deux taches plus bleues, c'était comme on eût fait
d'un œuf de chardonneret, souvent comme d'une agate
opaline travaillée et polie à deux places seulement où,
au milieu de la pierre brune, luisaient, comme les ailes
transparentes d'un papillon d'azur, les yeux où la chair
devient miroir et nous donne l'illusion de nous laisser,
plus qu'en les autres parties du corps, approcher de
l'âme. Mais le plus souvent aussi elle était plus colorée,
et alors plus animée ; quelquefois seul était rose, dans sa
figure blanche, le bout de son nez, fin comme celui d'une
petite chatte sournoise avec qui l'on aurait eu envie de
jouer ; quelquefois ses joues étaient si lisses que le regard
glissait comme sur celui d'une miniature sur leur émail
rose, que faisait encore paraître plus délicat, plus intérieur, le couvercle entr'ouvert et superposé de ses cheveux noirs ; il arrivait que le teint de ses joues atteignît
le rose violacé du cyclamen, et parfois même, quand elle
était congestionnée ou fiévreuse, et donnant alors l'idée
d'une complexion maladive qui rabaissait mon désir à
quelque chose de plus sensuel et faisait exprimer à son
regard quelque chose de plus pervers et de plus malsain,

la sombre pourpre de certaines roses d'un rouge presque
noir ; et chacune de ces Albertine était différente, comme
est différente chacune des apparitions de la danseuse dont
sont transmutées les couleurs, la forme, le caractère, selon
les jeux innombrablement variés d'un projecteur lumineux. C'est peut-être parce qu'étaient si divers les êtres
que je contemplais en elle à cette époque que, plus tard,
je pris l'habitude de devenir moi-même un personnage
autre selon celle des Albertine à laquelle je pensais :
un jaloux, un indifférent, un voluptueux, un mélancolique, un furieux, recréés, non seulement au hasard du
souvenir qui renaissait, mais selon la force de la croyance
interposée, pour un même souvenir, par la façon différente dont je l'appréciais. Car c'est toujours à cela qu'il
fallait revenir, à ces croyances qui la plupart du temps
remplissent notre âme à notre insu, mais qui ont pourtant plus d'importance pour notre bonheur que tel être
que nous voyons, car c'est à travers elles que nous le
voyons, ce sont elles qui assignent sa grandeur passagère
à l'être regardé. Pour être exact, je devrais donner un
nom différent à chacun des moi qui dans la suite pensa à
Albertine ; je devrais plus encore donner un nom différent à chacune de ces Albertine qui apparaissaient devant
moi, jamais la même, comme — appelées simplement par
moi, pour plus de commodité, la mer — ces mers qui se
succédaient et devant lesquelles, autre nymphe, elle se
détachait. Mais surtout — de la même manière, mais
bien plus utilement, qu'on dit, dans un récit, le temps
qu'il faisait tel jour — je devrais donner toujours son
nom à la croyance qui, tel jour où je voyais Albertine,
régnait sur mon âme, en faisait l'atmosphère, l'aspect
des êtres, comme celui des mers, dépendant de ces nuées
à peine visibles qui changent la couleur de chaque chose
par leur concentration, leur mobilité, leur dissémination,
leur fuite, — comme celle qu'Elstir avait déchirée, un
soir, en ne me présentant pas aux jeunes filles avec qui

il s'était arrêté, et dont les images m'étaient soudain apparues plus belles quand elles s'éloignaient — nuée qui s'était reformée, quelques jours plus tard, quand je les avais connues, voilant leur éclat, s'interposant souvent entre elles et mes yeux, opaque et douce, pareille à la Leucothea de Virgile.

Sans doute leurs visages à toutes avaient bien changé pour moi de sens, depuis que la façon dont il fallait les lire m'avait été dans une certaine mesure indiquée par leurs propos, propos auxquels je pouvais attribuer une valeur d'autant plus grande que par mes questions je les provoquais à mon gré, les faisais varier comme un expérimentateur qui demande à des contre-épreuves la vérification de ce qu'il a supposé. Et c'est en somme une façon comme une autre de résoudre le problème de l'existence, qu'approcher suffisamment les choses et les personnes qui nous ont paru de loin belles et mystérieuses, pour nous rendre compte qu'elles sont sans mystère et sans beauté ; c'est une des hygiènes entre lesquelles on peut opter, une hygiène qui n'est peut-être pas très recommandable, mais elle nous donne un certain calme pour passer la vie, et aussi — comme elle permet de ne rien regretter, en nous persuadant que nous avons atteint le meilleur, et que le meilleur n'était pas grand'chose — pour nous résigner à la mort.

J'avais remplacé au fond du cerveau de ces jeunes filles le mépris de la chasteté, le souvenir de quotidiennes passades, par d'honnêtes principes, capables peut-être de fléchir, mais ayant jusqu'ici préservé de tout écart celles qui les avaient reçus de leur milieu bourgeois. Or, quand on s'est trompé dès le début, même pour les petites choses, quand une erreur de supposition ou de souvenirs vous fait chercher l'auteur d'un potin malveillant ou l'endroit où on a égaré un objet dans une fausse direction, il peut arriver qu'on ne découvre son erreur que pour lui substituer non pas la vérité, mais une autre erreur.

Je tirais, en ce qui concernait leur manière de vivre et la conduite à tenir avec elles, toutes les conséquences du mot innocence que j'avais lu, en causant familièrement avec elles, sur leur visage. Mais peut-être l'avais-je lu étourdiment, dans le lapsus d'un déchiffrage trop rapide, et n'y était-il pas plus écrit que le nom de Jules Ferry sur le programme de la matinée où j'avais entendu pour la première fois la Berma, ce qui ne m'avait pas empêché de soutenir à M. de Norpois que Jules Ferry, sans doute possible, écrivait des levers de rideau.

Pour n'importe laquelle de mes amies de la petite bande, comment le dernier visage que je lui avais vu n'eût-il pas été le seul que je me rappelasse, puisque, de nos souvenirs relatifs à une personne, l'intelligence élimine tout ce qui ne concourt pas à l'utilité immédiate de nos relations quotidiennes (même et surtout si ces relations sont imprégnées d'un peu d'amour, lequel, toujours insatisfait, vit dans le moment qui va venir)? Elle laisse filer la chaîne des jours passés, n'en garde fortement que le dernier bout, souvent d'un tout autre métal que les chaînons disparus dans la nuit, et dans le voyage que nous faisons à travers la vie, ne tient pour réel que le pays où nous sommes présentement. Mes toutes premières impressions, déjà si lointaines, ne pouvaient pas trouver contre leur déformation journalière un recours dans ma mémoire ; pendant les longues heures que je passais à causer, à goûter, à jouer avec ces jeunes filles, je ne me souvenais même pas qu'elles étaient les mêmes vierges impitoyables et sensuelles que j'avais vues, comme dans une fresque, défiler devant la mer.

Les géographes, les archéologues nous conduisent bien dans l'île de Calypso, exhument bien le palais de Minos. Seulement Calypso n'est plus qu'une femme, Minos, qu'un roi sans rien de divin. Même les qualités et les défauts que l'histoire nous enseigne alors avoir été l'apanage de ces personnes fort réelles, diffèrent souvent beaucoup de ceux que nous avions prêtés aux êtres fabuleux qui portaient le même nom. Ainsi s'était dissipée toute la gracieuse mythologie océanique que j'avais composée les premiers jours. Mais il n'est pas tout à fait indifférent qu'il nous arrive, au moins quelquefois, de passer notre temps dans la familiarité de ce que nous avons cru inaccessible et que nous avons désiré. Dans le commerce des personnes que nous avons d'abord trouvées désagréables, persiste toujours, même au milieu du plaisir factice qu'on peut finir par goûter auprès d'elles, le goût frelaté des défauts qu'elles ont réussi à dissimuler. Mais dans des relations comme celles que j'avais avec Albertine et ses amies, le plaisir vrai qui est à leur origine laisse ce parfum qu'aucun artifice ne parvient à donner aux fruits forcés, aux raisins qui n'ont pas mûri au soleil. Les créatures surnaturelles qu'elles avaient été un instant pour moi, mettaient encore, même à mon insu, quelque merveilleux dans les rapports les plus banals que j'avais avec elles, ou plutôt préservaient ces rapports d'avoir jamais rien de banal. Mon désir avait cherché avec tant d'avidité la signification des yeux qui maintenant me connaissaient et me souriaient, mais qui, le premier jour, avaient croisé mes regards comme des rayons d'un autre univers, il avait distribué si largement et si minutieusement la couleur et le parfum sur les surfaces carnées de ces jeunes filles qui, étendues sur la falaise, me tendaient simplement des sandwiches ou jouaient aux devinettes, que souvent dans l'après-midi pendant que j'étais allongé, — comme ces peintres qui, cherchant la grandeur de l'antique dans la vie moderne, donnent à une femme qui se coupe un ongle de pied la noblesse du « Tireur d'épine » ou qui comme Rubens, font des déesses avec des femmes de leur connaissance pour composer une scène mythologique — ces beaux corps bruns et blonds, de types si opposés, répandus autour de moi dans l'herbe, je les regardais sans les vider peut-être de tout le médiocre contenu dont l'expérience journalière les avait remplis, et pourtant (sans me rappeler expressément leur céleste origine) comme si, pareil à Hercule ou à Télémaque, j'avais été en train de jouer au milieu des nymphes.

Puis les concerts finirent, le mauvais temps arriva, mes amies quittèrent Balbec, non pas toutes ensemble, comme les hirondelles, mais dans la même semaine. Albertine s'en alla la première, brusquement, sans qu'aucune de ses amies eût pu comprendre, ni alors, ni plus tard, pourquoi elle était rentrée tout à coup à Paris, où ni travaux, ni distractions ne la rappelaient. « Elle n'a dit ni quoi ni qu'est-ce et puis elle est partie », grommelait Françoise, qui aurait d'ailleurs voulu que nous en fissions autant. Elle nous trouvait indiscrets vis-à-vis des employés, pourtant déjà bien réduits en nombre, mais retenus par les rares clients qui restaient, vis-à-vis du directeur qui « mangeait de l'argent ». Il est vrai que depuis longtemps l'hôtel, qui n'allait pas tarder à fermer, avait vu partir presque tout le monde ; jamais il n'avait été aussi agréable. Ce n'était pas l'avis du directeur ; tout le long des salons où l'on gelait et à la porte desquels ne veillait plus aucun groom, il arpentait les corridors, vêtu d'une redingote neuve, si soigné par le coiffeur que sa figure fade avait l'air de consister en un mélange où pour une partie de chair il y en aurait eu trois de cosmétique, changeant sans cesse de cravates (ces élégances coûtent moins cher que d'assurer le chauffage et de garder le personnel, et tel qui ne peut plus envoyer dix mille francs à une œuvre de bienfaisance fait encore sans peine le généreux en donnant cent sous de pourboire au télégraphiste qui lui apporte une dépêche). Il avait l'air d'inspecter le néant, de vouloir donner, grâce à sa bonne tenue personnelle, un air provisoire à la misère que l'on sentait dans cet hôtel où la saison n'avait pas été bonne, et paraissait comme le fantôme d'un souverain qui revient hanter les ruines de ce qui fut jadis

son palais. Il fut surtout mécontent quand le chemin de
fer d'intérêt local, qui n'avait plus assez de voyageurs,
cessa de fonctionner pour jusqu'au printemps suivant.
« Ce qui manque ici, disait le directeur, ce sont les moyens
de commotion. » Malgré le déficit qu'il enregistrait, il
faisait pour les années suivantes des projets grandioses.
Et comme il était tout de même capable de retenir exactement de belles expressions, quand elles s'appliquaient à
l'industrie hôtelière et avaient pour effet de la magnifier :
« Je n'étais pas suffisamment secondé quoique à la salle à
manger j'avais une bonne équipe, disait-il ; mais les
chasseurs laissaient un peu à désirer ; vous verrez l'année
prochaine quelle phalange je saurai réunir. » En attendant,
l'interruption des services du B. C. B. l'obligeait à envoyer
chercher les lettres et quelquefois conduire les voyageurs
dans une carriole. Je demandais souvent à monter à côté
du cocher et cela me fit faire des promenades par tous les
temps, comme dans l'hiver que j'avais passé à Combray.

Parfois pourtant la pluie trop cinglante nous retenait,
ma grand'mère et moi, le Casino étant fermé, dans des
pièces presque complètement vides, comme à fond de cale
d'un bateau quand le vent souffle, et où, chaque jour,
comme au cours d'une traversée, une nouvelle personne
d'entre celles près de qui nous avions passé trois mois sans
les connaître, le premier président de Rennes, le bâtonnier
de Caen, une dame américaine et ses filles, venaient à nous,
entamaient la conversation, inventaient quelque manière
de trouver les heures moins longues, révélaient un talent,
nous enseignaient un jeu, nous invitaient à prendre le thé,
ou à faire de la musique, à nous réunir à une certaine
heure, à combiner ensemble de ces distractions qui possèdent le vrai secret de nous faire donner du plaisir,
lequel est de n'y pas prétendre mais seulement de nous
aider à passer le temps de notre ennui, enfin nouaient
avec nous sur la fin de notre séjour des amitiés que, le
lendemain, leurs départs successifs venaient interrompre.

Je fis même la connaissance du jeune homme riche, d'un
de ses deux amis nobles et de l'actrice qui était revenue
pour quelques jours ; mais la petite société ne se composait plus que de trois personnes, l'autre ami était rentré à
Paris. Ils me demandèrent de venir dîner avec eux dans
leur restaurant. Je crois qu'ils furent assez contents que je
n'acceptasse pas. Mais ils avaient fait l'invitation le plus
aimablement possible, et bien qu'elle vînt en réalité du
jeune homme riche, puisque les autres personnes n'étaient
que ses hôtes, comme l'ami qui l'accompagnait, le marquis Maurice de Vaudémont, était de très grande maison,
instinctivement l'actrice, en me demandant si je ne voudrais pas venir, me dit pour me flatter :

— Cela fera tant de plaisir à Maurice.

Et quand dans le hall je les rencontrai tous trois, ce fut
M. de Vaudémont, le jeune homme riche s'effaçant, qui
me dit :

— Vous ne nous ferez pas le plaisir de dîner avec nous ?

En somme, j'avais bien peu profité de Balbec, ce qui ne
me donnait que davantage le désir d'y revenir. Il me semblait que j'y étais resté trop peu de temps. Ce n'était pas
l'avis de mes amis qui m'écrivaient pour me demander
si je comptais y vivre définitivement. Et de voir que
c'était le nom de Balbec qu'ils étaient obligés de mettre
sur l'enveloppe, comme ma fenêtre donnait, au lieu que
ce fût sur une campagne ou sur une rue, sur les champs
de la mer, que j'entendais pendant la nuit sa rumeur, à
laquelle j'avais, avant de m'endormir, confié, comme une
barque, mon sommeil, j'avais l'illusion que cette promiscuité avec les flots devait matériellement, à mon insu,
faire pénétrer en moi la notion de leur charme, à la façon
de ces leçons qu'on apprend en dormant.

Le directeur m'offrait pour l'année prochaine de meilleures chambres, mais j'étais attaché maintenant à la
mienne où j'entrais sans plus jamais sentir l'odeur du
vétiver, et dont ma pensée, qui s'y élevait jadis si difficile-

ment, avait fini par prendre si exactement les dimensions
que je fus obligé de lui faire subir un traitement inverse
quand je dus coucher à Paris dans mon ancienne chambre,
laquelle était basse de plafond.

Il avait fallu quitter Balbec en effet, le froid et l'humidité étant devenus trop pénétrants pour rester plus longtemps dans cet hôtel dépourvu de cheminées et de calo-
rifère. J'oubliai d'ailleurs presque immédiatement ces
dernières semaines. Ce que je revis presque invariablement
quand je pensai à Balbec, ce furent les moments où,
chaque matin, pendant la belle saison, comme je devais
l'après-midi sortir avec Albertine et ses amies, ma grand'-
mère, sur l'ordre du médecin, me força à rester couché
dans l'obscurité. Le directeur donnait des ordres pour
qu'on ne fît pas de bruit à mon étage et veillait lui-même
à ce qu'ils fussent obéis. A cause de la trop grande lumière,
je gardais fermés le plus longtemps possible les grands
rideaux violets qui m'avaient témoigné tant d'hostilité le
premier soir. Mais comme, malgré les épingles avec lesquelles, pour que le jour ne passât pas, Françoise les
attachait chaque soir et qu'elle seule savait défaire, malgré
les couvertures, le dessus de table en cretonne rouge, les
étoffes prises ici ou là qu'elle y ajustait, elle n'arrivait pas
à les faire joindre exactement, l'obscurité n'était pas
complète et ils laissaient se répandre sur le tapis comme
un écarlate effeuillement d'anémones parmi lesquelles je
ne pouvais m'empêcher de venir un instant poser mes
pieds nus. Et sur le mur qui faisait face à la fenêtre, et qui
se trouvait partiellement éclairé, un cylindre d'or que rien
ne soutenait était verticalement posé et se déplaçait lentement comme la colonne lumineuse qui précédait les
Hébreux dans le désert. Je me recouchais ; obligé de
goûter, sans bouger, par l'imagination seulement et tous
à la fois, les plaisirs des jeux, du bain, de la marche, que
la matinée conseillait, la joie faisait battre bruyamment
mon cœur comme une machine en pleine action, mais

immobile, et qui ne peut que décharger sa vitesse sur place en tournant sur elle-même.

Je savais que mes amies étaient sur la digue, mais je ne les voyais pas, tandis qu'elles passaient devant les chaînons inégaux de la mer, tout au fond de laquelle, et perchée au milieu de ses cimes bleuâtres comme une bourgade italienne, se distinguait parfois dans une éclaircie la petite ville de Rivebelle, minutieusement détaillée par le soleil. Je ne voyais pas mes amies, mais (tandis qu'arrivaient jusqu'à mon belvédère l'appel des marchands de journaux, des « journalistes », comme les nommait Françoise, les appels des baigneurs et des enfants qui jouaient, ponctuant à la façon des cris des oiseaux de mer le bruit du flot qui doucement se brisait), je devinais leur présence, j'entendais leur rire enveloppé comme celui des Néréides dans le doux déferlement qui montait jusqu'à mes oreilles. « Nous avons regardé, me disait le soir Albertine, pour voir si vous descendriez. Mais vos volets sont restés fermés, même à l'heure du concert. » A dix heures, en effet, il éclatait sous mes fenêtres. Entre les intervalles des instruments, si la mer était pleine, reprenait, coulé et continu, le glissement de l'eau d'une vague qui semblait envelopper les traits du violon dans ses volutes de cristal et faire jaillir son écume au-dessus des échos intermittents d'une musique sous-marine. Je m'impatientais qu'on ne fût pas encore venu me donner mes affaires pour que je puisse m'habiller. Midi sonnait, enfin arrivait Françoise. Et pendant des mois de suite, dans ce Balbec que j'avais tant désiré parce que je ne l'imaginais que battu par la tempête et perdu dans les brumes, le beau temps avait été si éclatant et si fixe que, quand elle venait ouvrir la fenêtre, j'avais pu toujours, sans être trompé, m'attendre à trouver le même pan de soleil plié à l'angle du mur extérieur, et d'une couleur immuable qui était moins émouvante comme un signe de l'été qu'elle n'était morne comme celle d'un émail inerte et factice. Et tandis que Françoise ôtait les épingles des impostes, détachait les étoffes, tirait les rideaux, le jour d'été qu'elle découvrait semblait aussi mort, aussi immémorial qu'une somptueuse et millénaire momie que notre vieille servante n'eût fait que précautionneusement désemmailloter de tous ses linges, avant de la faire apparaître, embaumée dans sa robe d'or.

DU MÊME AUTEUR

LETTRES À REYNALDO HAHN

TEXTES RETROUVÉS.

CORRESPONDANCE AVEC JACQUES RIVIÈRE

LE CARNET DE 1908, *notes.*

L'INDIFFÉRENT, *nouvelles.*

POÈMES.

MATINÉE CHEZ LA PRINCESSE DE GUERMANTES, *récit*
   inédit.

Impression Bussière à Saint-Amand (Cher),
le 11 août 1986.
Dépôt légal : août 1986.
1er dépôt légal dans la collection : mai 1972.
Numéro d'imprimeur : 2005.
ISBN 2-07-036086-5./Imprimé en France.